传奇医学

改变人类命运的医学成就

【英】威廉·拜纳姆（William Bynum） 海伦·拜纳姆（Helen Bynum） 著

本书翻译组 译

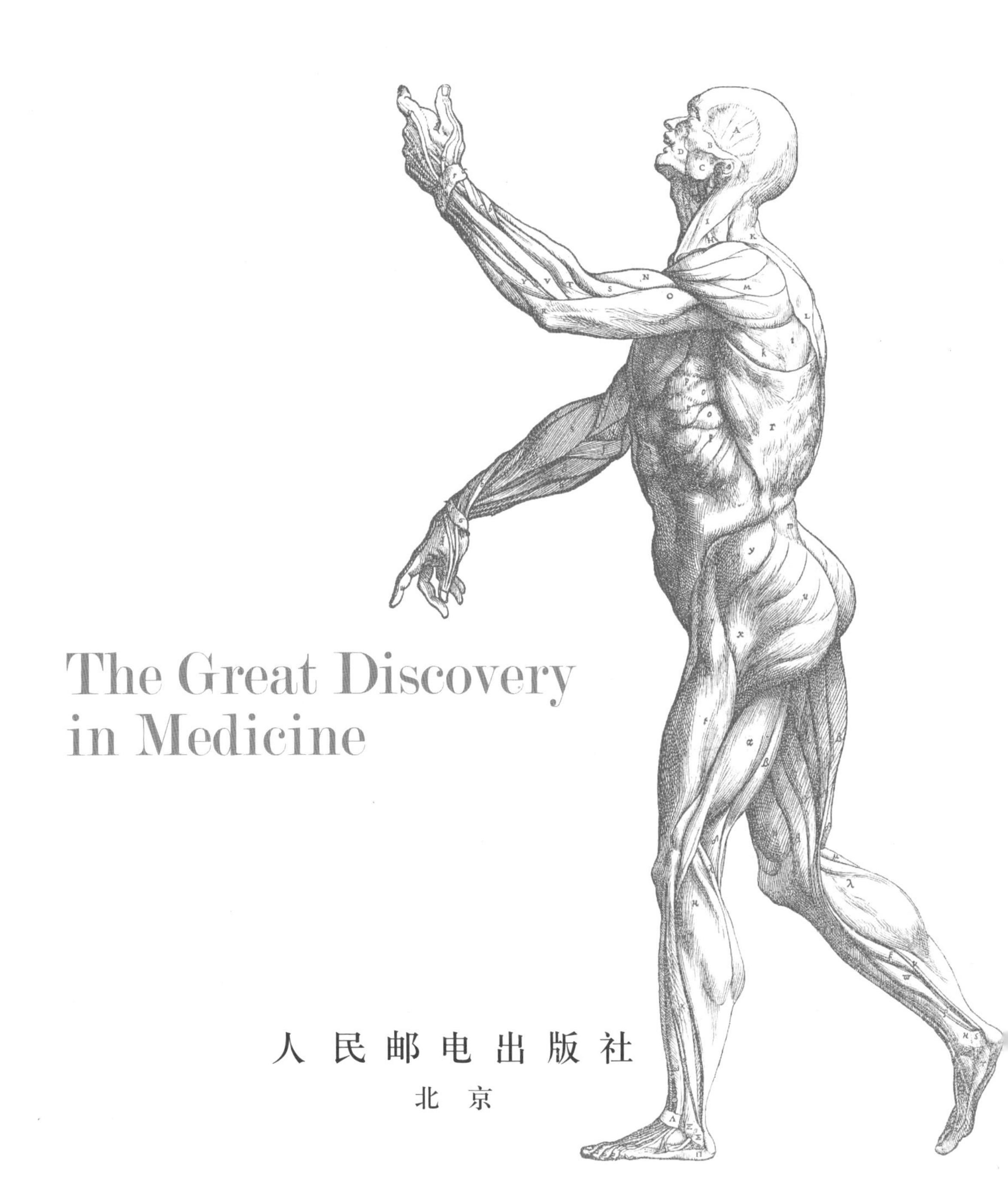

The Great Discovery in Medicine

人 民 邮 电 出 版 社

北 京

图书在版编目（CIP）数据

传奇医学 ：改变人类命运的医学成就 /（英）拜纳姆（Bynum,W.），（英）拜纳姆（Bynum,H.）著 ；《传奇医学 ：改变人类命运的医学成就》翻译组译. -- 北京 ：人民邮电出版社，2015.12
（自然与科学探索）
ISBN 978-7-115-39561-0

Ⅰ. ①传… Ⅱ. ①拜… ②拜… ③传… Ⅲ. ①医学—普及读物 Ⅳ. ①R-49

中国版本图书馆CIP数据核字(2015)第210559号

版权声明

◆ 著 [英] 威廉· 拜纳姆（William Bynum）
海伦· 拜纳姆（Helen Bynum）
译 本书翻译组
责任编辑 毕 颖
责任印制 彭志环
◆ 人民邮电出版社出版发行 北京市丰台区成寿寺路 11 号
邮编 100164 电子邮件 315@ptpress.com.cn
网址 http://www.ptpress.com.cn
北京市雅迪彩色印刷有限公司印刷
◆ 开本：787×1092 1/16
印张：19 2015 年 12 月第 1 版
字数：416 千字 2015 年 12 月北京第 1 次印刷
著作权合同登记号 图字：01-2014-5089 号

定价：88.00 元

读者服务热线：(010)81055410 印装质量热线：(010) 81055316
反盗版热线：(010)81055315
广告经营许可证：京崇工商广字第 0021 号

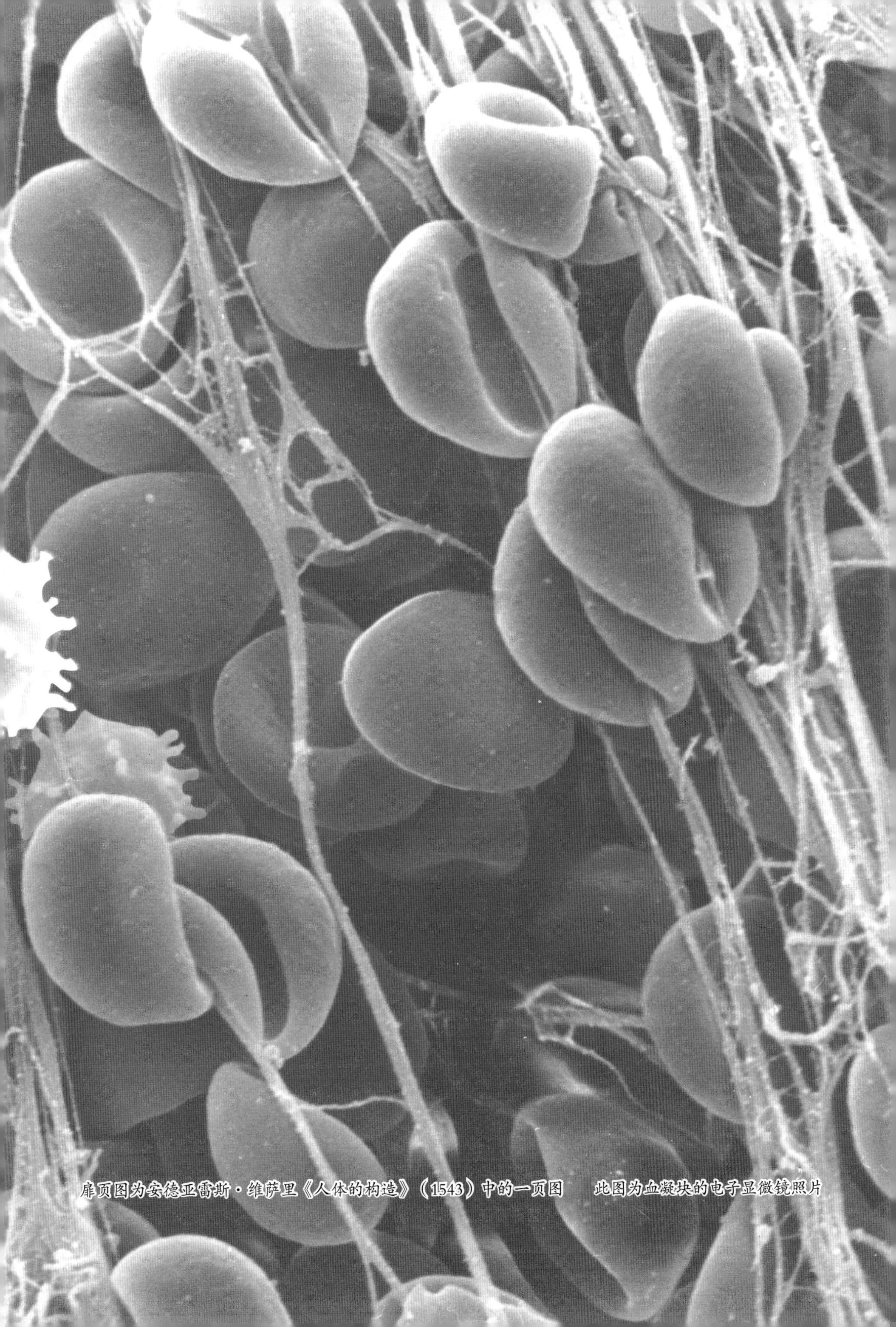

扉页图为安德亚雷斯·维萨里《人体的构造》（1543）中的一页图　　此图为血凝块的电子显微镜照片

目 录

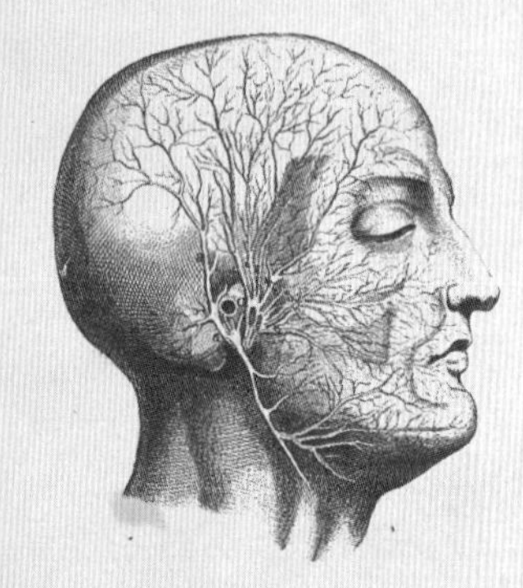

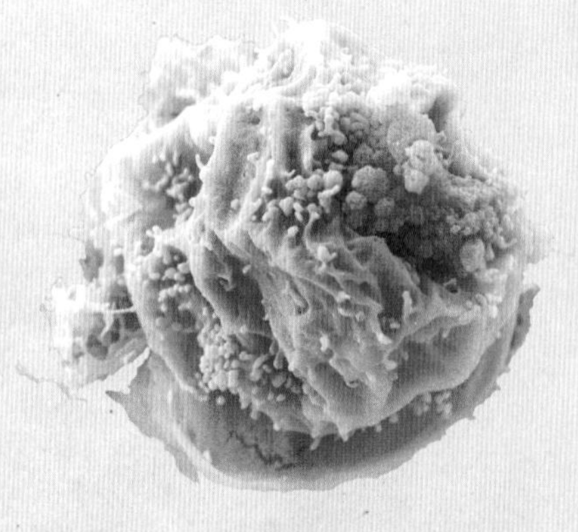

配图说明：太阳穴和耳朵的细节（1762），版画作者为普雷沃斯特（Prevost），在迪韦尔内（Duverney）、瓦尔萨瓦（Valsalva）和勒伊斯（Ruysch）的时代之后；植物杜若（*Pollia japonica*）的手工着色木刻版画（1665），应用于中医药；乳腺癌细胞的电镜扫描图像。

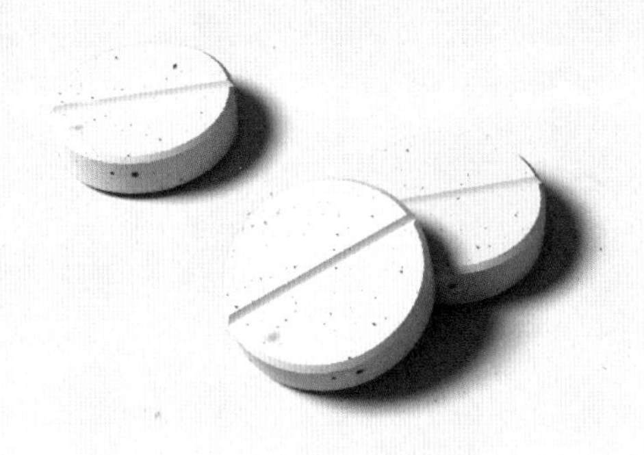

第三章 交易的工具 / 104

第四章 战胜祸害 / 142

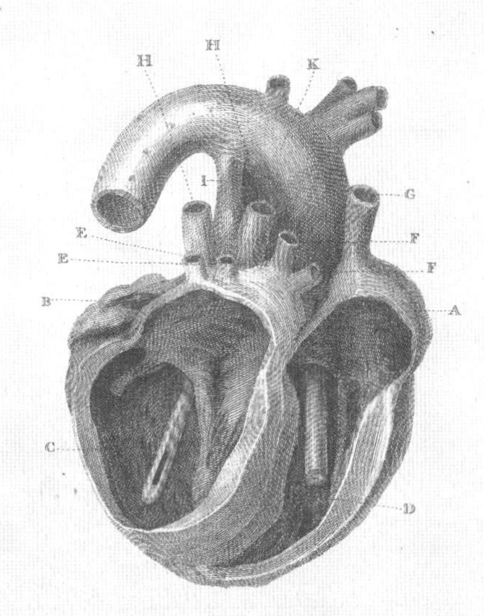

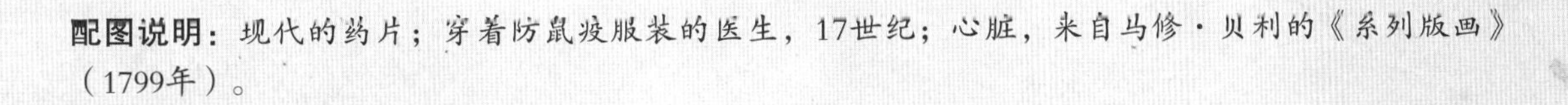

配图说明：现代的药片；穿着防鼠疫服装的医生，17世纪；心脏，来自马修·贝利的《系列版画》（1799年）。

第五章
“能治所有病的药” / 180

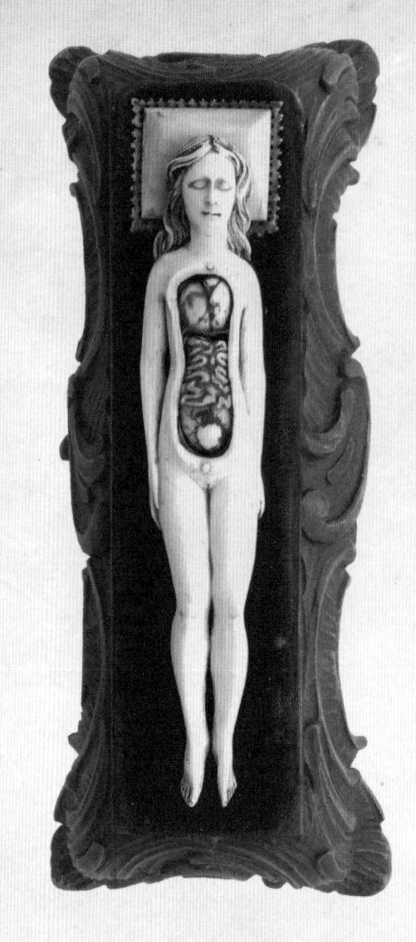

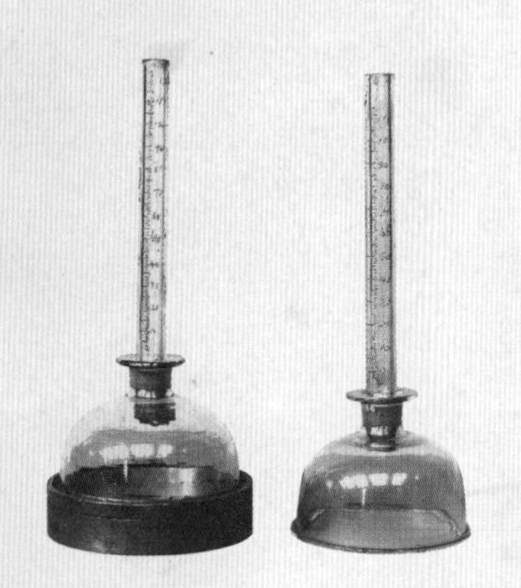

第六章
外科突破 / 214

配图说明：托马斯·格雷厄姆（Thomas Graham）用以发现扩散定律的设备；象牙制解剖模型，部分可以活动，德国，17世纪。

第七章
医学成就 / 258

配图说明： 美国南北战争时期外科器械的细节图；烟草植株的细节，是爱德华·布雷斯福德（Edward Brailsford）1799年《论烟草的化学和医学属性》的卷首插图。

医学的科学与艺术

身体健康至关重要。人们生病时，往往需要来自家人、邻居及医生的同情和帮助。古今皆然。因而，医学即使不是最古老的专业，也具有悠久的历史渊源。

很长时间以来，医学都与宗教和对世间万物的超自然解释紧密相连。在古亚述、古巴比伦、古埃及和其他东方文明对疾病和治疗的早期记载中，宗教都主宰着对疾病成因和治愈的解释。古埃及很早就出现了疗愈圣殿，比希腊早得多，而在所有有文字记载的古文明中，都能找到医师同时又作为祭司的例子。

但是，公元前5世纪，古希腊出现了一种新的医学方法，以希波克拉底及其追随者为代表。希波克拉底们并非没有宗教信仰，但他们发展出了一种世俗医学，追求在自然的框架内解释健康和疾病。因此，希波克拉底可以被称为“西方医学之父”；他和他的追随者们倾心研究疾病的诊断和治疗，并与现代医生一样，会为病人就如何保持健康状态提出建议。

尽管在宗教和神学意义上，健康和疾病从未完全分离，多数医生还是希望从理性、科学的角度来理解病人的痛苦。现代医生使用多种多样的仪器和设备来对疾病进行诊断和治疗；他们在医学院中会学习生理学、生物化学、微生物学和分子生物学，遇到需要帮助的病人时，也会使用临床实践的方法，这就是医学科学。而本书大部分内容都会描述医生个人经验及其洞见，也正是因为这样，现代医学才逐渐发展起来。

但科学从来都不是全部。正如希波克拉底所见，医学中蕴含着艺术。现今，人们鼓励医生们利用精湛的临床技巧去聆听病人的诉求，以同情心和同理心来为他们治疗。希波克拉底学派的誓言之一是“采取我认为有利于病人的医疗措施，不能给病人带来痛苦与危害”。这条训令在漫长的医学史中极少能够实现，本书后面的内容偶有提及。医生们力求理解流行病爆发的原因，以及我们的饮食、吸烟等习惯如何影响我们的生存机会。随着现代社会科学越来越发达，医学承担了很多古代由医生—祭司来负责的关怀职能。我们仍然有疗愈圣殿，只是改称为医院了。

我们无从知道希波克拉底的长相，尽管有文字描述，却没有现代的照片。但是以他在医学史上的地位，以及对现代医学实践的启蒙，人们凭想象为他画的肖像则很容易找到。

方法与途径

医学的基础知识包括探究身体的工作原理，以及对疾病的反应。这种探究也能促进健康和增加寿命（尽管人们在身体状态好的时候不会想要去看医生）。本书的前两篇，探索人体和理解健康与疾病，分析了不同文明看待健康及生病的身体和精神的方式。在非西方的传统医学中，整体论占主导地位。西方医学则更关注较小的身体部位——器官、细胞、分子等。多种疾病都可解释为这些单元的失灵或交互式错误，从而为治疗和康复提供新的方法。不过，对于这些，病人可能就难以理解了。

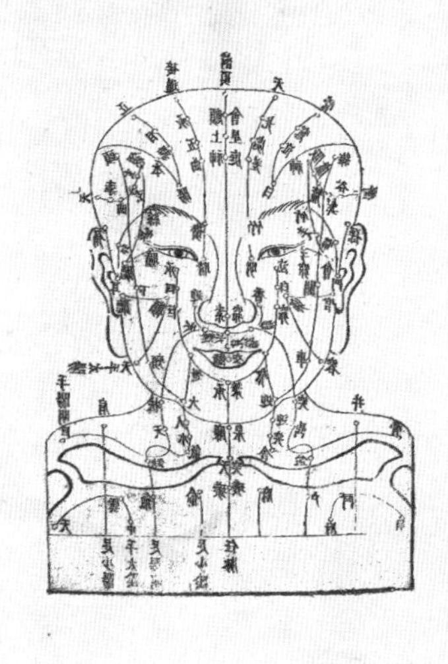

第三篇介绍了诊断和治疗技术，有的简单而精妙，有的则让人眼花缭乱。正是因为有这些，我们才能比过去了解得更多，做得更多。在第四篇中，我们遭遇了与人类共享地球的微生物大军，它们已经烦扰了我们上千年。地方特有疾病的积聚有可能演变为流行病，这在过去和现在都困扰着人类，它们会摧毁个人生活，并破坏社会组织。

医学上，帮助病人的方法有很多种，其中三个关键因素就是本书最后三章的内容，将本书范围扩大到传染病之外。第四篇对药物（口服、注射或吸入）的多种作用进行了探究，如止痛、缓解精神疾病，以及通过调整身体激素水平来避孕。曾有这样一句话："切除的机会就是治愈的机会"。"外科的突破"一章探讨了手术刀切入带来的好处（和坏处），并介绍了一些让现代手术得以进行的关键技术。医学成就则包含了人们用于预防疾病和增进健康的多种方法。医生们对病患和病因有了更深入的了解，开始考虑处置牛痘疫苗，而当关键器官衰退时，还有其他办法能维持生命。本书以一项获得诺贝尔奖的成果结尾。这项成果探讨了一种可引起胃溃疡的细菌，如果不及时治疗，有可能会发展为癌症。诺贝尔奖联合得主巴里·马歇尔（Barry Marshall）以亲身经历提醒我们，应坚持清晰的思路，敢于质疑常识，并有勇气直面反对的意见。在科学与高科技之外，医学仍需要人文关怀。

上图

头部前方的针灸图，17世纪中国的木刻版画。线条表示贯穿全身及穴位的经络。针刺或艾灸在穴位处进行，从而让整体的气血重归平衡。

对页

圣伊丽莎白为德国马尔堡医院的一位男性病人提供食物和饮水，16世纪铜版印刷油画，作者为亚当·埃尔斯海默（Adam Elsheimer）。早期的现代医院与宗教慈善服务、对穷人的照顾和治疗都密切相关。

第一章

探索人体

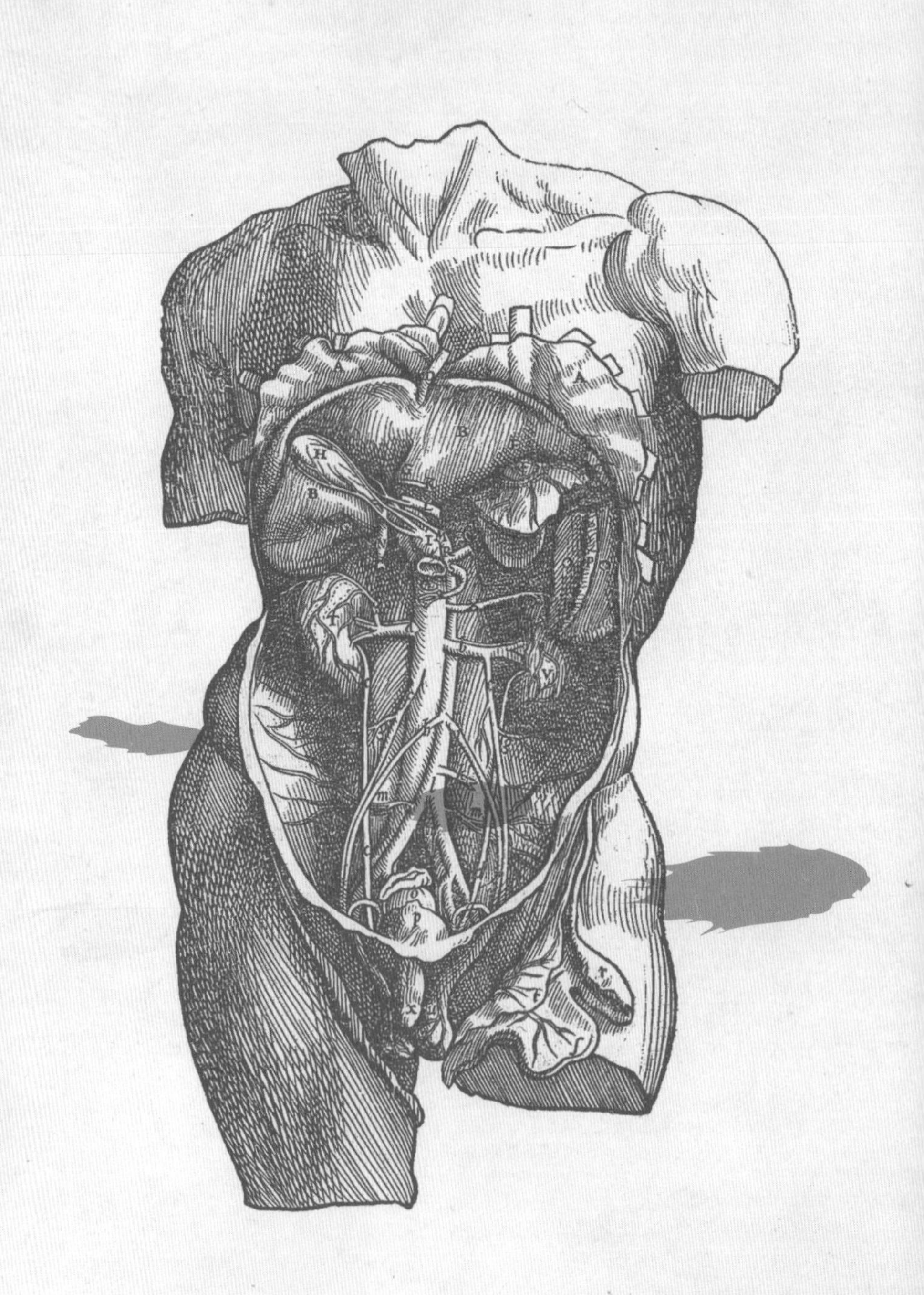

古代文明曾孕育出许多伟大的传统医学，但其中很多都已经消亡了，例如古埃及的医学。而古中国、古印度和古希腊的传统医学则得到了长足发展，即使经过数世纪的演变，仍有不少继承者和实践者。基于“阴阳”“精气”概念的中医，在中国和西方都仍有大量应用。在西方，其最典型的表现形式是针灸；在中国及其他地方，各类草药疗法也仍有很多追随者。

阿育吠陀（Ayurvedic）医学，即古印度的草药疗法，在印度及其他地区有着广泛应用。在传统印度文明之中，还有另一套与之分庭抗礼的体系，称做优那尼（Yunani），来源于古希腊医学，并经过了伊斯兰思想的影响和改造。优那尼在所有穆斯林世界中仍很流行，算是对希波克拉底学派的传承。在西方，希波克拉底医学为现代科学医学的发展奠定了基础。其最初的理论框架与中国、印度和希腊医学有许多共通之处：它们都认为人体中的液体（体液说）是理解健康和疾病的关键；它们都采取整体论，认为疾病在病人周身发作；并且都强调健康平衡的重要性。而且它们都有多种多样的疗法，包括饮食、锻炼、药物和现今所称的改变“生活方式”。

古希腊希波克拉底和盖伦的传统医学是现代医学的基石，在欧洲中世纪晚期开始得到逐渐改良，并在文艺复兴时期得到加速发展。这个过程始于对人体解剖学的系统研究，尤其要归功于安德亚雷斯·维萨里（Andreas Vesalius），他于公元1543年做出的伟大贡献让解剖学迈向了新的台阶。印刷术和新的插图技术对解剖学的发展也起到了同样重要的作用。

维萨里著作的标题是《人体的构造》（*De humani fabrica corporis*），反映了医学不再关注体液（血液、黄胆汁、黑胆汁和黏液），开始转而关注人体的实际组成部分和器官，如心脏、肝脏、脾脏和大脑等。维萨里最初主要研究的是常规解剖学，但是当医生们开始解剖死亡病人的尸体，他们很快发现是疾病造成了器官的病变——英国哲学家弗朗西斯·培根称之为“疾病的足迹”。这些医生所称的“病变”逐渐与各种疾病联系起来——不同类型的发热、癌症、炎症、溃疡、脓肿等，为深入理解人们生病的机制提供了方法。

19世纪初，研究进一步深入——从器官到组织，从细胞到分子。随着医生和科学家们在前所未有的微观层面上理解健康和疾病，现代医学变得更加有效，与科学技术也更加难解难分。与此同时，医生们也并未忘记病人这个整体的存在，古代传统医学中至关重要的整体论从而得到一定程度的保留。

在意大利帕多瓦，16世纪伟大的解剖学家安德亚雷斯·维萨里，期望通过解剖来理解人体结构。这幅躯干示意图用于展示内脏，来自他1543年的不朽之作《人体的构造》，这是文艺复兴时期科学与艺术的结晶。

01. 埃及传统医学

艺术品、古迹、纸草书与人体遗骸

A.罗莎莉·戴维（A. Rosalie David）

“如果任何医生、赛克迈特祭司或魔术师将双手或手指放到……他就能测量心率，因为其血管与四肢相连。”

——《埃伯特纸草书》（Ebers Papyrus）

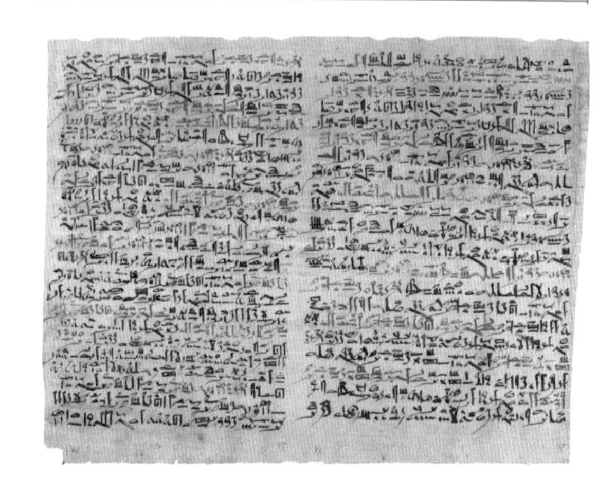

《埃德温·史密斯纸草书》（*Edwin Smith Papyrus*）中的一页（公元前1570年）。它由一位美国商人于19世纪在埃及购得，故便以他的名字来命名。纸草书以僧侣体从右至左写成，是已知最早的手术记录。

古埃及医学结合了“理性”与“非理性”的疗法，同时采用客观、科学的方法和神奇的治疗方式。若疾病有外部表现，能够为肉眼所见，那么通常会采取合理的治疗方法；但某种隐藏的因素，如神的惩罚、亡灵或敌人的报复等，也会通过咒语或奇妙的仪式来应对。表面上，人们认为古埃及人在使用这两种方法时不分伯仲，但现代科学研究已经证实，埃及人比我们认为的更加务实。

我们关于古埃及医学的认识来自于艺术品、古迹、纸草书和人体遗骸，尽管这些材料的数量和准确性之间有很大差异。例如，墓穴艺术通常会表现贵族们完美无缺的肉体，没有疾病或残疾，虽然仅有少量的古迹和碑文得以保存，但对人体遗骸的研究能够为当时的疾病、生活方式和治疗方法提供翔实客观的资料。

医生手册

目前发现的医学纸草书仅有十二部，原始文集很可能远不止这些。它们也许是医生的指导手册或操作指南，提供了古埃及人对生理的认知等重要信息，并描述了大量疾病的症状、诊断和治疗方法。但是，对纸草书的翻译仍是个难题，很多词语的准确含义和意义仍不明确。

《卡珲纸草书》（*Kahun Papyrus*）（公元前1825年）是现存最早的妇科专著，包括用于避孕的处方和妊娠测试。《埃德温·史密斯纸草书》（公元前1570年）则是世界上首例手术的记录。这说明，某些通常归功于希腊的重要医学进步其实早已在古埃及出现

左图

英霍蒂普神铜像，年代测定为公元前600～公元前30年，当时制作了许多此类小塑像。他戴着祭司的无檐帽，膝上握着卷轴，象征祭司—文士的身份。

下图

但德拉的神庙群，上埃及。在泥砖修成的疗养院中，来访者们会在从治疗雕像上流出的水中沐浴。右上方是罗马时期新建的诞生之屋，象征女神哈索尔（Hathor）在其中诞下了她与荷鲁斯（Horus）的孩子伊希。

了。例如，有些症状会成组出现（综合征），而不是单独出现。有迹象表明古埃及人会对脉搏进行计数；他们还知道对大脑功能进行分区定位。

神圣的空间

不少从业者会使用手术、药物和魔法来进行治疗。有些从业者仅仅在小镇或村庄，有些被称为医神者——如赛克迈特祭司（priests of Sekhmet）——则兼有祭司和医生的职能。与医学和治疗相关的神还有其他几位。英霍蒂普（Imhotep）是王室建筑师，也有可能是国王的医生，死后被封为神，并被看作是医学科学的奠基人；他的形象后来逐渐与希腊医神阿斯克勒庇俄斯（Asclepius）等同起来。

神庙在治疗中起到了重要作用。正如医学训练一样，有些神庙以治病救人而闻名，包括用圣水来清洁病人，以及静修（“宿庙求梦”，temple sleep）。病人独处于小黑屋中，进入某种被认为能与神交流的恍惚状态，进而痊愈。碑文证明埃及人采用这种方式比希腊人要早许多。但是，在埃及发掘并确认了的这类神庙仅有一座，与但德拉（Denderah）神庙毗邻，可能属于托勒密王朝时期（公元前332～公元前30年）。

埃及人的贡献

古埃及传统医学通过在希腊和阿拉伯世界的传播，成为欧洲和近东地区医学和药学的组成部分。埃及人的创新包括：解剖观察和手术实践；解剖学与医学词汇；复制且进行临床有效的药学；应用夹板、绷带和假体；建立治疗精神和肉体疾病的疗养院。尽管做出了这些突出贡献，但由于在理性治疗的同时仍保留了非理性元素，因此其进一步发展受到阻碍。

02. 中医

理解整体

琳达·L.巴恩斯（Linda L. Barnes）

“尽其心者，知其性也。知其性，则知天矣。”

——《孟子》，公元前4世纪

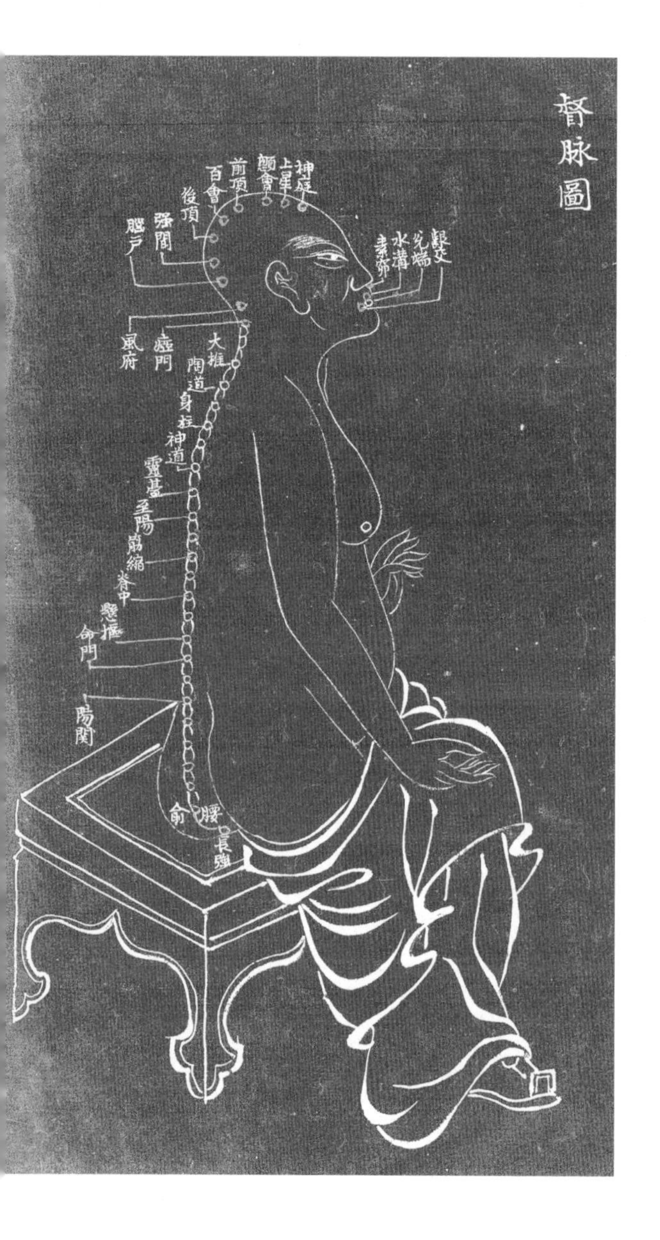

随着历史的发展，中国的思想家和实践者们探索出了变化的规律。他们的理论来自于观察，即万事万物都有按照一定规律进行转化的内在倾向。研究者们发现了将其应用于治疗的方法，并建立了相关的理论框架。他们持续检验这些框架，有时强调其中某个层面，有时则是其他层面，从而建立了复杂的多层解释体系。

气、阴阳、五行

在中国，久远的新石器时代（始于公元前10000年左右，结束于8000年后，冶金技术发端之时），人们还不认为生与死之间存在着绝对的界限。相反，一种动态的寰宇之“气”，被认为是一切现实的根本。活着、生病或死亡的状态，都是“气”的不同表现形式。一方面，“气”可以清如袅袅升起的炊烟；另一方面，也可以浊如坚硬的磐石。也就是说，蒸汽或呼吸都可以转化为石头般坚硬的固体。既然一切都是“气”，那么，一切变化，无论在人、自然或宇宙层面，都是“气”在无尽的、遵循规律的转化中的表现形式。

其中一种规律与阴阳的概念有关。

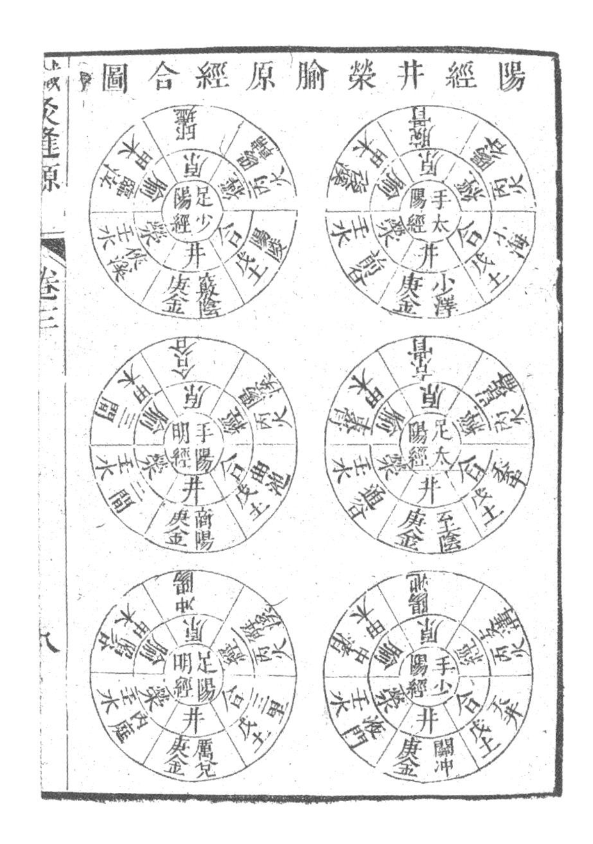

左图

1817年的木版画：圆形图案代表“阳”经的名称及其穴道。此外还有“阴”经，二者相辅相成。

对页

年代测定为清朝（公元1644～1911年）末期，这条线表示“督脉”（Governor Vessel），辐射全身的“奇经八脉”之一。沿着督脉标出的则是用于针灸和艾灸的穴道。

“阴”最初指大山阴冷、幽暗、潮湿的一面；而“阳”则指温暖、明亮、干燥的一面。随着太阳在天空中移动，阴面与阳面之间发生转变，体现了一种互补的关系，即黑暗和光明之间通过连续变化而衔接。因此，太极图中，“阴”总是包含着“阳”的种子；反之亦然。

另一个规律则用五行来表达。有时也称为“五元素”，即金、木、水、火、土。这几个概念代表了五种变化或“气”的性质和特征。五行生生不息，相互结合，相互转化，相生相克。

道

中国的思想家和实践者们把“道”的概念定义为一种动态规律，它既是变化的特征，也是支配变化的法则。“道”也有“方法”或“途径”的含义。同时，“无名”也是“道”的特征，因为这个概念难以用语言来表达。“道”高于万事万物，同时也蕴含在自然和世界的一切表象之中。由这个根本原则，产生出一个相互交织、相互作用的网络，即使看起来无关的现象也包含在其中。出于这个原因，孟子（公元前372～公元前289年）提出，通过自我教育，不仅能够进一步认识自己感知、思考和了解的能力，更能深刻体会“道”在人生和大千世界中的运行。

作为“道”的体现，“气”“阴阳”和“五行”既可被视为人体中的过程，也可视为人体本身。因此，无论是在内在的、彼此之间的还是周围世界的，人们都可以通过学习来感知、体会各个要素，并与之和谐共存。也正因如此，人体与自然和宇宙中的一切都有深层的共振。

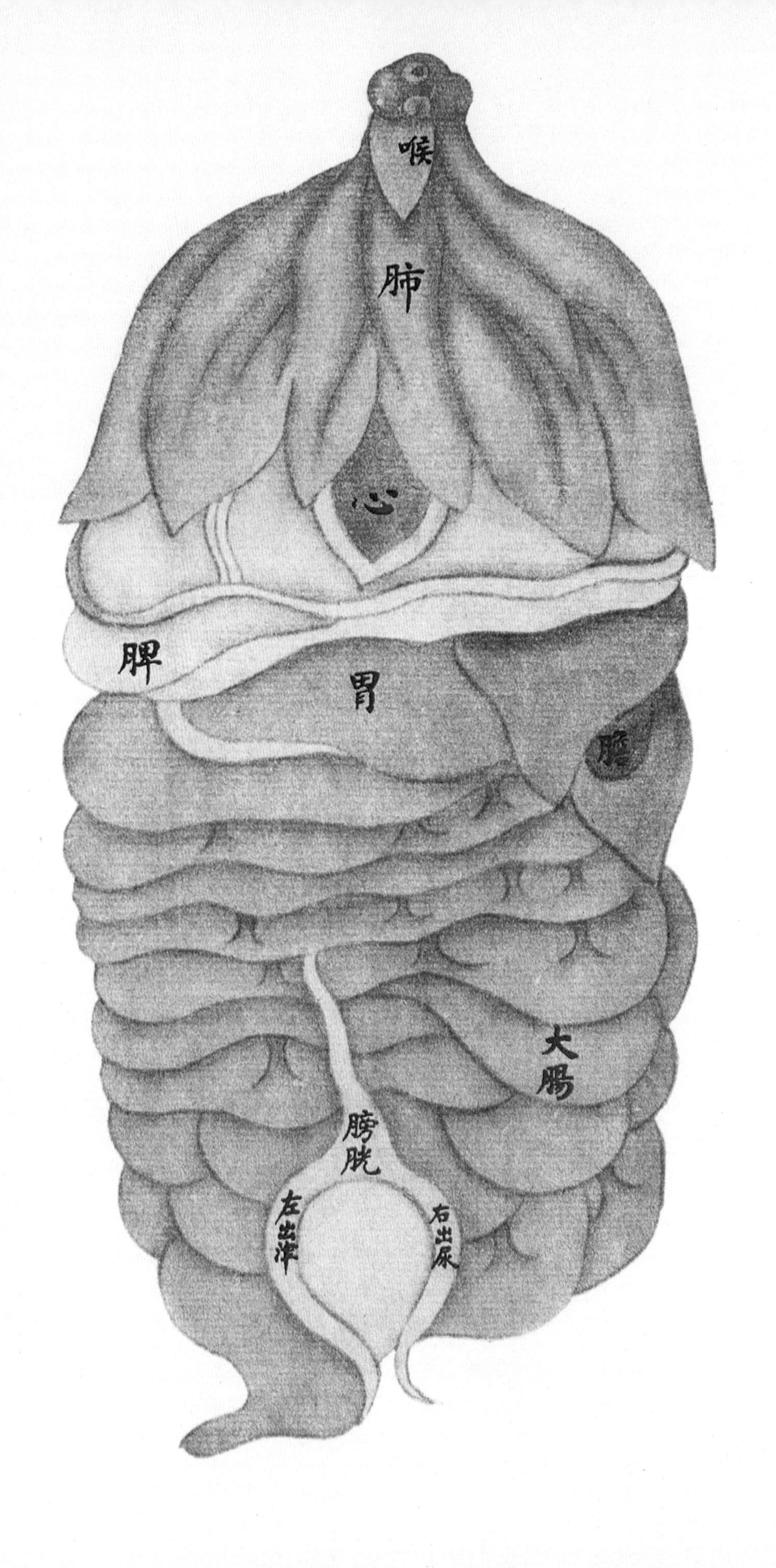
喉
肺
心
脾
胃
大腸
膀胱
左出滓
右出尿

上图

摘自清朝早期的手稿《人体经脉图》。这张图表现的是手臂上手太阴肺经的路线和穴道。

对页

腹腔脏器的正视解剖图，与上图来自同一份手稿，其中共有24张彩图。

经络

其中一种共振与“气”的流动或通道（经络）有关，有时也称为经脉。虽然它们会在体内来回移动，但已有20条经络广为人知。其中12条与12个器官有关——肺、大肠、胃、脾、心、小肠、膀胱、肾、心包、胆、肝和所谓的三焦。其他的“奇经八脉”在很多穴道上与这12条经脉相交。

“元素”这个词不仅能表示实际现象，也可表示过程。与此类似，“器官”和“内脏”也表示与身体实际部位相关的功能和过程。因而，一个“器官”既能行使某种功能，也代表着某种关系。例如，三焦代表着热量和液体在周身的流动。每个器官的功能还与某种情绪相对应，并具有独特的形式和属性。

如果“道”代表事物及其组成部分内在和外在的动态平衡，以及气息和经络的自由流动，那么，出现不平衡和阻滞的情况则会对人体造成损害，并能转化为病症和疾病。举例来说，死亡意味着“气”从一种形式转化为另一种形式，死者与生者之间仍存在联系，因此生者必须一直像对待活着的亲人一样对死者表达敬意。否则，死者就会成为怨灵，让生者不得安宁。而怨灵不一定只缠着自家人。补救的方式包括献祭、象征性的补偿，或者极端一些的驱邪。

外因和内因对整体的影响

外界的自然之力——炎热、寒冷、潮湿、干燥、强风和火焰，无论单独或是叠加，都会对身体造成不良影响，引起“气”的过剩或不足。这种不平衡又会因日常活动进一步恶化，如摄入某种食物，或进行某项活动。内因则指某个器官的过度使用，以及与其相关的情绪过于激动——如肺与悲伤或哀愁相连，肝与愤怒或怨恨相关，肾与恐惧或不安有关，脾则和过度焦虑相关。

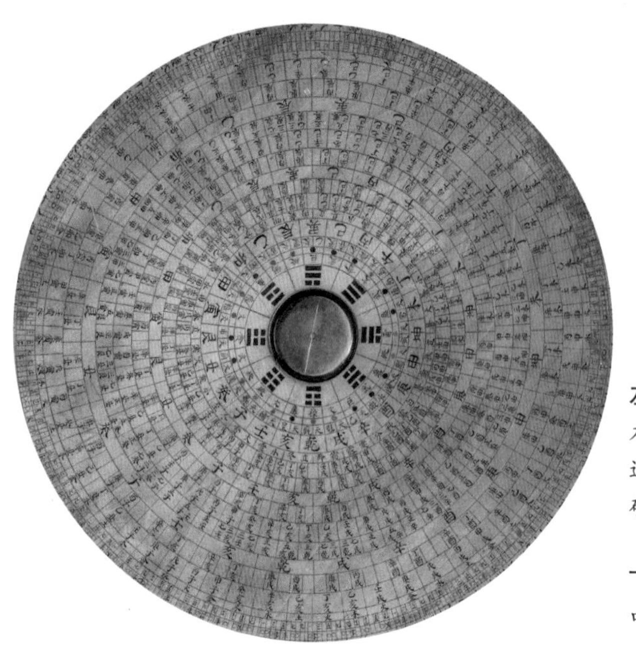

左图

木制风水罗盘和万年历。在风水占卜艺术中，这样的罗盘用于确定建造房屋的最佳位置，以确保“阴阳”之力平衡，患病的概率最小。

下图

中国手术器械精选，包括针灸用的针和刀。

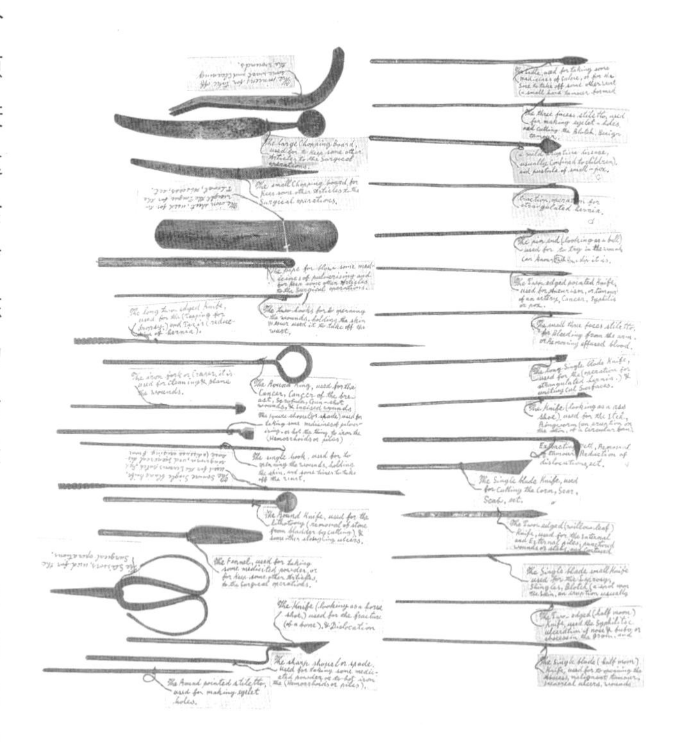

历史上，中医作为一个系统，拥有多个分支，分别研究不均衡饮食、内外部病原体、“气”的阻滞、骨头挫伤和骨折、衰老，以及环境的影响等不同问题。为解决这些问题，中医研究出了许多方法，包括食疗、草药、太极拳等健身运动、接骨和治疗性按摩（推拿）以及用于延年益寿的修炼（气功），此外还包括从相面、隔空取物到风水等占卜学以及艾灸（在身体某点或全身燃烧艾蒿或艾草）和针灸等干预治疗。最初，针灸不仅使用针，还会进行小型手术。向药师佛等神像请愿也可作为补充方法。

医生们为探测“气”的停滞和阻滞，发展出了一套基于感官的诊断方法，包括望（观察）、闻、问、切和听，以辨别不平衡状态的特性。“切”是一种极为复杂的诊脉方法。探察社会或宇宙层面的不平衡则需要采取模拟的方法，如利用特制罗盘去探测地面上“气”的流动。

右图

中国东南地区民间的一个纸质祭坛，摆有祭品。生者必须经常祭奠死者，否则就要冒鬼魂作祟的风险，让疏忽大意的家人染病。

下图

诊脉的正确方法：由他人来诊脉（上图）和自行诊脉（下图）。诊脉已经发展为中医极其精妙复杂的组成部分，在不同位置可以探知多种脉象。

延续传统

以上这些做法不仅存在于中国大陆、中国台湾和香港地区以及海外华侨之中，也为世界上的其他文明所采纳。每种形态都随着时间在发生改变，产生出多种多样的流派、传承和传播方式，没有归入统一系统的必要。自20世纪70年代以来，最为著名的也许要数针灸。不过，由于近年中国大陆医疗市场愈加开放，更为古老的方法重新浮出水面，甚至与中医学一同在世界其他地方繁荣发展。

不同的做法通过内在的“气”与中医的不同方面相对应。每种现象都是“道”的外在体现，相互之间有着千丝万缕的联系。尽管每个医生可能都只能应用其中的一小部分，不同的流派也只能专注于某个侧面，但只有通过整体，才能了解中医关于身体和人格的完整概念。

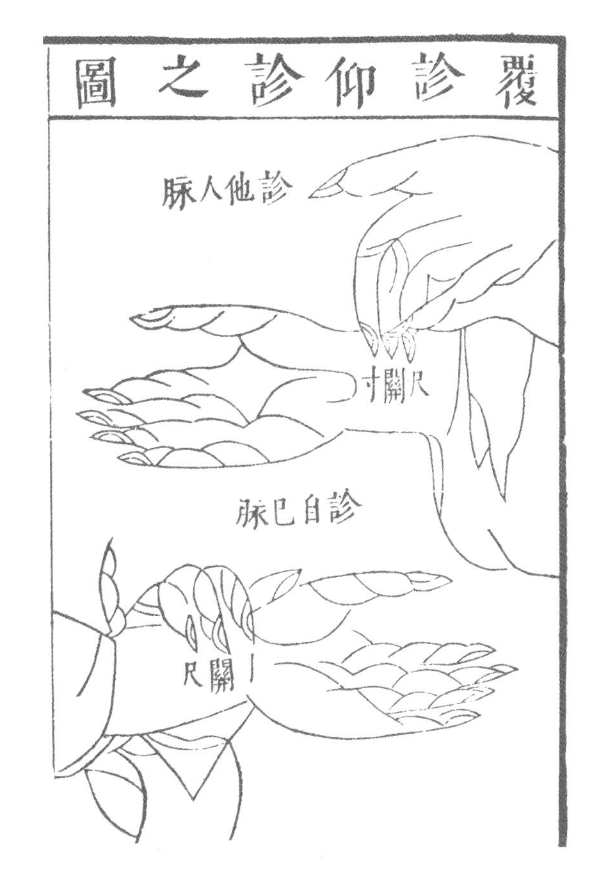

03.
印度医学
连贯的阿育吠陀医学

盖伊·艾特维尔（Guy Attewell）

称做“阿育吠陀”的原因是，它告诉我们哪些物质、质量和行为能够有益于生活，哪些则不能。

——《揭罗迦本集》（*Charaka-samhita*）1.30.23

左图

檀凡陀梨（Dhanvantari），阿育吠陀医神，是梵文文献记载中毗湿奴的四手化身。在阿育吠陀医院和制药公司门口经常能看到檀凡陀梨的塑像或画像。

对页

一幅来自尼泊尔的人体解剖图（公元前1800年）——更像由阿育吠陀文献演绎而来，而非基于局部解剖。全身的经络都标注了出来，躯干内部的器官（体液的容器）也都能看到。文字说明来自16世纪的梵文文献，带有尼泊尔人的修订。

印度次大陆传承着复杂多样的医学文化，具有显著的本土性和地域多样性，并随时间不断演变。同时，由于人口、素材和文本知识的流动，地区之间也在不断地相互渗透、影响。政府支持的印度传统医学体系——阿育吠陀（Ayurveda）、优那尼（Yunani Tibb）、悉达（Siddha）和瑜伽（Yoga）中，阿育吠陀应用得最为广泛，也是印度医学中最为成功的代表。

阿育吠陀来源于传统梵语经典，尤其是三部著于公元前200至公元600年的医学著作——《妙闻集》（*Susruta-samhita*）《揭罗迦本集》（*Charaka-samhita*）和将发八他（Vaghbata）的《八支精要》（*Astangahridaya-samhita*）。《八支精要》的准确成书时间和作者一直众说纷纭，但印度多个文献图书馆都保存有1400年以来的抄本，反映了这本综合典籍的重要性。地方传统医学和方言典籍的影响较小，其中有些是自梵文翻译而来，有些整理自当地的口述记录，其相应的政治资源和影响力都相对有限。

不平衡的身体

阿育吠陀历史复杂，导致其缺乏对基本概念的直接探讨。但是，“粹督夏”（*Tridosha*）的概念，也即人体的“三种能量”【字面意思是“障碍”：瓦塔（*vata*）、皮塔（*pitta*）和卡帕（*kapha*）】，在阿育吠陀典籍中贯穿始终，被认为是阿育吠陀理论和实践的根本。“粹督夏”与印度—穆斯林传统体液学说中的概念相对应，14世纪以来，作为阿拉伯后裔的波斯人将其进一步发展。

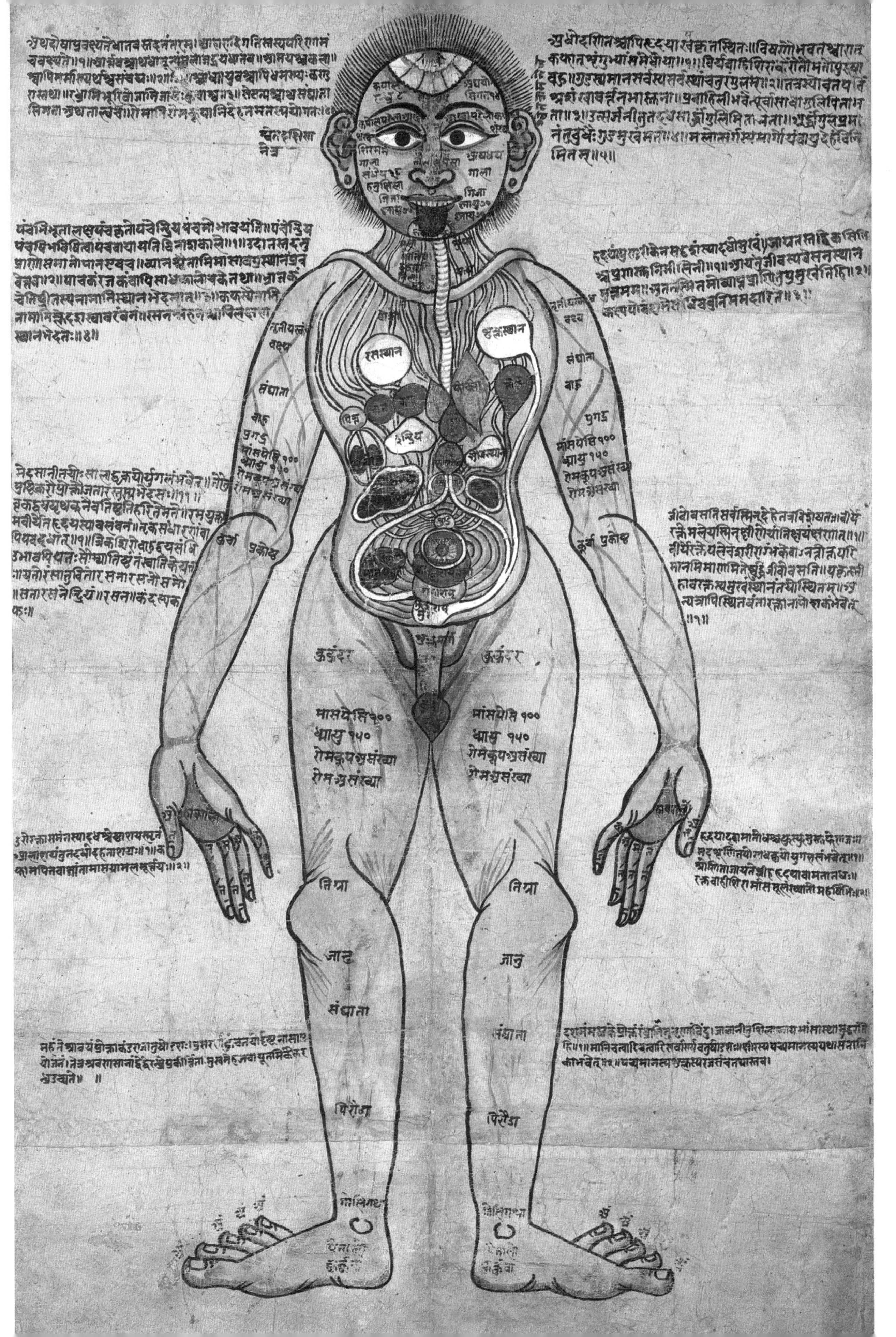
जानु
रसस्थान

梵文典籍将“能量”形容为物质形式，每种都有着特定的感官属性。根据《揭罗迦本集》，“瓦塔”的性质是干燥、寒冷和轻盈；“皮塔”是炽热、酸、辛辣；“卡帕”则是寒冷、油性、沉重、味甜。身体中，若“能量”不在其位、超量或者过少，就会成为病原。《八支精要》把“能量”看成人体的三种基本组成之一，另外两种分别是身体组织（*dhatus*）和废物（*mala*）。完整且处于平衡状态的“能量”是身体正常运转的必要条件：“瓦塔”为身体活力和运动提供支撑；“皮塔”负责消化之火（digestive fire）、智慧和容颜；“卡帕”则让身体润滑、稳定、有耐性。但如果过量的话，“瓦塔”会引起消瘦、便秘、皮肤发黑和感官弱化；“皮塔”会导致皮肤发黄、饥饿、口渴和失眠；“卡帕”会止息消化之火，引起皮肤发白、衰弱、懈怠和迟钝。

将发八他强调，失调会将“能量”从有益转变为有害。引起失调状态的原因可能有：“对智慧失敬”、季节变化、不适当的消费（在数量或种类上）、纵欲以及不好的日常生活习惯。尽管对“能量”的看法在以上方面大体相同，但对其在不同语境中的含义仍有争论。从20世纪早期开始，就有将阿育吠陀理论公式化的尝试，其特点是用生物化学词汇（如内分泌学）来阐释这三种能量。

诊断身体

长时间以来，阿育吠陀医学的诊断和预后经历了很大的变化。《八支精要》中提出了三种规范的方法，但在实际操作中不一定完全遵守：“见”（*darsana*），即检查病人全身，尤其是舌头；“触碰”（*sparsana*），即用手触诊；和“询问”（*prasna*），即讯问。14世纪的《沙朗加陀罗集》（*Sarangadhara-samhita*）对系统的诊脉方法进行了概述，虽然未见于更早的文献记载，但后来却成为阿育吠陀疗法的典型手段。这种方法也许是通过与中国长期交流的波斯—伽林医学引入的，或者是通过密宗炼金术演变而来的。有些学者显然排斥这种医学交流理论，坚持认为这些方法是由阿育吠陀原创而来，只是在前面提到的三本医学著作出现之前散失了。

治疗身体

阿育吠陀的治疗方式包含了多种方法。《妙闻集》以其对手术过程的描述而闻名，不过这种方法在其后的梵文典籍中并不主流，并且属于低种姓群体的职业范畴。接生婆、眼科医师、跌打医生、放血医师、蛇咬治疗师、流动草药医生、兽医和驱魔人都是医师中的专家群体，他们的技能与精英知识是有交集的，并共同为印度医学富有层次的多样氛围做出了贡献。

梵文典籍的侧重点之一是病学（*bhutavidya*），是与精神有关的知识；另一方面，也很重视来自植物、矿物及动物的药物学，以及相当复杂、系统化的药剂学（*dravyaguna*）。药剂学的一个重要特点是“生”（*prabhava*）（特异性作用），意指将直接、经验性的观察与身体摄入物质的行为结合起来。10世纪以来，在复方疗法的记载中，多次提到了煅烧金属（尤其是水银），而且不同的“系统”（阿育吠陀、优那尼和悉达）的药典均是如此。

尽管药典中的多数复方疗法都仅能供富人使用，但与药物学相关的大量贸易和论述都反映了地区之间由贸易和移民所建立的联系。鸦片、撒尔沙植物和16世纪以来用于治疗梅毒的土茯苓，都是亚洲各国，甚至它们与美洲之间联系的证明。这种联系的存在，让医学的“离散系统”理论在药品的实践层面站不住脚。

上图
阿育吠陀三部重要医学典籍之一《妙闻集》中的一页。文本内容是天医檀凡陀利在教导他的学生妙闻（Susruta）。其中有对手术过程的指导，包括用皮肤移植来重塑鼻形，即隆鼻。

对页
19世纪中期的水粉颜料画，表现一位阿育吠陀医师为女病人诊脉的情形。系统的诊脉从14世纪开始见于记载，应是具备丰富流动性的亚洲医学系统的一部分。

下图
罂粟花，或白色罂粟。阿育吠陀药典中对这种植物汁液的记载是亚洲医学产品和理念相互交流的又一例证。

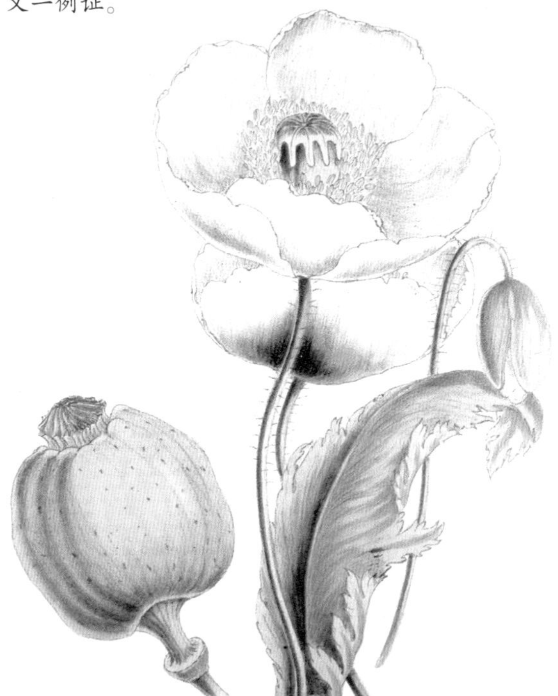

04. 体液与灵气

希波克拉底传统医学

薇薇安·纳顿（Vivian Nutton）

他懂得每一种疾病的来源，不论是由于冷、热、干、湿的气质，或是属于何种类型，因何而起；他是一个完善无瑕的医士。

——乔叟，《坎特伯雷故事集》，序言，14世纪

尽管古印度人、古巴比伦人等许多族群都把健康和疾病分别看做体液的平衡和非平衡状态，但西方医生们后来所称的体液学说（the theory of humours）是由古希腊人建立的，字面意义为“液体”。

从经典希腊医学到盖伦

公元前450年左右，有些希腊学者强调了胆汁和黏液的作用，而其他学者还增加了水、血液和其他体液。不过，有些人也会质疑：胆汁和黏液是自然地存在于身体中，还是由血液恶化而来？一直以来，人们都认为四体液学说的提出者是希波克拉底（公元前460年至公元前370年），但其实黑胆汁（“抑郁”）是由他的女婿波吕波斯（Polybus）加入到其著作《论人性》（*On Human Nature*）中的，与血液、胆汁和黏液并列。他还将这四种体液与四季、四种基本性质（热、冷、湿润和干燥）以及四个年纪联系起来。环境、季节、饮食、生活习惯等的变化时刻威胁着完美的平衡状态，但医生如果具备了这种理论框架，就能够预见可能的变化，保护病人免受侵害，恢复健康。

“希波克拉底”学说迅速提出了许多其他类型的联系，但是盖伦（Galen of Pergamum，公元129～216）让四体液学说成为希腊的主流理论。盖伦认为，一两种体液自然的轻微不平衡状态并不会引起疾病，只是会增加人们罹患某种疾病的风险。盖伦的理论、训练和实践方式为同时代的人所信服，他的观点也被翻译为基督教近东地区使用的叙利亚语，以及阿拉伯语、希伯来语、亚美尼亚语，最终被翻译为拉丁语，成为公元1250年之前唯一被学术界所接受的医学理论。

盖伦同时也是哲学家和解剖学家。他相信柏拉图（公元前428年～公元前347年）的理论，认为人体依赖于三个主要器官：大脑、心脏和肝脏，并通过不同的通道、神经、动脉和血管与身体的其他部分相连。肝脏是身体的营养来源，从中流出的静脉血在心脏转化为动脉

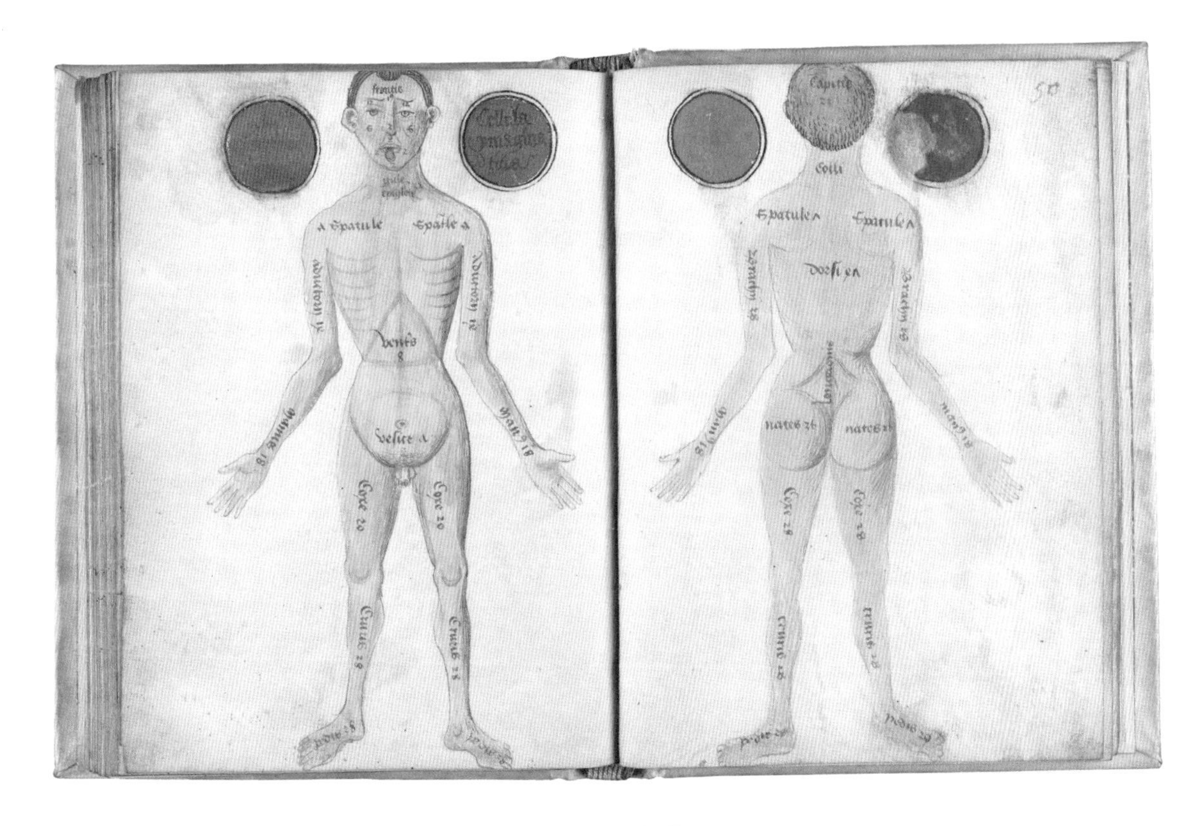

上图

这是盖伦的著作《解剖学》（*Anathomia*）在15世纪中期的抄本，并已译为中古英语，其中包含八幅彩图。这是盖伦学说的一个例证：他的经典理论长盛不衰，通过伊斯兰世界的翻译得以传承，进而在西方以拉丁文重新出现，接着又转译为各地方言。这种用解剖图来表现解剖学的方法通常归功于盖伦，尽管他从来没有画过。其中，四个圆圈代表大脑中的脑室。

对页

19世纪早期的版画，表现四种体液气质。从左到右分别为：黏液质（黏液）、多血质（血液）、胆汁质（黄胆汁）和抑郁质（黑胆汁）。占主导地位的体液会影响人的外表、性格和健康。18世纪，对身体实际组成，尤其是神经的认知也已被经典的体液学说所吸收。

血和灵气（pneuma）（或精神）的混合物。灵气可能是能量的来源，会在动脉丛，也即动脉网（retemirabile，人体没有这个器官）中转化为精神灵气，存在于神经之中，并以某种形式参与思想和感觉过程。

身体与意识（或精神）之间这种强有力的联系，也让盖伦以及许多先哲追随公元前5世纪的《圣病》（*The Sacred Disease*）的作者，用体液的变化来解释人们的精神状态。抑郁质（Melancholy）过多会导致今天所称的抑郁症，也可能产生具有创造性的天才；多血质的人则勇气与乐观并存。这种过程是双向的。正如饮酒过量会引起明显的行为变化一样，愤怒或恐惧也会对人体的体液平衡造成影响，引发疾病。

从盖伦到盖伦学说

盖伦并不是一位系统的思想者。他在近古亚历山大（注：地名）以及中东的继承者

LENCOLIA I
16 3 2
5 10 11
9 6 7
4 15 14

左图

在优那尼医院的药房中，如尼扎米阿优那尼医院（Nizamia Yunani Hospital）和海德拉巴（Hyderabad）医学院，病人的处方每天由药剂师准备。他们均经过了优那尼体系关于体液和精神的相关训练。

对页

阿尔布雷特·丢勒的《忧郁症》（*Melancholia*）（1514年）。一位有翅膀的沮丧女子拿着一个罗盘，身边围绕着象征求知的符号，尤其是炼金术。炼金术师们容易沉湎于沮丧和失望之中，而所有学者或追求知识的人都容易抑郁。

们，如伊本·西那（Ibn Sina），以及解读他的中世纪拉丁语翻译者们，提出了人体具有三个平行的器官和精神系统的理论，同时也是他们将所有诊断和治疗都纳入了患者的体液平衡系统。这套理论如今已经延伸开来，加入了星辰和音乐的影响。医生们声称能够根据病人的个体特性来开处方，这也成为了博学的医生们的特色。

盖伦学说也符合基督教（以及亚里士多德学派）单一灵魂的信仰，认为这三种重要、自然的精神仅仅是唯一灵魂的体现。文艺复兴时期，人们重新翻出了盖伦的希腊文原著，进一步确立了体液理论。这个理论一直以某种形式支配着西方医生们的思想直至19世纪，尽管在这期间，对人体解剖学和生理学的理解已经发生了翻天覆地的变化。

现代的遗存

即使到了20世纪，内分泌学家们都还会从个体自然平衡的角度出发，来阐释他们的理论，而这种平衡很难被机械设备所探知。盖伦和波吕波斯提出的某些因素的不平衡状态仍是对疾病的流行看法。在伊度医学和伊斯兰医学中印度和巴基斯坦，体液学说仍很兴旺，优那尼（希腊）医学还得到了官方支持。虽然“精神”这种说法仍存在于优那尼医学中，但已在西方医学体系里彻底消失，不过在一些比喻中仍会用到，如“很有精神”，或“打起精神”等。

另一方面，有些现代心理学家认为盖伦的人体理论是对儿童成长以及不同心理类型的绝佳阐释。他们对原有的概念进行了延伸，用体液学说中引申出的比喻来描述和解释生理和心理类型，为现代社会的各阶层所熟知。如今，人们经常讨论某人的行为和表现符合黏液质或抑郁质，这些都来源于体液学说。

05. # 伊斯兰医学

传播与创新

克里斯蒂娜·阿尔瓦雷斯·米兰（Cristina Alvarez Millan）

医学的艺术立足于对实践经验的评估。

——阿布·麦尔旺·伊本·苏尔（Abu Marwan Ibu Zuhr），12世纪

我们通常所称的伊斯兰或阿拉伯医学其实主要是古希腊—罗马医学经过系统化和精心合成的结果。政治扩张让伊斯兰王国与其他地区的哲学和科学思想得以产生交流，其中包括东方的印度、经拜占庭到达的北非以及西方的西班牙。但是，尽管被征服土地上的相关元素均被同化，并且（更重要的是）学术医学与民间医学及魔法并存，但最后，经典的希腊传统医学却主导了中世纪伊斯兰世界的医学理论和实践。公元750至1000年左右，通过空前规模的翻译，几乎所有拜占庭帝国和近东地区的科学和哲学著作都被翻译为阿拉伯语。伊斯兰医学并不是由阿拉伯或穆斯林医生单独发展出来的，因为不同种族的人包括犹太人、基督徒和穆斯林均对其做出了贡献，阿拉伯语是其通用语言。尽管如此，从希腊—罗马世界承袭的理论的生命力始终是其发展动力。

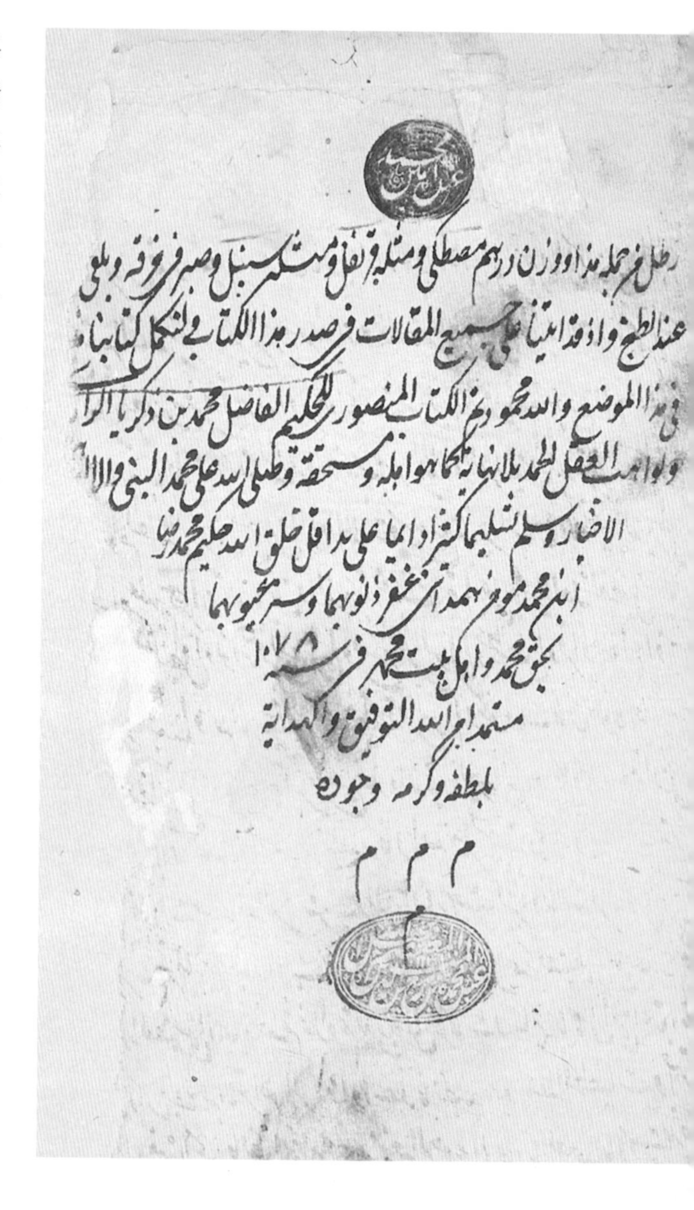

系统化发展

伊斯兰学术医学对疾病的概念基于希波克拉底-盖伦的体液学说。解剖学和生理学也与希腊—罗马的知识内容异曲同工。中世纪伊斯兰学者的主要贡献是将散落在各处的

先哲（尤其是盖伦）的遗产进行全方位、系统化的梳理，通过对早期医学典籍的汇编与解读，他们也形成了属于自己的原创内容。在欧洲的医学院中最为出名，影响最大的是伊本·西那（Ibn Sina，又译作阿维森纳；公元980~1037）的《医典》（*Canon of Medicine*）。

创新

尽管中世纪伊斯兰医生的诊断和治疗方法，有相当一部分都需要重新评估，但伊斯兰医学毫无疑问为临床医学的发展做出了贡献。对症状的仔细观察以及逻辑推理的应用，不仅能加深对传统疾病的理解，也能帮助描述新的疾病。例如，伊本·马萨维伊（Ibn Masawayh，公元777~857）对角膜翳进行了详细描述。这种眼科疾病并没有包含在希腊文献中。尽管萨比特·伊本·昆拉（Thabit Ibn Qurra，公元836~901）已经描述过天花和麻疹，但通常认为是拉齐（al-Razi，公元865~925）对其进行了详细记录。

尽管很多此类解剖学贡献都默默无闻，但是那些与药物相关的发现后来都具有更紧密的联系。希腊—罗马药物学主要来源于迪奥斯科里季斯（Dioscorides，公元40~80），通过加入伊斯兰世界各处的大量新药，其范围有所扩大。菖蒲、檀香、胡椒以及丁香、樟脑、麝香、睡莲、卤砂和酸角等物质，都加入了药品的行列。人们更为熟悉的橘树被引入西班牙，棉花和甘蔗则向西传播。有大量单方或复方药物成为早期欧洲的药品，并沿用了其阿拉伯名称（很多药品其实是源自希腊、印度和波斯）。

中世纪的伊斯兰医生们还对大量侵入性

外科手术进行了描述。最知名的记载来自科多巴的外科医生扎哈拉维（al-Zahrawi，公元936～1013），他对西方传统医学产生了重要影响。其中包含大量详细描写，并对传统外科手术器械进行了图解，还包括了一些创新的器械。但是，伊斯兰外科手术的素材均来自希腊文献，而且几乎没有证据显示伊斯兰医生曾做过这些手术。外科手术限制在接骨、放血、拔火罐、扁桃体切除、割礼、烧灼以及痔疮和肿瘤的切除。在中世纪伊斯兰医学文献中，没有提及使用如鸦片和莨菪等药物作为麻醉剂的内容，尽管它们出现在了各类药方之中。

重大的成果要数医院的建立和防止市场上药剂师、外科医师和相关医师相互欺诈的法规的颁布，有时也会对这些医生进行常规检查。

传承

如果不了解中世纪伊斯兰医学，就无法完全理解西方医学的历史。通过对早期希腊—罗马文献的翻译、批注、总结、辩论、拓展和革新，伊斯兰文明成为了经典的守护者和传承者，并将其传至中世纪的欧洲。伊斯兰传统医学还为西欧的专业医学实践提供了理论框架，通过将其翻译为拉丁文，使它成为了欧洲哲学和科学思想的源泉。现代医学最终由此诞生。

尽管自1600年以来，在奥斯曼土耳其时期写就的著述包括了梅毒等西方医学的内容，但伊斯兰传统医学依然得到了长足的发展。以优那尼（希腊）医学的名义，它传承至今，并仍被某些亚洲国家视为正统医学，尤其是在印度和巴基斯坦，与现代西方医学和阿育吠陀传统医学分庭抗礼。

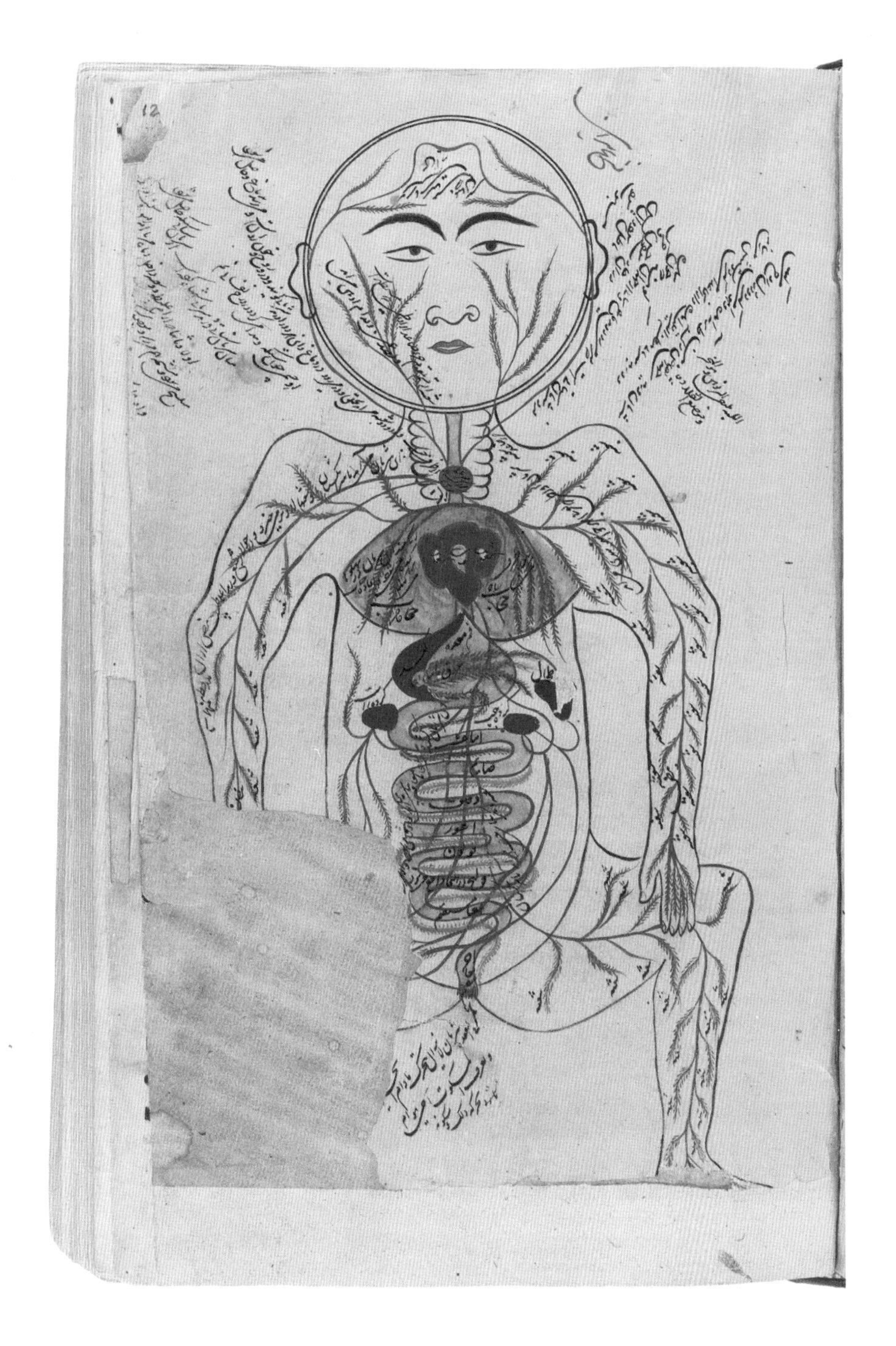

对页左图

一个马洛丽塔石罐，1640年。这种药罐（Albarelli）经常在药剂和药材商店使用，用来装油膏及干燥药品。这种罐子从中东传至欧洲，15～18世纪期间在意大利制造。

对页右图

伊本·西那《医典》17世纪早期的波斯漆版抄本。图中，一名医生正与他的女性病人交流。伊本·西那（阿维森纳）的这部著作是伊斯兰医学与实践系统化的缩影。

上图

曼苏里所绘制的心室和动脉示意图，收录于伊本·西那《医典》1632年的抄本。这种青蛙一样的造型和极具风格的笔触来自于文字描述，而非源自生活的直接观察。这是早期人体绘画的特点。

06.

人体解剖

肉体展露无遗

西蒙·卓别林（Simon Chaplin）

我有责任恳求你，解剖要尽你所能。

——威廉·亨特（William Hunter），1784

左图

安德亚雷斯·维萨里出生于布鲁塞尔，曾于巴黎、勒芬和帕多瓦求学，并于1537年12月5日在帕多瓦获得博士学位，12月6日成为外科和解剖学讲师。其著作《人体的构造》出版于1543年。

对页

17世纪早期的莱顿解剖学剧院的版画。中间的座位上是各种人类和动物的骨骼，举着小旗，上书"认识你自己""我们生来就注定死亡"（拉丁文）等信息。

解剖是将身体剖开从而了解其结构的行为。从15～19世纪中期，人体解剖从少数精英偶尔为之、甚至常常是仪式化的行为，演变为许多（即使不是大多数）医生在其职业生涯某个阶段的常规行为。不论是在纸面上还是作为解剖样本，解剖后展露无遗的肉体既吸引人，也让人厌恶，已成为了医学权威们的标志。

作为仪式的解剖

早期的医学解剖既是做学问，也是表演。公开解剖在教堂中进行，有大量旁观者，既是对人体这个神圣奇迹的膜拜，也是自我推销的平台。在帕多瓦，维萨里公开批评了盖伦的解剖学知识，并使自己一举成名（在批评者眼中则是名誉扫地）。自他之后，被解剖的人体成为医学交锋的战场。与探险家们类似，加布里埃尔·法罗皮奥（Gabriele Falloppio，公元1523～1562）和巴托洛米奥·欧斯太基（Bartolomeo Eustachi，1574年去世）等解剖学家开始要求专享人体。

在意大利、法国等欧洲国家的高等学府里，解剖的目的更类似于哲学研究，而非为内外科医生提供协助。其重要性体现为特殊的解剖剧院的建立，如帕多瓦和莱顿的剧院（均在1594年完工）。在英国，牛津大学和剑桥大学的解剖学研究都停滞不前——更多表现为直接的应用。16世纪80年代，外科医生约翰·巴尼斯特（John Banister，公元1532/3～1599？）在伦敦的庸医公司（Barber-Surgeon's Company）当着同僚观众们的面进行了解剖。他因此得以升职为医生——像当时众多解剖学家那样凭借尸体解剖获得升迁。

IOANNIS MEVRSI

实验解剖学

17世纪初期，对解剖学的热衷开始向欧洲东北转移。莱顿、阿姆斯特丹、巴黎和哥本哈根都成为了研究的中心。解剖学成为自然哲学家的实验工具：他们以像了解机械一样了解人体。在伦敦，威廉·哈维（William Harvey，公元1578～1657）采用解剖和活体解剖（解剖活物），不仅研究身体结构，也对身体机能有了新的见解。在北海对面，荷兰解剖学家，如让·斯瓦默丹（Jan Swammerdam，公元1637～1680）和弗雷德里希·勒伊斯（Frederick Ruysch，公元1638～1731），是采用新技术对人体进行注射和保存的先驱。他们用水银和彩蜡标示血管的走向，并用松节油或乙醇来保存研究成果。

对解剖学的争议导致了对其的攻击。英国医生托马斯·西德纳姆（Thomas Sydenham，公元1624～1689）声称，通过解剖获取的知识“来得太轻易……只有智慧有限的人才会如此”。作为回应，解剖的拥趸者则反过来攻击胆小柔弱的医生们见不得血。解剖越来越世俗化，脱离了高不可攀的意义，与外科的结合愈发紧密——都是“切割生意”。

解剖学教育

随着公开解剖逐渐衰落，以研究和教学为目的的解剖学逐渐兴起。仅仅观察被解剖的人体已不能满足需求，成为优秀的解剖学家意味着自己要掌握解剖的实际技术。18世纪20年代的巴黎，外科学生们在收容院和慈善医院解剖死去的病人，雅克·温斯洛（Jacques Winslow）和安托万·费兰（Antoine Ferrein）这样的解剖学家则在私人建筑内提供“校外”解剖课程。伦敦庸医公司于1745年解散后，出现了一大批解剖实践课程。威廉·亨特就是首先抓住机会的人之一，他出生于苏格兰，在巴黎受训成为外科医生和男性助产士（和巴尼斯特一样，他后来也升级为医生）。

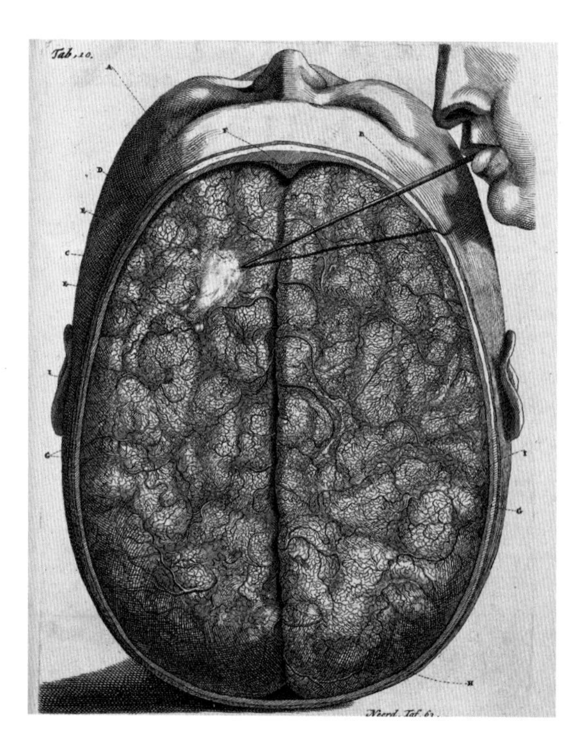

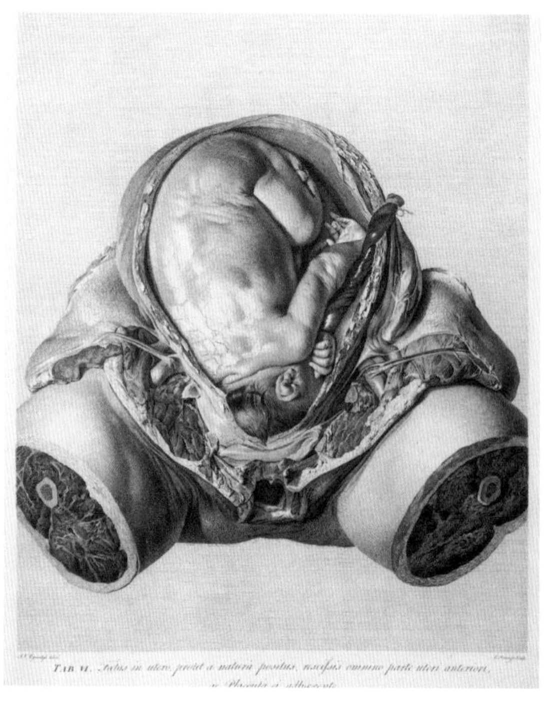

对页左图
弗雷德里希·勒伊斯1744年《解剖学图集》（*Epistola anatomica*）中的一页，展示了将蜡注入蛛网膜和软脑膜血管的新技术，它们是大脑三层脑膜的内侧两层。

对页右图
“子宫中的婴儿，自然状态”，来自威廉·亨特的《人类妊娠子宫的解剖学》（*Anatomia uteri humani gravidi*）。亨特的书中有让·凡·莱姆斯戴克（Jan van Rymsdyk）绘制的精细插图，展示了孕期的结构。亨特留下了一份详细的文本，在他死后于1794年被添加到该书中。

上图
1830年伦敦亨特利安解剖学院解剖学课程的水彩画【由罗伯特·不莱梅·施内贝利（Robert Blemmel Schnebbelie）绘制】。后方墙上是约翰·亨特对比较解剖学感兴趣的证据。

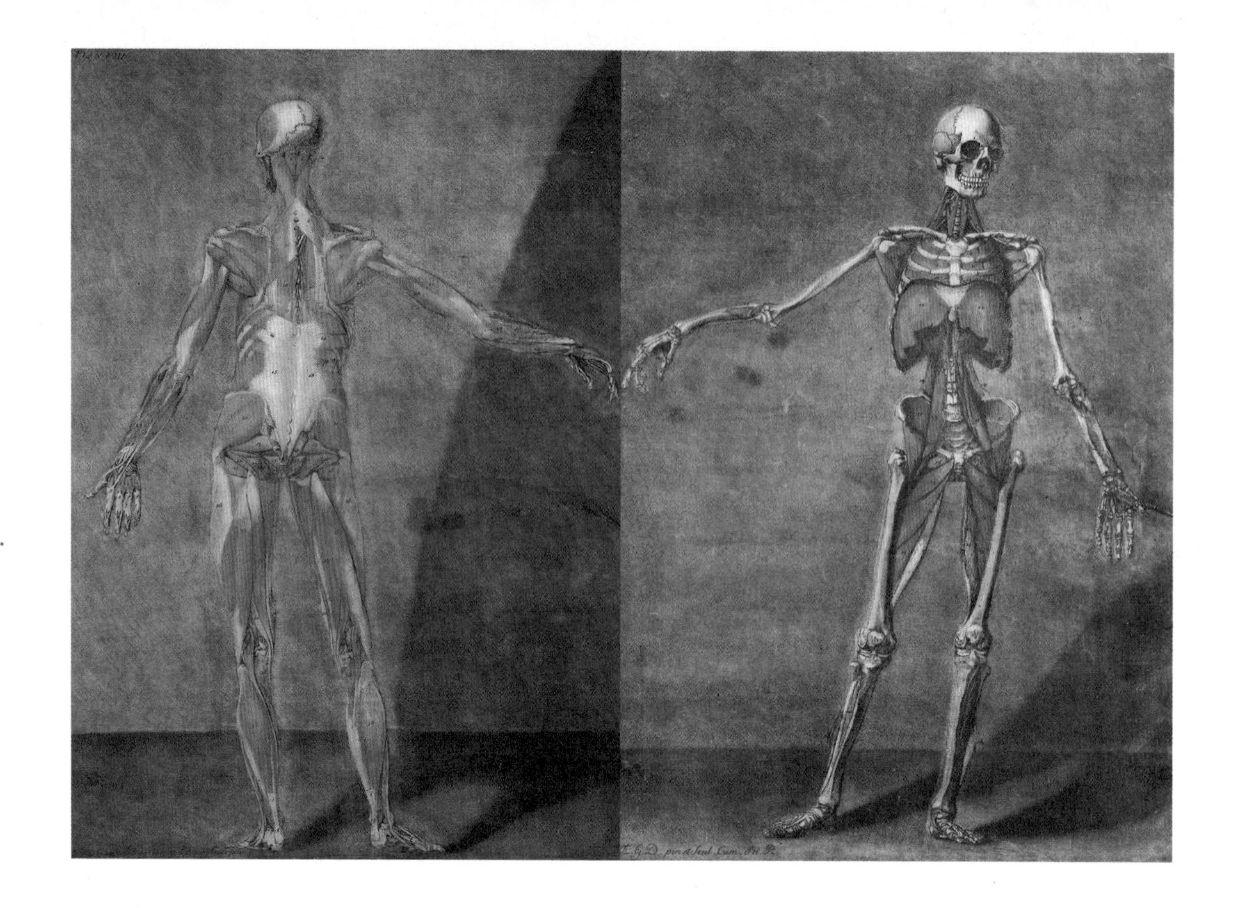

这种“巴黎式”教学方法最初由威廉·亨特等人推行，自18世纪50年代开始，在伦敦逐渐流行。到18世纪末期，内外科医生都会参加至少一个解剖学课程，这种情况越来越普遍。他们不仅能学到知识，更能分享经验。解剖会引起心理上的不愉快；同时，在腐烂的尸体上挥刀工作，一不小心就会带来感染的风险。对追随者而言，解剖不仅是学习的过程，也是生理和心理的双重历练，让医生们学会在使用手术刀时冷静而自信。

亨特利安学院的学生们，如威廉·小西彭（William Shippen Jr，公元1736～1808）将这种方法带到了大西洋彼岸，爱丁堡的门罗王朝及其后裔则在试图追赶他们被流放的同胞们。解剖课程需要大量的尸体，英国和美国都出现了将尸体偷偷从墓地运走的情形，每隔一阵都会招致强烈抗议。不过当局很大程度上认同威廉·亨特的观点，即解剖

上图

“人体的第二层肌肉，后视图”和“人体的第四层肌肉，正视图”，彩色铜版画。作者是阿诺·埃洛伊·戈蒂埃·德阿戈蒂（Arnaud-Eloi Gautier d’Agoty），他是雅克·法比安·戈蒂埃·德阿戈蒂（Jacques Fabien Gautier d’Agoty ）的一个儿子，他率先将这种技术应用于解剖图示。图上的人体姿势栩栩如生，不仅对解剖学家具有吸引力，对艺术家同样如此。

对页

雅克·法比安·戈蒂埃·德阿戈蒂1773年的《男性和女性的人体解剖图》（*Anatomie des parties de la generation de l'homme et de la femme*）中的一页。这本书与威廉·亨特关于妊娠解剖的著作差不多同时期，体现了18世纪解剖图示截然不同的两种风格。

中“必要的不人道”是可以接受的。后来，政府通过了控制尸体供应的法规(1831年的《麻省解剖学法案》和1832年的《大英解剖

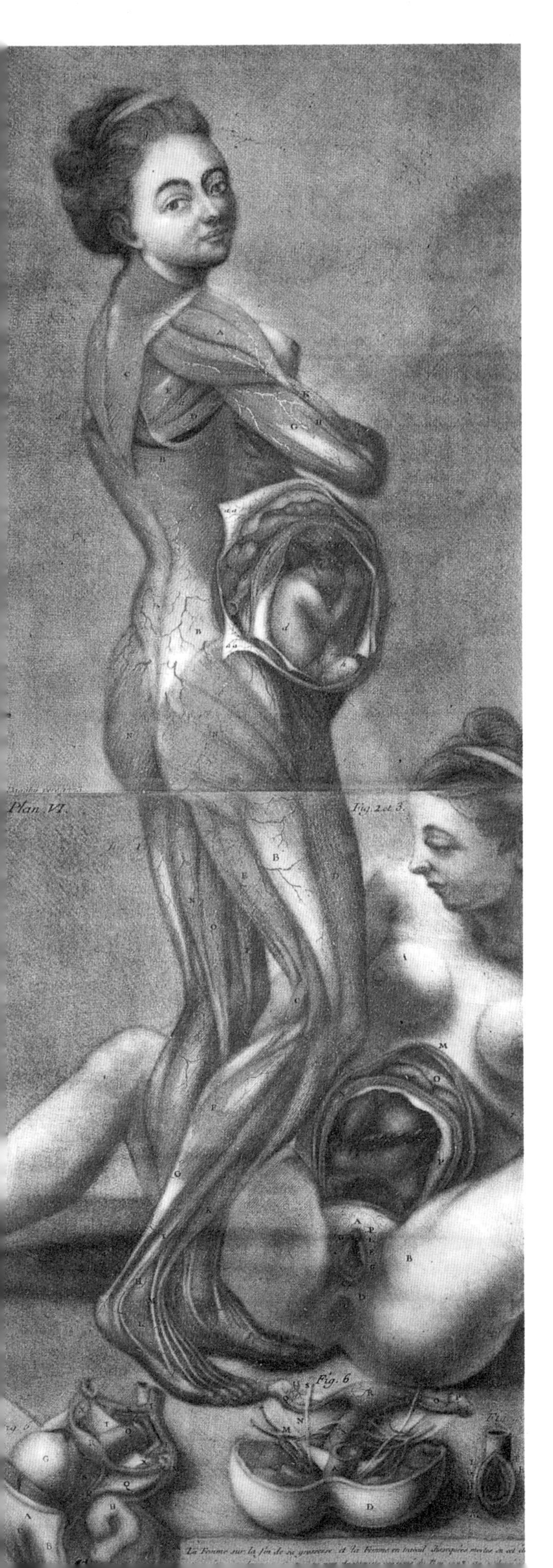

学法案》)，这既是对盗墓问题的回应，也是对解剖在医学课程中的重要性予以承认。

解剖图谱

与公开解剖类似，有插画的解剖图册是进行业务推广和知识分享的方法。这种方法一直存在，从维萨里的开山之作《人体的构造》（1543）到威廉·亨特的《人类妊娠子宫的解剖学》（1774）。这些书的设计就是要夺人眼球：大部头、精雕细琢，以及最重要的是插图精美。此外，其成本和售价都极其高昂。

尽管插图的物理形态和功能始终未变，但其技术和风格却一直在演变。木刻让位于版画和蚀刻。威廉·切斯尔登（William Chesleden，公元1688～1752）鼓励他的画家用暗箱来画出更精确的图画，莱顿·伯恩哈德·亚尔比努（Leiden Bernhard Albinus，公元1697～1770）则与让·万德拉尔（Jan Wandelaar）一起打磨透视的细节。在巴黎，雅克·法比安·戈蒂埃·德阿戈蒂用彩色铜版画来创作更具绘画效果的作品。寓意丰富的符号也被朴实的画风所取代，但艺术性和自然之感并没有减少。如果今天亨特图册中的插画看起来比维萨里甚至亚尔比努的更现实，也是因为我们仍然习惯于科学要避免装饰的理念。

除了图画之外，分离的身体部位还有另一种视觉表现形式：解剖标本。威廉·亨特的弟弟约翰（公元1728～1793）在他位于伦敦的住处兼解剖学校中，有一个专门的博物馆，其中收藏了13 000多件正常或不正常的标本，也有比较解剖学标本。随着解剖在私密的空间中进行，远离公众视野，解剖博物馆就成为了在医学中占据重要地位的解剖艺术的遗存。

07. 病理解剖

切开尸体

马尔科姆·尼克尔森（Malcolm Nicolson）

只要打开几具尸体：就能立刻驱散仅靠观察无法驱散的黑暗。

——马瑞·弗朗索瓦·泽维尔·比恰特（Marie-Francois-Xavier Bichat，1801）

器官病理学

15世纪，解剖学研究已经成为重要而前沿的学科。尽管研究通常专注于对正常结构的研究，但人们不可避免地会发现和注意到病理变化。1557年，安德亚雷斯·维萨里对主动脉瘤进行了研究，通过验尸时观察到的病理改变，解释了他在病人还活着时观察到的症状。日内瓦医生泰奥菲尔·博内特（Theophile Bonet，公元1620～1689）第一个将这些观察结果进行系统化整理，并发表在其著作《解剖学汇编》（*Prodromus Anatomiae Practicae*）（1675）及《墓葬》（*Sepulchretum*）（1679）中。博内特亲自进行解剖，但这两本书中的多数验尸工作都不是他自己做的。作为令人敬畏的学者，他研究了超过400位学者的成果，对2 934个案例进行编辑整理，揭示了病人的症状与其死后病理改变之间的关系。作为有经验的医生，博内特经常能够从个案中总结出临床定律。

顶图

乔万尼·莫加尼的画像，是他的著作《论疾病的位置与病因》的卷首插图，也是这本病理解剖学巨著中唯一的插图，出版于1761年。

上图

约翰·亨特，按照18世纪的大画家约书亚·雷诺爵士（Sir Joshua Reynolds）的画制作成的版画。能够有雷诺为其画像，证明了亨特的社会地位，即使他从事的是病例解剖学这种可怕的职业。

1707年，乔万尼·莫加尼（Giovanni Morgagni，公元1682～1771）在博洛尼亚，论述了利用“对病变尸体的解剖”来探索病因的可能性。这种临床病理学理念逐渐广为人知，在他的事业里贯穿始终，并在其著作《论疾病的位置与病因》（*The Seats and Causes of Diseases Investigated by Anatomy*）（1761）中登峰造极，其中包含了约700个验尸案例。莫加尼的多数工作都是原创性的，不过他也吸收了他的老师安东尼奥·瓦尔萨瓦（Antonio Valsalva，公元

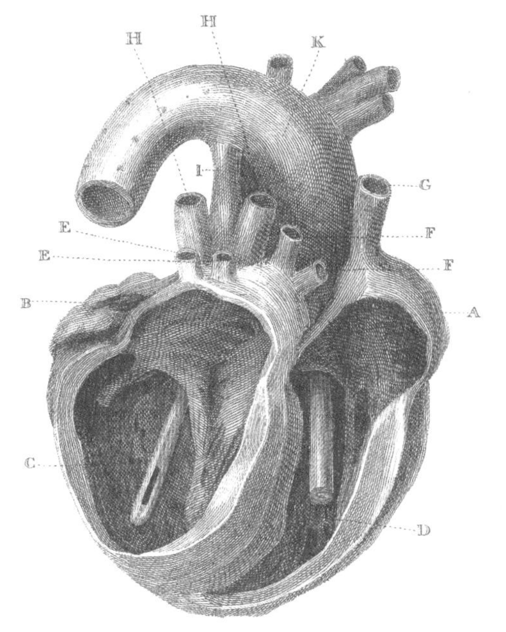

上图

马修·贝利的《人体重要部位的病态解剖》将病理解剖带到了新的高度。一系列插图帮助读者理解书中提到的变化。图中的心脏是切开的，将心室展现出来。

下图

贝利对学者和词典编纂者塞缪尔·约翰森（Samuel Johnson，公元1709～1784）的尸检揭示了肺组织中肺气肿的特征迹象。

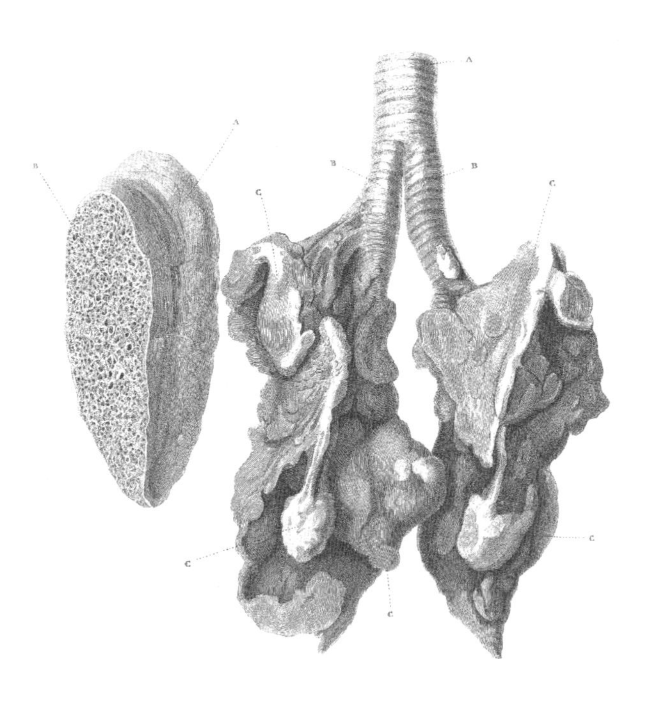

1666～1723）的研究成果。

莫加尼希望能够准确识别出引起症状的病灶。《论疾病的位置与病因》一书囊括了所有主要器官系统的异常，其中许多论证都历久弥新。例如，他证明许多颅内疾病都来源于中耳，生动地体现了解剖学对理解疾病过程的重要性。他还验证了瓦尔萨瓦成果的有效性，即中风会损害身体对侧的机能。在莫加尼之后，病理解剖学的重要地位变得不容置疑。

组织病理学

18世纪晚期，人们对身体健康和疾病状态精细结构的理解有了很大进步，病理学博物馆成为医学研究和教育之间重要的桥梁。约翰·亨特博物馆收藏了上千个病变的人体器官，不仅能展示疾病带来的影响，也能展示痊愈和机能恢复的过程。亨特坚持认为病理学知识可以帮助改进外科手术。他在《论血液、炎症和枪弹伤》（*A Treatise on the Blood, Inflammation and Gunshot Wounds*）（1794）一书中论证到，疾病过程并不是均匀地作用于整个器官，而是影响特定的"表面"（surfaces）或"肌理"（textures）——后来被称为"组织（tissues）"。

1793年，亨特的侄子马修·贝利（Matthew Baillie，公元1761～1823）出版了《人体重要部位的病态解剖》（The Morbid Anatomy of Some of the Most Important Parts of the Human Body）一书。贝利受惠于莫加尼，同时也在很大程度上受到叔叔对人体和比较解剖学研究的影响。莫加尼花了很多工夫记录每个病例的细节，从最初的描述到临床诊断，再到尸检结

果，《病态解剖》一书精确描述了各种结构的常见病理改变。

贝利的研究呈现了病理解剖学的全新理念：将其看作一门独立的学科。尽管与临床应用相关，但并不完全依附。贝利是位经验丰富的医生，能够辨别临床上显著的病理改变和正常范围内细微的结构变化。他还能将活着时发生的变化与死后的变化区分开来，如心室中形成的大团血块。

亨特和贝利开创的风气传到了英国，甚至更进一步到了法国。在巴黎，比恰特（Marie-Francois Xavier Bichat，公元1771～1802）进一步发展了组织学说，将其作为疾病过程概念的基础。在法国，对死前和死后的观察结果进行系统的相关分析已成为医院的惯例，这对物理诊断的发展有很大的促进作用。勒内·雷奈克（Rene Laennec，公元1781～1826）发明了听诊器，从而能够精确识别病人胸部器官的病理变化。雷奈克的主要著作《间接听诊》（*On Mediate Auscultation*）（1819）是严格依据尸体解剖和组织病理学撰写的。通过专业的身体检查，能够获得整个身体内在结构的信息，维也纳的卡尔·罗基坦斯基（Carl Rokitansky，公元1804～1878）证明，病理学家和医生共同协作能够加深对这种信息的理解。

细胞病理学

19世纪晚期，显微镜系统地应用于对病理现象的观察，由此细胞病理学得以发展，通过病人的一小片组织样本即可发现疾病特征（活体组织检查）。外科医生们会暂停手术过程，等待病理学家对活体组织样本的意见，尤其在可能是恶性肿瘤时。

尽管病理学还很粗略，仅靠肉眼观察，但仍在医学实践和教育中扮演着重要角色。在许多教学医院中，尸检课程仍是日常行为，即病理学家在由临床医生和学生组成的观众面前切开尸体，进行讲解和临床诊断。这种方法一直延续到20世纪。毫无疑问，年轻的医生们能从这种场合中受益良多，这样的经验是莫加尼的学生和同事们都曾经历过的。

对页

中世纪时的尸检，来自一份15世纪的手稿插图。当怀疑有不法行为时，或在流行病爆发初期，就有可能解剖身体，以探查死因。这是一种公开行为。

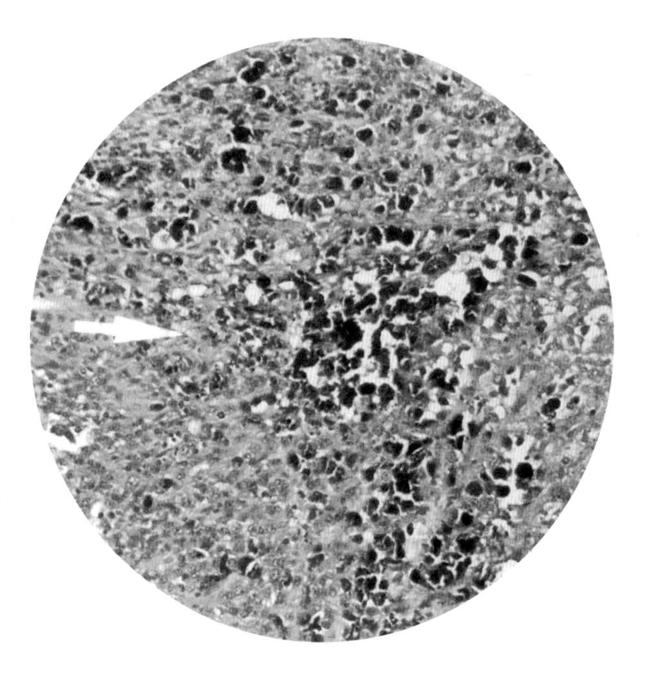

右图

一个活检样本的放大图像，从癌变的颈淋巴结中通过细针抽吸获得。病人患有转移性恶性黑素瘤，这是皮肤中合成黑色素的细胞产生的肿瘤，即黑色素沉积。这种病理学技术能够帮助进行活体诊断，并有助于评估治疗效果。

08.

细胞学说

生命的单元

阿丽亚娜·吕舍尔

我能极其清晰地看到软木塞切片疏松而多孔，就像蜂巢一样，它的这种孔隙并不寻常，但其特性与蜂巢并没有什么不同。

——罗伯特·胡克（Robert Hooke），1665

罗伯特·胡克的“小格子”或细胞：通过显微镜观察软木塞的切片（左边为纵切面，右边为横切面）。出自胡克的《显微图谱》（*Micrographia*）（1665）——17世纪伟大的科学著作之一。

细胞理论是现代生命科学第一个综合而全面的理论。它的历史与显微镜紧密相关，但直到19世纪，细胞才成为解释生理和病理现象的基础。

显微镜出现之后，人们很快开始借助这种“武装了的眼睛”进行精细解剖。毫不奇怪，人们首先观察到了植物细胞，尽管它们并不是如今意义上的细胞。罗伯特·胡克（公元1633~1703）所称的“细胞”和“小格子”，尼希米·格鲁（Nehemiah Grew，公元1641~1712）所说的“泡泡”以及马尔切洛·马尔皮吉（Marcello Malpighi，公元1628~1694）的“小胞囊”和“球囊”其实都是细胞壁，包裹着的空间里或空空如也，或充满液体。很快，血细胞和精子等单个动物细胞也被马尔皮吉和安东尼·凡·列文虎克（公元1632~1723）等人独立发现。不过那时还没有对动植物中的这些结构进行解剖。

尽管之前就有大量观察和讨论，但直到19世纪早期，细胞本身才成为研究的对象。当显微学家开始研究组织的胚胎起源，生理学家们开始探寻生化活动的位点时，细胞的内部活动和动力学才逐渐引起人们的注意。1759年，约翰·克里斯蒂安·沃尔夫（公元1734~1794）证明出发育其实始于一团未成形的微型“小球”。“细胞”这个说法由生理学家斯特凡诺·盖里尼（公元1756~1836）在1792年首次提出。15年后，海因里希·弗雷德里希·林克（Heinrich Friedrich Link，公元1767~1851）在石椒花的髓心中发现，相邻的细胞之间有“双线”。这意味着每个细胞都有自己的膜。5年之后，雅各布·保罗·摩尔登哈

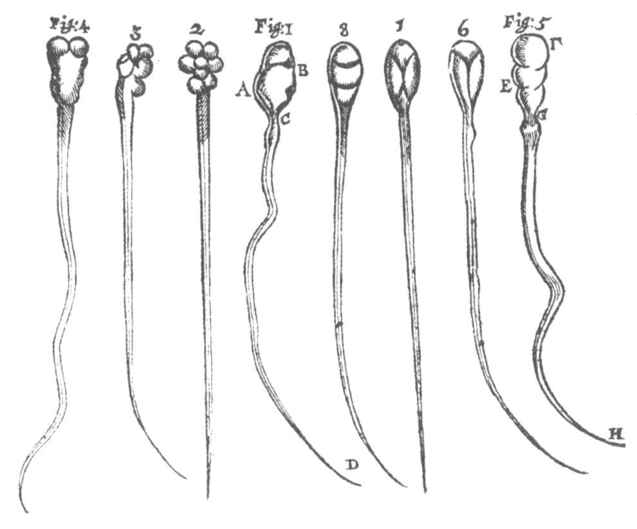

左图

1677年，荷兰服装商、兼职镜片研磨商和显微学家列文虎克把对动物细胞的观察结果发表在了伦敦皇家学会的期刊《哲学学报》（*Philosophical Transactions*）上。左侧是四个兔子精子，右边则是狗的精子。

下图

尼希米·格鲁为《植物解剖学》（*The Anatomy of Plants*）（1682）一书作了详尽的插图，其中有这幅显微镜下的葡萄藤横切面，展示了细胞结构是如何形成复杂构造的。但是，和罗伯特·胡克一样，格鲁认为细胞是空壳，对其内部的理解到晚些时候才出现。

瓦（Jakob Paul Moldenhawer，公元1766～1827）成功地从新鲜植物组织中分离出了一系列的单个植物细胞，每个细胞都被细胞膜妥善包裹。

生命科学第一个统一的概念

随后几年，细胞在生命体中的作用经历了数次概念化的过程，其中马提亚·雅各布·施莱登（Matthias Jakob Schleiden，公元1804～1881）和西奥多·施旺（Theodor Schwann，公元1810～1882）著于1838年和1839年的《细胞学》（*Zellenlehre*）得到了广泛赞誉。它强调了细胞与细胞核在发育中的核心作用、细胞的解剖和生理结构，以及细胞作为所有生命体基本组成单元的作用。短短几年内，细胞理论得到了长足发展，它对生物学其他领域研究的启发性也逐渐体现出来。许多学者将细胞作为他们研究组织学、生理学、胚胎学、微生物学甚至动物分类学和达尔文学说的基础。基于细胞理论，鲁道夫·菲尔绍（Rudolf Virchow，公元1821～1902）在19世纪50年代提出了病

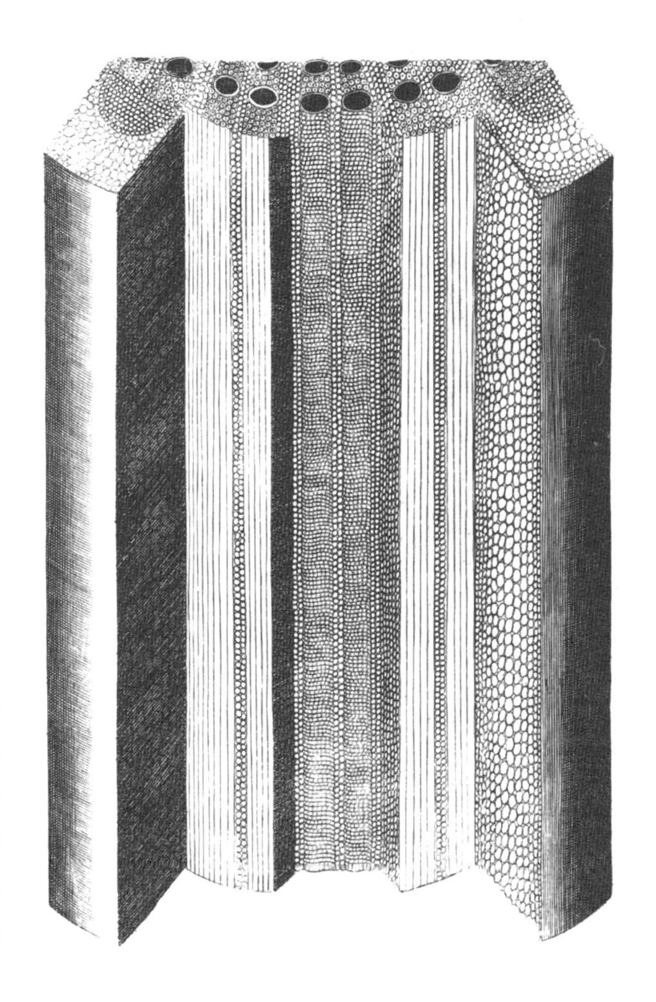

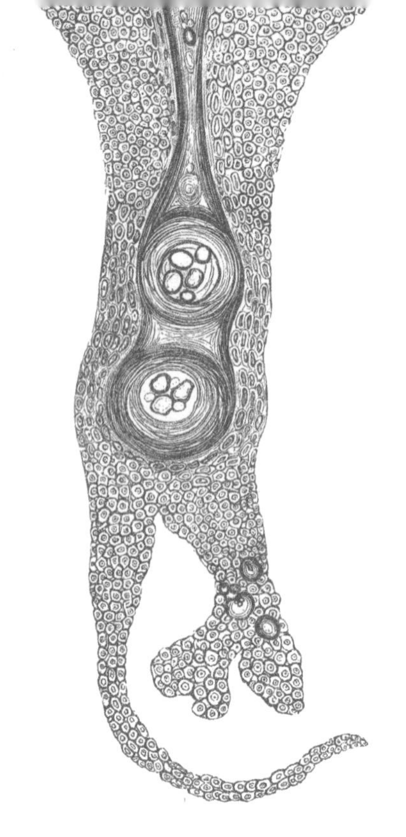

理学的新理念，认为肿瘤等疾病的源头是单个细胞，而非整个身体。

1836年，罗伯特·布朗（Robert Brown，公元1773～1858）明确证实细胞核是细胞的固定组成部分。1839年，让·爱万杰利斯塔·浦肯野（Jan Evangelista Purkinje，公元1787～1869）把细胞中的其余部分称作“细胞质”。这个词由雨果·冯·莫尔（Hugo von Mohl，公元1805~1872）于1846年确立；1861年，伴随托马斯·赫胥黎（Thomas Huxley，公元1825~1895）提出细胞质是“生命的物质基础”，细胞质开始成为细胞学研究的中心。其后的几十年间，各类细胞器被陆续发现，包括叶绿体（1883），这是植物细胞中含有叶绿素的部分，因而是绿色的，光合作用（将阳光转化为能量）便在此进行；还有线粒体（1886），是动物细胞产生能量的地方。染色体由安东·施耐德（Anton Schneider，公元1831~1890）于1873年首次发现。

1840年，罗伯特·雷马克（Robert Remak，公元1815～1865）和约翰·古德瑟（John Goodsir，公元1814～1867）率先发现细胞分裂是细胞增殖的唯一方法，菲尔绍的名言“所有细胞均来自细胞”明确了这一点。1885年，爱德华·凡·贝内登（Edouard van Beneden，公元1846～1910）发现了细胞分裂过程中染色体的阶段变化。

危机以及细胞研究的复兴

但是在20世纪中期，细胞理论作为解释生命现象的关键理论却遭遇了一次危机。尽管对细胞的研究还在有条不紊地进行，但前沿研究转移到了亚细胞结构。对于多数生化学家、遗传学家和分子生物学家而言，生命的秘密隐藏在对分子机制的研究之中。

20世纪40年代，出现了一种叫做差速离

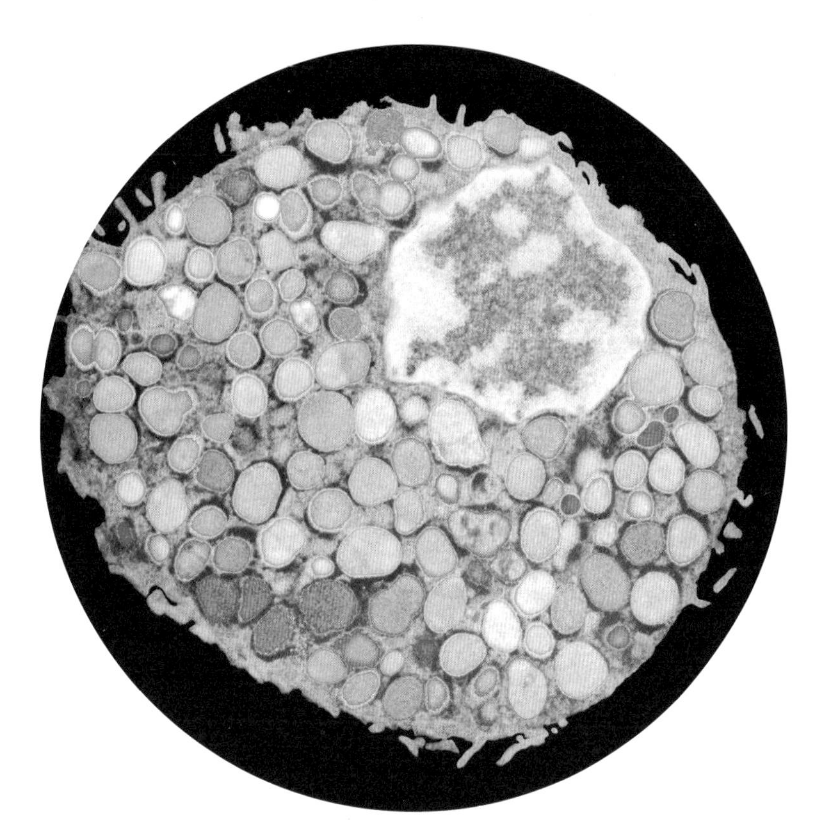

心的技术，该技术能够根据细胞的大小和密度来分离不同的细胞物质，并通过对单一提取物的提纯，分析细胞器的确切化学组成；另一方面，在20世纪50年代初期，随着乔治·帕拉德（George Palade，公元1912～2008）的新定影剂的出现，电子显微镜开始用于探索细胞的亚显微结构。

1895年，欧内斯特·弗顿（Ernest Overton，公元1865～1933）提出了细胞膜结构和功能的三个基本概念，但直到几十年后，电子显微照片显示细胞内有大量的细胞膜，他的贡献才得到认可。很快，细胞就被重新看作由内膜和外膜构成的复杂系统。1961年，彼得·米切尔（Peter Mitchell，公元1920～1992）成功确定了ATP（三磷酸腺苷）合成的步骤——它是细胞中化学能最重要的来源。这个过程在线粒体内膜中进行，从而让生物化学和结构学研究关联起来。20世纪80年代以来，分子生物学家们越来越认识到放宽视角对细胞过程进行动态和立体观察的重要性，并开始关注细胞不同区域间信息与膜运输的相互关系和复杂通路。所有这些进展都使得细胞研究再次兴起。

对页左图

鲁道夫·菲尔绍是19世纪细胞理论的代表人物之一。他属于一个名流精英团体，本图是“间谍”（莱斯利·沃德爵士，Sir Leslie Ward）在1893年为《名利场》杂志所作的漫画。

对页右图

皮肤癌的图示（细胞水平），来自菲尔绍划时代的著作《细胞病理学》（*Cellular Pathology*），于1858年在德国出版，1859年被译成英文。

上图

一个肥大细胞的色彩增强透射电子显微照片，里面全是组胺颗粒（粉色）。右上角的那一大块是细胞核。肥大细胞是免疫系统的一部分，在过敏反应中起重要作用；组胺会引起炎症反应。

09. 神经元学说

细胞学最后的前沿

阿丽亚娜·吕舍尔（Ariane Droscher）

因而，存在一种神经元素（我要将其命名为“神经单元”或“神经元”）。

——威廉·冯·沃尔德耶·哈茨（Wilhelm von Waldeyer-Hartz），1891

尽管细胞理论取得了很大进展，但关于大脑和神经系统是否由细胞组成以及它们如何相互联系的问题，仍然难有定论。大脑柔软、脆弱、结构又极为复杂，因而精细解剖一直难以涉及。直到20世纪80年代末期，神经元学说和现代神经科学才得以发展。

上图
卡米洛·高尔基的照片。他发展出了神经组织学的重要染色技术“黑色反应”。

下图
卡哈尔画的单个神经细胞之一，显示出了细胞体、轴突和树突。

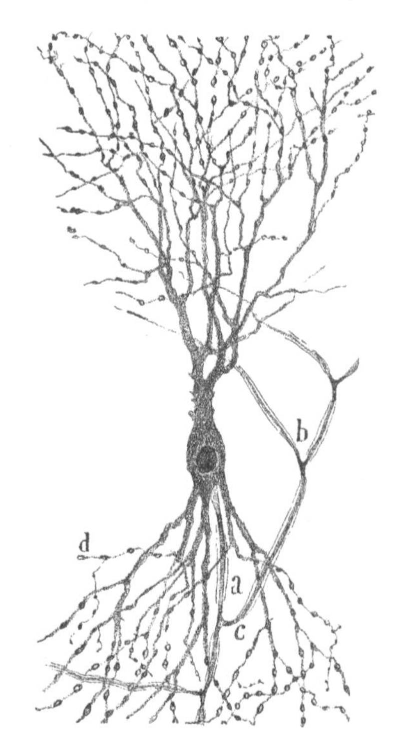

网状学说

对神经细胞的研究中，浦肯野在1830年做出了具有开创性的贡献，随后是使用显微解剖技术的奥特·弗雷德里希·卡尔·代特（Otto Friedrich Karl Deiters，公元1834～1863）。但当时仍然不能将神经细胞的各个部分清晰地分辨出来，也就难以了解它们之间的联系，如细胞体、神经纤维（1869年被命名为轴突）和延伸出去的分支（1889年被命名为树突）。因此，当时一些主流神经解剖学者推行神经系统的网状学说，认为神经细胞是一个连续的网络。阿尔伯特·冯·柯力克（Albert von Koelliker，公元1817～1905）和约瑟夫·冯·格拉克（Joseph von Gerlach，公元1820～1896）进一步提出，神经是融合在一起的，并形成一个在结构和功能上连续不断的全身网络。

“黑色反应”

由于一次意外，理论发生了重大转变。1873年，卡米洛·高尔基（Camillo Golgi，公元1843～1926）在他位于米兰附近一所医院的家中做实验，他在厨房使用各种染色和固定试剂时，不小心将硝酸银泼到了已用重铬酸钾固定的大脑组织上。倒掉之前，高尔基在显微镜下对其进行了观察，惊讶地发现了“黑色反应”，其产生的沉淀将一小部分

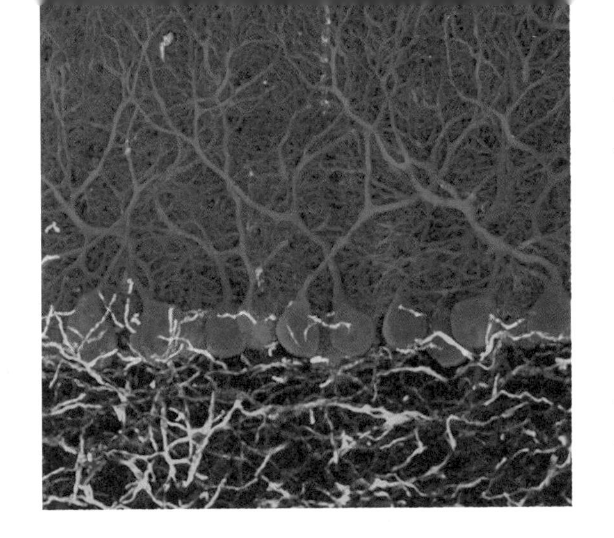

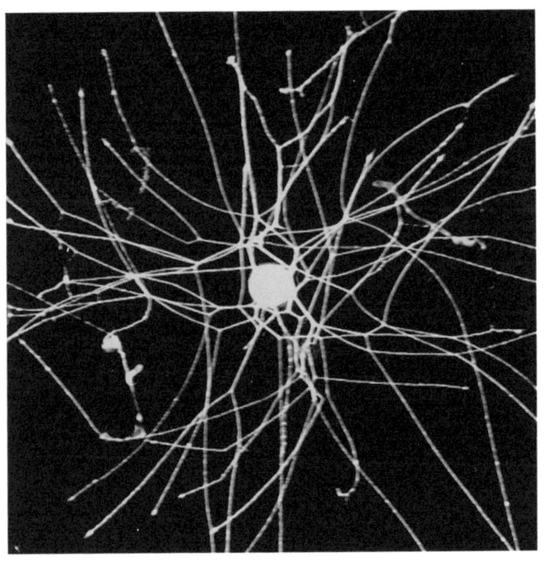

上图

小脑中的浦肯野细胞（红色）。脊椎动物的小脑位于头骨后方，负责自主运动和运动技能，如骑自行车和定位。浦肯野细胞有大量分支，与小脑中的其他细胞相连。

下图

成人背根神经节（与脊髓神经相连的神经系统）的感觉神经元。细胞在含有神经生长因子（体内维持细胞活性的蛋白）的培养皿中生长，并用荧光染色剂染色，从而能在特殊的荧光显微镜下观察。

神经细胞整个染成了黑色，其他细胞则完全没有变化。由此，人们终于能够观察到它们的轮廓、复杂的分叉以及在组织中的位置。随后，高尔基发表了一系列重要的神经组织学成果。尽管他摒弃了格拉克的融合树突学说，但却支持连续轴突网络理论，并发现它们是通讯的介质。

神经元学说

19世纪80年代晚期，高尔基的浸渍法逐渐广为人知，并削弱了网状学说的根基。胚胎学家威廉·西斯（Wilhelm His，公元1831～1904）和精神病学家奥古斯特·弗莱勒（August Forel，公元1848～1931）认为神经细胞以及周围分支共同构成了独立单元。具有艺术天赋的西班牙神经学家圣地亚哥·雷蒙·卡哈尔（Santiago Ramon Cajal，公元1852～1934）提供了最强有力的证据，他对高尔基法稍作改进，从而获得了细节更清晰的图像。卡哈尔对多种不同动物的神经组织进行了系统研究，最终得出了神经细胞的个体理论。他与亚瑟·冯·格胡克腾（Arthur von Gehuchten，公元1861～1914）一起，进一步提出了动态极化定律，即信息从树突通过细胞体单向传递至轴突。1906年，他与高尔基一同获得诺贝尔奖。

最终，解剖学家威廉·冯·沃尔德耶·哈茨（Wilhelm von Waldeyer-Hartz，公元1836～1921）将前述成果与细胞理论统一起来，在1891年造出了“神经元”（neuron）这个词【来源于希腊语的“腱”（sinew或tendon）】。6年后，查尔斯·谢灵顿爵士（Sir Charles Sherrington，公元1857～1952）提出了突触（两个神经元之间的连接）的概念，解释了相邻神经元之间即使有缝隙也能传递脉冲信号的现象。

1900年前后，神经元理论已经完善。不过，如今又发现了很多例外，显示出神经系统在结构和功能上比之前认为的更为复杂多样。并且电子显微镜已经揭示，神经细胞不仅有化学突触，也有电突触。

10. 分子

生命的化学过程

大卫·威瑟洛尔（David Weatherall）

生物体不过是奇妙的机器。

——克劳德·伯纳德（Claude Bernard，1863）

尽管与许多其他学科领域相关，生物化学（研究生物体化学的学科）直到20世纪早期才得以发展为一门学科。从古埃及、古希腊时代一直到16世纪，人们相信世界是由空气、水、土和火构成的，而健康和疾病反映了人体四种体液的平衡和非平衡状态。16世纪的帕拉塞尔苏斯（Paracelsus，公元1493～1541）反对这种观念，他受炼金术影响，认为生物体不仅仅和整个世界类似，而且是由相同的物质构成的，因此化学对理解生物正常或非正常的功能都很重要。

接下来的3个世纪中，始终有人认为生命力是由某种神圣存在赐予的独立实体，不适用于化学分析，但科学始终在向前发展。到18世纪末期，安托万·拉瓦锡（Antoine Lavoisier，公元1743～1794）和约瑟夫·普利斯特利（Joseph Priestley，公元1733～1804）证明了氧气的重要性，以及在释放能量过程中氧气与碳的作用，人们从而发现了某些营养素的基本组成部分。对酵母和酶的研究则显示，有些化学物质能够控制多种反应，而自身保持不变。19世纪，细胞在所有生命系统中的重要性已经确立。克劳德·伯纳德（Claude

右上图
安托万·拉瓦锡与其妻子兼助理的画像，欧内斯特·波德（Ernest Board）作。他妻子学习了拉瓦锡不会的英语，同时也是优秀的绘图员和版画家，并为他的文字配图。

对页左图
约瑟夫·普利斯特利的著作《几种气体的实验和观察》（*Experiments and Observations on Different Kinds of Air*）（1775）的卷首插画，显示该书探讨了氧气的重要性。

对页右图
莱纳斯·鲍林（Linus Pauling）是研究DNA结构的学者之一。他提出了三螺旋理论，但最后证明正确的是沃森和克里克的双螺旋理论。

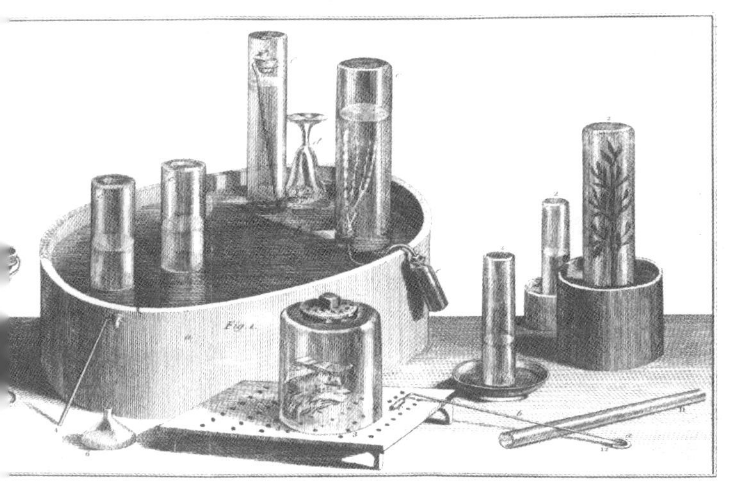

Bernard，公元1813～1878）则提出有机体内环境稳态的重要性，这些均深刻影响了生理学和生物化学的发展。

生物化学：“统一的科学”

20世纪初期，生物化学向多个不同方向发展。人们发现，能量传递过程是由三磷酸腺苷（ATP）这样的化合物介导的，并通过“细胞工厂”线粒体或各类相关的酶控制的途径进行，有些负责分解糖、脂肪和氨基酸，同时形成ATP，而有些则合成关键产物，如葡萄糖、糖原、脂肪和蛋白质。

这些复杂通路的发现，如以发现者汉斯·克雷布斯（Hans Krebs，公元1900～1981）命名的柠檬酸循环（Krebscycle），后来对医学的许多分支都产生了重要影响。如1920年至1935年间，奥托·瓦尔堡（Otto Warburg，公元1883～1970）和古斯塔夫·埃姆登（Gustav Embden，公元1874～1935）确定了血红细胞中葡萄糖代谢的每个步骤。这些通路既能产生能量，又具备故障保护机制，保护细胞免受反应副产物的伤害。后来，人们发现有缺陷的酶是引起多种遗传性贫血的原因。

蛋白质的结构和功能

19世纪取得的巨大进展还包括对蛋白质结构、功能及合成调节方式的发现。埃米尔·费舍尔（Emil Fischer，公元1852～1919）发现，蛋白质由氨基酸链组成，后来被称为多肽链。令人惊异的是，一共只有约20种氨基酸为所有生物体共有，不同蛋白质的不同性质反映了它们在链中存在的顺序。

20世纪30年代，莱纳斯·鲍林（公元1901～1994）等人发现，多肽链的化学键和构象决定了蛋白质的结构，X射线绕射技术则让人们能够分析其三维结构。20世纪50年代早期，弗雷德里克·桑格（Frederick Sanger，公元1918～）确定了胰岛素的结构，马克斯·佩鲁茨（Max Perutz，公元1914～2002）则发现了血红蛋白的结构，他们均获得了诺贝尔奖。遗传性贫血的一种——镰状细胞病在全世界有大量患者，鲍林等人在1949年发现它是由血红细胞的结构改变而引起的。后来发现，血红细胞的各类变异与不同形式的贫血或临床疾病有关，异常的酶结构也是多种遗传病发生的原因。

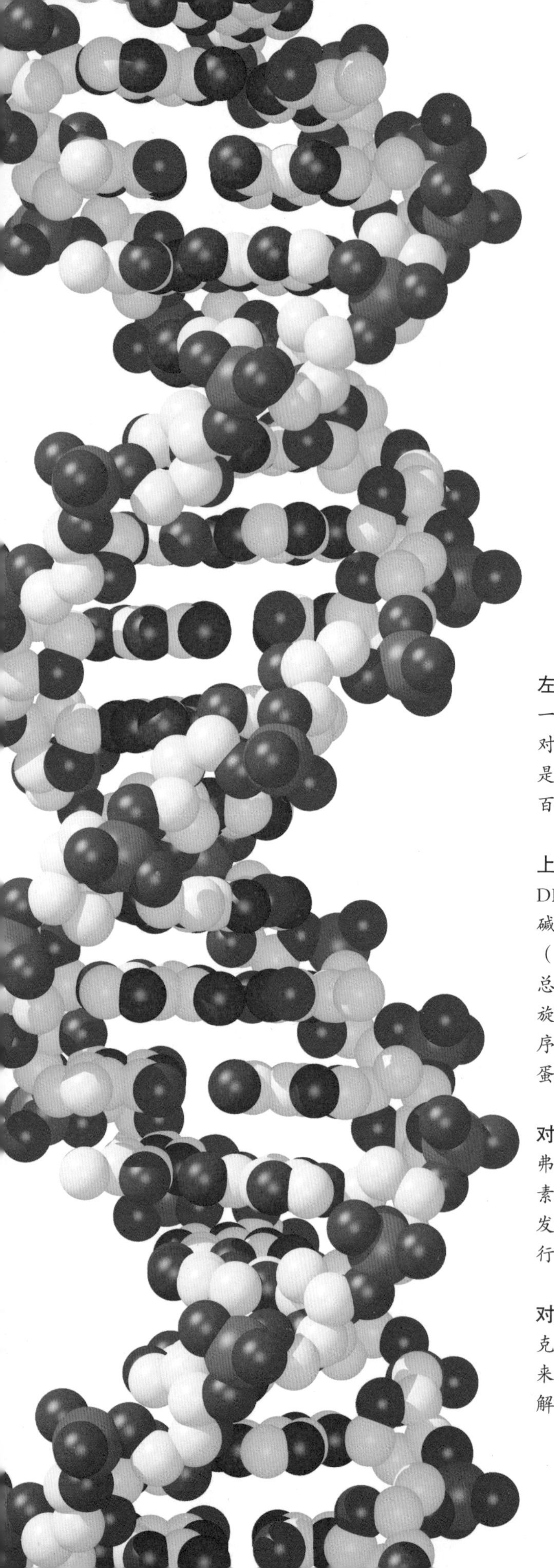

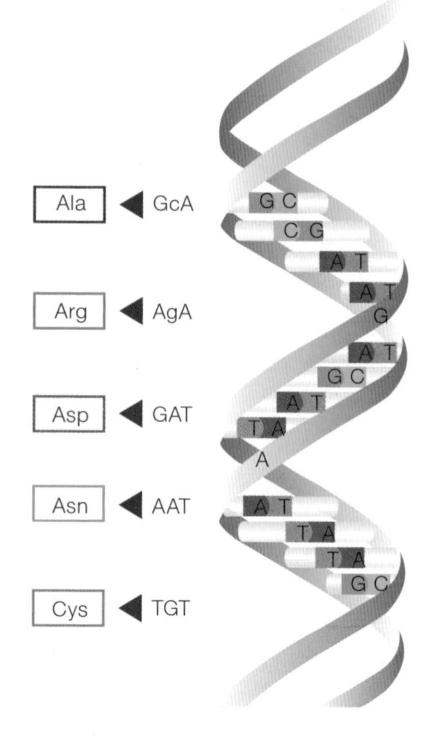

左图

一小段DNA分子模型中的DNA双螺旋，大约有12对碱基。氧原子用红色表示，氮原子是蓝色，磷是紫色，碳是白色。真正的DNA分子可以包含几百万个碱基对。

上图

DNA是两条链组成的双螺旋结构，由环绕的四种碱基构成：腺嘌呤（A），鸟嘌呤（G），胞嘧啶（C）和胸腺嘧啶（T）。由于碱基配对规则，A总是与T配对，C则与G配对。碱基对形成了双螺旋之间的连接。每个氨基酸（左栏）由三个碱基序列或密码子（中间栏）产生。氨基酸结合形成蛋白质。

对页左图

弗朗西斯·克里克（Francis Crick）1953年用铅笔素描的DNA双螺旋，那年他和沃森公布了他们的发现。它展现了一个右手螺旋，以及两条反向平行链上的核苷碱基。

对页右图

克里克的另一幅素描（年份确定为1954年1月19日），来自他的笔记。他继续研究DNA，最终与同事共同解决了遗传密码（三联体密码）的问题。

在20世纪，生物化学也对许多其他学科做出了显著贡献，如营养学对维生素的发现和描述，以及内分泌学对激素结构和功能的发现。生物化学还能帮助解释从糖尿病到肾衰竭在内的多种代谢异常疾病。

DNA与分子生物学

与生物化学密切相关的遗传学也随之发展。对果蝇及其他生命体的实验显示，基因会发生突变，并且基因与酶的结构直接相关。最初，人们认为遗传信息是通过特定的蛋白质在人与人、细胞与细胞之间传递的。但1944年，奥斯瓦尔德·埃弗里（Oswald Avery，公元1877～1955）等人证明核酸才是遗传物质，而核酸由弗雷德里希·米歇尔（Friedrich Miescher，公元1844～1895）于1869年首先发现。一个单体DNA分子（脱氧核糖核酸）由一份子糖、脱氧核糖和四个碱基结合而成。

1953年，詹姆斯·沃森（James Waston，公元1928～）和克里克描述了DNA分子的结构：由双链组成的双螺旋，四个碱基彼此缠绕。细胞分裂时，两条链分开，每一条单链都是合成相同DNA分子的模板，即自我复制因子。后来人们发现，碱基的顺序决定了多肽链上氨基酸的顺序；也就是说，DNA携带着不同碱基对数目的基因，对每个蛋白质的精确结构进行编码。利用现在所称的分子生物学技术，人们发现了蛋白质合成的机制和控制方法，确定了大量遗传病的发病原因，并开始在分子水平研究癌症等疾病。

前途如何？

100多年来，人们对生命的化学科学的理解经过了从生理化学到生物化学再到分子生物学的变化，每个阶段都伴随着重要医学实践的发展。21世纪的重大课题在于：哪种学科能够整合生命过程在化学和分子层面上的极度复杂性，并能更准确地告诉我们健康或疾病的原因。

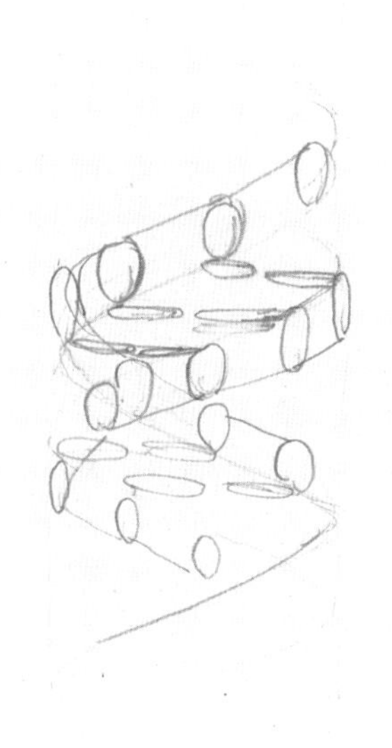

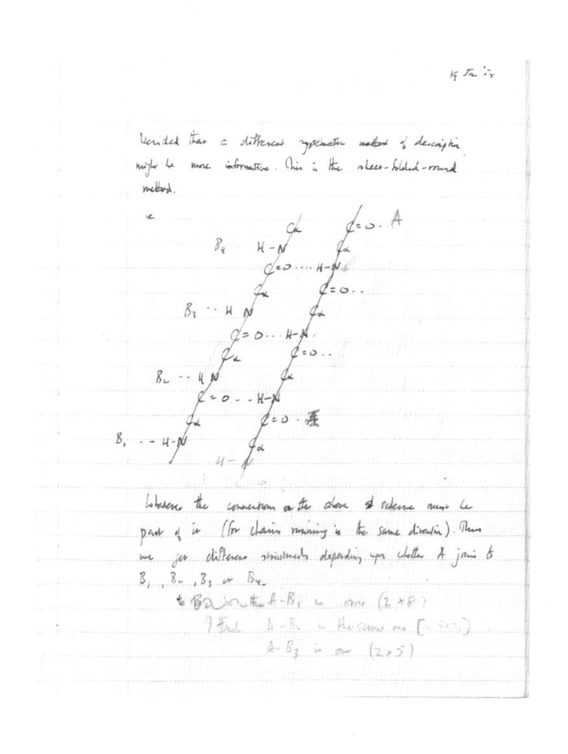

Decided that a different systematic method of description might be more informative. This is the sheet-folded-round method.

Whatever the connections on the above scheme must be part of it (for chains running in the same direction). Thus we get different structures depending upon whether A joins to B_1, B_2, B_3 or B_4.

第二章
理解健康和疾病

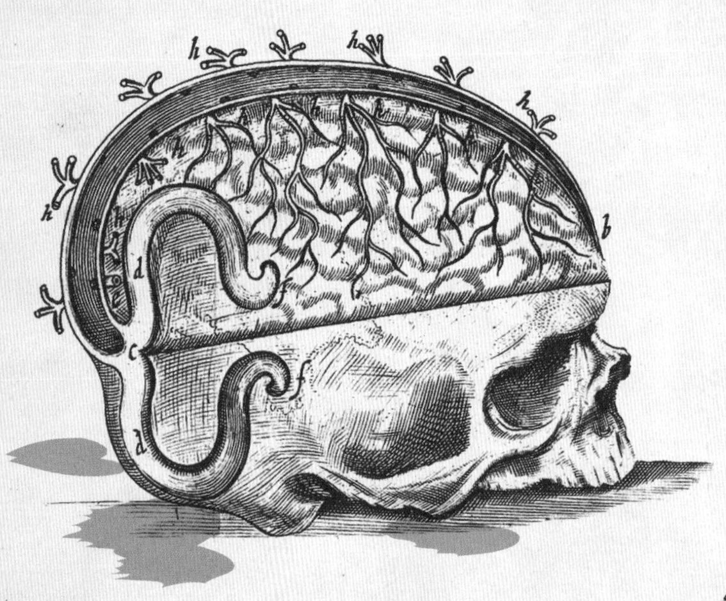

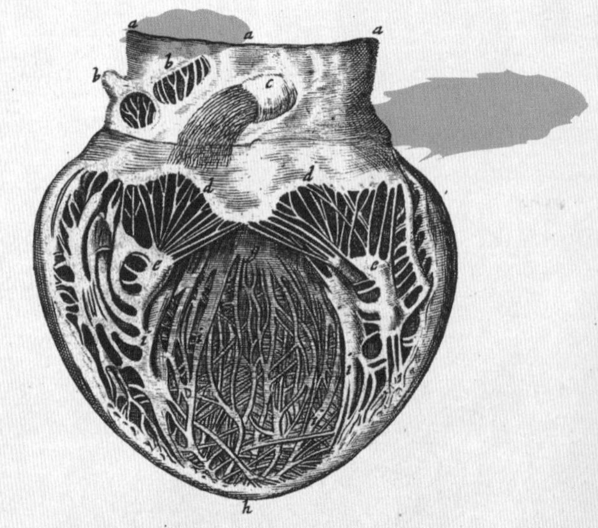

两幅图注（脑部血管和心脏内部结构）是摘录于理查德·洛厄1669年的《心脏治疗学》。洛厄将哈维在血液循环方面的工作进行了展开——掌握这种机体如何运转的基本知识，在我们理解健康和疾病时非常重要。

在所有的文化里，疾病的定义是以健康为前提条件的。而我们几乎意识不到健康的存在；只有当我们的身体某部分出现问题，我们才意识到先前它们是健康的。也正是这个逻辑给医生的教育制定了顺序：先学习正常的生理——有关身体是如何工作的，然后再学习异常的情况，比如身体是如何患病的。

这个部分探索了在西方社会，正常/异常身体的连续统一体是如何被明确表达的。有时候焦点几乎无一例外地集中在异常方面：血液循环对于我们的思维方式而言实在是太“自然”的一种概念，以至于我们很难想象出另一种对心脏角色的解释，这“另一种解释”由希波克拉底提出后曾存在了2 000年。关于身体调控（克劳德·伯纳德对内饰微环境的措辞）和内分泌的构想出现得更晚。这两点都表达了一个由早期的医生们提出的猜想：关于机体是如何运行的事实。我们现代的理解是基于健康和疾病的核心支柱——正常和病理的范围。

范围和平均值这样的概念与以细菌理论为支撑的疾病的思考方式没有多少相似之处。这个医学科学的重大发现为疾病提供了一个新概念：作为一个入侵者，或者是机体自身之外的某些东西，病菌鼓励医生把病人和病人的病情分开来看待，并且将疾病视为一场战斗。战争意象有着悠久的历史（“争取一个人的生命”“奋力对抗疾病”），但“病菌”鼓励医生了解我们的身体应付讨厌的入侵生物——细菌、病毒、蠕虫的现实途径。感染方面的细微差别，它们的传播以及机体的应对机制在寄生虫和免疫学的领域有了更进一步的探索。机体还能有与其自身对抗、以消极的方式利用免疫系统的好处。

为什么不同的人对相似的疾病挑战会有不同的反应？现代的理解往往是把我们每一个人的基因构成看作是主要原因。“基因组”是今天的大新闻，而与某些特定的疾病或障碍相关的新基因会被定期公布。我们停留在“基因革命”的开始，它仍然有望在未来超过它当下的贡献。但毫无疑问的是未来药物的使用将更加紧密地考虑个人基因方面的因素。因此，似乎可以肯定的是，我们对癌症及对其演化的认识也会与个人基因的联系越发紧密。癌症已经成为现代人的主要担忧之一，其预防和治疗都是医药的现代化议程的重点。

精神病学已被称为50%的医学。因为去看医生的很大一部分病人都有“精神”的原因：感到抑郁，睡眠不好，无法解释的疼痛、疲劳和焦虑。除此之外还有很多重要的症状——幻听，偏执狂或者严重混乱的思维。谈话疗法能治疗不是特别严重的（“神经过敏”）一系列症状。病情更加严重者（“精神病患者”）会威胁到自己或他人的人一般都被限制在专科医院，其中“疯人院”是最著名的。

在西方，人们普遍能理解健康和疾病的另类治疗方式。顺势疗法、整骨疗法和物理疗法在今天被称作“辅助医学”，这种医学有很多的追随者。

11. 循环系统

因果效应

约翰·福特（John Ford）

心脏的运动，只有上帝能理解。

——威廉·哈维（William Harvey），1628

上图

迈克尔·塞尔维特（Michael Servetus）是文艺复兴时期的思想家和研究者之一，他对古代关于血液是如何在体内运动的思想提出了质疑。

右图

威廉·哈维，他提出了由心脏泵出血液继而在全身循环的理论，这里看到的是他们解剖据说死时有152岁的托马斯·帕尔的身体的情形。

心脏是一个泵，以环行运动的形式推动血液在体内循环，这种观点相对较新。在整个古代，血液被视为滋补之饮。一些理论认为血液含有生命的元气。伽林（Galen，公元129～216）是一位多产的动物解剖者，他认为血液是在肝脏中产生或"炮制"，通过人体的潮汐方式移动到器官，这些器官都由血液提供营养。根据这个理论，血液被分成两股：一股流入肺脏，在那里与气体混合；另一股通过隔膜上的贯通孔，隔膜将心室从中一分为二，并且通过心脏和血管的扩张，血液从贯通孔通过，在身体的主要动脉移动，直到它在外围被消耗。因此，心脏并不被认为具有动力。这就是中世纪的教条。

脉动之谜

在文艺复兴时期，关于心脏的古老的概念被质疑。人们想知道脉搏的本质，几百年来他们在健康和疾病中感觉到脉搏。他们已经注意到，血液从破损的动脉和从被刺破的静脉以不同的方式喷出。迈克尔·塞尔维特(Michael Servetus，公元1509～1555)提出了血液从心腔右侧向左侧的循环。这个理论被马泰奥·科伦坡（Matteo Colombo，公元1516～1559）重申，他指出人体心脏室间的隔膜并无贯通孔。所以伽林的观点并不准确。

在帕多瓦，安德亚雷斯·维萨里(Andreas Vesalius，公元1514～1564)进行了精确的人体解剖，他于1543年发表了相应结果并配有典雅的插图。法布里修（Fabricius ab Aquapendente，公元1557～1619）指出，静脉有单向瓣膜从而使静脉血只能朝着回心方向流动。虽然他知道心脏和血管的精确解剖知识，但是仍然没有创立关于循环的理论体系。

如泵之心

威廉·哈维（公元1578～1657）从1600年～1602年在意大利的帕多瓦跟随法布里修学习，当他回家之后，除了在伦敦开门执业之外，还通过常规的动物解剖继续学习心脏的相关知识。到1619年，他对由心脏提供动力的血液循环已有了清晰的概念，但是他为了搜集更进一步的证据而继续实验。这样就将他的著名论文《动物心搏及血液循环》（*de motu cordis et sanguinis in animalibus*）（有关动物的心脏和血液活动）推迟到1628年才发表。他的激进提议是：血液最重要的器官是心脏而不是肝，并且心脏的作用如泵一样使血液在身体里循环往复——从动脉中出来再流回静脉。哈维将这本著作献给了英王查理一世，他将国王比拟为心脏，“如所有恩惠的源泉，所有权利都流向它”。作为英国内战期间皇家医师和

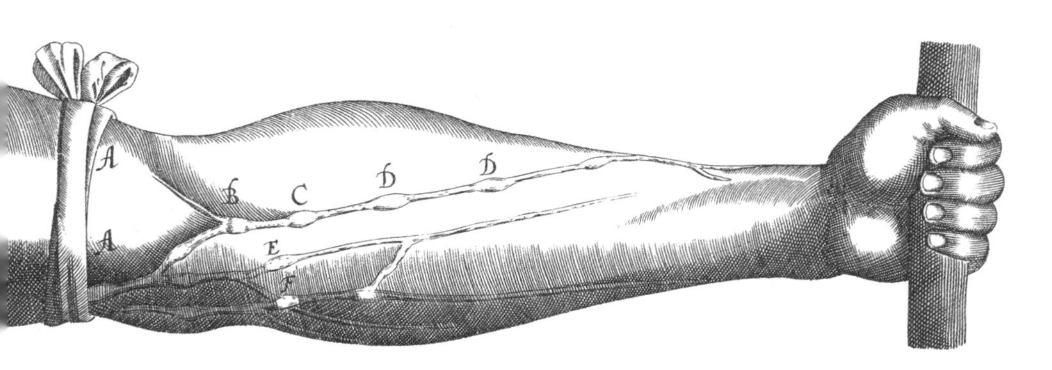

上图和下图

哈维依靠实验和逻辑推理，给自己的血液循环理论制定了框架。他在1628年论文中的插图展示了（见上图）在上臂施加止血带后，血液流通受到阻碍，再没有血液进入或离开这部分血液系统，以及（下图）静脉瓣是如何让血液只朝着心脏方向流动的。

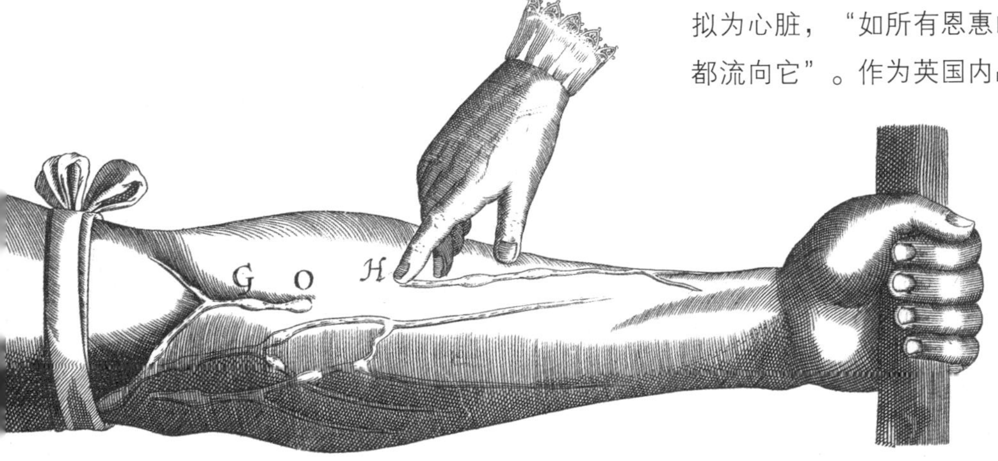

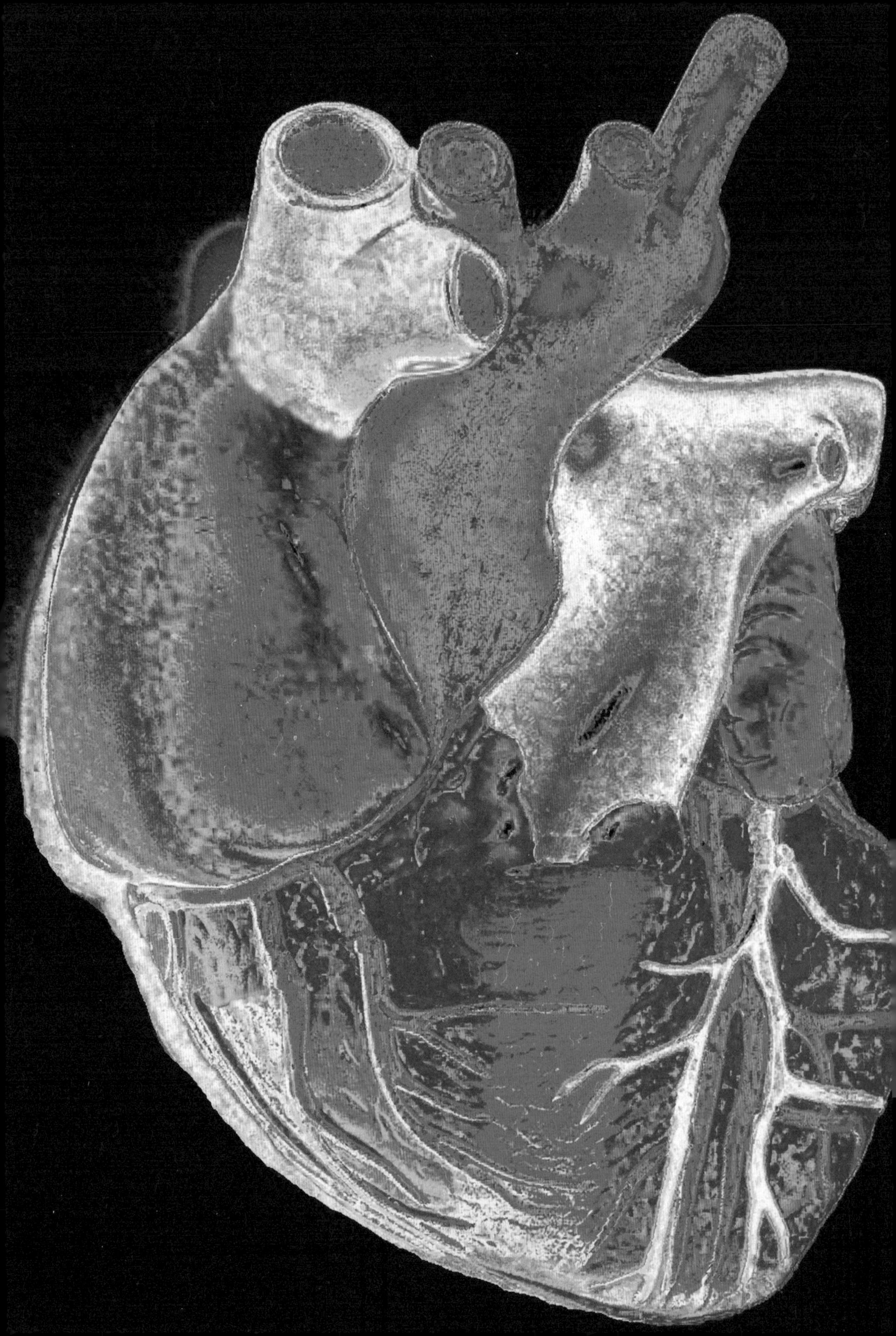

保皇派的坚定支持者，他进入法院并在国王面前展示了他的发现。

哈维的实验已经展示了每个心室差不多能容纳2盎司（约56.7克）的血液，每分钟的心跳次数约72次。所以心脏一小时约泵出8 640盎司（约244.9千克）血液进入动脉，这差不多是一位普通成人体重的3倍。没有任何一个肝脏能迅速产生如此大量的血液，当然这么多血液也不会在外周迅速消散。哈维可以得出的唯一结论是等量的血液从心脏出发循环到动脉，再通过静脉里的单向静脉瓣回流至心脏。令人遗憾的是他没能发现这两个系统是在哪里汇合的。直到1661年，马塞罗·马尔皮基（Marcelo Malpighi，公元1628~1694）应用显微镜证明了肺组织中外周毛细血管的存在，人们才对这方面的知识有了进一步的理解。虽然哈维证明了循环系统的存在，但是他并没有意识到这个发现的重要意义，他写道"现在还不能确定这种循环是为了营养还是为了热的交换。"

对生命不可或缺

理查德·洛厄（Richard Lower，公元1651~1691）和理查德·胡克（Richard Hooke，公元1655~1705）的实验证明了流经肺部小循环血液的相关性。他们发现暗红色的静脉血从心脏的右侧进入肺部，流出肺部的血液呈鲜红色，就像动脉中的血液一样，但他们并没有明白为什么。这其中的原因一直未被发现，直到下一个世纪人们才知道血液在肺中的氧合作用导致了这种颜色的变化，血液氧合之后被运送到外周。

尽管哈维对他的实验结果有着清晰的逻辑论述，并且从中得出了结论，但是循环的概念还是有很多年都没有被普遍接受。特别是让·瑞奥兰（Jean Riolan，公元1580~1657）带领下的巴黎保守派医学院坚持盖伦的主张，尽管哈维在英国有众多的追随者，但他仍抱怨自己的医疗实践被大家拒绝接受。

然而其他人都着眼于循环系统的力学机制。斯蒂芬·黑尔斯(Stephen Hales，公元1677~1761)将一根玻璃管与马的动脉相连，来测量其中的压力，并估量心脏的容量和血流的速率。约翰·弗洛伊（John Floyer，公元1649~1743）设计了一种表来为脉搏计数，而雷内·拉埃内克（René Laennec，公元1781~1826）于1819年开始用他新发明的听诊器来听心脏的声音。

如今心脏被认作是一个泵，而其中的血液循环又对生命不可或缺，所以大家看到20世纪人工心脏的发展就不足为奇了。心肺机是在心脏手术中临时用来支持外周循环的机器。科学家已经做了人工心脏的相关设计工作，以便在病人心衰时应用。

对页图
一个人体心脏模型的数码增强图像；这个重要的器官在我们的想象中保留了它的控制力。

左图
人工心脏：一种外来植入的机器，能将血液泵入身体的外周循环中，它是从20世纪中叶发展起来的并大大促进了心脏手术的发展。不同于临时使用的人工心脏——用于保证病人存活直到有器官可供其移植，这种植入式人工心脏仍然是可望而不可及。

12. # 飞越疯人院

约束疯狂的人

安德鲁·斯卡尔（Andrew Scull）

在大多数救助精神病患者的地方,这些疯狂的人似乎是被用来折磨其他疯子的。

——塞缪尔·图克（Samuel Tuke），1813

旧制度

位于伦敦的贝特莱姆医院也叫做“疯人院”，长期以来是英语国家中最有名的精神病医院。从14世纪到17世纪晚期，它几乎是当时英国唯一专门从事精神病人护理的机构。作为英国社会后来商业化的构成部分，其他的“疯人院”开始出现，这就为越来越多的富裕家庭通过支付他人金钱来应付严重的精神疾病带来的烦恼和困难提供了条件。在18世纪，这个所谓的精神失常的处理范围继续扩大，而在英国以及欧洲和北美，其他精神病院的成立往往带有一种慈善的性质。许多这类机构声誉黯淡，他们的高墙、铁窗和保密的做法引发了外界对他们对待机构中病人方式的质疑。

事实上，许多患者被拴起来，经常接受残酷和冷漠的药物治疗，那些药物在18世纪时用于治疗多种疾病。除此之外，“治疗”很大程度上还包括了例行的放血、呕吐、导泻和低量饮食。然而，越来越多的精神病院其实疏于监管，并且鼓励一定程度的实验性治疗手段，而新机构为疯人院拥有者——门外汉和类似医务工作者——提供了一定社会空间，这样既能为处理精神病人积累经验，又能够应用实验性的治疗方法来改善精神病患者的行为和精神状态。

上图

詹姆斯·诺里斯（James Norris），一位美国水兵，不得不忍受被一根铁链拴在疯人院中一根柱子上的境遇。他仅有的安慰就是阅读以及和精神病院里的猫嬉戏。G.阿诺德于1815年的彩色蚀刻。

对页图

在18世纪，威廉·霍加斯（William Hogarth）的“浪子”结束了他被关押在疯人院的放荡生活。有钱的偷窥狂会前来目瞪口呆地观看这些失去了理智的疯子们的“表演”。

道德治疗之兴起

几乎同时，尤其是在法国、英国和意大利，一种新的管理精神疾病的方法于18世纪后期开始出现。支持者称它是“道德治疗”，将它与依赖放血和导泻的更传统的医疗管理体制区别开来。这类精神病院的管理者的确开始对应用传统的“经典”药物治疗精神病患者的方式表现出极大的怀疑，甚至经常是彻底的敌意。与传统相反，他们强调精神障碍治疗方法中的心理社会因素，并坚持认为那些仍然被称为“疯子”的人在经过改革的坚持道德治疗路线的医疗机构中才能得到最好的照料。

不同国家有不同形式的称呼，但道德治疗表现出了一些相似之处。对精神病患者被限制的空间,有越来越多的人确信这个物理空间的设计在各个方面的重要意义，他们也越来越乐观于实现为这些“疯子”创造一个治疗环境的可能性。建筑本身被道德化，它们以明显和微妙的方式反映了人们的信仰，人们认为建筑本身可以有利于或者帮助缓解精神障碍。

例如，栅栏给精神病院里的病人带去了错误的信息，所以先锋机构就采用了新的方法。在英格兰北部约克郡的一个精神病院里，玻璃窗口的窗格之间的分隔铁棒被漆成了像木头一样的颜色，也没有高墙将收容所与道路隔开。这样就给那些前来这里的人，包括有精神疾病的患者、他们的家人、普通的路人，留下了这样的印象——这并不是一个拘禁地而是一个像家一样的地方。收容所

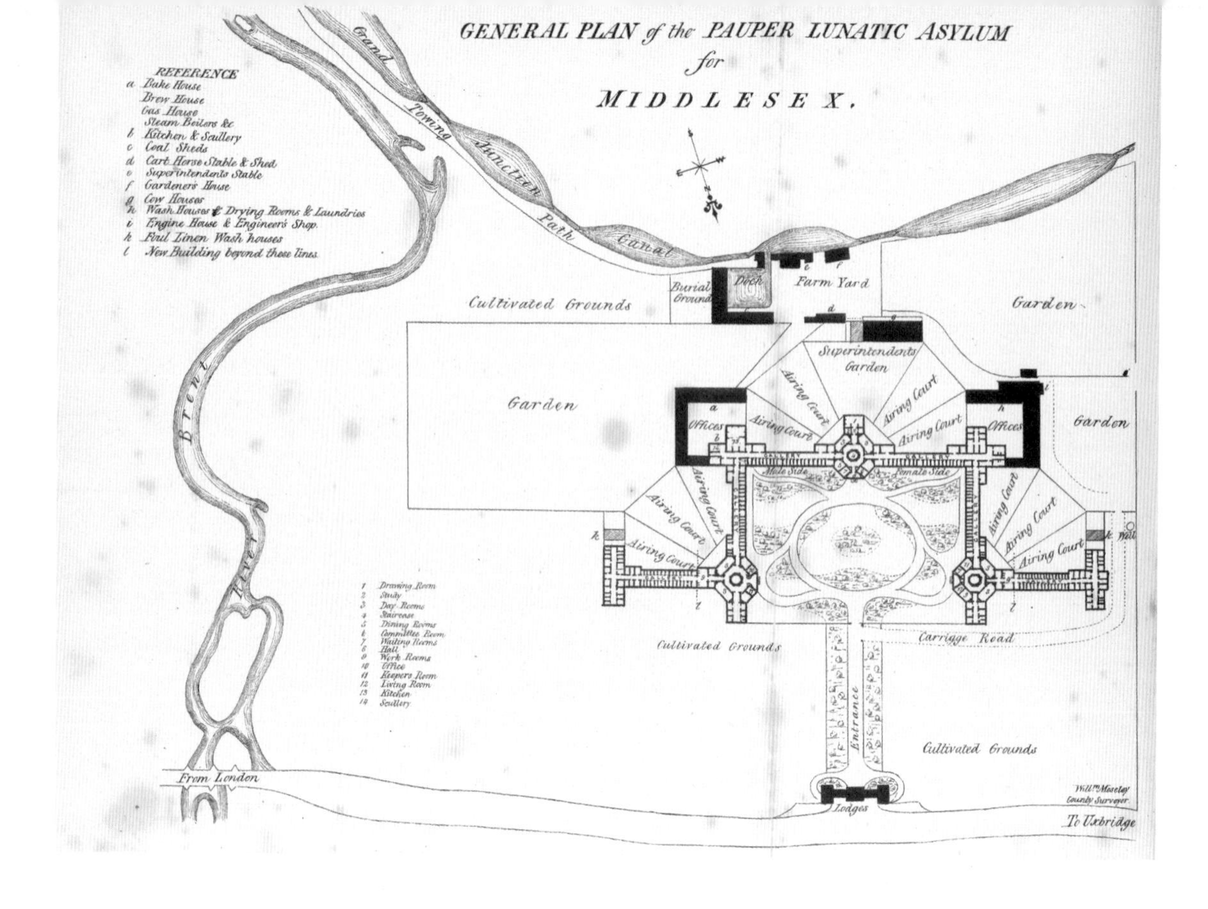

建在山上，这样就确保病人能呼吸到清新的空气，还能看到生机勃勃的景观。收容所地处缓坡，远离建筑物，目力所及，没有任何屏障横亘于病人和乡村景色之间（虽然实际上有一个隐藏的沟，或是一道矮墙，作为一个屏障防止病人逃脱）。单独的病房便于医务工作者把稳定的病人和胡言乱语的病人以及不治之症的患者和恢复期患者分隔开来，同时给了那些负责的医务人员一种强有力的“武器”，用以鼓励患者进行自我控制和自我约束，继而从疯狂状态中恢复过来。这一点在那些道德治疗的支持者眼里十分重要，表现不好就被送到差一点的环境中去，表现好就送到好一点的环境中去，反之亦然。

道德的治疗还强调要尽可能减少外在的约束和控制。在旧制度下的“疯人院”中，殴打或袭击病人的现象十分常见，如今被明文禁止，而且也减少了对病人身体的约束。工作人员将他们负责的病人作为一个独立的个体，在面对那些由精神病症状导致的挑衅行为时能做到置之不理，反而赞美和鼓励病人更多的“文明”行为。许多精神病患者表现出的离谱行为，现在被认为是由内在精神紊乱和外在不公正待遇双重原因导致的。

疯颠博物馆

最初，对精神病人治疗上的这种根本性转变似乎反应良好，虽然道德治疗的众多支持者倾向于谈论“恢复”而不是“治愈”。这反映了他们的信念：他们是利用大自然的自愈能力，而不是妨碍这种能力（传统方法就是如此）。这样患者恢复的数量明显多了。机构改革后的人性化管理体制和之前的残酷体制之间的对比，促发了一种对如今的治疗手段可实现的结果的近乎乌托邦式的乐观情绪。许多人认为精神疾病比身体上的疾

病更容易治愈。特别是在美国，这种对治疗效果的邪教般的狂热信仰达到了难以想象的比例，有人宣称只要把患者立即送进精神病院就能够使70%、80%甚至90%的新发病例得到治愈。道德治疗手段更强烈地助长了人们认为精神病院具有维多利亚时代的魅力，他们认为精神病院能解决如何处理精神病患者的问题。在一股乐观的浪潮下，许多利用公共资金建立的精神病院，很快成为19世纪人们熟悉的景观特征。

但是乐观消退了。许多治疗蜕变成为了道德管理。疗效被证明是很短暂的，巨大的疯癫博物馆治愈效果并不好，这形成一个具有讽刺意味的对比。就这样维持着进入20世纪后半叶，去机构化成为当时的政治口头禅，这些精神病院被迅速清空，只留下少数的患者。许多精神病院被遗弃和毁坏，并开始从景观中消失，继而被社区护理所取代。

对页图

在米德尔塞克斯伯爵精神病院，也被称为汉威尔（与当地村庄名字一致），院长约翰·康诺利率先取消了呆板的束缚。虽然有各种各样的进步，但是这些巨大的、自成一体的单位依然成为“绝对机构”。

上方左图

发表于1775年的一个精神病人的寓言：部分裸露，表情夸张，瞪着眼睛，奢华的帽子和被链条锁住的手腕符合18世纪对精神失常的人的定型和约束手段。

上方右图

20世纪初澳大利亚的维多利亚州的基尤区，男性精神病患者在大都会疯人院进行身体锻炼。女性患者与男性患者分开，也以相似的套路进行锻炼，只是棍数比男性少。这家医院是澳大利亚最大的精神病专科医院之一，拥有超过1 000张床位。

13. 内环境

平衡的重要性

安娜·塞西莉·亚罗德里格兹·德·罗莫（Ana Cecilia Rodriguez de Romo）

在生物体内调控是生理学的中心问题。

——沃尔特·B.坎农（Walter B. Cannon），1929

在1850年，法国生理学家克劳德·伯纳德（Claude Bernard，公元1815~1878）推测，多细胞有机体在变化的外部环境中仍然能存活，是因为他们拥有一个内部介质使他们保持在一个相对稳定的状态。按照伯纳德的观点，有机体能存活就必须部分独立于外部环境，这就意味着生物的组织必须在某种程度上被保护，以免受到外界的直接影响。

伯纳德总结了他对高等生物的研究，他的一句名言是这样说的："恒定的内部环境是生物体自由和独立生活的条件。"他用生理内环境（内部的生理性介质，或"内环境"）这个术语来指代构成一个有机体的一系列化学物质和过程，而且它们之间的相互关系保持不变，尽管外部环境可能会发生变化。

这种生物体的自我调节功能是非常有意义的，这一理论是科学史上有关生物的最重要的概括理论之一。而且，内部介质稳定性概念的产生是引导生理学研究发展的基本现象之一。生理学不能局限于简单地对主体各个部分和独立的器官和系统的功能功能进行分别描述；相反，它必须在整体参与维持内环境的共性任务的背景下来研究这些更加广泛的内容。

体内平衡

在19世纪晚期和20世纪早期，沃尔

对页下图

伯纳德在他的实验室里工作。涉及最重要的动物实验时，他和他的同事、学生讨论实验，一般有一个抄写员做笔记，一个穿蓝色外套的助手在一旁帮忙处理实验带来的杂乱事宜。

上图

立毛或头发“倒竖”是身体的内环境稳定机制的一部分。神经感受到了温度的下降，刺激毛囊收缩从而拉紧头发直立。竖立的毛发在皮肤的表面保留了暖空气，从而形成一个绝缘层，以保持身体内部恒定的温度。如今我们从这种进化性的适应现象中获益较少，因为我们体表的毛发数量大大减少了。

特·B.坎农（公元1871~1945）采用伯纳德的方法并在这基础上更进一步研究，于1932年发表了他的著作《身体的智慧》，描述了机体在维持自身必需的生理—化学平衡时参与的生理机制。在1929年，北美生理学家用“自稳”（homeostasis）这个名词——来自于希腊词根homo，“平等”（equal）和“固定的”（standing）——表示“由于人体内的所有调控过程连续相互作用，身体内部的环境得以维持在一个平衡的状态”。

坎农使用“自稳”这个词，是对人体的内部结构和功能连续性的概括。这样一来这个名词表示的就不仅仅是生物体本身的稳定状态，还包括了用来维持这种稳态的不计其

数的生理过程。按照坎农的说法，稳态是进化到更加高级的生命形式的关键功能，他认为生物进化的程度取决于其提高自身稳态水平的能力。

因此，这种平衡状态实际上构成了一个机体对不断变化的环境进行反应的动态的过程。但身体的平衡只能在一个较小的范围内且在维持生命的前提下进行调整。例如，人体血液中葡萄糖的浓度通常每100毫升血液不低于70毫克，也不会高于110毫克。人体内的每一个从细胞层面到系统水平的结构，都在以某种方式保证内部环境维持在正常范围内。保持这种动态平衡的确需要被称为自稳机制的许多复杂的过程参与，它们需要在内部介质发生一些最初变化的时候做出响应。这些响应被称为适应性反应，它们允许机体以这样的方式适应环境的变化，来保持内环境稳定及促进健康生存。稳态使体液存在于细胞内、外的体液中——所有维持生命需要的物质都在这些体液里分解，包括氧气、营养物质、蛋白质和被称为离子的各种各样的带电的化学物质。细胞外液占机体内所有生物体液的1/3，而且是由间质液组成——血浆或者淋巴液——这些液体都参与了细胞代谢。细胞外液组成了机体的内部介质，它们的作用在于不仅为细胞提供了一个相对恒定的的外环境，还给细胞运送物质。细胞内液则占生物体液的2/3，它们是促进对生命不可或缺的化学反应的很好的溶剂。

超越哺乳动物

伯纳德和坎农提出的“自稳”概念在生

左图

偏光显微镜下的肾上腺素晶体。肾上腺素可在应激反应中提高心率和肌肉的血流量。坎农通过自主神经系统的运作来研究机体的自我调节，从而阐明了肾上腺素反应的过程。

对页

沃尔特·B.坎农在工作中使用仪器探究稳态时的生理过程。

物学历史上的影响非常巨大，虽然很多生物学家认为这个概念被外推并且使用得过于泛滥。伯纳德和坎农一生的工作基本上局限在哺乳类动物身上，这类动物都有一个特别高级别的内在稳定性。与之相反的是，大多数的鱼和两栖动物并不是通过生理性的方式维持其内部温度的，而是任由自身温度随着外环境的变化而变化。

如果把伯纳德和坎农提出的自稳模式应用在这类动物身上（坎农确实这么做了），它们内部热稳定性的缺失就会显得是个缺陷。但是，在现实中这种缺陷也是有益处的，因为通过这种方式，这些动物的的内部温度可以与外部环境相平衡，而不是与朝着平衡的自然生理倾向相冲突。这种机制能节省巨大的能量。因为动物采用这种机制不产生热量，这样一来其消耗的能量就减少，继而不进食的时间也能延长。为了达到其代谢所需的工作温度，爬行动物会长时间待在阳光下。

在现代医学中，如果没有对这种自体平衡的生理现象的理解，治疗糖尿病病人出现的脱水、出血、代谢失衡症状，还有常常出现在医院急诊室、重症监护病房和医生诊所的许多其他疾病，将是无法想象的。事实上，“自稳”的这个原则是非常重要的，它作为一个整体已被应用到调控各种生态系统乃至整个宇宙。盖亚假说认为，地球上的动态平衡是由生物的自动反馈操作流程来维护的。

14. 细菌

最伟大的医学发现？

迈克尔·沃博伊斯（Michael Worboys）

全面建立疾病的细菌起源的学说是19世纪后半期突出的医学胜利。

——查尔斯·辛格（Charles Singer），1950

19世纪后期细菌能引起传染病的发现如果说不是有史以来最伟大的医学发现，也一定是其中之一。这个发现不仅有助于解释主要致死的感染因素是如何起源和传播的奥秘，也让医生能够根据它制定更有针对性的预防和治疗方法。这个发现改变了医生对所有疾病的看法，从主要是根据患者的体征和症状来定义疾病转变为确定疾病的具体原因。

疾病的细菌理论是成功的，因为它包含许多想法；它的确更准确地在疾病中提到了细菌理论。大家对于什么是病菌以及它们是如何导致不同疾病的有多种多样的看法。许多导致感染的罪魁祸首——微生物被科学家鉴定以后，细菌理论迅速转变为细菌事实。人们常说，在医学上细菌的出现是革命性的。但要记住，细菌理论学家也是吸取了之前的观点，许多医生也是通过保持已经建立的观点或修改细菌学理论来适应之前的观念，记住这个事实是十分重要的。

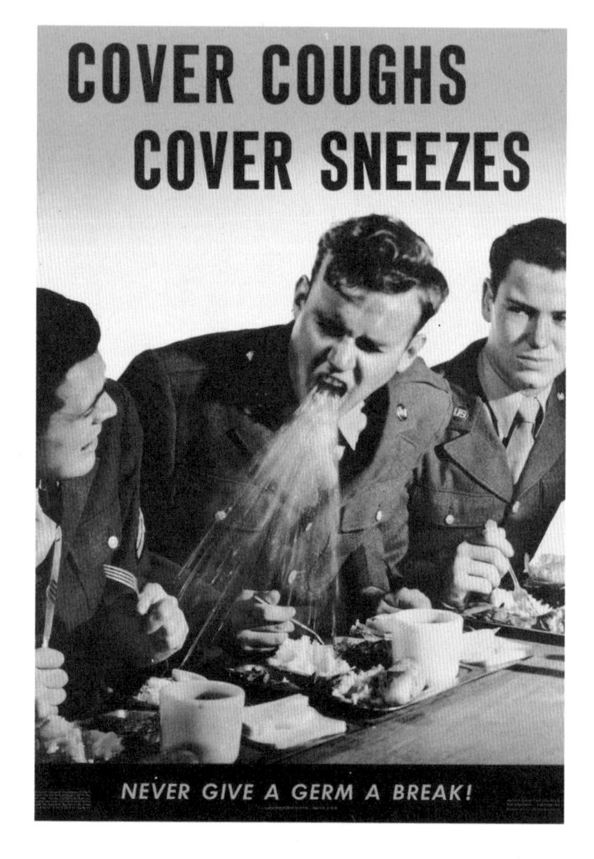

上图

第二次世界大战时的海报，提醒人们在咳嗽和打喷嚏时候捂住自己的嘴巴，以预防咳嗽和感冒的传播；这个重要的观念至今仍广为流传。但是在对细菌的现代化理解出现之前人们并不知道这么做的意义。

对页上图

“大气细菌理论”：早期细菌理论学家包括巴斯德和利斯特都认为空气中全是细菌；图中举例说明的借助空气传播的这些细菌来自于大气细菌理论的另一位支持者——约翰·休斯·贝内特，1868年。

革命之前

疾病–病菌的时间表已经可以追溯到阿维森纳时期（伊本西纳，公元980~1037），但更经常的是追溯到吉罗拉莫·弗拉卡斯托罗（Girolamo Fracastoro，公元1478~1553），后者声称接触传染物的传播能引起传染病，就像播种一般。弗拉卡斯托罗认为疾病的传

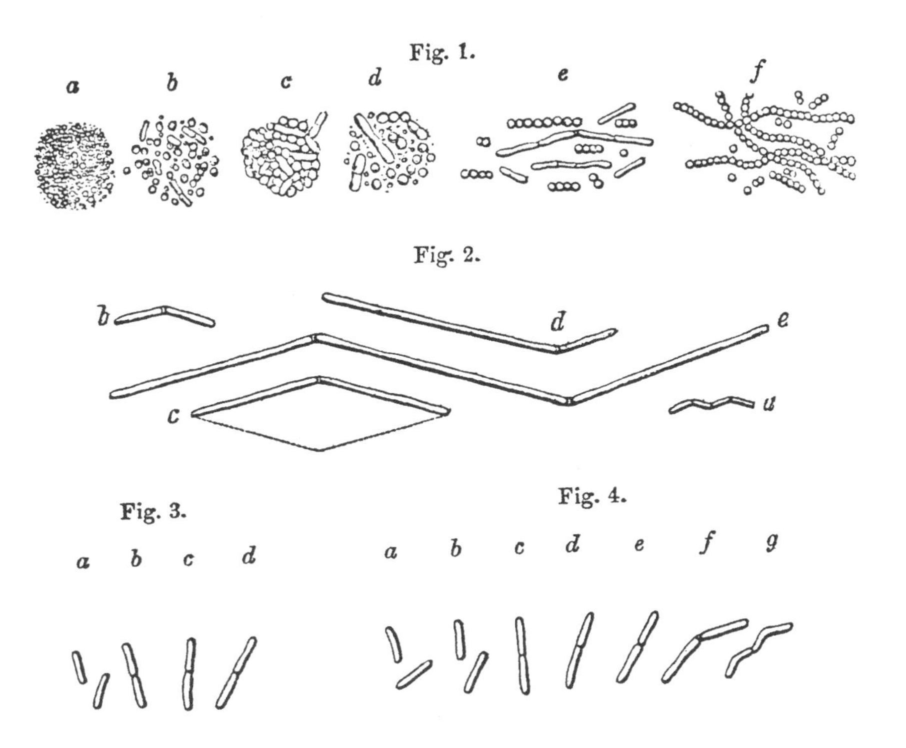

播蔓延可以通过很多途径——直接传播、间接传播或远程传播，患者的“种子”或“种子导致的”——其性质可能是化学性的也可能是生物性的，源于患者自身，能自发地在空气中传播或分解。他的理论先前的影响力一直不大，直到他在19世纪末期被提升为细菌理论的先驱，其理论才逐渐被大家重视。

安东尼·凡·列文虎克（Leeuwenhoek，公元1632~1723）也同样被看作是微生物学之父，虽然还有其他显微镜学家报告说看到病变组织有蠕虫和虫卵（与腐烂和分解相关的生物体），但对于这些是否都是感染的原因、后果或疾病的伴随物都是无法解释清楚的。阿戈斯蒂诺·巴斯（Agostino Bassi，公元1773~1856）凭借他发表在1835年的研究结果也被认为是疾病的细菌理论创造者，他发现一个微小真菌的生长诱发了蚕病。然而，这项工作并没有立即与人类疾病直接联系起来，特别是当时对流行性疾病的主导观点由于霍乱经历的影响，表现出反传染病性和化学倾向性。

上图
16世纪弗拉卡斯托罗的诗歌《梅毒》中的版画插图，在诗中，他警告牧师说考虑到感染性和相关的风险，要避免梅毒（Syphilus）（后来写作syphilis）就必须禁止滥交。弗拉卡斯托罗认为梅毒是可以通过接触性传染的疾病中的一种，当然我们今天不会把这种梅毒螺旋体当成细菌。

巴斯德消毒法的发展史

在19世纪早期，感染性的传染病被称为发酵的疾病。把这类疾病直接和发酵进行类比，然后再把其命名为发酵病（传染病）。医生根据当时盛行的观点，认为发酵病是由化学反应的催化剂或发酵剂造成，也就是假定它们是由较大的复杂的分子引起的强有力反应。另一个对这类疾病的比喻是中毒。在如天花这类具有高度传染性的疾病中，医生提到了病毒，它被认为就是一种特别活跃的毒药。

前面提及的发酵模型也适用于化脓性感染——受损或坏死的组织变质——这个过程被称为腐败。在19世纪50年代末和60年代初，路易斯·巴斯德（Louis Pasteur，公元1822~1895）开始改变上述的观点，他提出发酵和腐败是由微生物引起的一种生物过程，而不是化学反应。他不仅通过实践还通过实验室的实验展示来说服他的科学家同僚。他发现，把酒加热到50摄氏度（120华氏度）可以杀死导致酒变质的酵母细胞，并且当把这项技术应用于牛奶，可以停止其酸化过程。而这种消毒方法至今仍被称为巴斯德消毒法。

上图
路易斯·巴斯德正用显微镜工作。巴斯德是一个化学家而不是医生——他是一位新晋实验室科学家，而不是主攻医学研究的临床医生。

对页图
安德鲁·普林格尔拍摄的显微照片，他是《显微照片实用技术》（1890）的作者。结核病菌(上图)、炭疽杆菌（中间）、放线菌（下图左）、微球菌（下图右）。随着细菌理论的发展，科学家对细菌到底是一种还是多种，一种细菌是否可以突变为另一种细菌，以及特定的疾病是否是由特定的细菌引起这三个问题展开了激烈的讨论。

下图
约瑟夫·利斯特使用的石炭酸喷雾器。手术中外科医生将消毒的石炭酸或苯酚喷在自己的手上和病人的身体上，来营造一个抗菌的环境。这是利斯特的无菌制度中最流行的一部分。

外科手术和感染性疾病

外科医生约瑟夫·利斯特（Joseph Lister，公元1827~1912）实现了第一个也是最有名的巴斯德细菌理论的医学应用。利斯特尝试通过杀灭空气中感染性细菌以避免它们进入伤口，以及通过直接治疗受损或坏死的组织，来预防和阻止伤口的腐败。细菌可以引发失去活性的组织发生腐败的观点，对医生而言非常重要而且十分具有挑战性。而大家

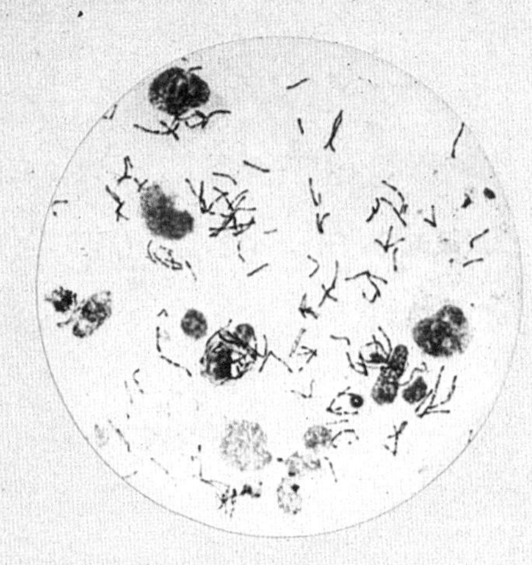

B. Tuberculosis. x 750.

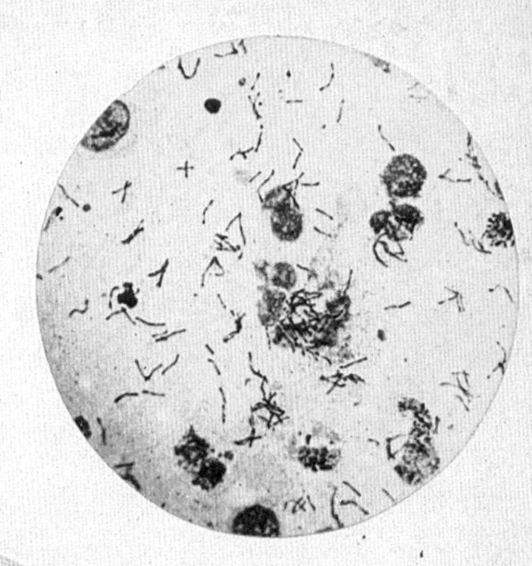

B. Tuberculosis. x 750

B. Anthracis. x 750.

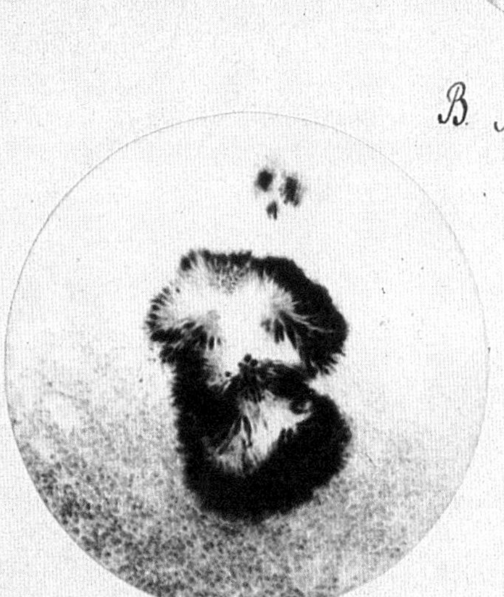

Actinomyces. x 150.

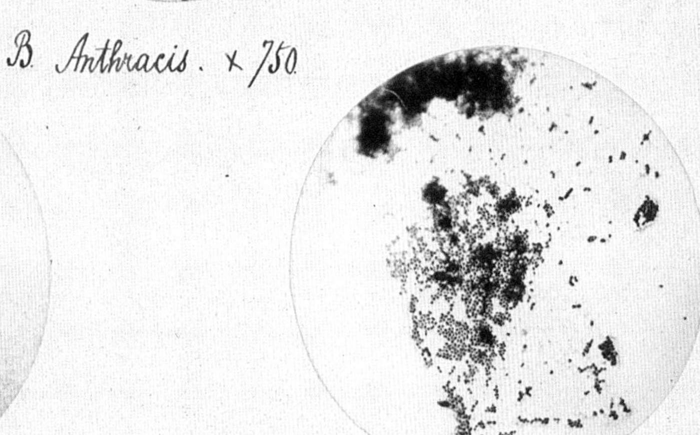

Micrococci, etc. x 750.

Micro organisms.

可能更容易接受这样的说法：这些极小的微生物能通过进入到组织并在其中生长繁殖，从而引发大面积的感染。此外，医生们还需要相信这些在显微镜下也难以分辨的微生物其实是不同的种类，能够引起不一样的疾病。当他们想要使用显微镜来寻找疾病—病菌的相关性时，科学家和医生们能看到很多微生物，但是这些微生物是如何给身体带来具有感染性疾病特征的，一直是他们疑惑的地方。有些医生开始怀疑这些杀伤力巨大的物质来自体外，这是与先前提出的疾病—病菌理论不一样的看法：疾病—病菌理论认为受损的细胞或生物体是在体内即刻产生的。

炭疽的流行提供了第一个被广泛认可的特定的微生物能引起特定疾病的病例。1876年，后来成为德国沃尔斯坦小镇全科医生的罗伯特·科赫（Robert Koch，公元1843~1910）发表了有关炭疽杆菌生活史的详细论述——它是如何进入人体并在血液里繁殖，以及如何通过阻塞血管和分泌毒素来引起疾病的。科赫在选择他的研究对象时十分幸运——炭疽杆菌体积相对较大而且容易处理——他创造了一种新型的实验技术来观察、固定、培养和处理细菌，随后由此引发了大量的有关细菌的发现。科赫自己发现的细菌也有非常大的“影响力”：1882年发现的结核杆菌和1883年发现的霍乱弧菌。

虽然种种细菌的本质已被发现，细菌理论仍然充满争议性。许多实验室的发现都存有争议，临床或者环境中的病菌与实验室的观察结果相矛盾。此外，很多感染的病原体，尤其是天花和麻疹，看上去不像细菌感染，从而逃脱了研究者的调查。尽管如此，他们提到疾病—病原体如细菌超微结构或病毒时仍然十分自信。

上图

1881年参加国际医学会的委员们，这些医学界的巨匠在伯德特-库茨伯爵夫人家的花园里聚会。3 000名与会成员分别来自70个国家，其中就有构筑了细菌学理论体系的巴斯德、科赫和利斯特。

对页图

含有安息香树脂的亚美尼亚纸，在当时流行的抗菌社会风潮中发明于法国。据称它被点燃后可用于消毒房间，可以预防像霍乱、伤寒、白喉和天花这类的传染病。这张1890年的广告，将它的作用拟人化地展现了出来。

细菌和公众健康

细菌学检验方法开始用于个体诊断和流行性和地方性感染的地图分析，这就为公共卫生医师在预防和控制感染性疾病时对检疫、隔离、消毒的应用带去了新动力。然而最备受瞩目的创新是新疫苗、抗血清和抗毒素制剂的研发。所有这些产品都是基于变异的细菌或细菌产物，这种研发还有望延伸到其他传染病领域。

巴斯德在1881年宣布了一种针对炭疽杆菌的疫苗。根据天花疫苗的原理——使用了一种相对温和的感染来保护机体免受更加严重的感染——他通过将细菌暴露在空气中来减轻它的毒力，然后给羊接种使它产生免疫力。他在19世纪80年代中期使用相似的方法在狂犬病的防疫上取得了更大的成功，这是细菌理论家们在公共卫生领域最大的成功。19世纪90年代，白喉抗毒素也研制成功。这种由动物产生的中和性的物质可使机体对疾病不易感，所以医生收集这类物质并给感染者应用，可以给他们提供临时的免疫力。另一个备受瞩目的医学突破就是挽救濒死的儿童，鼓励公共、私人和慈善机构在生物医学研究方面投资。

1900年之后，医生和细菌学或者微生物学专家们在提到细菌、病毒、真菌和细胞寄生虫时，只是用“细菌”来指代所有引起疾病的病原体。然而，细菌仍然在公共领域、政府卫生宣传、商业广告和流行文化中被提及。公共卫生官员提醒大家要注意潜伏在水体、食物和空气中能引起疾病的病原体，鼓励大家在家里、街道上和工作单位遵守卫生规范。对病原体的认识改变了公共和个人的行为：随地吐痰被禁止；为了避免沾染人行道和台阶上的灰尘，裙子的长度也缩短了；为了降低空气中病菌的密度，人们开窗睡觉；苍蝇也从无辜的滋扰者变成了致病菌的携带者。人们普遍认为细菌是隐形的、千变万化的且致病力强大，这和早期的医学科学观点相吻合。

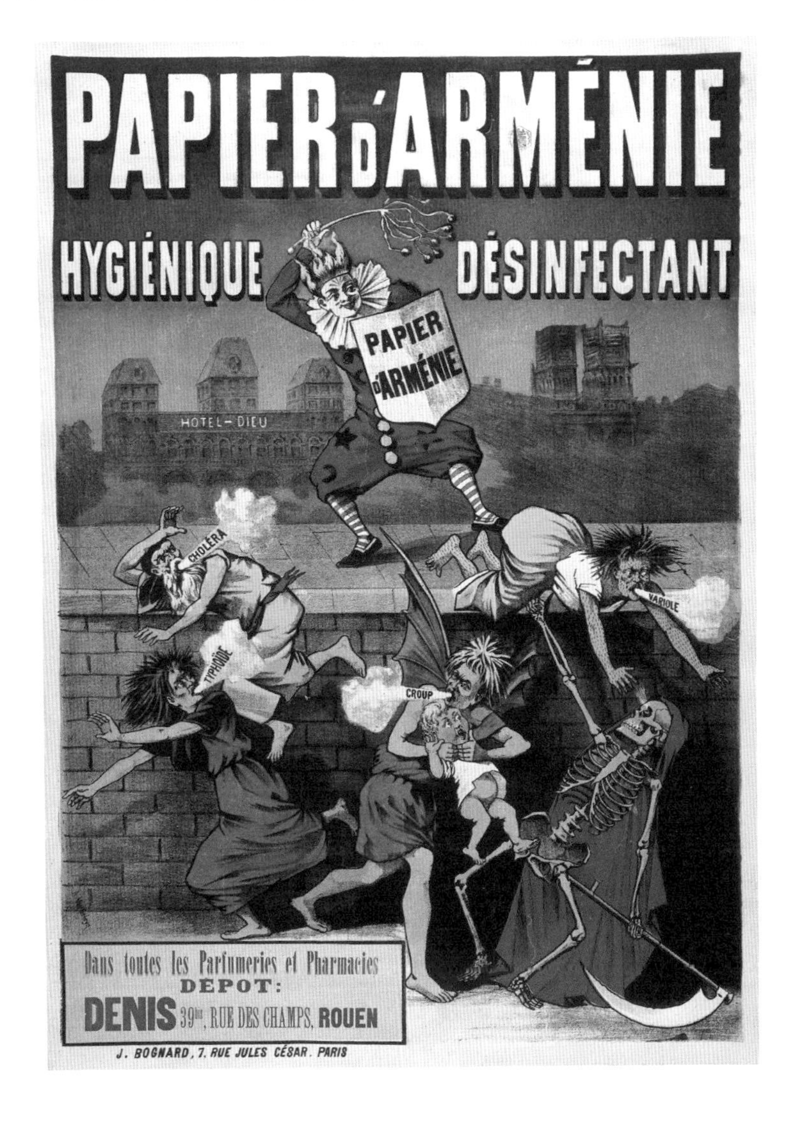

15. # 寄生虫和带菌者

昆虫和疾病

吉尔伯托·科尔贝利尼（Gilberto Corbellini）

我们真正了解到昆虫引起疾病这一知识是在过去的15到20年，这是医学史上一个标志着辉煌和成功的时代，就在这几年的时间中，细菌学有了惊人的发展。

——查尔斯·查宾（Charles Chapin），1910

左图

雌性疟蚊：当雌蚊（而不是雄蚊）吸血时，不同种类的疟蚊在人群中传播不同的疟原虫。

对页左图

阿方斯·拉弗朗在1880年描述了疟原虫。在这部1909年由B.莫洛克制作的动画片中，他与成群的昆虫进行斗争。这是蚊子在疟疾传播方面的决定性作用已被广泛接受之后的作品。

对页右图

1901年意大利疟疾学家乔瓦尼·巴蒂斯塔·格拉西出版的《疟疾的动物学研究》（studi di uno zoologo sulla malaria），这本书代表了他对疟疾进行广泛研究的一个全面的说明。

当大家都认同微生物病原体或者细菌传播导致感染性疾病这个观点之后，公众的注意力转向了确认“感染的来源和模式”，这其中包括健康人、无症状病菌携带者、昆虫媒介或者宿主等概念。活的微生物能引起感染性疾病的认识不能充分解释那些先前并没有直接接触感染源的个体却患上感染性疾病的例子，也无法解释为什么有些人接触了病人却完全没出现新的感染病例的情况。

各种各样的病菌携带者

1884年弗里德里希·洛弗勒（Friedrich Loeffler，公元1852～1915）在健康人的喉咙里发现了白喉杆菌。康复的病人五年之后喉咙中仍然有白喉杆菌存在。1895年，在赫尔曼·M.比格斯和威廉·H.帕克斯对纽约的人口流行病进行研究之后，白喉的无症状病菌携带者的重要角色被确定。1835年罗伯特·科赫（公元1843～1910）也认为那些康复期的病菌携带者是新发霍乱病例的感染源之一。随后，斑疹伤寒杆菌和脑膜炎双球菌的康复期病菌携带者和健康的病菌携带者也被发现。

除了一些特殊情况，大部分感染的病原体在非生命环境里很快就死亡了，它们必须通过直接或者间接的接触，通过饮食、水或者昆虫才能传播。俄国的尼古拉·米哈伊洛维奇·梅尔尼科夫最早描述了作为寄生虫宿主的昆虫的情形。1869年，黄瓜绦虫（犬复孔绦虫）是在狗身上的寄生虫（犬啮毛虱）中发育而来的。1878年，在中国工

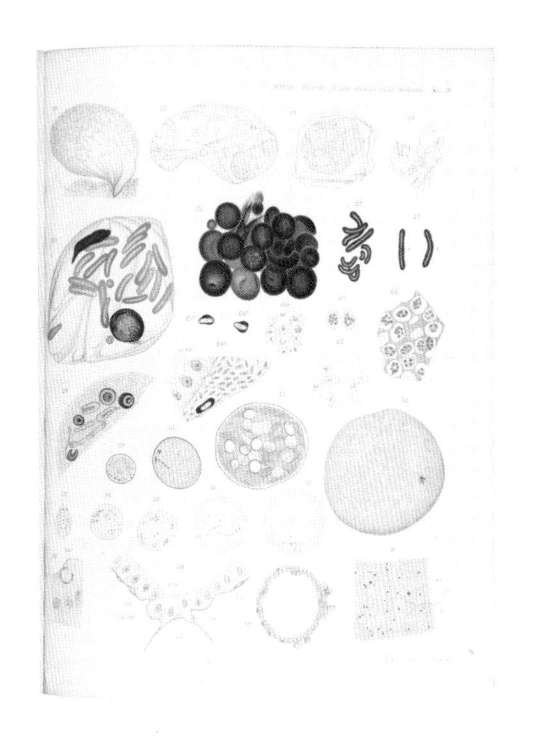

作的苏格兰医生帕特里克·曼森（Patrick Manson，1844～1922）在以吸食人血为生的蚊子体内发现了班氏丝虫（或者叫做丝状虫），它能引起淋巴系统的感染。曼森观察寄生虫发育到幼虫阶段，但是他错误地认为蚊子只会咬人一次，而人的感染是因为喝了含有蚊子虫卵的水。1900年，乔治·卡迈克尔·洛（George Carmichael Low，1872～1952）发现只有被库蚊叮咬之后才能引起人与人之间的丝虫传播。

昆虫宿主在感染传播过程中的积极作用是由西奥博尔德·史密斯(公元1859～1934)和弗雷德·L.基尔孟在1889～1892年研究确立的。在这期间他们发现了德州牛发烧是由巴贝虫属二叠体（双芽巴贝虫）引起，并通过蜱叮咬传播。1894～1897年，戴维·布鲁斯（公元1855～1931）将昆虫媒介理论应用到非洲锥虫病，这是一种亚赤道的非洲国家家畜的昏睡病，采采蝇（舌蝇）传播感染的病原体即布氏锥虫。人类的昏睡病1903年被证实是以同样途径传播的布氏锥虫引起的另一种疾病。

疟疾和蚊子

有关昆虫媒介最重要的例子就是人感染疟疾的传播机制的发现。阿方斯·拉弗朗（Alphonse Laveran，公元1845～1922）于1880年第一次描述了人体疟原虫，19世纪90年代蚊子传播该疾病的假说迅速传播开来。在帕特里克·曼森提出他的看法之后，罗纳德·罗斯（Ronald Ross，公元1857～1032）于1897年观察了色素细胞中的疟原虫——它们在吸食疟疾病人血液的蚊子体内。1898年罗斯描述了蚊子体内的鸟的疟原虫，而乔瓦尼·巴蒂斯塔·格拉西（Grassi，公元1854～1925）和埃美柯·比尼亚米（Bignami，公元1862～1929）宣称疟蚊能传播引起人感染的疟原虫。罗斯凭借他在疟疾方面的贡献获得了1902年的诺贝尔奖。对人类疟疾带菌者的研究展现了疾病复杂的流行病学特征。不同种类的疟蚊在它们作为带菌者时传播疟原虫的效力也不一样；最终，对某种传播媒介物种有利或不利的特定环境条件，影响了疾病的流行病学的动态变化。

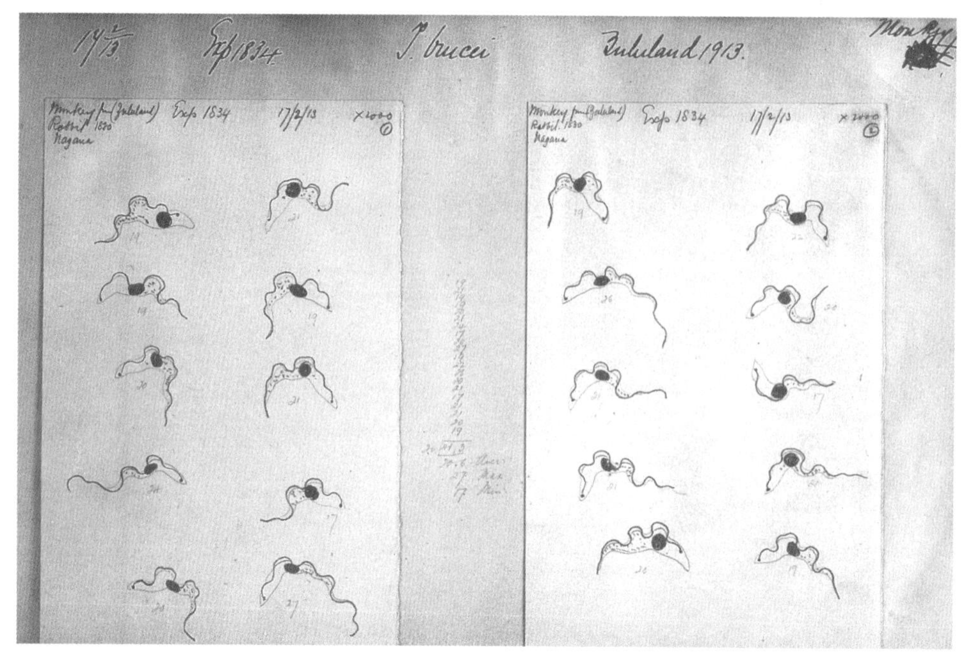

上图

布氏锥虫的图画（以它的发现者戴维·布鲁斯爵士的名字命名）。这些单细胞寄生虫拥有能运动的鞭毛，或者像尾巴一样的结构，通过采采蝇传播，并在非洲引起昏睡病。

左图

一只雌性埃及伊蚊。这类蚊子中雌蚊能传播黄热病、登革热和一些鲜为人知的疾病的病毒。

对页左图

从这张印度的海报上能看到，在20世纪50年代到60年代，世界卫生组织尝试应用长效杀虫剂DDT来根除疟疾。虽然也取得了一些成效，但随着库蚊对DDT产生了耐药性，这项大规模的除疟运动的势头渐渐衰退，而杀虫剂对环境的不良效应则日益显现出来。

对页右图

自从发现库蚊传播疟原虫之后，医生们倡导在蚊帐中睡觉。这张第二次世界大战的海报提醒士兵们保护自己。杀虫剂浸泡的蚊帐是目前“击退疟疾”运动的关键武器，但是缺点就是睡在其中令人不适。

黄热病和蚊子

继疟疾—蚊子的研究之后，对黄热病和蚊子之间关系的研究也有了新的发现。1881年，古巴医生和研究员卡洛斯·芬莱（Carlos Finlay，公元1833~1915）提出了一种假说，认为传播黄热病的是蚊子，而不是直接的人与人的接触。19世纪80年代美军占领古巴期间，由于黄热病导致大批士兵死亡，沃尔特·里德（Walter Reed，公元1851~1902）将一部分军用资金拨款用于黄热病的研究上（1900年设立）。研究人员在疟疾—库蚊的假说上进一步延伸，里德的实验证实了埃及

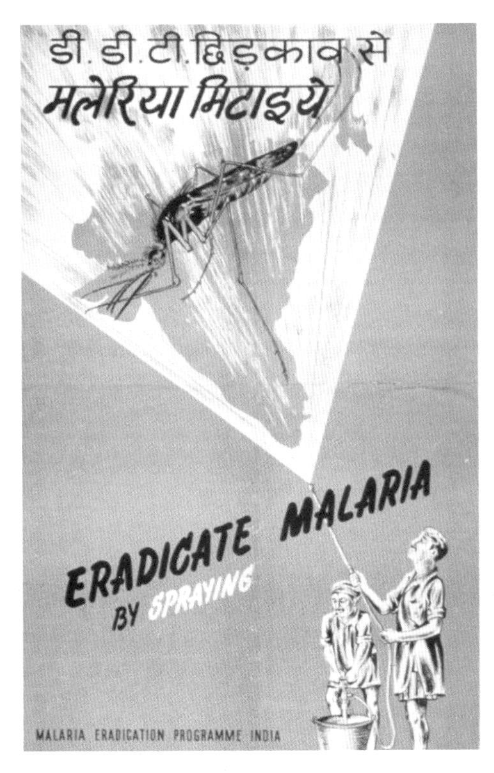

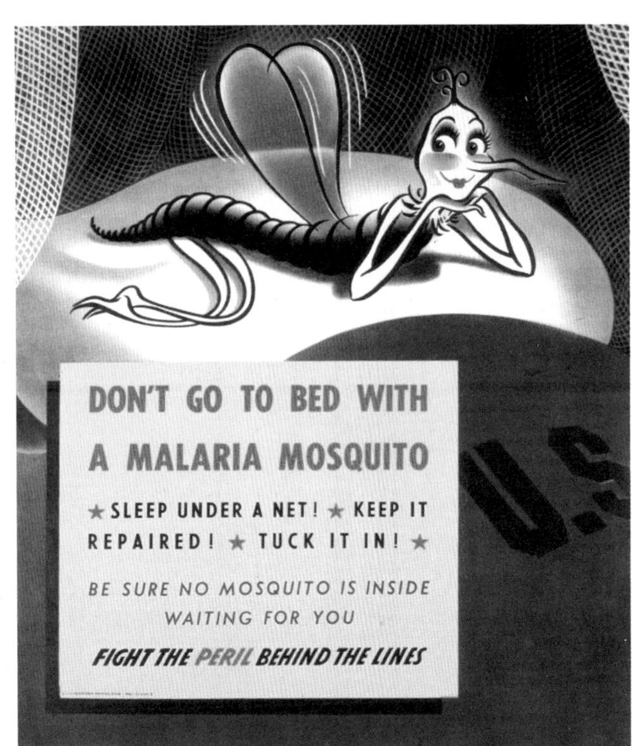

伊蚊是黄热病的传播者。有了这样的认识，威廉·C.戈加斯（William C.Gorgas，公元1854~1902）针对该病的流行采取了严格的控制方法，先后使古巴和巴拿马地区的黄热病及疟疾的发病率大大降低，这也为巴拿马运河的顺利建造提供了可能。1916年伯顿克·莱兰宣布埃及伊蚊也传播登革热病毒。

超越前人

在随后的这些年中，其他重要的昆虫媒介被陆续发现。1908年，一项印度基金支持的项目发表了一篇著名的报告《鼠疫的病因及流行病学调查》。在这项报告中，保罗-路易·西蒙观察到鼠蚤（印鼠客蚤）传播了黑死病的病原体鼠疫耶尔森氏菌。1909年查尔斯·尼科尔（Carles Nicolle，公元1866~1936）宣布人虱导致了斑疹伤寒流行病。同一年，卡洛斯·查加斯（Carlos Chagas，公元1879~1954）第一个描述了锥虫病的症状，后来这个疾病被称为查加斯病（美洲锥虫病）。查加斯观察到一种有鞭毛的原生动物——一种新的锥虫——位于“猎蝽”的小肠内（锥蝽亚科属的昆虫），并证明这种疾病能被之前该虫叮咬过的绒猴传播。直到1925年查加斯仍然错误地相信这种感染是由昆虫的叮咬传播的，而埃米尔·布伦普特于1915年提出这种锥虫的粪便才是罪魁祸首——粪便被锥虫揉合进伤口以减轻叮咬产生的刺激——这个观点在1932年被西尔韦拉·迪亚斯证明是正确的。

利什曼病是由昆虫媒介传播引起的一种主要的寄生虫病，它在1942年被发现，是由感染了杜氏利什曼原虫的雌性白蛉叮咬而传播的。而另一种20世纪30年代发现的莱姆病，则是由蜱叮咬导致莱姆疏螺旋体病感染，这种疾病的病原学和病理学研究直到1975年才被清楚地阐明。

16. 心理分析和心理治疗

谈话疗法

安德鲁 · 斯卡尔（Andrew Scull）

心理治疗是一个听上去有些吓人的术语，但是我们不得不使用这个词，因为没有其他的词能用于区分我们和基督教精神（信仰）科学家、新思想的人、信仰治疗师和其他无数的学校中常见的漠视医学科学和知识积累的人们。

——理查德 · 卡伯特（Richard Cabot）,1908

在大多数情况下，19世纪的最后几十年中，精神病患者的前景是悲观的。在公立和私立的精神病院中，精神病的治愈率很难预测，精神科专业人士将精神病人视作堕落的人，认为他们的生理功能严重退化，最好应该被看管起来，以防他们不受控制地繁殖并进一步导致世界充满了精神缺陷的病人。很多人的疯狂是根深蒂固且不受药物控制的。

颇具讽刺意味的是，这种极端的消极思想竟有利于产生积极的反应。 对精神病医生而言，这种理论保护他们失败时不受指责，但也几乎没有或者很少提供积极的作用。对那些合作良好的患者及其家属，这种无望感和与之相伴的耻辱感，也使病人极为反感被精神病院监禁，精神病院越来越被视为被抛弃者的“仓库”。

寻找替代品

那些濒临疯狂边缘的人焦急地寻找一些其他的解决方案。他们中一些“和缓”的病人，也许因为其精神疾病的可治性更高，相较疯狂的一类对一个新兴群体——“神经科医生”的吸引力更大。这些医生里有一些

上图
在心理治疗出现之前，多采用物理治疗，电击疗法是一种很时尚的治疗手段。很多神经科医生运用这种方法治疗癔症患者，19世纪它也被用于治疗神经衰弱。由爱德华 · 布里斯托绘图，1824。

对页图
在第一次世界大战中得了炮弹休克症的患者。医生们通过谈话疗法帮助一些受了精神创伤的士兵。

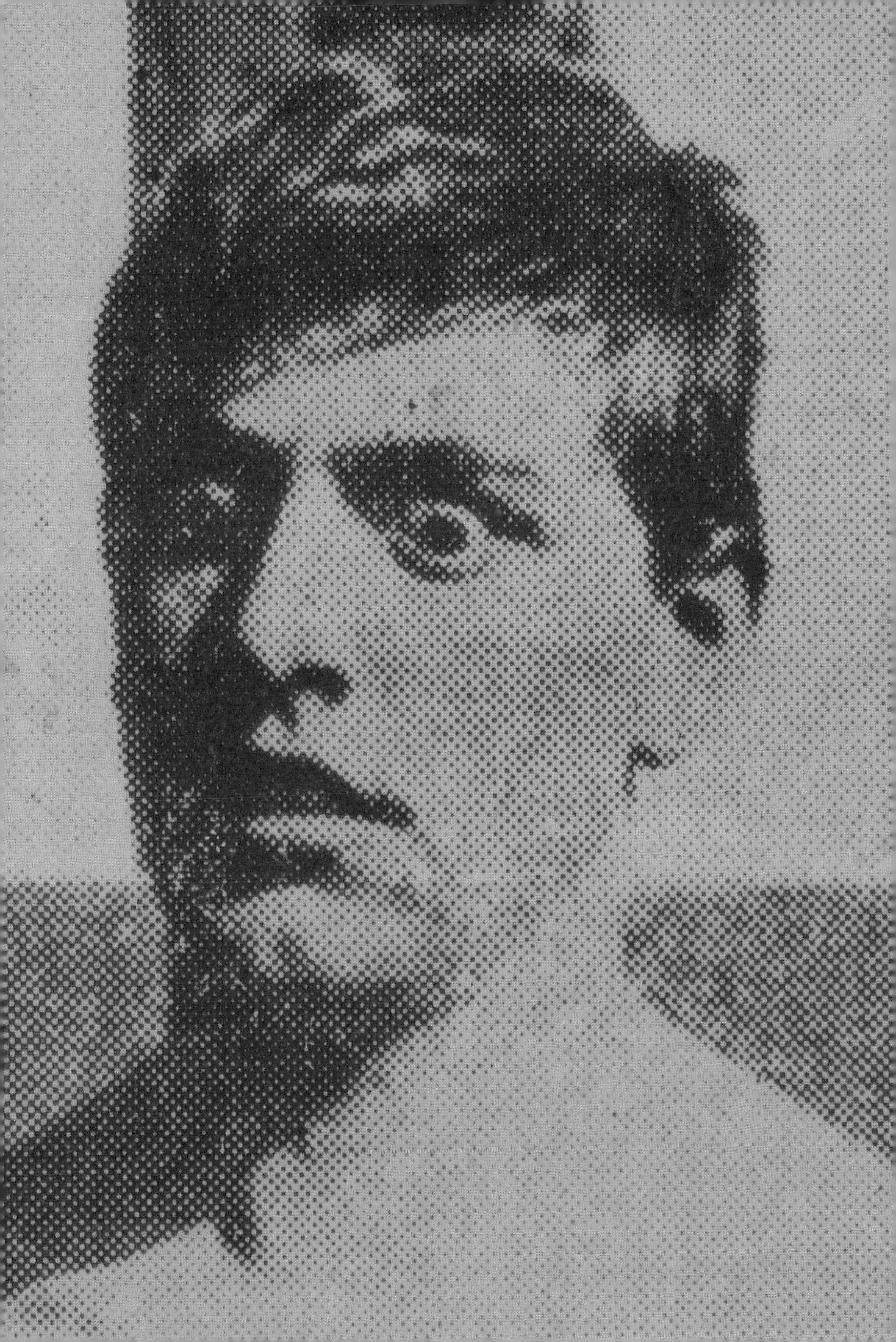

是精神病专业的出走者，还有一些原来是新兴的专业——神经科专业的医生，他们都致力于寻找其他诊断精神疾病的方法，以及新的治疗手段，来拯救那些没有有效治疗手段的多发性硬化症、神经梅毒和其他令人束手无策的神经系统疾病。癔病，一种新的时髦的神经衰弱的说法，只要医生能对这种神秘的疾病做给出合理的解释、给出合适的治疗方案，癔症患者也是神经医生执业对象中的潜在消费者之一。

对于不直接作用于机体的治疗方法，很多医生都很难接受。所以起初那些针对频临疯狂的患者的治疗模式都属于明显的内科套路：各种各样的药片和专利药物，水疗，饮食疗法，以及同时用静态和电偶形式的电击疗法。然而很快就有人质疑，这些基于“建议”的治疗方式与那些直接作用于躯体的治疗手段效果差别不大。虽然起初备受争议，但后来越来越多的人开始公开地使用他们称作“心理治疗”的方法来实验性地治疗形形色色的精神病患者。

“心灵治疗之狂热信徒”

随着被医生们轻蔑地称为“心灵治疗的狂热信徒”的出现，如玛丽·贝克·埃迪(Mary Baker Eddy，公元1821～1910)支持的基督教精神（信仰）科学家以及针对波士顿教堂的上层阶级的艾曼纽运动，对精神病人进行心理治疗面临的压力在加倍增大，尤其是在北美地区。18世纪的奥地利医生弗朗茨·安东·梅斯梅尔（Mesmer，公元1734～1815）提出诱导病人进入催眠状态的方法，当时被认为是不足信的，现在，“催眠”的方法成为新的心理治疗方案的一部分，虽然大背景之下还有很多其他方案和更加直接的心理治疗手段被广泛应用。心理创伤的患者——美国南北战争的士兵、出现神秘症状的火车车祸的幸存者——都是神经病患者的一个重要来源，当然那些野心勃勃、压力过大和过度劳累的人也是其中一部。虽然大家将这些人的精神失常归咎于身体创伤（战伤或火车事故后的脊髓震荡），但是很多医生越来越认为这种躯体创伤的根源性说法是投机和令人怀疑的。所以，精神疾病的心理治疗手段的发展过程中常常还伴有这些扰乱性的思想和行为的心理学解释。

弗洛伊德和他的对手们

西格蒙德·弗洛伊德(Sigmund Freud，公元1856～1939)提出了精神分析的概念，它只是多种心理学理论和治疗系统中的一个。瑞士的保罗·杜波依斯(Paul Dubois，公元1848～1918)和法国人皮埃尔·珍妮特(Pierre Janet，公元1859～1947)以及美国人如莫顿·普林斯（公元1854～1929）和鲍里斯·西季斯(Boris Sidis，公元1867～1925)推进了心理治疗的竞争性治疗方式——精神分析，它至少在弗洛伊德的小圈子里是与心理治疗地位相当的。这个圈子里有如卡尔·荣格和艾尔弗雷德·阿德勒，这两人最终与弗洛伊德分道扬镳并建立了其他派系。

和很多同时代的竞争对手们一样，19世纪80年代在越南，弗洛伊德作为神经科医生，使用了催眠术治疗了他的第一个癔症病人，并且开始认识到压抑的记忆很多是来源于病人经历的苦难。他第一个提出了情感发泄（通过催眠帮助病人重新认识压抑的记忆）能够治愈疾病的假说，并很快证明了这样一个假说。弗洛伊德还进一步对精神失常的心理学根源进行了更加详细的描述，并且认为应该将人的心理作为一个整体来看待。同时他不再使用催眠术，反而开始实验性应用“自由联想”的手段——鼓励患者躺在治疗床上诉说任何在他们脑中出现的想法以及他们的梦境。通过分析师技巧性的打断，这种谈话能够最终道破精神症状的心理根源并达到最终的治愈目的。

弗洛伊德凭借谈话疗法后来超越并取代了他的对手们。1909年他在克拉克大学访问时赢得了许多著名的追随者，如哈佛大学的心理学家威廉·詹姆斯（William James，公元1842～1910）及他的神经内科同事詹姆斯·杰克逊·普特南（James Jackson Putnam，公元1846～1918）。虽然弗洛伊德瞧不上美国及美国人，但他的思想在很长一段时间里一直在美国学术界拥有一席之地。第一次世界大战中的“炮弹休克症”（正如它名字所暗示的那样，对该病最初的解释是它是高能量爆炸引起人的大脑和神经系统的震荡后导致的，但大家逐渐认识到其实它大多数是心理创伤的产物）以及第二次世界大战后大范围涌现的战争神经官能症的大规模爆发，都对美国精神病学巅峰时期的精神分析和谈话治疗地位的确立帮助颇大，并且一定程度上这种影响还渗透到了大众文化的各个方面。

在其他地方，精神分析仅仅满足了少数人的口味，在随后兴起的精神病学药物革命的浪潮里，其影响也衰退了。具有学术心理学渊源的另类的心理治疗成为了非常鲜明的传统领域。心理学的临床分支借助第二次世界大战的余波效应在大学系统里发展起来，在北美的地位很重要，它包括对明显的症状进行短期实验性的基础治疗。这些治疗措施总结起来其实属于如今的认知—行为疗法，或者是CBT，后者支持了很多的现代咨询。

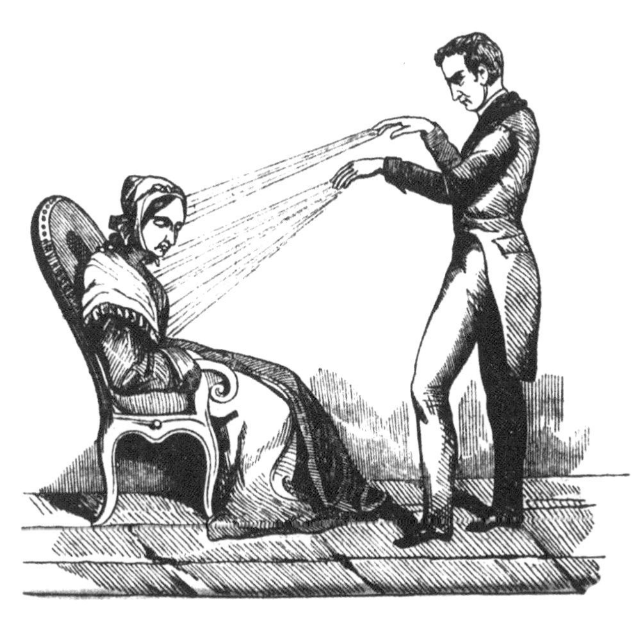

对页图

西格蒙德·弗洛伊德，精神分析法的奠基人，在他位于越南的咨询室里，他手里夹着大家熟悉的雪茄，右边是著名的治疗沙发。

左图

1845年的一幅雕刻版画，催眠师给坐在椅子上的患者执行麦斯麦催眠术时，手指上发射出看不见的类似动物磁场的射线。随着19世纪时间的推进，催眠术的社会地位丧失了，而许多麦斯麦催眠术的支持者被披露为骗子。这种治疗手段一直延用到20世纪。

17. 荷尔蒙
化学信使

罗伯特・塔特索尔(Robert Tattersall)

这种物质可以判断一个人是巨人还是侏儒，是白痴还是天才，是“娘娘腔”还是真正的男性，是长了胡子的女士还是女人。这种物质对正常代谢是必不可少的——事实上，激素水平的异常可能迅速致人死亡——显然它必须得到重视。

——沃尔特・B.坎农(Cannon)，1922

查尔斯-爱德华・布朗-塞卡尔提出了内分泌的概念以及令人质疑(至少在他的手中)的器官疗法的实践。

荷尔蒙或者说内分泌激素是一种由腺体分泌的化学“信使”，它能调控身体的功能。这里我们主要介绍人类激素和其相关疾病，但是我们要清楚所有的多细胞生物都有激素，包括植物(植物激素)。

从内分泌理论到内分泌学

内分泌理论的始祖是医生和生理学家查尔斯-爱德华・布朗-塞卡尔(公元1817～1893)，他在1869年提出：所有腺体，无论是否具有导管结构，“都能向血液中分泌有用且必需的物质(即激素)，如果身体缺少这种物质，就会出现生理性的症状。”1889年，72岁的他，自我注射从豚鼠中提取的睾丸激素从而让自己变年轻的事件引起了轰动。他启动了一个名为器官疗法的运动，这种疗法是用注射器官提取物来治疗疾病，但是后来有人指责这种做法不光彩，所以这个领域的医学发展在随后的30年中逐渐衰退。

第一例成功的腺体治疗诞生于1891年。乔治・穆雷(George Murray，公元1865～1939)发现给病人注射羊的甲状腺提取物能治疗黏液性水肿(甲状腺功能减退)。1902年伦敦生理学家威廉・贝利斯(William Bayliss，公元1860～1924)和欧内斯特・斯塔林(Ernest Starling，公元1866～1927)首次提供了存在激素的直接证据，他们发现胰液的分泌是对胃酸进入十二指肠的反应，而且这个反应并不像以前认为的那样受神经调控，而是由十二指肠分泌入血的一种物质。1905年，斯塔林用希腊词根ormao创造了荷尔蒙(hormone)这个词汇，前者是“挑起”的意思。那些将分泌物释放到血液里的腺体逐渐被大家了解，也就是内分泌腺体，而对这些腺体相关疾病的研究就是内分泌学。美国一个专门研究内分泌的协会在1916年建立，而《内分泌学》杂志则是1917年问世。

太多，太少

内分泌学科的早期发展依赖于去除动物的某种腺体然后观察它会对动物造成怎样的影响，然后再寻找人身上对应的症状。去除

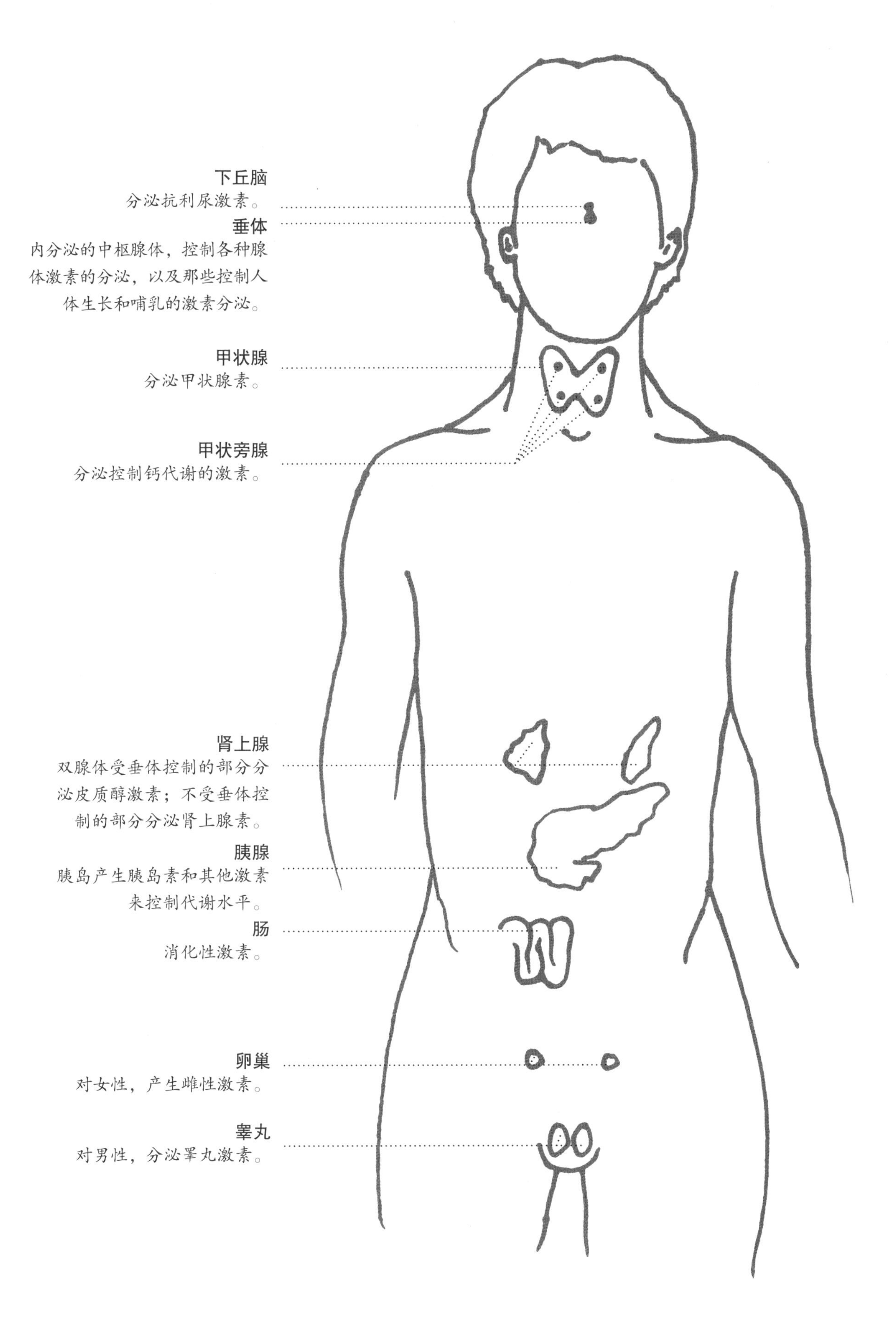
下丘脑
分泌抗利尿激素。
垂体
内分泌的中枢腺体，控制各种腺体激素的分泌，以及那些控制人体生长和哺乳的激素分泌。
甲状腺
分泌甲状腺素。
甲状旁腺
分泌控制钙代谢的激素。
肾上腺
双腺体受垂体控制的部分分泌皮质醇激素；不受垂体控制的部分分泌肾上腺素。
胰腺
胰岛产生胰岛素和其他激素来控制代谢水平。
肠
消化性激素。
卵巢
对女性，产生雌性激素。
睾丸
对男性，分泌睾丸激素。

垂体或者肾上腺是致命的，去除甲状腺会造成黏液性水肿，而切除甲状旁腺则会导致手足抽搐（不受控制的肌肉痉挛），切除睾丸或卵巢则会影响第二性征，切除胰腺则会导致严重的糖尿病。

人们后来逐渐意识到一些疾病是由于体内某种激素分泌过多，而且这多与某种腺体增大或者生长肿瘤有关。甲状腺肿的病人通常伴有双眼突出、焦虑、多汗和速脉（甲状腺毒症），通过切除甲状腺能治疗该病。与甲状旁腺肿瘤相关的疾病通常有骨囊肿、肾结石和腹部疼痛（甲状旁腺功能亢进症）。巨人症和肢端肥大症（四肢的增大）多与垂体肿瘤有关，这是因为垂体分泌生长激素。生长激素于1957年第一次被分离出来。1932年另一种垂体肿瘤被发现有明显的临床意义，即库欣综合征，这种疾病是由于皮质醇激素分泌过多，这种激素由肾上腺皮质分泌，于1948年第一次被分离出来。20世纪30年代科学家发现垂体前叶（"内分泌腺的总指挥"）除了分泌生长激素外，还分泌控制甲状腺的激素（TSH），控制肾上腺皮质的激素（ACTH）和控制生殖器官的激素（FSH和LH）；垂体前叶还分泌催乳素控制泌乳。抗利尿激素储存在垂体后叶，由下丘脑的专门的神经细胞产生。还有一种一般不被人们看成是激素的就是维生素D，它是由皮肤在日光作用下产生，能影响机体肠道钙的吸收。维生素D的化学结构与类固醇激素类似。

有缺陷的受体

激素作用于特定的受体，当这些受体出现问题就会最终导致疾病发生——器官排斥——激素对预期的器官受体作用无力。第一个这样的病例是1942年富勒·奥尔布赖特(Fuller Albright，公元1900～1969)发现用甲状旁腺素不能治愈一个甲状旁腺功能亢进的妇女。另一个病例是已经在竞技体育中发生，即雄性激素不敏感综合症，它能导致胎儿无法男性化，并且导致那些有XY性染色体，腹内有睾丸的男性表面上却和正常女性无异。奥尔布赖特还发现，一些肾脏肿瘤或者肺部肿瘤的病人能产生ACTH（促肾上腺皮质激素）和甲状旁腺素（异位激素）分泌。

直到20世纪60年代，诊断内分泌疾病是

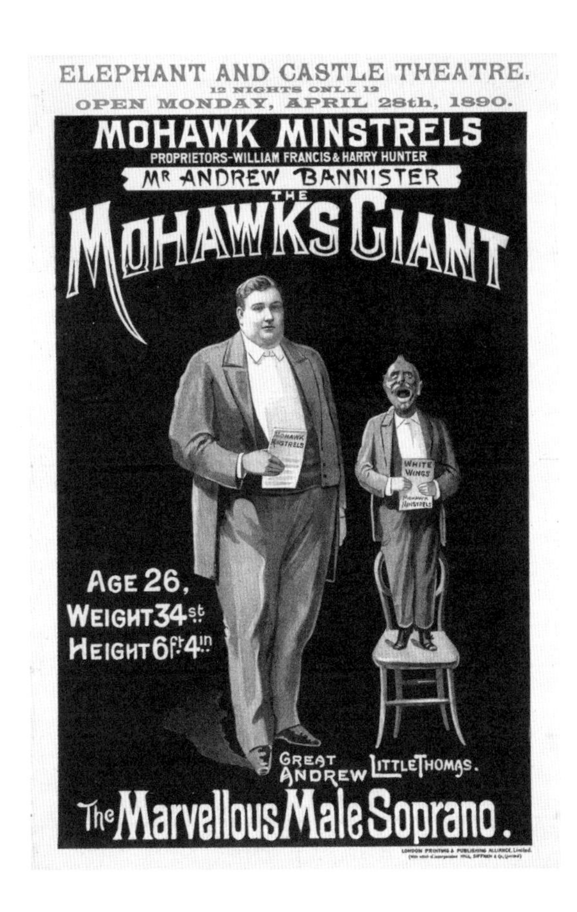

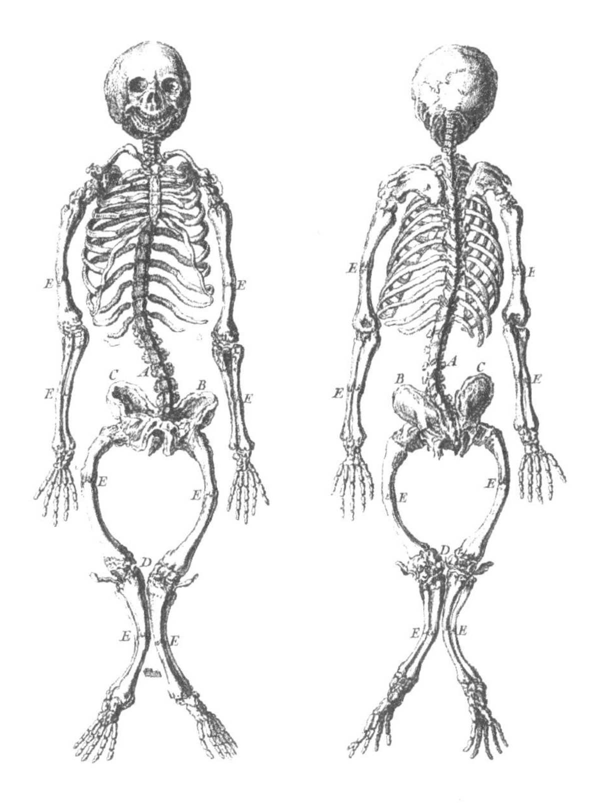

由于腺体功能不足还是过度活跃一直都依赖于临床敏感性。血液中的激素水平实在太低，以至于用传统的生物化学手段很难去定量分析。直到1960年，所罗门·博森(Solomon Berson公元1918～1972)和罗莎琳·雅洛(Rosalyn Yalow，公元1921～)发明了免疫分析法来测量微量的激素水平，发现即使是在血液里，也还有很多其他物质的存在。

未来的复杂性

除了“经典”激素之外，20世纪70年代以来，科学家在肠道和机体其他地方还发现了很多其他激素，其中的很多激素参与机体体重的维持。1994年，人们发现脂肪细胞分泌瘦素，后者由下丘脑感知。有极少数瘦素缺乏的儿童食欲极其旺盛，体型肥胖；可以用瘦素进行治疗，但是不幸的是普通的肥胖患者使用这种激素是无效的。人的胃里面产生的生长素能激发食欲，而胰多肽和肽YY能抑制食欲。人们就会想如果能调控这些激素的分泌，那么就如同找到了治疗肥胖的灵丹妙药。但是由于系统有自我调控的机制，只人为改变其中一种激素水平收效甚微。

对页图

1895年，一位55岁的黏液性水肿女性患者（由于甲状腺功能低下引起）治疗前（左图）和治疗后（右图）的照片。由甲状腺素缺乏引起的皮肤出汗和皮下组织水肿及其他一系列症状在治疗后减轻。

左上图

不是很庸俗的早期畸形秀，这张海报展示了1890年的莫霍克族游吟诗人，他有明显肥大的四肢，这是生长激素分泌过多导致的。

右上图

患有佝偻病的儿童骨骼，佝偻病由维生素D缺乏造成。这具骨骼展示了特征性的罗圈腿和脊椎。

18. 免疫学

机体的防御力

吉尔伯托·科尔贝利尼（Gilberto Corbellini）

[免疫学]教会我们如何处理机体的复杂功能。

——弗兰克·麦克法兰·伯内特（Frank Macfarlane Burnet），1972

现代免疫学（免疫系统的研究）起源于19世纪晚期的细菌学。1908年纽约洛克菲勒医学研究所的主管西蒙·弗莱克斯纳认为："几年之内，免疫学的研究将在理解疾病的病因学和治疗方面做出其他学科无法匹敌的贡献。""免疫"这个术语于1910年第一次出现，而美国免疫协会（AAI）于1913年成立。《免疫学杂志》则是1916年首次问世。1921年尤金尼奥·岑坦尼在意大利发表了第一本《免疫学专著》——截至那时，这是第一本对免疫学理论的论述。

上图
梅奇尼科夫认可肠道有益菌的作用，其中一种乳酸杆菌通过维持身体的健康状态来延长人类寿命，这其中包含一套功能完整的免疫系统。

对页左图
1892年，梅奇尼科夫在感染的病理学方面发表的文章中，培养皿里的吞噬细胞或者"能吃的细胞"正在发挥作用，吞噬实验性的创口表面的细菌（图中右边的红点）。

细胞与化学免疫

免疫的科学方法起源于1884年俄罗斯胚胎学家和动物学家伊利亚·梅奇尼科夫（Ilya Metchnikoff，公元1845～1916）提出的观点：免疫反应是机体在应对异物的威胁时为了保持功能完整性而做出的一种有利的适应性反应。他强调了白细胞的作用，称之为"吞噬细胞"（字面上就是"能吃的细胞"）。1890年埃米尔·贝林(Emil Behring，公元1854～1917)和北里柴三郎（Shibasaburo Kitasato，公元1852～1931）发现有免疫力的动物的血清中有一种物质叫做抗毒素，后来称为抗体，它能够中和毒素（抗原）。这种抗体的作用无论在活体内还是在实验试管中都存在，后来就被应

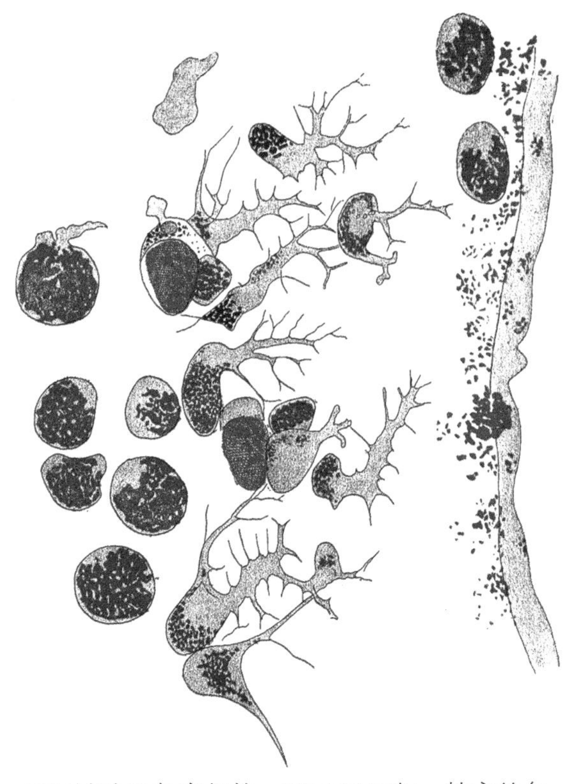

上图

北里柴三郎是20世纪早期免疫学的领军人物之一，他在德国接受了罗伯特·虎克的培训，然后回到日本成为东京感染病研究所的主管。

用于被动的免疫保护。到了1910年，特定的免疫反应的性质得到确认，随后对于不同微生物的具体性质的实验性研究、特定感染病的临床和病因学的实验性研究都能实现。实际上，无论是主动还是被动免疫，机体只能保护自己免受之前感染过的同类疾病，这个认知实际上已经存在于大家的经验里达数个世纪。

从20世纪20年代～50年代，相关研究主要集中于化学和分子方面的免疫反应，以及与准确分析的血清反应相一致的免疫学的发展。免疫组织化学方法表明免疫的异质性是一种抗原和抗体分子间的关系，如同“锁与钥匙”的关系，它还证明了抗原抗体相互作用中的化学作用，以及抗体是蛋白质的事实。在20世纪50年代后期，罗德尼·波特(Rodney Porter，公元1917～1985)和杰拉尔德·埃德尔曼（Gerald Edelman，公元1929～）借助生物化学技术把抗体分子分解成更小的部分，推断出它的结构并且对组成抗体的氨基酸链进行了测序。

自我与非我

20世纪50年代见证了以生物为导向研究向免疫过程的转变，以及实验化学手段的转变。特定免疫力的适应性本质再次出现，伴随着获得性免疫力（“耐受”）的发现——免疫系统不会对在早期发育过程中遇到的外来抗原产生免疫反应的能力。这种功能意味着对“自我”和“非我”的免疫识别能力是基于复杂的适应性生理机制的。这种免疫耐受现象首先开始于细胞水平研究，继而有助于理解受体对移植的异体皮肤、组织和器官的排斥现象；应用强有力的免疫抑制剂能够控制排异反应，有助于推进移植手术的发展。达尔文的生物信息处理理论在分子和细胞水平重新定义了免疫反应选择性的“化学”基础，抗原识别和反应依赖于这种选择。

在这一段时间里，免疫学成为了一个重要的基础学科，澳大利亚免疫学家和诺贝尔

奖获得者弗兰克·麦克法兰·伯内特（公元1899~1985）凭借他在免疫耐受和克隆选择学说方面的工作而蜚声海外，他把免疫学描述为“反映了生动的生物宇宙所有基本功能的一个缩影”。

免疫系统和疾病

20世纪初，血清学家观察到应用免疫血清能使受试体致敏，而这个变态反应是依赖于机体的免疫反应。在20世纪的前半叶，临床病理学家揭开了复杂的包括变态现象的免疫过程和炎症过程的本质。20世纪50年代，免疫增生紊乱（如自身免疫性疾病）和免疫缺陷的发现导致了药物方法学和治疗学的进展。临床和实验室研究促进了免疫学的发展，这类研究与之前有关耐受和二次免疫应答的研究同样重要。

先天性免疫和获得性免疫的研究为医学和生物科学提供了必要的知识，包括免疫系统正常功能和病理情况——系统有自我平衡机制——还包括免疫反应的生物学基础。除此之外，医学遗传学的概念和新兴学科分子病理学为免疫学奠定了深厚的基础，其中组织相容性分子的作用也日益清晰：它能调控抗原识别，控制分子特性，控制外来分子结构，产生免疫反应。

免疫学家已经用复杂的实验来研究免疫系统里的那些细胞的发育过程，这些细胞来源于骨髓（B淋巴细胞或B细胞）和胸腺（T淋巴细胞或T细胞）。其他的研究也导致了针对自身免疫和免疫缺陷疾病的诊断工具、治疗手段和动物样本的发展。在为了理解抗体产生的遗传基础而进行的实验过程中，科学家发明了制备单克隆抗体的技术。单克隆抗体是一类完全相同的抗体，当一个能产生抗体的细胞和骨髓瘤细胞（一种B细胞肿瘤）融合时前者能产生单克隆抗体。这一发现促进了有效的免疫组化技术的诞生，该技

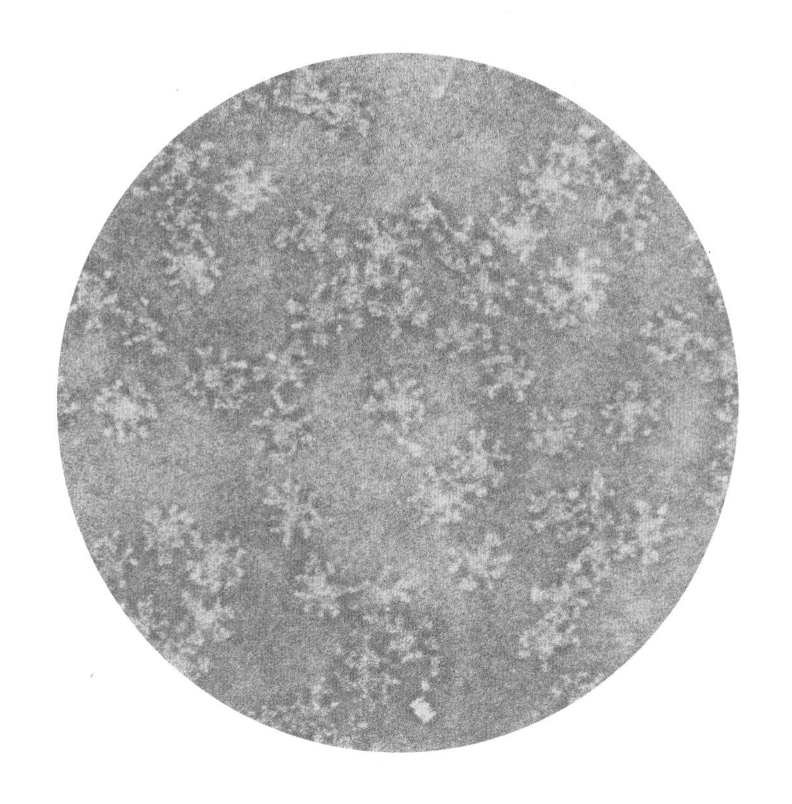

术可用于诸如风湿性关节炎、肿瘤靶向疗法和特定的诊断实验。

重组DNA技术——把来自不同生物体的两条或者多条DNA合并——最先用来理解抗体是如何产生的。最新的重组DNA技术构建了百万噬菌体（一种能转染其他细胞的重要物质）数据库，每一种都在其表面表达一种特定的抗体，它的基因组也携带了该抗体的基因。基因的重组能创造某种特定性质的所有指令，从中选择满足不同治疗需要的抗体。基因改良小鼠的应用——“转基因”——使得针对自身免疫疾病和免疫缺陷疾病在病理学中不同基因作用的研究成为可能。

实验研究不仅着眼于免疫系统，还有它的细胞（这些细胞有不同的种类和亚类）能按一个相对较高的纯度被分离出来，细胞受体的生化本质也能被定性和克隆。免疫细胞还能被输送给遗传学上相似的宿主。在这个过程中，特定的标识物使免疫细胞能识别宿主和供体细胞，从而确认后裔细胞和祖细胞，祖细胞导致了克隆扩增（B细胞能在不同种的抗原刺激下发生克隆性扩增）。在今天看来，所有的前沿研究其实就是研究信号传输机制如何控制着细胞行为的复杂变化。

对页图

“直接从马身上得来的血清”：这幅1894年的德国漫画展示的是埃米尔·贝林在一家药店里分发白喉抗毒素血清的情形，而这些血清来自一匹栓在药店里的马。大规模生产这些血清会用到很多马。这是第一种针对细菌的血清，也是最早被广泛实施的免疫学疗法。

上图

透射电镜下的游离抗体，或叫免疫球蛋白M（IgM）的分子。注意星形的排列方式，有的呈现出Y形。IgM是由特殊的白细胞（B淋巴细胞或B细胞）侦测到感染源的抗原后产生的。这个过程发生在感染早期，因此通过检查生物体是否存在这个细胞可以帮助病情诊断。

19. 遗传革命

从基因到基因组

安格斯·克拉克（Angus Clarke）

……没有一种生物体的两个独立的个体在身体结构上是完全相同的，当然他们的化学过程也不会完全一个套路。这样微小的化学差异显然比外在形式的差异更微妙……

——A.E.加罗（A.E.Garrod），1902

右图

经典的孟德尔隐性遗传路径，在这幅图里，白色是隐性，红色是显性。一些疾病本质上符合这个模式。如果两个个体都带有一个患病基因，他们本身不生病，但是他们的孩子将都会有1/4的患病风险。

对页图

染色体是包含基因的DNA片段。很多原因能导致染色体出现问题，进而导致疾病的发生。唐氏综合征患者多了一条21号染色体，在染色体核型或染色体组的最底下一排的中间能看到它。

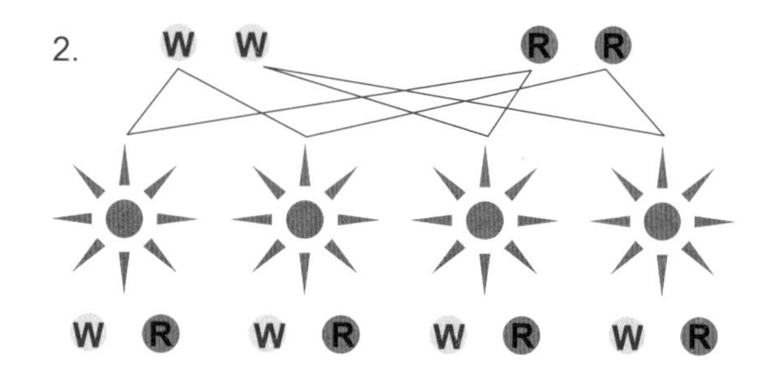

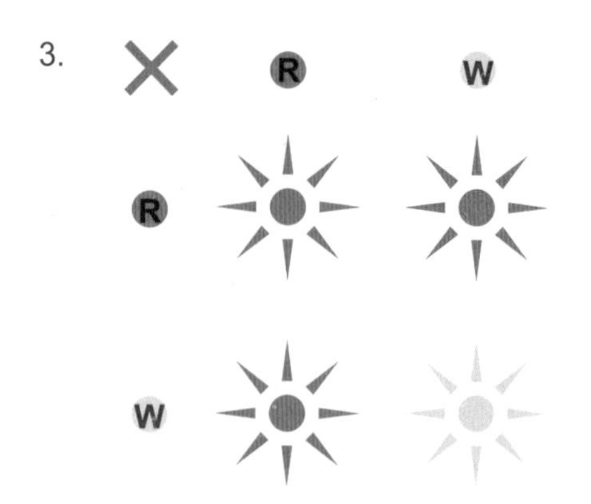

理解遗传

在格雷戈尔·孟德尔（Gregor Mendel，公元1822~1884）做著名的豌豆实验之前，大家一般认为遗传——上一代如何影响下一代——同时继承了来自父亲和母亲的遗传混合物。孟德尔则发现导致后代像（和不像）父母的遗传因素是独立的，或者说是“受制于某种单位化的粒子，即遗传因子”。

这一洞悉失传了一些年，直到1900年被重新发现。后来基因的行为就被集中研究，但是大家仍然不了解它的物质基础。人们用干扰而不是“刀”来仔细分析基因——通过在各种生物体间进行仔细的繁殖实验，研究它们的后代，科学家阐明了基因的本质，这些生物体包括果蝇、酵母和细菌。

这些实验产生了一批基因行为的细节图。除此之外，科学家还研究了连续性变异或弗朗西斯·高尔顿(Francis Galton，公元

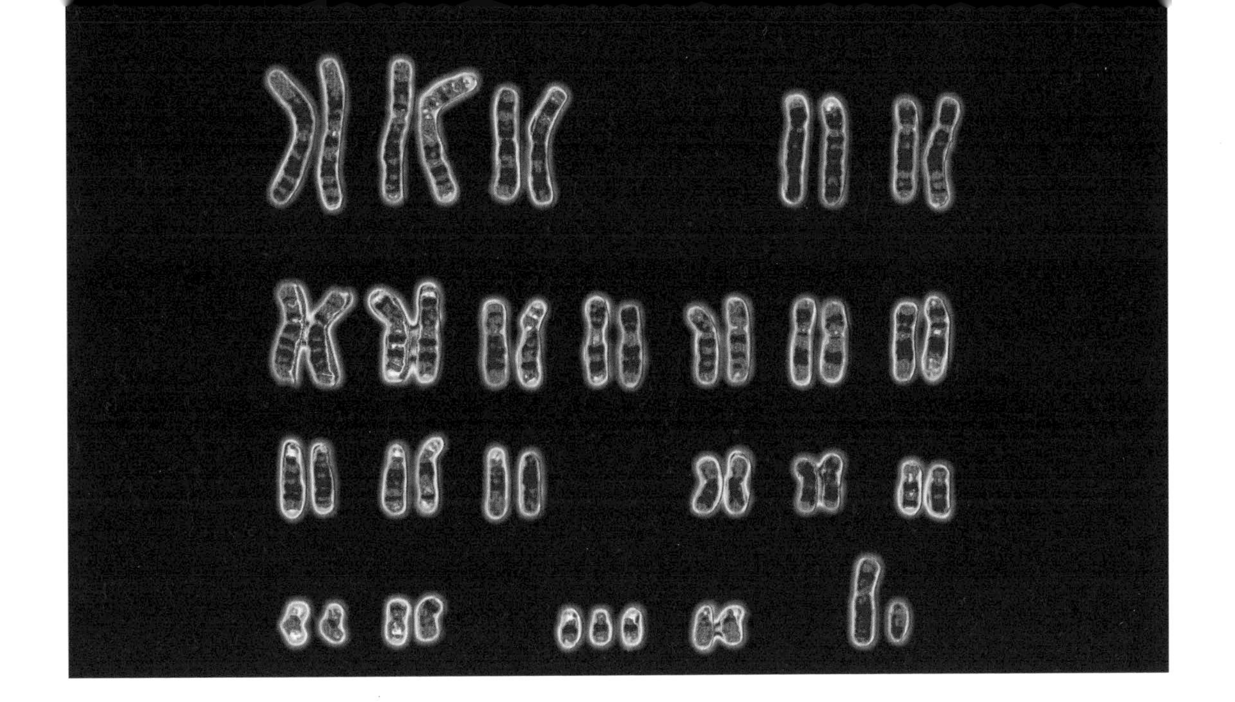

1822～1911)推广的计量生物学。细胞的显微研究使他们深入了解了遗传的机制。这三种研究手段的出现非常必要，之后遗传学的现代科学理论才能发展，随后科学家也理论才能处理进化的“大问题”、发育和疾病。

生物统计学和遗传学于20世纪20年代合并后，科学家认识到许多基因单独存在时影响很小，但综合起来（“多基因”）就对遗传的连续性特征，如身材、寿命和血压的影响很大。这种“现代综合体”——孟德尔（微粒子）遗传定律应用于连续性突变——创造了进化的概念，即一系列的遗传变异是自然选择和随机自由组合的结果。

对那些能简单快速繁殖的生物体而言，我们能够得到每一条染色体上基因线性顺序的详细地图。这些基因与包括生物体的发育和行为的总体表型（外表）之间的相互作用，可以被制成图表，虽然我们不知道具体的“基因”是什么。

基因、DNA和疾病

虽然有一些疾病的发生符合孟德尔定律，但是对某些家族病谱比较松散的疾病来说，它的遗传表型就不明显，科学家把它解释为“多基因”的结果。多基因的易染病倾向如果足够高，即使微小的环境刺激也能导致疾病的发生（或者是胎儿畸形）。基因与环境相互作用虽然不能解释所有疾病的产生，但是对一些疾病却是强有力的证据。

托马斯·亨特·摩尔根(Tomas Hunt Morgan，公元1866～1945)在1910年解读了位于染色体中的基因的物质基础，但是直到20世纪60年代，人们才了解染色体数目异常（如唐氏综合征或特纳综合征）,染色体研究才被应用于临床。染色体标记检测技术的进步，使得医生能确诊染色体缺失、多倍体和重组等异常情况。

奥斯瓦尔德·埃弗里(公元1877～1955)、科林·麦克劳德(公元1909～1972)和麦克林恩·麦卡提（公元1911～2005）确定了脱氧核糖核酸(DNA)是遗传的化学介质。弗朗西斯·克里克(公元1916～2004)和詹姆斯·沃森(James Watson，公元1928～)于1953年对DNA结构的阐述具有重要的意义，它直

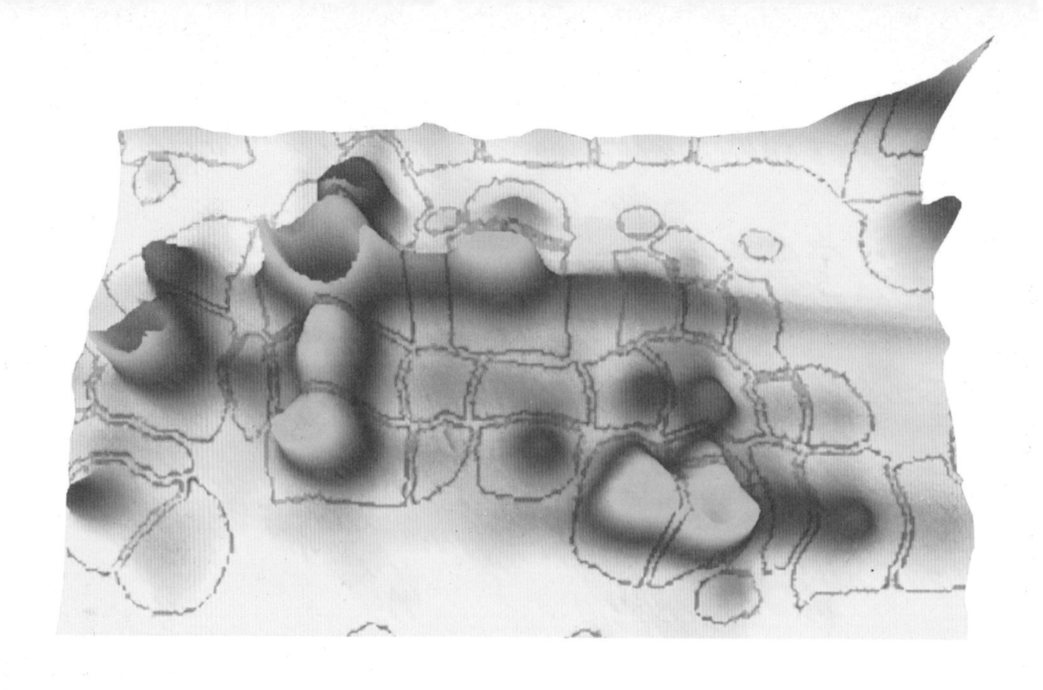

接导致了分子生物学的发展。将DNA的研究应用于人类疾病沿着两条轨迹发展。一条轨迹——如镰状细胞贫血症和地中海贫血——包括能改变基因表达水平或基因产生的蛋白质结构（或两者）突变的详细分子表征。这种可能性是因为强大的自然选择，导致一些位点发生了有利突变，比如，有些人只带有一种这样的突变就对疟疾有防御力，而那些被两种突变基因影响的人就必须因此就医。

而另一条轨迹则是应用在未知的染色体基因（几乎所有）。确定一个基因在染色体中的位置——找到它在染色体中的定位并且把它的DNA分离出来——通过示踪技术记录受疾病影响的家庭中基因突变（标识物）的位点轨迹。这个过程需要团结临床医生、科研工作者和那些患病家庭及他们的亲属，巨大的努力不可或缺，很多时候充满英雄主义色彩。

基因图谱和基因组

基因图谱技术于20世纪80年代启动，90年代开始加快研究步伐。该技术很快直接应用于诊断、预测迟发性疾病和产前基因检测。正是在这样的背景下，“国际人类基因组计划”被构思出来，极大地促进了随后其他基因位点的确认。

人类基因序列的初稿于2000年发布，而第一个近乎完整的版本则在2003年问世。基因测序的知识和技术随后揭开了蛋白质组学领域的新篇章，后者是研究基因表达的蛋白质的结构和功能。现在，不同的组织，不同发展阶段和面对包括肿瘤在内的不同疾病时，基因表达的全球性模板也能被确定出来。已经有一些恶性肿瘤的临床处理用到肿瘤细胞突变的知识。

医学实践已经与孟德尔基因联合起来，集中于那些有少见疾病或有高危疾病家族史的后人的疾病预防和潜在疾病并发症的监测，这里的高危是指受常见病或者复杂疾病影响后，有5%的患病风险。深入了解其他疾病的“多基因”基础，如冠状动脉疾病、糖尿病、乳腺癌和精神分裂症，能有助于科学研究，但是对实际临床应用帮助不大。全基因组相关研究反映了在基因组领域，基因

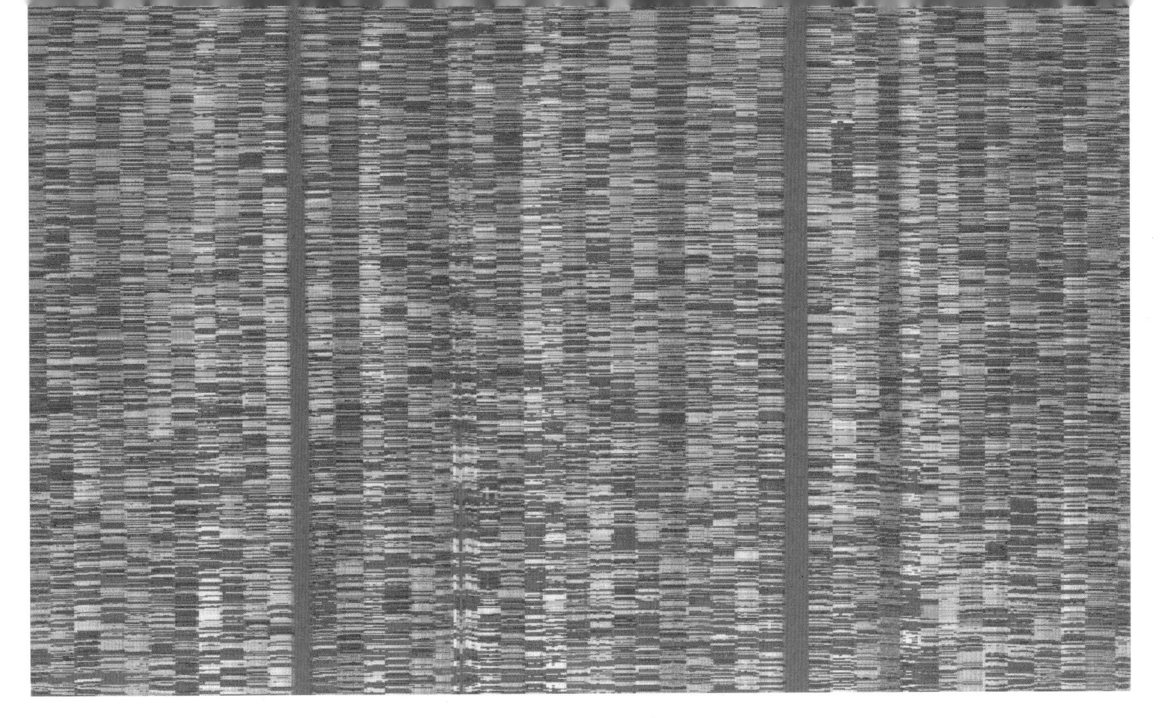

突变影响疾病风险，但是这种影响作用明显是微弱而且非直接的。有趣的是，基因组DNA的基因芯片研究显示，新的突破对复杂的精神疾病和畸形的意义更大，这是之前人们没有意识到的。

未来趋势

预计全基因测序的价格在未来将会比现在测序一个或两个基因的价格还要低，这就意味着研究和临床实践有机会得到所有的基因数据。科学家可能需要几十年时间来说明这些DNA序列突变的功能性和病理性结果，但是逐渐积累的知识会带来治疗水平和预防技术的提高。

同样的技术正引起生物学发展的转型，并产生出大量有着巨大的进化意义的数据。不同生物体和分子的进化路径如今能被更好地记述。虽然传统的能力在自然历史和实验室技术方面仍然都很重要，生物研究却是逐渐变得越来越像一个信息技术的练习：数据就在那里，但我们要精密地审视它。

对页图

基因组之后是蛋白质组，探测一个有机体基因产生的蛋白。蛋白质组学是研究基因组或一小部分基因产生的蛋白，正如这里所见的一个细胞的基因产生蛋白。

顶图

自动化DNA测序仪的产物。每一条垂直的轨迹显示拉伸的DNA的碱基序列。每四个碱基用不同的颜色标记并用电脑分析它们的顺序。

上图

“费城染色体”：第9号和第22号染色体的一部分发生交换（改变位置）。通过融合染色体所产生的蛋白质引起髓系细胞在血液中不受控制的细胞增殖（在骨髓中），导致慢性骨髓性白血病。

20. 癌症研究的进展

劫持身体

梅尔·格里夫斯（Mel Greaves）

没有人，既使是在严刑拷打下，可以说清楚什么是肿瘤。

——J.尤因（J.Ewing），1916

癌症并不是什么新鲜事。伽林很好地记录了癌症，他可以算是公元2世纪罗马的第一个肿瘤科医生，在他之前有希波克拉底（公元前460～公元前370）和古希腊医生——他用*carcinos*创造了“肿瘤”这个阴森的名字，翻译成拉丁文就是癌症。所有脊椎类动物和无脊椎动物都有癌症，所以我们可以放心地假设,这种疾病是以这种或那种形式贯穿整个人类历史的不请自来的“伴侣”。但是在过去的二三十年里，“什么是癌症”一直是2 000多年临床观察的一个挑战性的疑团，只有通过技术创新才能解决这个问题。伽林、希波克拉底以及他们的后人将癌症归因于过量的黑胆汁或忧郁的本质。在愚昧落后的年代，非正统的因果关系理论比比皆是，从神经质人格到神的报应，在更近的时代，电磁波，或“那是因为你老了”这些理由都缺乏可信度（或证据），但能引起公众恐惧。

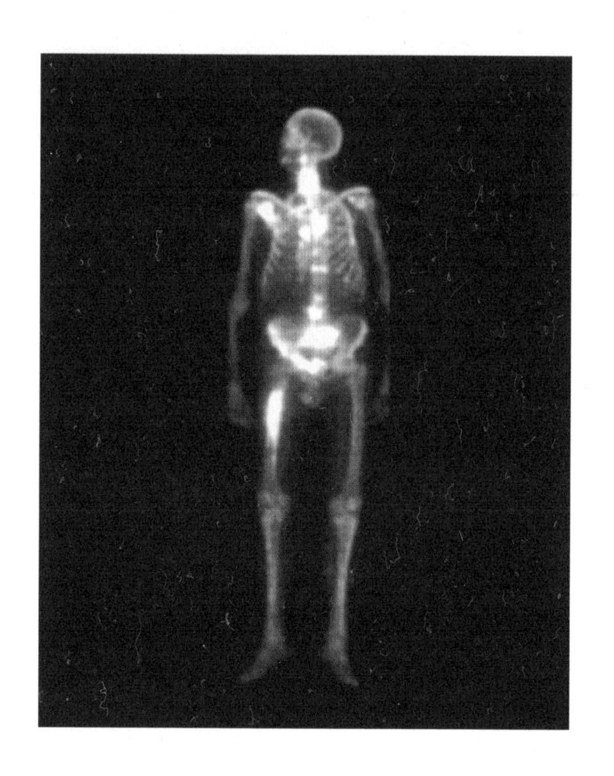

劫持：一个已经骨转移的前列腺癌患者的整个身体图像（伽马相机拍摄），白色部分是肿瘤组织，肿瘤的病灶在前列腺，骨骼里的侵袭细胞是转移的癌细胞。

细胞和它的DNA

在显微镜发明之前，癌症的生物学本质或体系结构一直是完全模糊的，后来，19世纪，细胞病理学在德国出现。大家认识到癌症就是细胞失调后正常组织结构被破坏，然后随着癌症发展或者说演化，可以只在原组织内侵袭和扩散，这就是良性的原位肿瘤。肿瘤细胞也可以通过血液或淋巴转移继而在其他组织诸如骨骼、肝脏或者大脑里生长或转移。这是一种妥协或劫持的过程，继而导致正常组织功能被破坏，最后致命。

20世纪早期，一位非常有远见的德国胚胎学家特奥多尔·博韦里(Theodor Boveri，

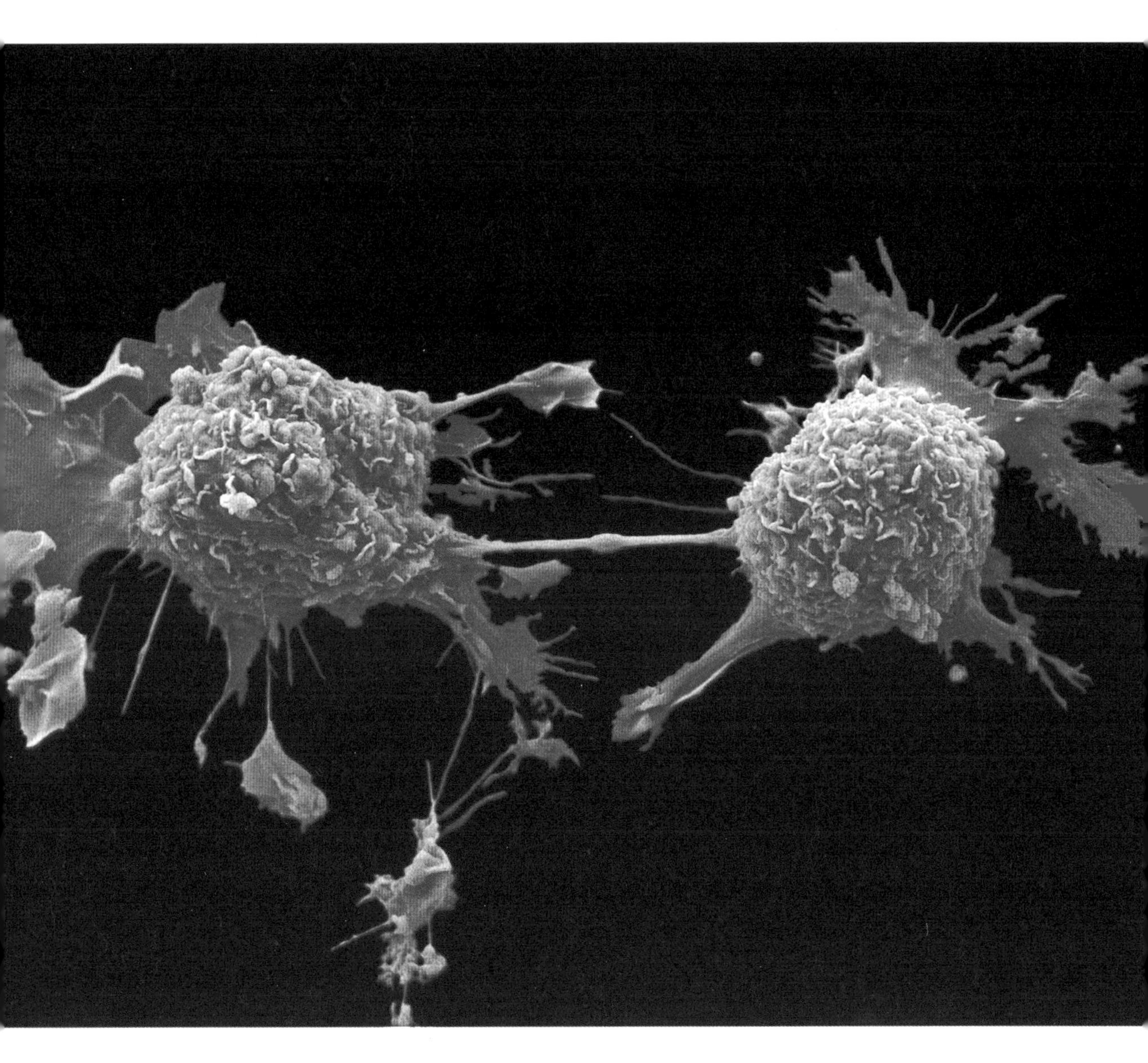

公元1862～1915)预测正常的染色体可能是导致肿瘤发病的机械动力或病因。事实证明他是有先见之明的，虽然染色体异常直到20世纪60年代都没被确认，而肿瘤细胞有“致瘤的”DNA突变则是到20世纪80年代才被科学家发现。如今，众所周知虽然有超过100种癌症的突变体，它们的共同点在于肿瘤能保护控制细胞行为的基因信息中的错误或突变信息。这些异常包括从染色体中粗劣的复制数目或结构变化到重要的DNA编码序列的重大改变，它们的突变错误导致了细胞增

一个肺癌细胞分裂成两个子细胞。癌细胞保护控制它们行为的基因的突变信息，但是正如正常细胞通过细胞分裂增殖一样，癌细胞也是如此。在这幅图中，通过扫描电镜可见，两个子细胞只通过细胞质的一个很细的细胞桥连在一起。

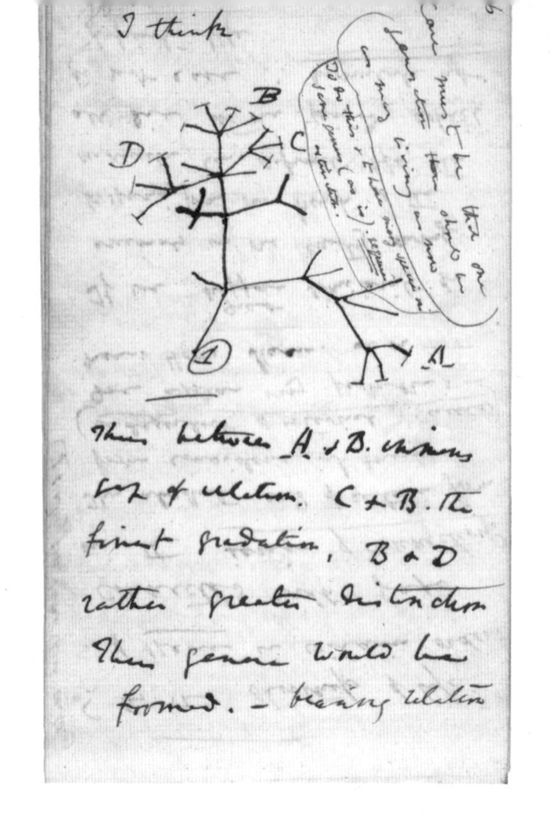

殖、死亡和迁移的变化。

克隆和自然选择

能调控遗传物质DNA的新技术，诸如通过放大那些较小的痕迹、克隆单个基因（并评估其功能）和21世纪出现的详细筛查个人肿瘤细胞的全基因组序列，这些革命性的技术改变了我们对疾病如何发生的理解。而不同寻常的是，有关肿瘤细胞进化的探究结果出现了，它与生态系统的自然选择模式非常相似，在这里我们把快速进化的变异细胞定义为“伪物种”，就像我们自身在生态系统中的角色一样。这中间包含的定律是，正如达尔文所说，随机的基因突变、竞争、抑制和自然选择“最合适”的突变。在肿瘤中，这种面向细胞的转变意外地获得了特别的突变——随机的或者通过所谓的遗传毒性的刺激（如吸烟）——然后通常先是一个单细胞突变，接着是子子孙孙，突变克隆通过不遵守组织里的正常约束规则而逃脱监控。

这就是很多进化的约束规则，它们超越了细胞正常的社会行为，特别是对复杂的物种比如我们人类，这时的突变克隆只能朝着自私或者致癌的方向发展，如果它在一段时间内（通常是数年或者数十年内）获得一系列突变，这些突变导致细胞及它们的克隆后代无视正常的生理性控制。每个克隆的突变数目可以是几千不等。

成功的肿瘤细胞克隆通常能逃脱免疫系统的监视，然后调控它周围的组织环境，使其变成不利于它的“对手”——正常细胞生长的环境；这就更进一步推进了它的扩张倾向。肿瘤组织诱导新生血管在它里面或周围生长（称作血管生成术），这是肿瘤发展过程中特别重要的一步。在自然进化中，大部分肿瘤最终死亡，保持静止状态而且不会发展到完全恶性。但是如果没有被有效治疗所遏制，这种自然进化过程的顶点就是突变克隆恐怖性地侵犯全身——一个“杂草”

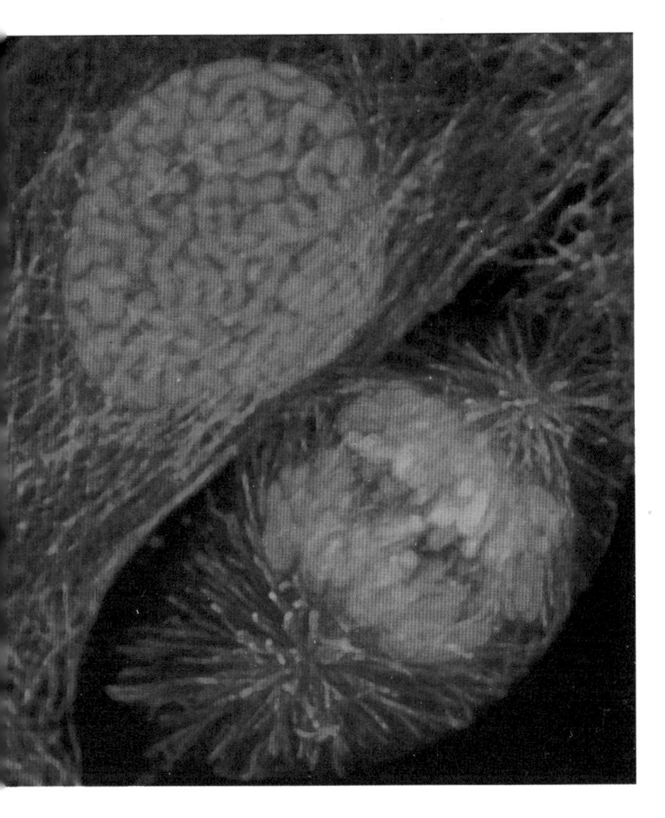

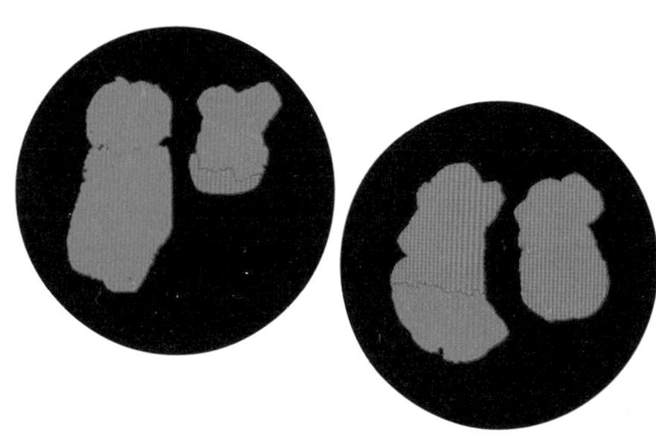

对页左图

血管支持：一个新的肿瘤入侵血管和周围血管的3D图像。这个过程称作血管成形术，它对肿瘤突破极限的生长发挥了至关重要的作用（供氧）。

对页右图

查尔斯·达尔文1837年的演变笔记B册的一页，阐述了他想象中的遗传突变或亚种（A，B，C和D）如何通过分支轨迹从始祖I型进化而来，肿瘤亚克隆（就如细胞的“伪”类）发展的方式和在病人身上一样。

左图

两个人类的乳腺癌细胞的分离。顶部的细胞在细胞前期（细胞分裂的第一阶段），这时细胞核内的染色体在它们开始分离之前已经可见。底部的细胞在细胞后期，这时染色体正处于被拉伸分离的过程，每一对染色体的一半都向细胞核纺锤轴相对的极点移动。

上图

跳跃基因：相互异位后的两对染色体，这是多种癌症（如白血病）中最常见的基因突变。较大的染色体（左）与另一大小不同的染色体（右）相互交换异位。两组基因发生混合后可能导致细胞功能障碍。

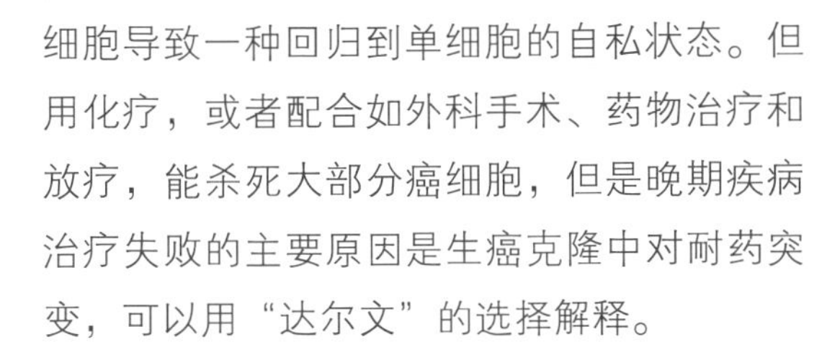

细胞导致一种回归到单细胞的自私状态。但用化疗，或者配合如外科手术、药物治疗和放疗，能杀死大部分癌细胞，但是晚期疾病治疗失败的主要原因是生癌克隆中对耐药突变，可以用“达尔文”的选择解释。

未来

在肿瘤发展过程中有潜在的特定的遗传改变——至少它们中的大部分——被充分地研究了。这就导致新的诊断方法和预测性标识物的大量产生，并且预示了更加精确的重要的靶向治疗，且如今这些都开始有了成果。

癌症就像任何生物问题一样，肯定十分复杂。但是烟雾已然消散，我们现在已经明白它是如何从细胞异常进化而来的。除了此前的知识，我们还要深入了解个体的遗传变异倾向及主要的随机影响（吸烟、日光、一些病毒），以及新的以生物学为驱动和以分子为基础的诊断和治疗。因此，肿瘤的研究前景虽然仍具挑战性，但更加光明。

21. 辅助医学

借助大自然治疗

詹姆斯·沃顿（James Whorton）

傲慢的医生们随时准备取代大自然……但是你必须承受这样的后果，买单——然后躺进棺材里。

——A.艾茨（A.Erz），1914

辅助、替代还是不走寻常路

“辅助医学”这个专业术语是指那些不同于主流医学的其他治疗方法，这类方法很多能追溯到一个世纪之前甚至更久远。然而仅仅是在过去的二十年里，这些治疗方法才被看做“辅助性的”，也就是可以作为传统治疗手段的补充或者替代治疗。在此之前，医疗机构认为这种辅助医疗体系是无效甚至有时是危险的，所以不考虑这种“不寻常疗法”或“宗派疗法”。这两种医学理念在历史上大部分时候是充满激烈冲突的。

非正统医疗系统在18世纪后期开始于西方社会。每一个医学“系统”的组成都是凭借其医疗从业者坚持同一套治疗和支持理论，通过出版书籍和杂志来推广他们的方法，成立专业协会和经营教育机构；他们都有一个专业结构。总之，就是常规医学的真实写照。

虽然每个系统都有一套独特的理论，采用独特的治疗方案，但是他们的指导思想都是公认的治疗哲学：战胜疾病只能经过一个“自愈力”支撑的过程——自然治愈的力量——这是每个人与生俱来的能力。有人认为常规医学使用了与自然本性相反的方法从而抑制了身体恢复。此外，人们发现只能通过经验开发自然疗法，而不是通过像占据主

上图

19世纪早期，塞缪尔·哈内曼第一次使用“同类治愈同类”的药物——可以产生类似疾病症状的药物——是用金鸡纳树皮，疟疾特效药奎宁的原料。他在治疗中还用了很多其他植物，用如图所示的草本压制机来制备这些药物。

对页图

另类的治疗方案如顺势疗法虽然很受欢迎，但是这张1850年的卡通漫画对它颇具讽刺意味。有关顺势治疗的药物还在继续。双盲临床试验显示它并没有比安慰剂的效果更好，但是世界范围内的报道显示其在病人中的疗效还不错。

his is the appearance I presented when I became a convert to the Homeop
ory, and placed myself under the care of Professor Hangthemann, who
me to the globules or infinitesimal system.

对页图

整骨疗法和脊椎按摩疗法是从19世纪的北美发展起来的，正如这幅19世纪日本水墨画里展示的那样，其他文明也实践过很多不同形式的骨骼调整手法。

上图

安德鲁·泰勒·斯蒂尔和他的文书助理安妮·莫里斯小姐在莫里斯小姐的家外面，借助骨骼标本，斯蒂尔把他的很多研究转变为整骨疗法。

导地位的正统医学那样使用抽象的理论，这也是自然疗法的被指责之处。最后，应该根据病人自身的情况制定治疗方案，而不是仅仅根据这种或那种疾病。

顺势疗法

一种叫做汤姆森主义的植物疗法开始于18世纪90年代，但是没有持续到超过19世纪中期。另一个非正规治疗体系也是于18世纪90年代提出，然而它却保留并发展到了今天。顺势疗法是由一个叫做塞缪尔·哈内曼(Samuel Hahnemann，公元1775～1843)的德国医生发明的，他对标准的治疗方法不再抱有幻想，并且质疑自我实验的结果，这个结果是：能使健康受试者产生某些症状的物质会治好这些具有相同症状的疾病。要能治疗疾病，药物就必须和疾病类似，所以称为“顺势疗法”（homeopathy）。因为普通医生一般使用能使症状消失的药物，因此哈内曼创造了对抗治疗（“除了疾病”）这个术语来描绘他们工作的特性。今天的辅助治疗师们仍然把常规医学实践当做对抗医学。

哈内曼通过实验认定当药物按照100：1的比例稀释的时候，它的效力就应该上升，当把降低到极低浓度的药物混合到牛奶糖的小药丸中，药物的效力在这时能达到最高的水平。这种“稀释增效”对抗疗法是荒谬的。虽然有来自正规医学的反对，顺势疗法还是在19世纪早期迅速在欧洲和北美传播开来，而且是所有非正规治疗体系中受到最广泛支持的疗法。

骨骼调整

另一个至今仍然兴旺的治疗体系是整骨疗法，它是由堪萨斯州的医生安德鲁·泰勒·斯蒂尔（AndrewTaylorStill，公元1828～1917）开发的。就像哈内曼一样，斯蒂尔逐渐对正统疗法不抱幻想，转而凭直觉对肌肉

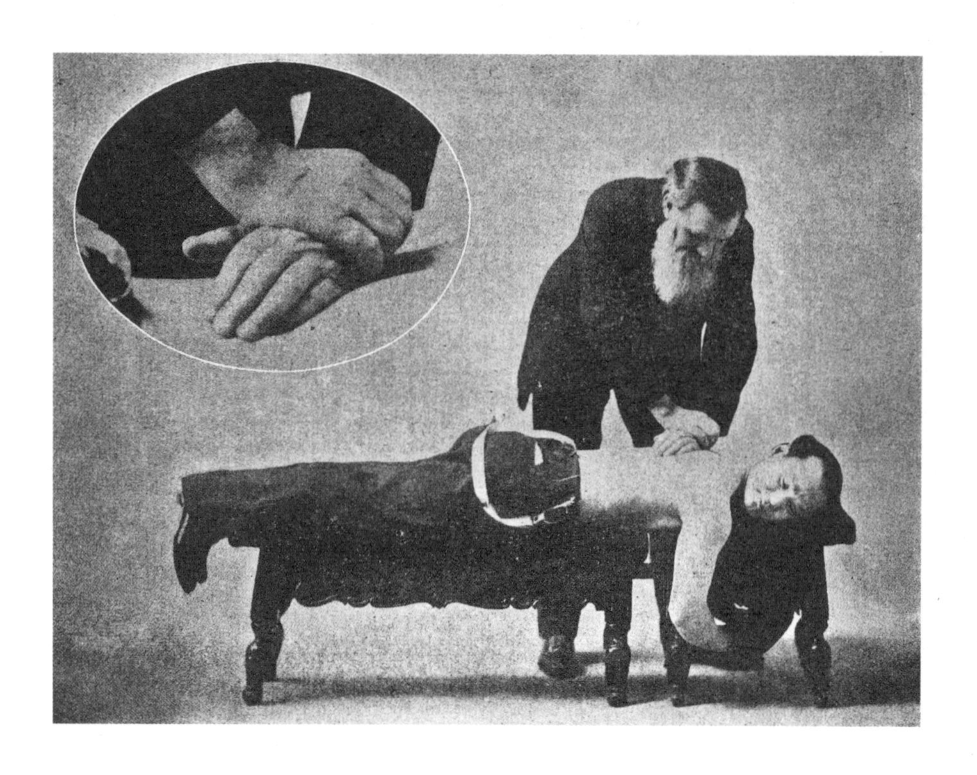

骨骼系统进行试错操作。当这些操作产生了治愈的效果后，他提出假设：所有的疾病都与骨骼错位压迫血流通过的血管有关，治疗也就是使骨骼整体重新归位。

最初，整骨疗法（Osteopathy）（名称来源于骨骼和疾病这两个词的希腊词根）的实践仅仅就是操作，如今成为标准医疗实践主流的药物和手术在当时被声讨是不自然并导致伤害的。然而在20世纪的前30年，首先是外科手术，接着是药物治疗都开始逐渐与整骨疗法整合起来。直到20世纪的末期，很多种整骨疗法都很难与对抗疗法在治疗方法上明显区分开来，而且整骨手法在实践操作很少的前提下仍占据主导地位。

早期人们常常把整骨疗法和另一种肌肉骨骼手法体系相混淆，脊椎按摩疗法是由爱荷华一位非专业的治疗师D.D.帕尔默(1845～1913)于1895年发现的，当他把一个聋人的错位锥体复位后，他的听力恢复了。假设所有的疾病都是由错位的锥体压迫临近的神经随后破坏这个神秘的“先天智力”的流动，帕尔默得出了这样的结论：通过“调整”受累的骨骼能够达成治愈的效果。这种名为整脊(chiropractic)的手法很快被大家认识，它的命名来自于希腊语的“用手来做”。

和整骨疗法一起，整脊很快采用了其他的治疗手段来支持它的“调整手法”，包括如电刺激、热疗和振动治疗等手段。但不是所有医生都青睐这些方法，然而从20世纪20年代以来，“直接”按摩师和“混合型”医师之间分歧很大，前者仅仅支持进行手法操作。这两方阵营的脊椎按摩师和整骨治疗者之间还存在更大的敌意，都认为是对方偷习了自己的治疗方法。

“混合整脊疗法”不过是与物理疗法相比较在治疗分类中最适度的一个，从19世纪的传统治疗方法进化而来，其中就有最著名的草药疗法和水疗。物理疗法由本尼迪克特·卢斯特(Benedict Lust，公元1872～1945)于1901年引入，他是一个

左图

另类医学的选择，包括中医，顺势疗法和巴赫花精。巴赫的38种治疗方案都是针对特定的特征；比如伯利恒之星被推荐用于由于悲痛或突如其来的坏消息导致的打击。

对页图

D.D.帕尔默正在给一个病人治疗。来自于他的《按摩师的调节器：给学生和脊柱按摩师的有关整脊的科学、艺术和哲学的教科书》（1910）

移民到纽约的德国人。物理疗法综合了植物治疗、多种药物的水浴、物理按摩和推拿、日光浴、电疗还有任何能刺激身体自然复原力的药物。

从“非正统”到“辅助”

到1920年，西方世界里正统医学有四个主要竞争对手，他们对病人有足够的吸引力并能在对抗疗法的镇压下激起医师的努力。正统的医生们轻蔑地称这些另类的竞争对手为庸医，还在政治上更极端地反对将这些治疗手段合法化，而且对那些践行此法的无证行医者进行逮捕、罚款甚至监禁。尤其是脊椎按摩师，他们常常发现自己是在监栏后给患者提高服务。

这样一来，每个治疗派系都在竞争以使自己合法化，所以在20世纪的前半期大家都认同了医生行医受执照保护的理念。即使如此，正统医生和异端医生之间的强烈的敌意仍然持续到了20世纪70年代。然而从那时开始，双方之间的关系逐渐缓和，一方面是因为严密的科学原理和所有非正统治疗体系的人也受过高标准的教育和对实践的帮助，另一方面是另类的医生们认可了正统医学的功效，特别是正统医学在处理创伤和急性感染方面的效果。

主流医学的一个重要的转折是它朝着更加全面地认识疾病和制定治疗方案的方向发展。对病人进行整体治疗，包括他的心灵、精神和身体，使用更加温和、更小创伤的治疗手段。这些方法其实就是那些另类治疗体系最初推崇的本质。随着这两派向着共同的目标前进，先接受然后再进一步合作的观点盛行起来。医学对另类传统治疗体系的开放也许用下面这个例子论证得最清楚：正统医生对针灸很感兴趣，针灸是一种古老的源自中国的治疗方法。这种医学转型的顶点是1991年美国国立卫生研究院成立了另类医疗的机关部门；1998年这个机构升级为辅助和另类医学国家中心。曾经被轻视为“非正统”的治疗手段如今是受欢迎的“辅助医学”。

第三章

交易的工具

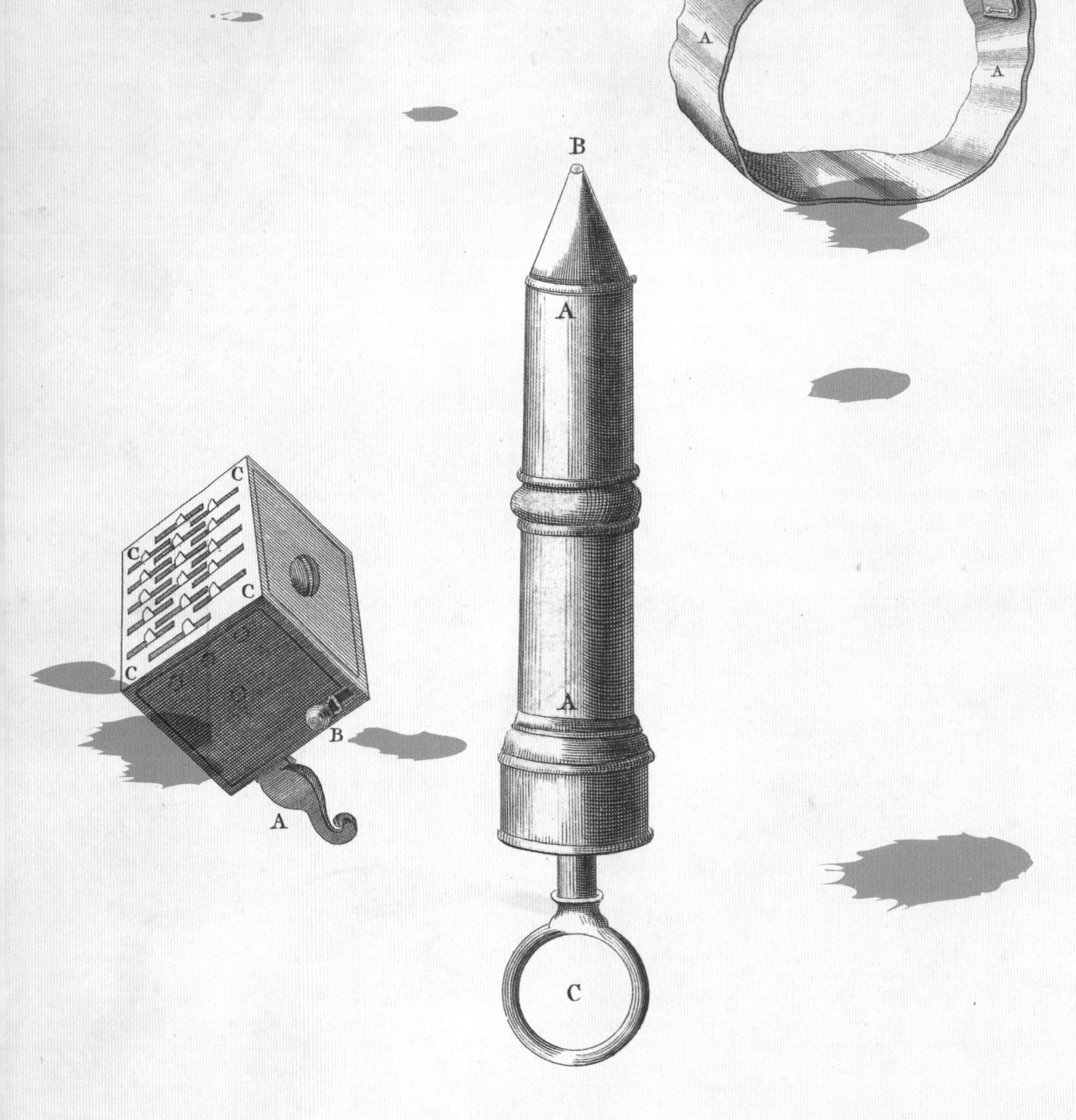

现代医学被技术环绕。医院、健康中心甚至在医生的包里随处可见各种仪器和机器。从简单的一次性注射器到惊人的磁共振成像扫描，仪器指导了医生什么能做和什么能知道。

在古代，阴道窥器可协助诊断妇科疾病，手术刀被用来放血，特殊的杯子被用来治疗水泡。然而在中世纪和近代早期，医疗仪器的使用范围还是一直受限并且维持着相对不变。在19世纪之前很长的一段医学史上，医生大多数时候应用他们的五感和经验来诊断疾病，制定治疗方案。他们把脉，检查舌苔和尿液，倾听病人倾诉苦恼，医生在这个过程中一直应用他们的临床判断。

19世纪期间，医生开始以特定的方式了解具体的疾病而不是笼统地判断。同时他们开始使用一些仪器来论证他们能在病人身上发现什么。所以听诊器、温度计、显微镜、检眼镜以及其他辅助诊断的仪器逐渐开始应用于临床，特别是病人在医院接受治疗期间。到19世纪末期，科学和技术辅助医学治疗的程度更紧密了。到了19世纪90年代，医学技术经历了一个巨大突破，X射线被发现，其医疗效用很快被认可，医学也进入了持续至今的技术大发展时代。

大技术意味着价格昂贵。X射线机器的建造和运行花费不菲，而且需要特殊的技术人员来操纵它们，还要培训合格的医生来读片。一种新的模式已经确立。这种模式已经被用在了其他特色诊断的创新上，包括新的内镜和成像设备——超声、磁共振成像扫描和正电子发射断层扫描。这些仪器和其他设备都让今天的医生有强大的能力来推断病人体内到底发生了什么。但是一些不起眼的技术仍能提供重要信息，如血压袖带（血压计），病人能在学会这种技术后自己操作。

诊断能主导医学技术，但是新的工具也能辅助医疗和手术治疗。除颤器能给停跳的心脏除颤使其恢复正常的活动，在美国很多大型购物中心都能购买到它。医生使用激光来治疗很多疾病，特别是眼疾。保温箱给早产儿和重病的婴儿提供了一个特殊的环境。医疗机器人能增进即使是最熟练的外科医生的手艺。外科恢复病房和重症冠心病监护病房由监控设备控制，便于医生和护士观察极重症患者每时每刻的情况，而各种各样的机器也能维持我们存活直到我们身体恢复。

这些工具塑造了医学诊断和治疗，也使医疗保健的成本不断上升，而且，在很多人眼里，这些工具让现代医学更客观和不近人情。目前还没有人发明出一种具备情感的机器。

从一本18世纪外科手册中选择出来的工具。从左向右：立方划痕器能在皮肤上制造小切口，为拔火罐作准备；能向尿道或阴道注射液体的注射器；在放血过程中绑住上臂的皮带。

22. 听诊器

倾听

马尔科姆·尼科尔森（Malcolm Nicolson）

我在诊断方面试图把内部器质性病变和外科疾病放在同一平面上。

——勒拉·拉埃内克（René Laennec），1826

听诊器让医生能够听到患者身体内部的声音。听诊器是由法国医生勒拉·埃内克（公元1781～1826）于1816年发明的，但是它的前身估计还在好几个世纪之前。维也纳医生利奥波德·奥恩布鲁格(Leopold Auenbrugger，公元1722～1809)发现胸内病变可以通过轻轻叩击病人胸部反映出来。他通过解剖尸体，向其肺脏中注水等实验进一步证明了自己的观点。奥恩布鲁格于1761年发表了他的成果，但是如今众所周知的胸部叩诊法在当时并未被推广，直到19世纪的前几十年才在巴黎学校的帮助下普及起来。

从18世纪90年代末期至今，法国首都的大医院里的医生们做了一个系统性的工作，他们尽力把活着的病人身上的临床症状和体征与尸检时发现的损伤联系起来。这种调查模式就是如今大家所知的“临床解剖学”方法。临床解剖学的先驱者之一——让·尼古拉斯·科维萨尔(Jean-Nicolas Corvisart，公元1755～1821)重新改编和定义了奥恩布鲁格发明的胸部叩诊法。科维萨尔还鼓励他的同事去听诊——直接聆听来自体腔中的声音——这种希腊人很早就知道的方法后来基本上都荒废了。

拉埃内克曾经是科维萨尔的学生，他对胸部的疾病有着特别的兴趣。有一次，一位貌似正受心脏病折磨的年轻女性来找他咨询。她很丰满，拉埃内克无法通过叩击引起她胸腔共振，并且他认为也不便直接将他的头贴在女病人胸口来听诊。他记起曾看到的一个孩子做的游戏。于是他将几张纸卷成一个纸筒然后将其一端放在女病人的胸口，而把耳朵紧贴另一端，这样拉埃内克就间接听

上图

勒拉·拉埃内克，听诊器的发明者；他很可能死于肺结核，这是一种能很容易用听诊器诊断出来的疾病。

对页上图

听诊器的便携性特点非常突出，在这幅19世纪晚期的插图中，一位医生在路边的大篷车里用听诊器为一位吉普赛小孩诊断。

对页下图

四种长形的或称作第二种类型的拉埃内克听诊器。左边的那个听诊器有滑动接头，另外三个有螺纹接头；这两种类型都让坚硬的听诊管能被分成几部分装进口袋中，而且它们都有能拆卸的听筒。

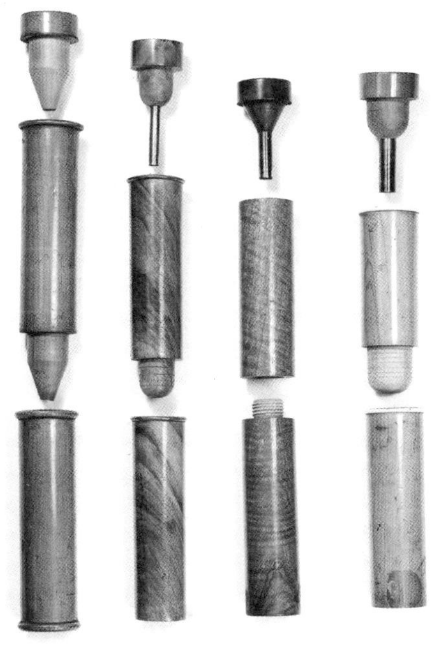

到了病人的心跳声音。听诊器就是这样被发明出来的。

实验和发展

拉埃内克为了他的新仪器实验了很多种不同金属和形状，最终选定了一种简单的木制空心圆柱体，大约25厘米（10英寸）长，直径3.5厘米（刚超过1英寸）。拥有了这种工具，拉埃内克对心脏和肺脏发出的声音进行了全面的研究调查，并在可能的情况下将他的发现和尸检观察到的病理性改变进行比较。他的研究结果于1819年发表在他的主要作品《有关间接听诊》上，这本书是我们如今理解肺脏甚至一定程度上还包括心脏的病理学基础。

虽然肯定会有一些保守的医生反对听诊器的使用，他们认为这种使用工具来辅助诊断的做法会损害他们的职业尊严，或者他们不能充分训练自己的耳朵来应用这种听诊技术。但是无论如何，拉埃内克的发明很快就被广大医生普遍使用起来。19世纪开始在医院里推广的临床教学让学生有机会利用这种仪器在病人身上练习和获取经验，19世纪末期，听诊器已经成为医生行医过程中一种无

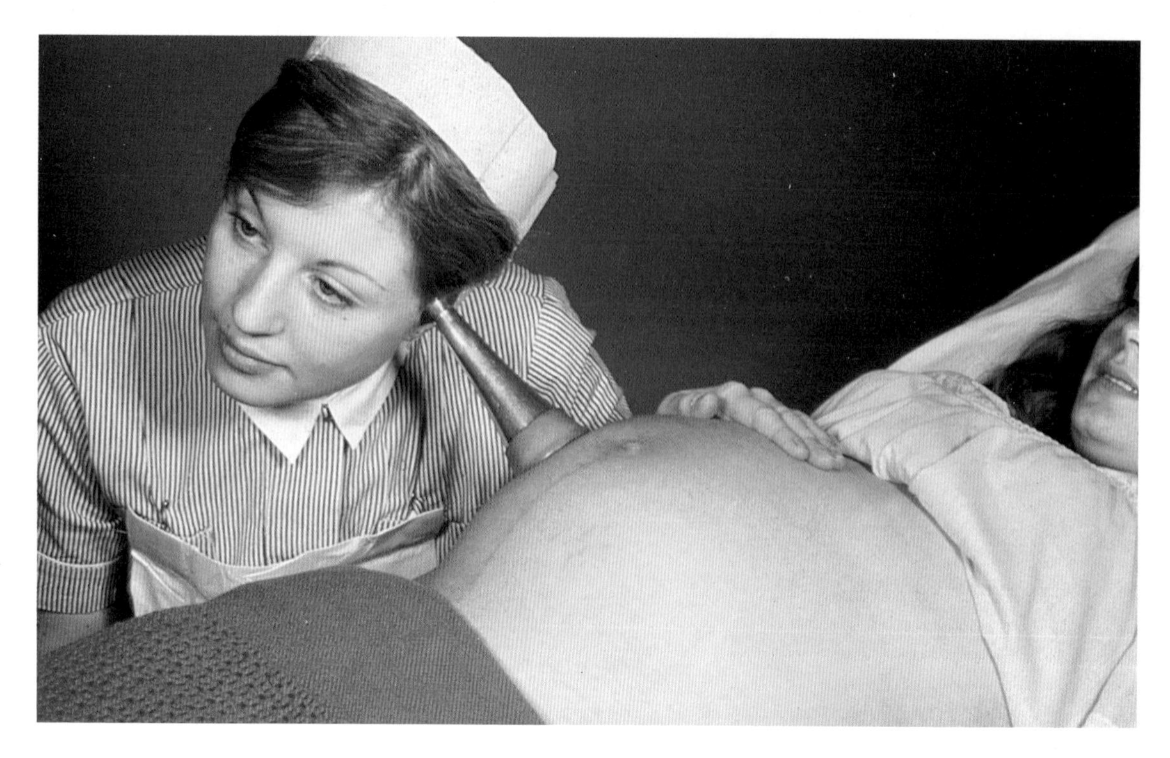

可替代的工具。

然而我们必须注意的是，虽然拉埃内克回应过反对者的质疑，但是事实上听诊器确实在声学上相比直接将耳朵贴在患者胸壁上倾听的古老的听诊技术没有多少优势。在很多病例中，听诊器与只用耳朵听诊相比，并没有让医生听到的胸腔内的声音更大或更清晰。只有一个例外就是肺顶部气穴的检测，它是肺结核的早期征象，为了发现它医生必须把耳朵贴到病人腋窝来直接听诊。尽管有这样的例外情况，但是拉埃内克的发明在于它能让医生更加方便和卫生地检查患者胸部，保护他自身同时还有职业尊严，特别是在面对女性病人的时候。听诊器的广泛应用使病人习惯了平躺下来接受医生的检查，这又促进了其他物理诊断方法的发展。

听诊器的设计考虑到专业应用的便利性有了进一步的发展。1828年，一位爱丁堡医生N.P.科曼（N.P.Comins）设计了一种设备，它由两个部分和其之间的铰链组成，这种设备让医生能够发现“在不给医生和病人带来压力或者不便的前提下发现病人胸部任何部位任何位置的任何阶段的疾病”。很多其他方面的设计调整是为了提高使用时听诊器的音质和便捷性。J.B.威廉姆斯(公元1805～1889)于1843年使用了一个双耳听诊器，但是直到19世纪80年代有了橡胶软管才使得双耳听诊成为可能。关于听诊器的另一项创新是添加了一个和隔板相连钟形底座。心音和肺脏的声音被放大的效果也经过实验得到了。

持续的作用

尽管人们发明了复杂的成像技术，听诊器仍是心脏病科医师和全科医生不可缺少的装备。人们已经发现听诊器的许多应用超过了胸部区域，如血压的测量和妊娠的管理。现在各种电子数字听诊器能够连续监测声音并提供录音和视频显示，它们被应用在心脏病学、医学教学工作和远程医疗当中（远距离电询）。

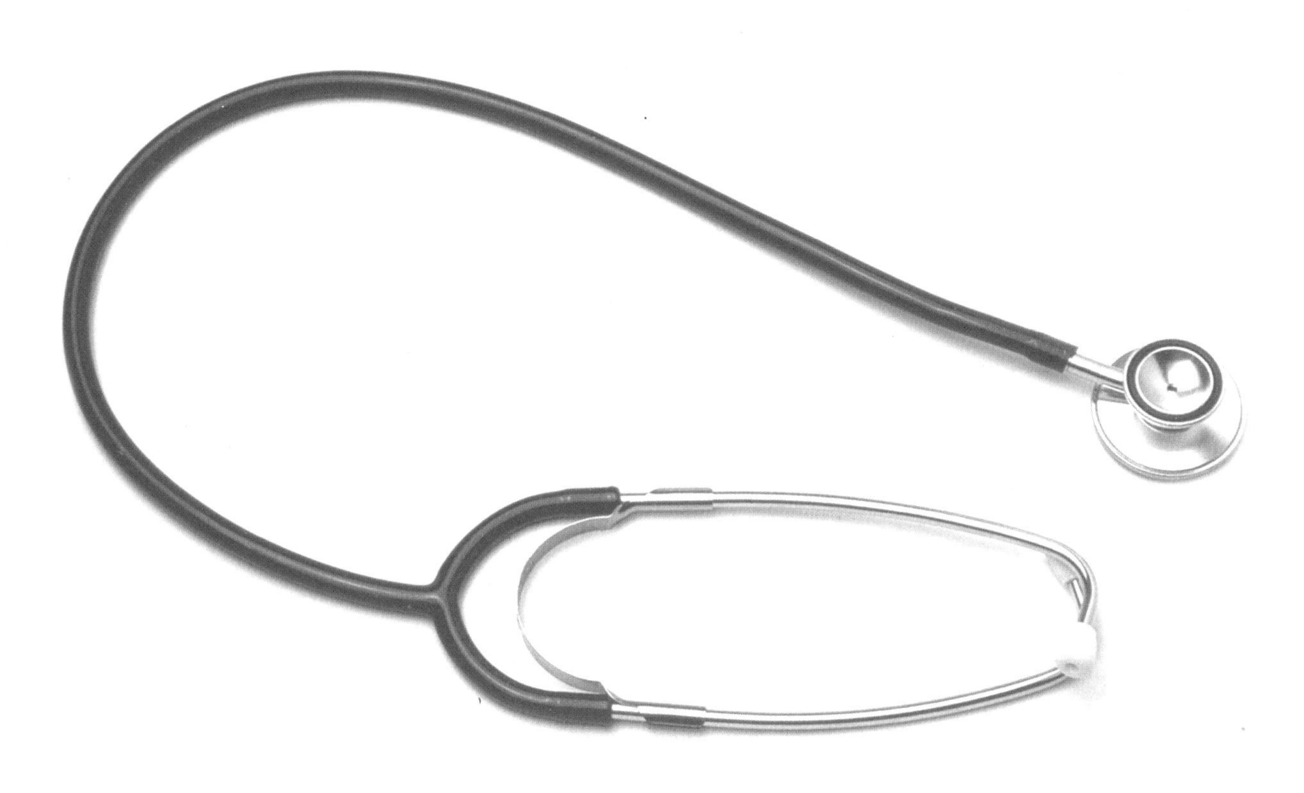

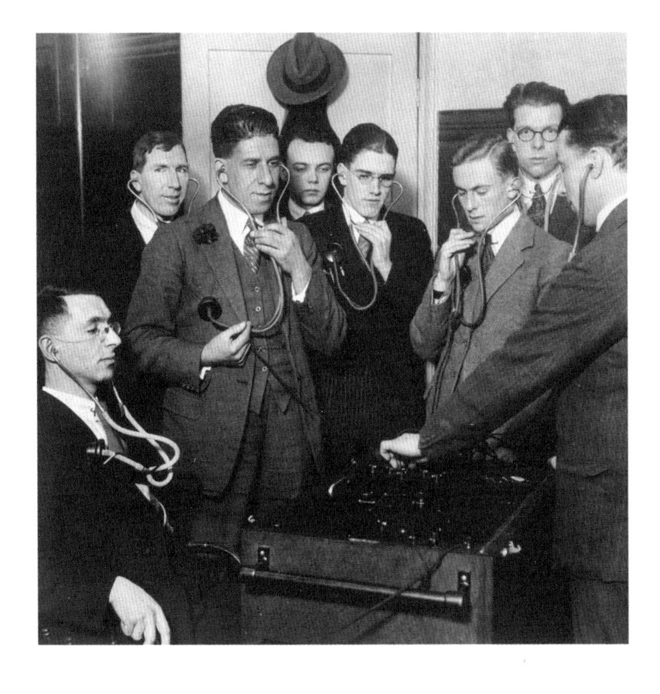

对页图

胎儿电子监护问世之前，助产士能用胎儿听诊器喇叭听诊未出世婴儿的心跳声。

上图

带有橡皮管的双耳听诊器问世以后，即能卷起来放进口袋里或者更多时候挂在脖子上，从此改变了医生的形象。对病人和医生而言，听诊器让检查更便捷，让行医更有尊严，可以更少地侵犯病人的私人空间。

左图

学会用听诊器听诊和理解所听到的声音是医生需要培训的重要技能。还有比在自己身上训练更好的选择吗？一群20世纪20年代的医学院学生正在听诊自己的胸腔。

23. 显微镜

发现新世纪

阿丽亚娜·德雷舍（Ariane Dröscher）

……有了显微镜后，再也没有什么东西小到可以逃脱我们的观察；所以有了一个需要我们理解的可见的新世界。

——罗伯特·胡克（Robert Hooke），1665

第一个显微镜可能是在中国制造出来的。一本古代的中国课本里是这样描述的：如何在一个带有镜头的管子的底部填充尽可能多的水来获得不同程度的放大倍数，在古代，人们似乎已经知道镜头的优点。然而显微镜在欧洲的广泛扩散及其对自然哲学的影响从17世纪才开始。奇怪的是，最初，这项发明让人们产生的困惑比它带来的答案更多。19世纪开始显微镜已经成为生物医学研究的一个象征，推动了很多伟大的发现。今天，它仍然是教学、临床和法医调查不可缺少的工具。

上图

罗伯特·胡克的显微镜学著作《显微图片》(1665)中的插图，其中上方为青霉，下方是生长在草木叶片枯斑上的小的"植物"(真菌)。

对页图

弗朗西斯科·斯泰卢蒂的卷首插画，在其中他第一次展示了显微镜下观察到的蜜蜂的解剖细节。

第一种仪器和它的挑战

在显微镜的历史里，显微镜是制造商和用户之间紧密协作的产物，旨在克服的障碍包括物理的（分辨率、放大、像差）、方法的（立体感、观察活的东西、技术）、实践的（可管理性）和哲学的（图像的解释）。

光学显微镜实际上结构简单：单式显微镜有一个镜头（或放大的凸透镜）；复合式显微镜的一个刚性管结构里有两个或更多镜头。所以很多人就会感到奇怪：为什么直到近代社会早期西方才"发明"显微镜。个中原因很多，而且不仅仅是因为需要技术能力，还有其他特别的原因，比如复兴的原子

VRBANO VIII· PONT· OPT· MAX
Cùm accuratior ΜΕΛΙΣΣΟΓΡΑΦΊΑ,
à LYNCEORVM ACADEMIA,
in PERPETVAE DEVOTIONIS Symbolum
ipsi offerretur.
Magne Parens rerum, cui se Natura volentem
Subijcit, et dominos collocat ante pedes,
Respice, Naturâ quâ nil præstantiꝰ omni,
E BARBERINAE stem̃ate Gentis APEM:
Hãc vti Lyncëidum, ꝓpiori lumine lustrans,
Disposuit Tabulis, explicuitq; labor.
Cæsiadę Genio sacrum stimulante laborem,
Palladis et promptos arte iuuante viros,
Maxima dum tereti surgunt miracula vit
Maioremq; oculus discit habere fide
Quis nôrat quinas Hyblęo in corpore lingu
Atque leoninæ proxima colla iubæ,
Hirsutósq; oculos, binásque labris vagina
Ni facerent artis diã reperta noua
Sic decet, vt dum te mirãdũ suspicit Orbis
Et magè mirandã se Tua præstet APIS
Ponebat IVSTVS· RIQVIVS· LYNCEVS· BELGA DEDIC· S.E.
ROMÆ
Superiorq; permissu· 1625
FRANCISCVS STELLVTVS LYNCEVS FABR:IS MICROSCOPIO obseruabat
M. Grouter
delineab. incid.

论（认为物质由离散颗粒组成），感官体验的信心，解剖概念的蔓延和越来越多的眼镜市场。从16世纪至今，一些学者和制造工匠做了很大的汇聚性的贡献——特别是意大利、荷兰和法国。

第一个主要的显微镜学促进者是科学研究院，即位于罗马的学院，后来是伦敦的皇家科学院。1612年伽利略（公元1564～1642）很可能第一个用显微镜科学地观察了苍蝇的眼睛和带有毛发的四肢结构，他的朋友乔瓦尼·法伯（公元1585～1630）于1625年创造了术语“显微镜座”。弗朗西斯科·斯泰卢蒂（公元1577～1646）发表了第一本（一只蜜蜂的）显微图谱。罗伯特·胡克（公元1633～1703），皇家协会实验的管理者，对使用复式显微镜的技术提高做出了巨大的贡献，并且借助他成功而又华丽的图解著作《显微图片》进一步推进了复式显微镜的使用。

然而，虽然荷兰服饰商人和业余镜头研磨师安东尼·凡·列文虎克和很多其他人做了重要的工作，却都没能让大多数医生和自然哲学家相信显微图片的真实性和应用显微技术能带来益处。显微镜18世纪主要应用于植物学领域和微小有机体的研究。而这些被称作微生物或滴虫的物种给机械自然哲学制造了很多的难题。其中最有名的争论是这些微生物是否是自然发生的——这个议题对19世纪微生物学和细菌学的出现具有重要的医学意义。18世纪的另一个发展就是显微镜和显微学技术的标准化。

显微镜学的黄金时代

19世纪前10年最重大的技术突破就是消色差透镜（穿过该透镜的光线不会分散成自身的组成色）出现，这依然离不开以下几个人各自独立的贡献。如乔凡尼·巴蒂斯塔·阿米西（Giovanni Battista Amici，公元1786～1863），雅克-路易斯-文森特·希瓦利埃（公元1770～1841）及他的儿子查尔斯·路易斯·希瓦利埃（公元1804～1859）以及约瑟夫·杰克逊·利斯特（Joseph Jackson Lister，公元1786～1869）。

显微镜学如今进入了它的黄金时代，是解剖学和病理学不可或缺的技术，并且是微生物学、细胞生物学和神经学重大发现的支撑。反过来，这些发现又促进了光学仪器的制造和显微技术的发展。显微技术特别指固定、嵌插、切割和着色。恩斯特·阿贝（Ernst Abbe，公元1840～1905）从数学上

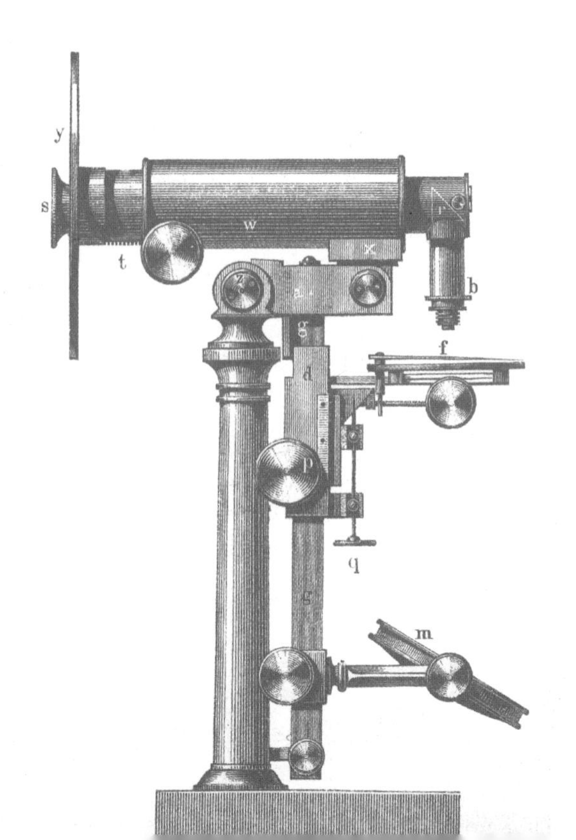

图为法国父子雅克-路易斯-文森特·希瓦利埃及查尔斯·路易斯·希瓦利埃（Jacques-Louis-Vincent/Charles Louis Chevalier）研制的水平消色差显微镜。他们会制造显微镜及其他光学仪器。这种显微镜在1839年第一次制成，而查尔斯·希瓦利埃发表的关于显微镜的著作里有了相应图解。目镜在左边，右边是可调节高度的台子，上面放有要研究的样本。

证明了衍射、像差和光学分辨率，并得出结论认为：即使是最好的显微镜也无法区分大小超过200纳米的独立实体。后来卡尔·蔡司（公元1816～1888）建立了一个制造高质量镜头的工厂。

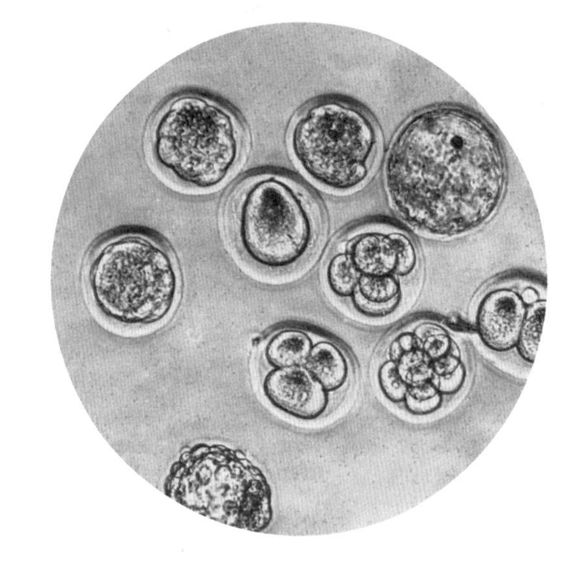

显微镜的新品种

其他（主要是短波光线的）光源也能被暗场显微镜（1903）和紫外线显微镜（1904）捕获，这两种显微镜超越了第一种荧光显微镜（1911，奥斯卡·黑尔姆施泰特）。如今还有声学（利用超声波）和热波显微镜。干涉显微镜（1931）、相差显微镜（1933，弗里茨·泽尼克）和微分干涉显微镜（1955，乔治·诺马斯基），都进一步提高了对比度和对活细胞的观察效果，而共聚焦显微镜（1957，马文·明斯基）可以用来观察较厚的标本。

电镜的发明是一个质的飞跃，这种显微镜并不衍射光线，而是利用磁透镜和电子束成像。第一个“超级显微镜”于1928年由恩斯特·鲁斯卡（公元1906～1988）制造；很快，也就是1940年，30纳米的分辨率就超越了光学显微镜的最大分辨率，而且这种显微镜能观察到烟草花叶病毒（TMV）。20世纪50年代，电镜特殊技术的发展为生物学中超微结构的研究开启了一扇新的大门。扫描隧道显微镜(1981，格尔德·宾尼和海因里希·罗勒)能提供一个物体小到原子水平的三维图像，并且已经被应用于检测病毒。

如今，关于显微镜的理论和技术仍在继续进步。新的工具如数码显微镜、受激发射损耗显微镜以及能定位单个分子的显微镜都为揭示物质的内部结构提供了新的切入点。这些医学发展的潜在好处将毫无疑问地震惊那些最早的显微镜实践者。

上图
一系列处于不同发育阶段的早期人类胚胎。这些胚胎是用波兰光学物理学家乔治（耶）·诺马斯基研制的诺马斯基干涉对比显微镜观察到的。这种显微镜使用了一种特殊的棱镜和偏光，加强了未染色的活的生物样本的对比度，使这些精巧结构的作用得以充分展现。

左图
1946年的这个EM2电子显微镜，它采用电子束和磁透镜成像，而不是靠衍射光线成像。它的两个镜头的放大倍数都是100倍，合起来能给出10 000倍的放大效果。如果样本是已被放大的图片，那么在该显微镜下能得到50 000倍的放大效果。

24. 皮下注射器

深入皮下

罗伯特·塔特索尔（Robert Tattersall）

福尔摩斯从壁炉的角落拿出他的瓶子，从整齐的摩洛哥卷宗中取出他的皮下注射器。他那修长白皙的手指紧张地调整着锋利的针头，然后他卷起衬衫的左袖口。他双目注视着肌肉发达的前臂和手腕已有了一段时间，上面布满了数不清的针孔和疤痕。最后他对准针尖，按下活塞，然后躺在铺着天鹅绒的扶手椅里满意地长叹一声。

——柯南道尔爵士，1890

1657年，建筑师克里斯托·弗雷恩给几种动物静脉注射了数种药物，动物们立即呕吐，出现中毒症状、死亡或者复活。这种方法只零星地用在病人身上但很快就被弃用了。18世纪期间，金属或者木制的注射器被用于阴道或直肠注射，但是，针对皮肤的注射方式一直到19世纪中期才被人们尝试。1844年，来自都柏林的弗兰西斯·林德（公元1811～1861）用一个利用地心引力的装置沿着神经的通路注射吗啡来治疗神经痛。法国人查尔斯-加布里埃尔·普拉沃兹（Charles Gabriel Prcwaz，公元1791～1853）制造了一种带活塞和空心针的金属注射器，并用它给马注射促凝剂，希望能借此治疗人的动脉瘤疾病。

第一例皮下注射是由一个叫亚历山大·伍德（Alexander Wood，公元1817～1884）苏格兰人完成的，他用的装置就是如今我们认为的沿着神经通路注射吗啡的注射器。他旨在获得局部无痛的效果，但是他发现病人注射后变得嗜睡，这说明吗啡进入了病人的大脑。伍德在爱丁堡一本杂志上于1854年发表的文章并没有引起人们的注意，但是随后

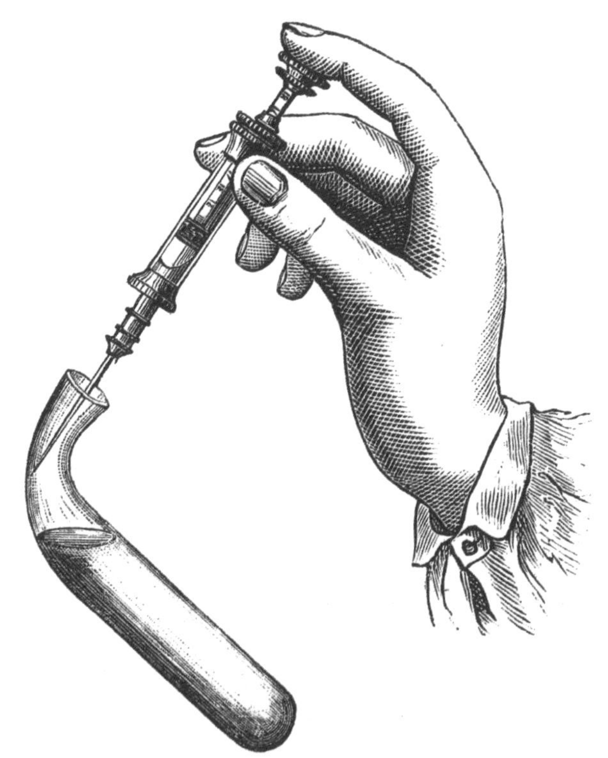

普拉沃兹玻璃注射器：为了避免气泡的产生，疫苗在抽满之后又被重新推回试管里。小的气泡能被人体吸收，但是大气泡可能是危险的，因为它可能会引起阻塞或血管栓塞。

在《英国医学杂志》上的文章使得他被质询哪里可以买到他所描述的注射器的来信所淹没。一位年轻的伦敦外科医生查尔斯·亨特（Charles Hunter，公元1834/5～1878）指出，

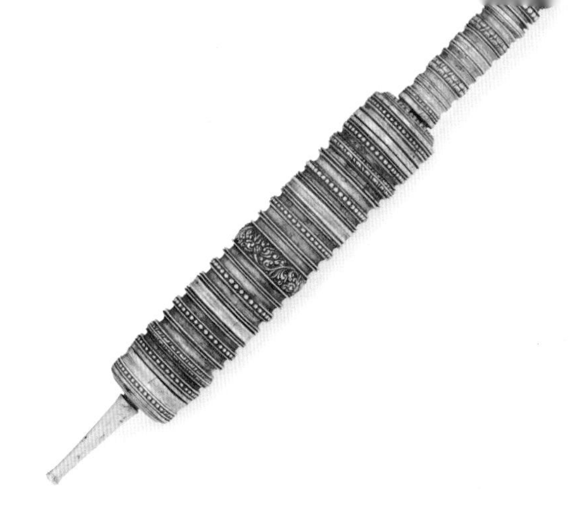

上图

装饰精美的16世纪的斯里兰卡象牙注射器（用于灌肠），据说是国王给他的皇家医师的礼物。

下图

第二次世界大战中一套法国的输血用注射器和辅助试剂盒。

下方右图

这种细针注射“笔”使糖尿病患者能自我调节血糖水平和积极管理自己的身体状况。根据底部的数字刻度正确校准注射胰岛素用量。

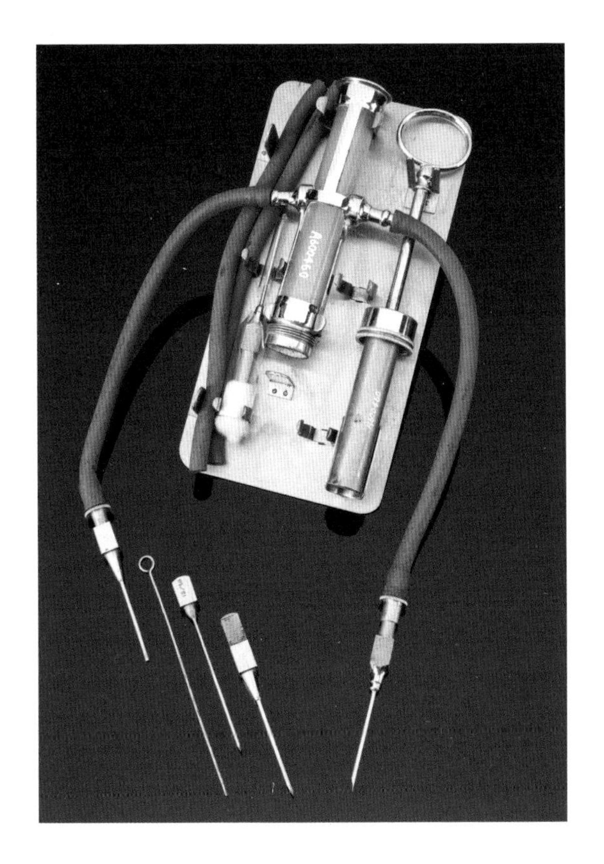

止痛剂的注射部位不必一定要在神经周围，在身体的任何部位注射都能产生效果。他用了术语*nypodermic*来与伍德的*subcutaneous*(意思都是“皮下的”)相区别。他们在《医疗时代和公报》上就注射对人体远期影响的认识问题进行了长时间的言辞激烈的辩论。

在英国的维多利亚时代，使用鸦片是不受限制的，很快，中层和上层阶级的女性就对其成瘾，而且常常通过注射吗啡来帮助入睡。福尔摩斯则用可卡因来激发他的推理能力。自我注射一般是借助迷你注射器，它可以接到钥匙链上成为“自动注射器”。到了20世纪20年代，带有皮革柱塞的金属注射器就都被玻璃注射器所替代。

注射器的使用随着1922～1923年胰岛素的问世而大大普及。然而，20世纪30年代60%的胰岛素注射都十分麻烦，因为每一次注射之前，注射器都必须经过高温消毒，这就会导致注射器的损坏以及需要用石头重新打磨变钝的针头。第一个（塑料的）针头针管一体化的胰岛素注射器于1969年被投入市场。1981年，约翰·爱尔兰（John Ireland公元1933～1988）发明了注射笔，它是包括小瓶胰岛素和注射器的一个独立个体，并且在其中可以设置每次需要注射的用量。这个创意被一个哥本哈根的新公司采纳，这个公司后来开发了Novo笔，这是现代胰岛素注射器的前身，很快，传统的胰岛素注射器过时了。

直到20世纪50年代，实验室检测血液（相对不频繁）用的是磨玻璃注射器，这种注射器在每次使用前必须消毒。1947年，美国公司开发了抽血用的真空管，又于1961年生产了第一例用完即可丢弃的静脉穿刺的塑料针管。

25. 温度计

“测量即医学”

约翰·福特（John Ford）

有关疾病中温度变化的知识对于医生而言不可或缺。

——卡尔·德奇（Carl Wunderlich），1871

自古以来发烧病人的热度就已经引起医生们的注意。希波克拉底（公元前460～公元前370）用他的双手来感觉病人的体温，但是意大利的桑托里奥·散克托留斯（公元前1561～1636）被誉为第一个发明用于临床的温度计的人。大约在同时期，伽利略（公元1564～1642）描述了一种利用水上空气的膨胀来测量温度的仪器，但是他并没有研究疾病中的病人温度的变化。其他实验是利用如水、酒、浸有八角和汞的油之类的物质的膨胀，但是都难以产生一个标准来评价不同的仪器。

为了克服这个困难，一位德国物理学家加华伦海特（Gabriel Fahrenheit，公元1686～1763）提出了三个定点：0°F是冰、水和海盐混合物的结冰点；32° F是水的结冰点；而96° F则是用他的仪器测得的体外温度。由瑞典天文学家安德斯·摄氏（Anders Celsius，公元1701～1744）设计的刻度则是以水的结冰点为0℃，而100℃则是水沸腾时的温度。

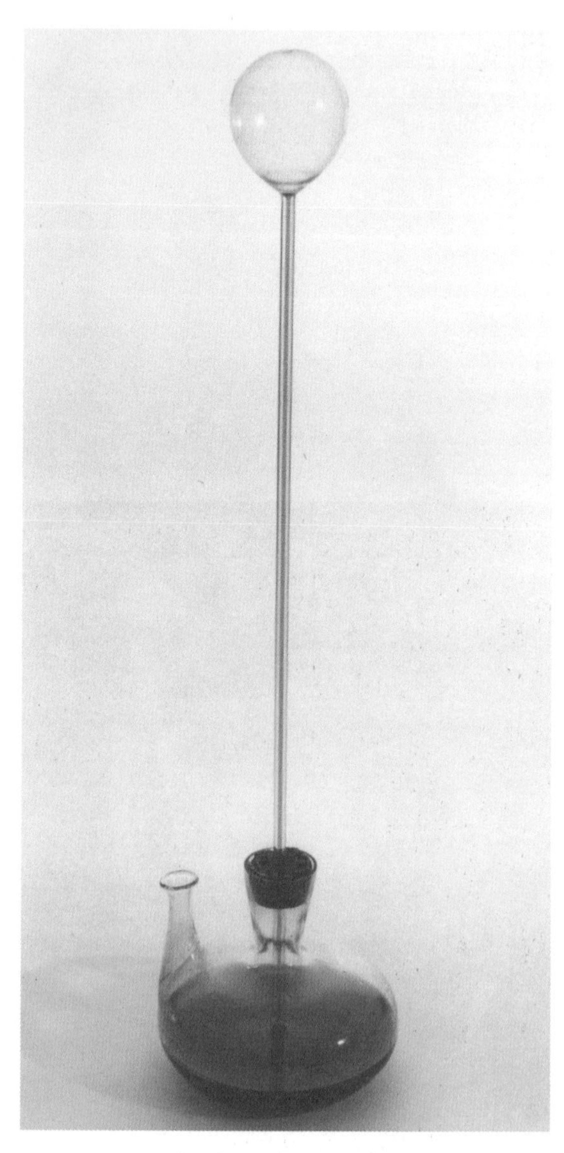

临床上使用的温度计是采用了改进的玻璃吹制技术和氢氰酸来蚀刻玻璃上刻度的等级。

很多医生都尝试将温度和疾病关联起来。

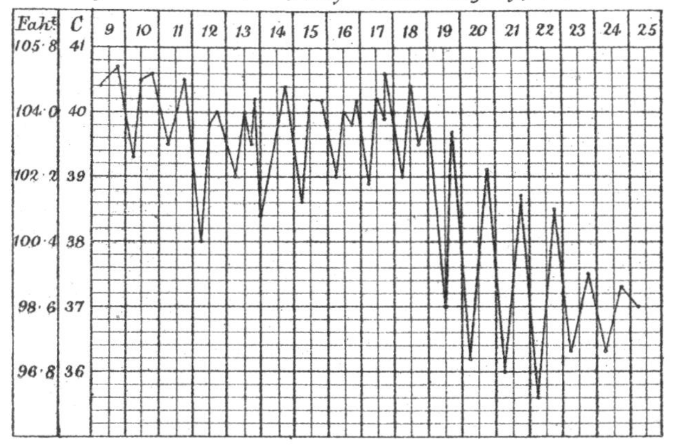

对页左图

桑托里奥·散克托留斯发明了第一个温度计，用来测量各种物理现象和生物现象。

对页右图

17世纪的科学家伽里略发明了很多测量仪器来更好地领会他周围的世界。这种温度计的原理是：被加热的水上方的空气会发生膨胀。

上方左图

卡尔·德奇等介绍了热度表之后，它成为夹在医院病床床尾的医疗记录中的重要部分。

上图

一个来自19世纪晚期的自己配准的（能记录最高和最低温度的）华氏温度计。一旦读数之后，温度计需被甩动，使其温度与周围环境温度一致以备下次测量使用。

维也纳的安东·德·汉（Anton de Haen，公元1704～1776）使用常规的方法测量了发热病人的体温，他认为当病人体温正常时身体就开始恢复了。疾病温度变化的标准由巴黎大学的加布里埃尔·安德烈制作。詹姆斯·柯里（James Currie，公元1756～1805）被誉为第一个借助温度计用英文系统记录临床观察的。德国的卡尔·德奇（公元1815～1877）第一个强调了规律测量病人体温的重要性。他报道了约25 000个不同疾病的病人体温和相关的读数模式——他用温度表的图表形式展示了上述数据。

大量数据的积累展示了常规临床实践中温度测量的重要性，这是一个了不起的成就，还要特别提到的是伍德设计的30厘米（1英尺）的温度计，该温度计测量温度需要20分钟。重要的是，他指出没必要让医生测量体温，这项工作可以由经过培训的护士或者病人家属完成。英国的克利福德·奥尔伯特（Clifford Allbutt，公元1836～1925）设计出了一种新的只有15厘米（6英寸）长温度计，它的测温时间只需5分钟。这个进步意味着到了19世纪晚期，体温测量已经是对病人临床评价的一个常规部分。

传统上体温是通过在口腔中放置温度计测量的，但用这种方法测量失去意识或不能合作的病人的体温是困难的。其他可供测量体温的部位包括腋窝、阴道和直肠——最后一种方法很多年来一直被用于测量婴儿体温。玻璃水银温度计的温度重置需要用力甩动，而且有破裂的风险。这促使人们开发更安全的温度计。电子数码温度计如今已被广泛使用，它的测温部位一般是耳朵。而应用在前额的测温带采取了热成像技术，患儿的父母常常给孩子使用这种温度计。

26. X射线和放射疗法

解读机体的无形的光

迈克尔·杰克逊（Michael Jackson）

X射线如果能够像穿透手一样穿透整个身体，那么这种神秘光线，将无所不能看到一切。

——亨利·卡特尔博士（Dr Henry Cattell），1896

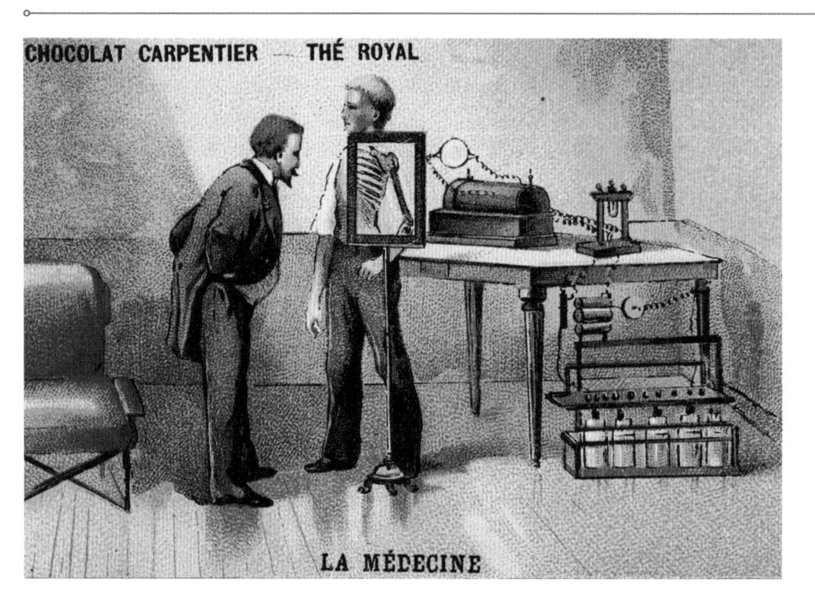

左图
很快X射线就出现在大众文化之中。法国的Chocolat Carpentier公司的1896～1900年间的一张广告片展现了一位医生正在查看摆在一个男性病人身体前方的X射线屏幕，观察病人的肋骨以及手臂的骨骼。

对页图
一张伦琴夫人手的标志性的X射线图片，她的一根手指上戴有戒指，这是由她的丈夫于1895年拍摄的。

放射医学和放射治疗学的起源可以追溯到1895年10月8日，那是一个星期五。德国维尔茨堡大学的物理系教授威廉·康拉德·伦琴（Wilhelm Conrad Röntgen，公元1845～1923）注意到一些涂有布氰亚铂酸钡溶液的纸张上出现了意想不到的光辉。他一直在尝试让电流通过真空玻璃管内的线圈——这是当时所知道的能产生阴极射线的方法。伦琴知道这些射线能引起涂有氰亚铂酸盐的屏幕产生荧光，但是他已经把试管放置在一个黑色纸盒中——阴极射线不能穿透——于是他意识到纸上出现的绿色光线一定是一种“新的射线”。

意识到他发现的重要意义，伦琴在随后的几个月里一丝不苟地研究了被他后来命名为X射线的东西。他发现这种射线不仅能穿透卡片，还能穿透书、木头、橡皮以及一些薄的金属薄片。伦琴将他妻子的手放在线圈和成像金属板之间，然后产生了第一张人体的放射图片——手的骨骼清晰可见，而骨骼周围的皮肤和肉相对透明。1895年12月28日，伦琴向维尔茨堡物理－医学协会展示了他的成果。

这个发现以惊人的速度在全球扩散开来，科学界和公众都非常兴奋。人们立即意识到了X射线的临床价值，在伦琴发布了他的成果之后的一个月里，第一张用于医学目

Hand mit Ringen.

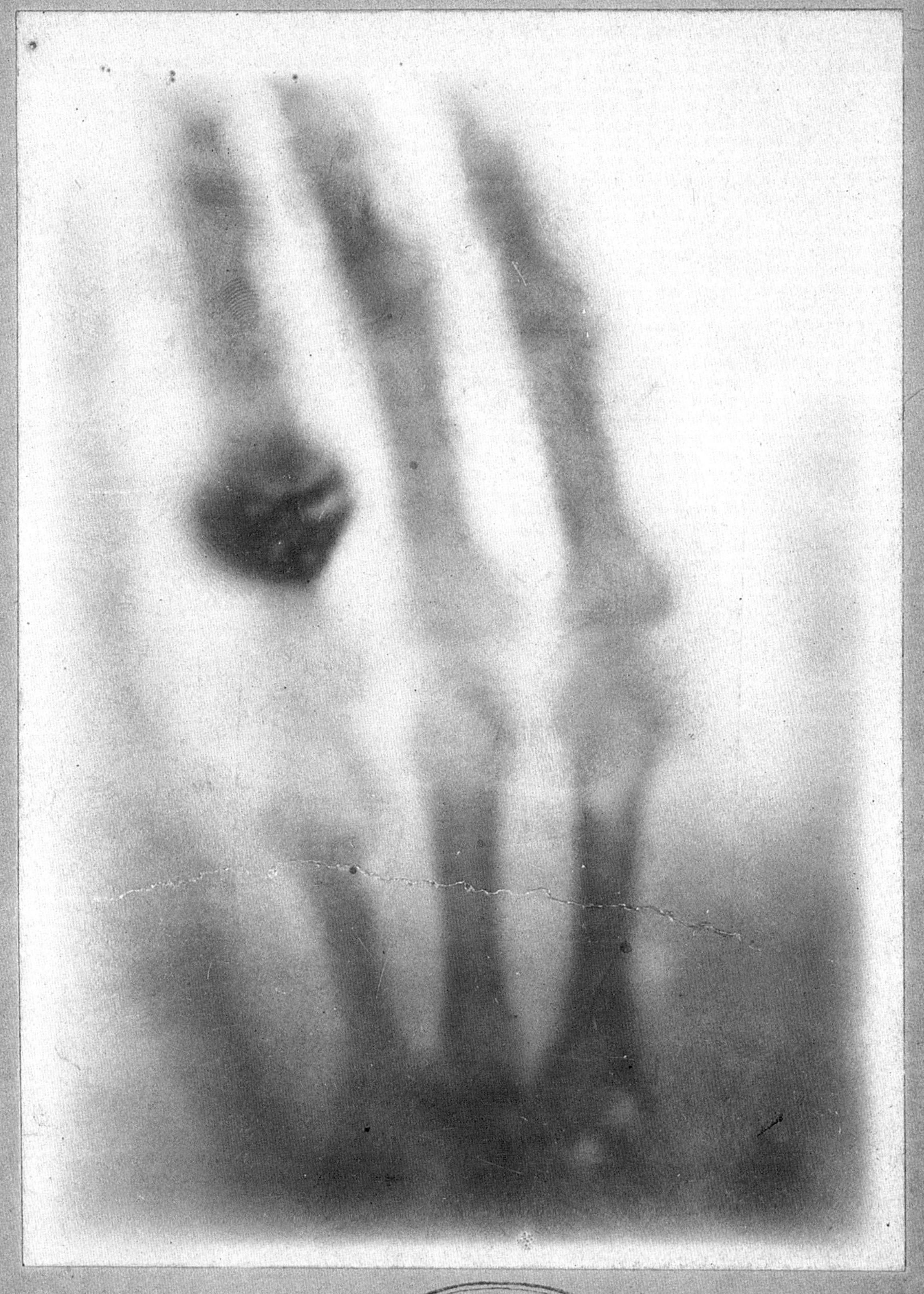

的X光照片就诞生了。早期的图片大部分是折断的骨骼、骨肿瘤或者是包埋在软组织中的枪弹或者子弹碎片——高密度的结构能以（相对）短的暴露时间被显示出来。胸部和腹部的成像质量一开始比较差，成像需时一般超过30秒。

放射医学

X射线的有害影响在早期就被发现了。伦琴发现他自己在长时间暴露于X射线之后，出现了皮肤溃疡和头发脱落，而那些操纵X射线设备的工作人员中也有很多出现了放射性皮炎。一位芝加哥学医的学生埃米尔·葛鲁伯（Emil Grubbe，公元1875～1960）意识到X射线的潜在治疗价值，并在1896年用它来治疗一位患乳腺癌的妇女。很快，法国医生也利用X线来治疗胃癌，在越南，医生用它治疗皮肤癌，在瑞士，X线能明显治疗头颈部的肿瘤。这些都让放射医学成为一个具有广阔前景的能治疗各种癌症的新方法。

受伦琴的研究成果的启发，贝克·勒尔（Becquerel，公元1852～1908）于1896年在巴黎研究发现了放射性铀。两年之后，勒尔意外地在他的胸部口袋中遗落了一些镭几小时之后才发现。这导致了随后几周内他的皮下组织发生溃疡。他意识到，放射性元素也能产生相似的生理性影响，这就促使了近距离放射疗法的诞生——通过将放射源与癌变肿瘤直接接触来治疗肿瘤。

在整个20世纪中，随着人们对X线的本质和放射性理解的加深，引发产生了更加安全有效的放射疗法。分次放射治疗是指每隔一段时间使用小剂量的射线进行治疗，以减少损害健康组织的副作用，这与一次使用大剂量射线治疗目标肿瘤的效果相差不大。增加X射线管的功率使医生在处理肿瘤时对辐射的类型进行调整成为可能。

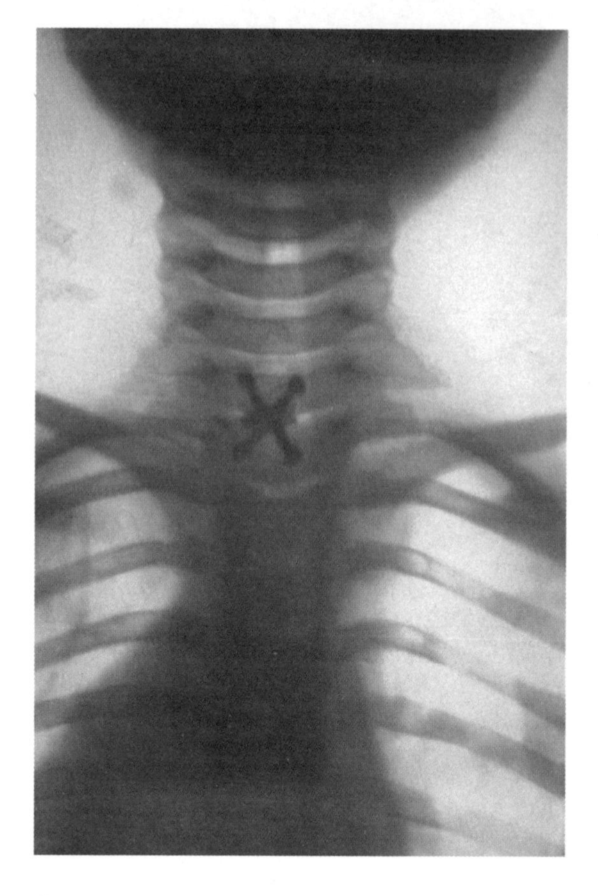

上图

一张摄于1906年的典型的早期X片，其中的金属玩具清晰可见。金属（像骨骼）因为它的高密度特点而显示得很清楚——阻断了X线并且阻止它们暴露于成像金属盘上。

对页上图

居里夫人医院的癌症及相关疾病的深X线治疗部门的控制面板（1934年）。这座医院大楼是在募捐后购买的，职员全由女医生组成。居里夫人发现了放射性钋和镭，这认可了医院的工作。

对页下图

1896年的杰克逊X射线管。右边是一个杯形阴极，用于对焦阴极射线到目标（左侧中部灯泡），铂是阳极。当射线撞击阳极时，其能量改变为不可见的X射线，X射线能通过玻璃传递。

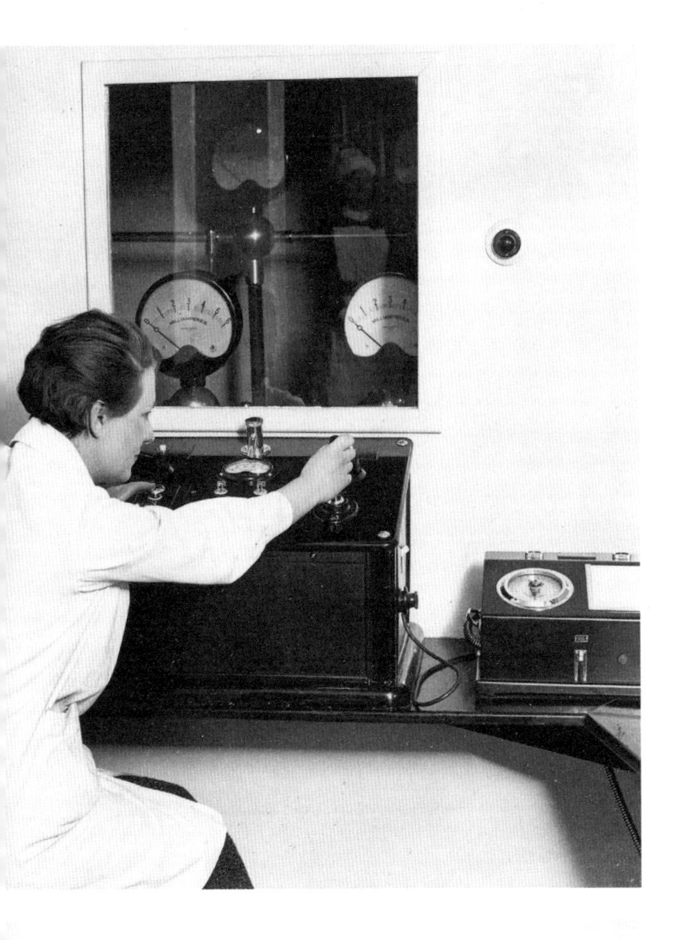

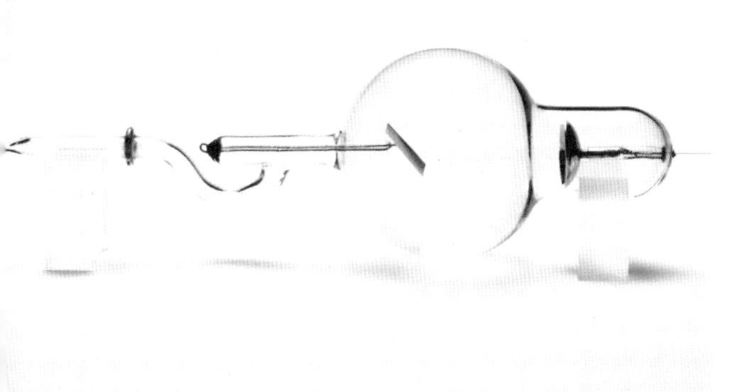

医学的发展及超越

更有力的X射线管还能减少射片时间，提高所拍摄的胸部和腹部的X射线图片质量。肿瘤、感染和心脏疾病的证据越来越明显地出现在胸部摄片中，这很快成为世界范围内最常见的医学研究之一。X线不能透过钡，钡的使用方式无论通过吞咽或给药灌肠，都使人们对胃肠道及其胃肠疾病有了新的认识。静脉注射造影剂的使用使血管和泌尿系统可视化。

与放射诊断和放射治疗相结合的一系列技术改进和认识，促使20世纪上半叶的医院引进了大量设备和人员，同时伴随着放射科医师培训机构及专业团体的发展。

第二次世界大战结束时，放射学和放射治疗学都在现代医学的实践过程中建立起来。但战争的最后行动——1945年广岛和长崎的原子弹爆炸——使辐射安全终于成为一个专业领域。原子弹爆炸的幸存者提供了有关放射性危险的发人深省的证据，不仅是爆炸之后很快出现的严重疾病病例，还有随后数年甚至数十年中出现的癌症病例。这一个个的病例不仅推动了将放射的安全性放在医学首位的意识，而且在随后的放射相关疾病的研究中所提供的数据也证明了这一点。

不仅是在临床领域，伦琴的发现还引起了对于宇宙物理本质从星际到原子水平的重大深入的了解。第一个物理学的诺贝尔奖于1901年颁发给了伦琴，他在这个领域内的发现预示了一个新时代。X射线结晶学为进一步发现DNA的结构提供了工具。流行文化的X射线和它们的（通常是虚构的）的应用程序也和心爱的超级英雄及偷窥者一样，带来了重大影响。但X射线的发现（或称伦琴射线，这是北美对发现者表达敬意的称法）即使只导致了X射线束放射治疗，也仍然是一个非凡的遗产。

27. # 血压计

感受压力

卡斯滕·特默尔曼（Carsten Timmermann）

自从能简单而又快速地测量动脉血压之后，高血压已经成为医生最常诊断到的疾病之一，并因此使病人惧怕。

——乔治·怀特·皮克林（George White Pickering），1955

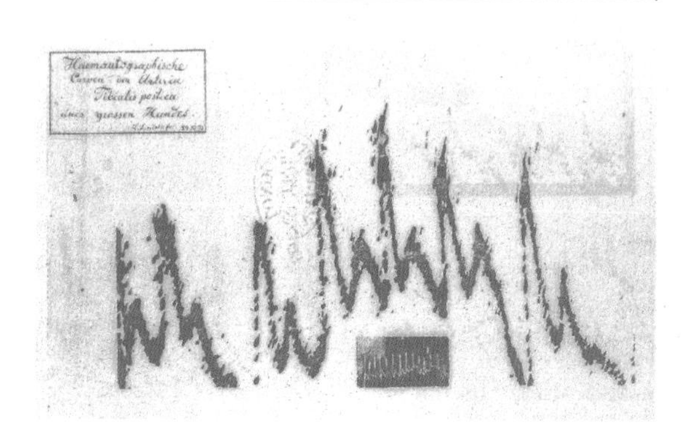

血压计是一种19世纪的生理实验设备，现已成为日常医疗实践的一部分。这个连接着充气的血压袖袋的仪器是现代医学中最基本和最常见的诊断工具之一。它简便的使用方式使得血压在“二战”后成为旨在确定心脏病危险因素等大规模流行病学研究中的理想参数。

实验方法

第一个有记录的实验性血压测量是18世纪早期由英国自然学家斯蒂芬·黑尔斯（公元1677～1761）在动物身上进行的，主要是马和狗。基于对循环机制的兴趣，黑尔斯把马的一根主血管切断后再插入一根黄铜管，管子的一端连有一根长的垂直的玻璃管，黑尔斯通过玻璃管观察血液柱。在19世纪的巴黎，泊肃叶（Poiseuille，公元1799～1869）用稍短并装满水银的玻璃管取代了黑尔斯的长玻管，并构建了他自己的血压计。他在1828年的医学院论文中，第一个用mmHg（毫米汞柱）作为单位。德国生理学家卡尔·路德维希（Carl Ludwig，公元1816～1895）将泊肃叶的成果与一个记录汽缸组合起来，创造了他的波动曲线记录仪（希腊语是“波动的记录者”）。这些实验依赖于切断动物的某根血管，所以通常实验结束后动物会死亡。显然这种侵入式方法不适用于临床应用。

临床对于血压测量的兴趣主要源于传统的把脉以及19世纪对于确认血管张力的尝试。把脉是一种定性的手段，这取决于有学问的医生对病人脉搏的触摸和判断。19世纪晚期，人们开发了各种各样的脉搏记录仪（sphymographs）(sphymo在希腊语的意思是脉搏)。这些仪器非侵入地记录了脉搏的动态变化，让相关实验能从针对动物转向针对人类。脉搏记录仪让脉搏从一个实验对象变成了能被储存、研究、复制和比较的图形化

跟踪记录。然而它们不能产生标准的数字化的血压读数，大部分临床医生更多地忽视了新仪器，反而更倾向于传统的把脉。

现代的血压计

现代的血压计并不是直接测量动脉搏动的力量，而是测量压力，压力抵消了被施加到手臂的血压计的作用。第一个这样的仪器是由澳大利亚病理学家和生理学家塞缪尔·冯·巴施（Basch，公元1837～1905）于1881年发明并提供的。被誉为发明了现代血压计和围绕手臂的可充气袖袋的人是一位意大利医生斯皮昂·里瓦–洛西（Riva–Rocci，公元1863～1937）。里瓦–洛西是几个研究采纳冯·巴施的仪器并进一步发展了它的医生中的一位。

然而里瓦–洛西并没有在任何一个19世纪的主要医学中心工作过，他发表的文章也不为人知。他的血压计的成功得益于在美国的具有改革思想的医学教师对这个仪器的热情包容，如哈维·库欣（公元1869～1939；乔治·奎尔（公元1864～1943），西奥多·C.詹韦（公元1872～1917）。这是一个医药学术的重心横跨大西洋的时代。库欣在1901年的一次意大利之行中观察了里瓦–洛西的血

对页左图
斯蒂芬·黑尔斯：18世纪早期，他研究了循环机制，测量了马的血压。

对页右图
一个脉搏记录仪跟踪记录了狗的脉搏（1875）。

上图
在一个药房里，一位讲究的医务工作者正在给他的年轻女病人把脉，同时女病人的母亲或她的年长女伴在一旁观看。脉冲的主观数量和质量在西方医学能通过血压计转换。油画作者，艾蜜莉·亚卡萨尔斯·坎普斯，1882。

下图

由塞缪尔·冯·巴施在1881年设计的复杂设备：与常用的充气袖袋不同的是，动脉搏动的压力由于球状物按压桡动脉而抵消,并读出一个附加的描记器的数值（没有显示）。

右图

空气压表和附加的球囊，球状物能被一直下压到动脉上。在塞缪尔·冯·巴施改进了他的仪器之后，气压计取代了描记器。

对页图

斯皮昂·里瓦-洛西的血压计（1896）包括了充气的袖袋（左边）以及一个U形的记录装置——这些高度实用性的改进让这种设备能被随身携带并随处可用。

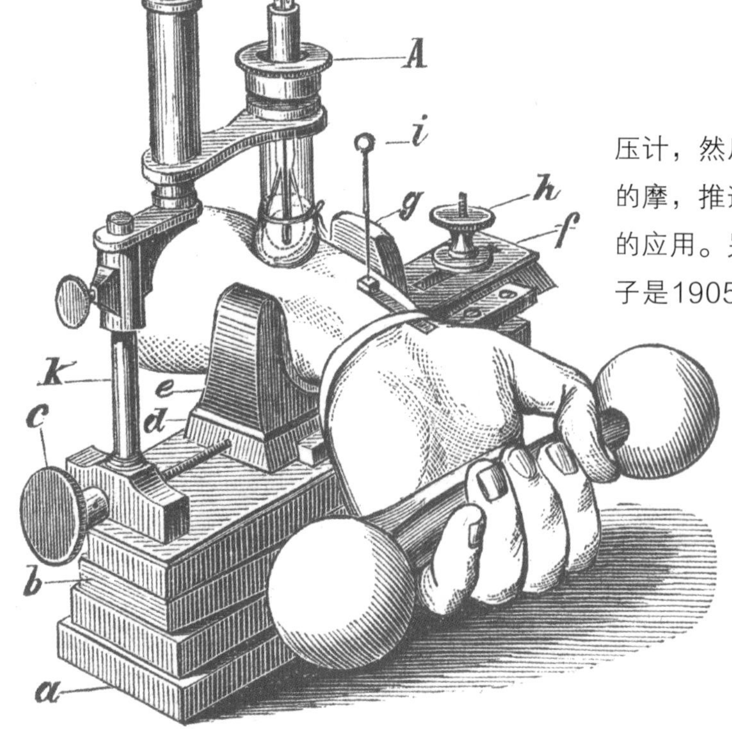

压计，然后把这些仪器中的一个带回了巴尔的摩，推进它在美国约翰霍普金斯大学医院的应用。另一个要归功于得到美国支持的例子是1905年一位同样不著名的俄罗斯军医尼古拉·科罗特科夫（公元1874～1920）提出的听诊方法，这种方法如今也被广泛应用于临床。这促成了听诊器和里瓦-洛西充气袖袋的组合使用，当袖袋放气时，听诊器中声音重新出现时记录的是收缩压，声音消失时对应的是舒张压。

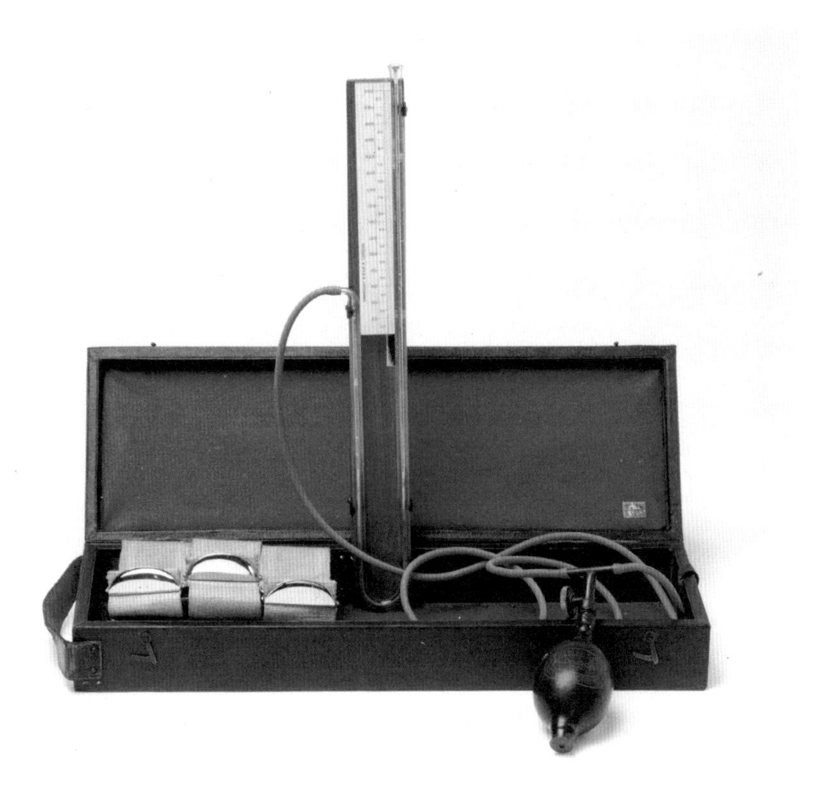

血压和临床常规

虽然库欣、詹韦、奎尔等人抱有极大热情，但很多医生依然对血压测量的有用性持怀疑态度，直到第二次世界大战之后人们才对正常血压标志着什么达成共识。有些人认定血压升高是对衰老的一种必要的生理反应，有些人则声称特别高的血压与可观察到的病理变化有关联，并由此创造了术语恶性高血压。20世纪50年代，对原发性高血压本质的争论在英国著名医生罗伯特·普拉特（Robert Platt，公元1900～1978）和乔治·怀特·皮克林（George White Pickering，公元1904～1980）之间展开，前者相信高血压是与遗传因素明显相关的疾病，而后者认为这是一个正常的人群血压分布的单纯的上限。所以没有一个简单的答案。

美国人寿保险公司聘用的医生在库欣把血压计引进美国之后不久就将血压的测量作为预测投保人过早死亡风险的一个关键方法。他们对数千保户的血压数据进行了编辑，这些数据以及他们观察到的现象被流行病学研究的组织者所采纳，后者对许多人认为的心脏疾病的流行原因进行了流行病学研究。这些研究中最有名的是弗雷明汉心脏研究，发现了高血压与由中风和心脏病发作导致的过早死亡之间的关联。弗雷明汉研究为血压或血液胆固醇水平等生理指标创造了术语“心血管危险因素”。

20世纪50年代后期，在临床高血压能常规治疗，那时副作用相对较轻微的药物已经被开发出来——噻嗪类利尿剂。早期如神经节阻滞剂之类的药物的使用，需要医生密切关注病人的情况，而且它的副作用较大，所以一般只用于严重的高血压患者。这类药和近期才开发出来的药物的使用经验，导致了相关部门针对较低的血压读数的高血压疾病的治疗连续发布了推荐用药指南。

28. 除颤仪

拯救濒死

道格拉斯·张伯伦（Douglas Chamberlain）

现在，任何人可以在任何地方开始心脏复苏的过程。

——考恩霍文，裘德和尼克博克（W.B.Kouwenhoven，J.R.Jude&G.G.Knickerbocker），1960

在傅华萨的《编年史》（写于14世纪）中，加斯东·德·富内瓦据说是遭受了心脏压迫和巨大的痛苦后死亡。

心脏骤停——一种有效的猝死——最常见的诱因与心脏的无数肌肉不协调的活动有关。如心室。心脏骤停后不能泵出任何血液，如果不能很快逆转这种情形死亡则不可避免。这称作心室颤动。但这可以通过应用适当性质和强度的冲击力来恢复心脏的协调行动从而逆转，这就是所谓的去纤维颤动。第一个类似的除颤行为发生在1775年，丹麦兽医彼得·克里斯汀·阿比尔高用来自莱顿瓶的电力使得母鸡失去知觉，并表明后续冲击可能会阻止死亡的发生，否则必死无疑。他甚至预见到雷电致死的人可能会被救活。100年后两位瑞士的生理学家让-路易·普雷沃和弗雷德里克·巴泰利在狗身上也做了相似的实验。第一个设计周密的研究是1930年由唐纳德·胡克、威廉·B.考恩霍文和奥赛罗·R.兰沃西在美国启动的，但是被第二次世界大战中断。

克劳德·S.贝克（Beck，1894～1971）是一位心脏外科医生，他第一个在暴露的心脏表面使用了可选择的电流除颤器：1947年他在手术中成功地救治了一位14岁的男孩。保罗·卓尔（Paul Zoll，公元1911～1999）是一位起搏方面的（心脏跳动的定时的电力控制）专家，他于1955年制造了第一个在前胸使用的除颤仪。除颤临床的时代现在已经到来。从1960年开始，除颤仪的发展十分迅速，胸外按压配合人工呼吸的推广使得在医院外做心肺复苏成为可能。

早期的除颤器应用范围有限。它们体积大而且分量重，交流电需要由变压器将电压加大到大约1 000伏。1962年伯纳德·劳恩（Bernard Lown，公元1921～）制造了一种直流电除颤器来提供单一的单向电击

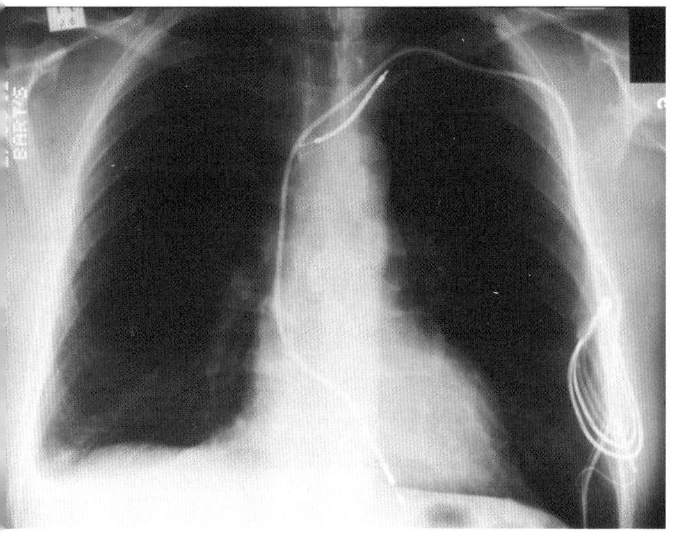

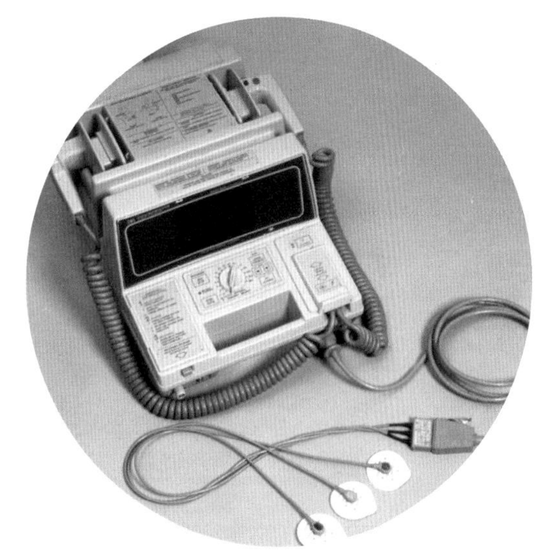

左图
一个植入心脏除颤器的X线片（ICD）。它被放置在胸腔外的皮肤下，除颤器的电线是通过静脉引入到心脏的。

右图
除颤器和极板（在机器的一侧由螺旋线连接）以及提供病人心跳的心电图（ECG）感受器。

（“单相的”）；比变压器的重量轻，这就解决了携带的问题。如果除颤器被用于终止非恶性但异常的心跳节律，与心电图（ECG）有关的电击时间还可以被控制以避免心脏节律的继续恶化。

然而双向（“双相”）的电击更有效。威廉·B.考恩霍文（公元1886～1975）在1963年制造了“米内”双相便携式除颤器。它的优势在当时并不被认可，在被一本工程类杂志描述过后很快就被世人遗忘。约翰·安德森专门为在医院外使用而设计了一种便携式除颤器，由弗兰克·帕特里奇（Frank Pantridge，公元1916～2004）推广使用；第一个除颤器于1965年被安装在贝尔法斯特的一辆救护车上。1996年后，西方社会能在市场上购买到双相除颤器，虽然苏联1967年就已经开始应用。

使用至今，除颤只是医疗保健专业人员的工作，但是1980年问世的体外自动除颤器（AEDs）改变了这种情况；它们不仅能为中止室颤提供电击，还能调整心脏搏动的节律。除非室颤出现，否则这种仪器不会释放电击，所以它的使用十分安全。虽然手动除颤器使用时需要示波器（来显示心电图）的配合，但这对AED来说并不是必须的。抢救者只需要根据简单的口头指示进行抢救，医生建议他们接受培训但并不强求。小型除颤器进展迅速，现在有些设备的重量可以不到500克（18盎司）。这些小设备的作用不可忽视，但是在很多情况下良好的能见度显得十分重要。然而对于那些容易产生恶性心律失常的患者而言，皮下植入小型化除颤器十分重要，当然必须有可靠的自动化功能并且普遍配有调整节律的装置。除颤器的重要发展阶段已经过去。除颤器的重要进步将会越来越依赖于它在各种环境下的广泛使用，至少目前它拯救生命的潜力并未被完全激发出来。

29. 激光

受辐射刺激的光放大

海伦·拜纳姆（Helen Bynum）

爆炸带来了过剩的光。

——托马斯·格雷（Thomas Gray），1757

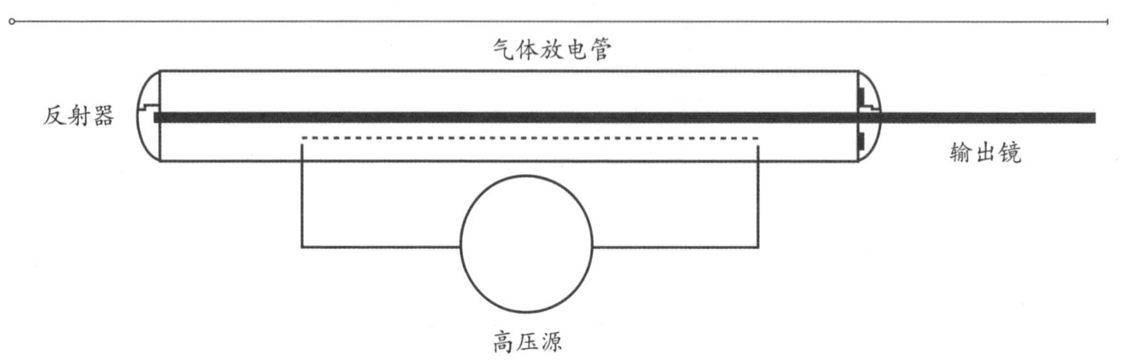

激光能产生特殊的光束——强烈、纯度高并且波长相同。不同的材料（固体、液体和气体）被用来产生不同波长的可见光和不可见光（红外线／紫外线）。所有的激光都利用了物理学的一个基本原理“原子和分子在不同能量水平上产生，而低能量水平的原子和分子能通过不同的方法被刺激（S）达到高能量水平”。这些被激发的原子在回到它们自然状态的过程中能独立地释放电磁辐射和不同波长的光。激光调控这种能量释放（E）的现象。在受刺激的那一刻，如果光源（L）应用在目标原子上，它们释放的辐射（R）就将会随着光源一步步放大（A）。对此过程加以适当的增强和控制，能得到连续的或者脉冲式的强大无比的聚焦光束。

根据1917年爱因斯坦提出的概念，研究人员研究了“受激发射”。1960年，美国人西奥多·H.梅曼（公元1927～2007）使用合成红宝石晶体产生了第一种可见激光束。虽然在调控光束的初始阶段困难重重（它是一种短的脉冲光而不是连续的光波），它激起的兴趣非常强烈。氙弧灯来源的光束被用做视网膜凝固

上图
激光的组成。

下图
1960年西奥多·H.梅曼（Theodore H.Maiman）的休斯研究实验室与他的红宝石晶体激光器（管内的立方体）的宣传拍摄，他用这个激光器产生了可见光谱的第一个激光束。

器（利用光束强烈的热量变化使血液和组织从流体状态转变为凝结状态）来使脱落的视网膜回复原位，以及去除眼内的肿瘤。以上两种情况下激光都能做到。1961年，眼科医师查尔斯·J.坎贝尔（Campbell，公元1926～2007）和物理学家查尔斯·J.凯斯特使用了红宝石激光消除了一个眼部的肿瘤。1964年，氩气激光的发展进一步扩大了视网膜手术的的范围，这都要归功于这种激光良好的可控性和血红蛋白对它的高吸收性。激光现在用于修复分离或撕脱的视网膜，改善糖尿病人的视网膜并发症，辅助治疗青光眼和一些特定种类的与年龄相关的黄斑变性。

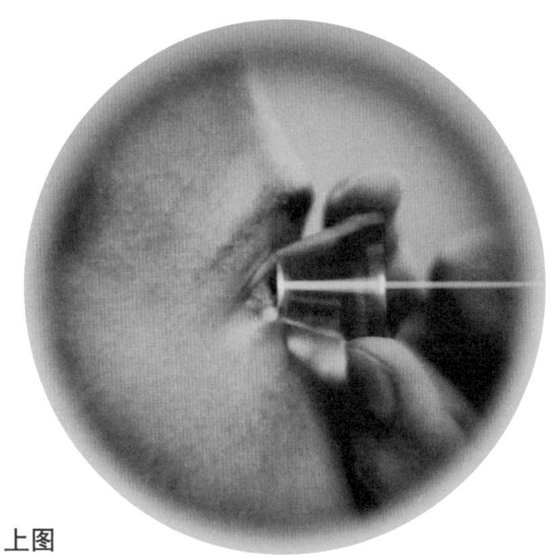

上图

将一种高度聚焦的光线射进眼睛里似乎是有悖常理的，但是这种激光已经在外科手术中广泛应用，包括使脱落的视网膜复位和矫正视觉障碍。

下图

色彩丰富的光线展示可能是激光最常见的应用。医学应用中产生和控制一种窄波光束的能力同样促成了精细的娱乐性图像的出现。

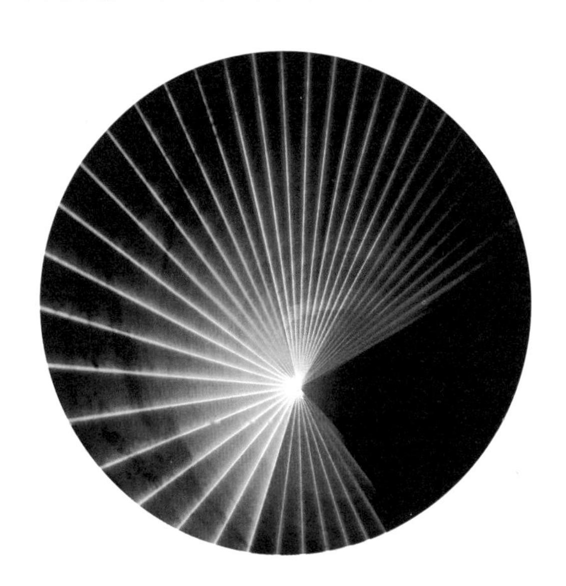

1964年，在氩气激光应用于眼部手术的同时，贝尔实验室开发的二氧化碳（CO_2）激光开启了激光在身体其他部位应用的新局面。这种连续的红外光束的CO_2激光能被软组织的巨大组成部分即水，很好地吸收，这就使其发挥了光刀的作用。这种激光引起的出血微不足道，因此能创造一个干净的手术环境。匈牙利出生的外科医生格扎·亚科开创性地在喉部肿瘤手术中使用了CO_2激光。其他方面的应用——宫颈和腹部腹腔镜（显示内情的）手术中癌前病变细胞的切除——是在随后的20世纪80年代开展起来的。

20世纪80年代晚期的脉冲染料激光器引进了可选择的热解方法。由于能对异常或者不需要的组织有辨识力地切除这项技术被用于去除难看的胎记。Q切换——另一种在光脉冲控制方面的发展——使不需要的纹身、体毛和螺旋静脉能被治疗。与光电子扫描装置的联合使操作者能精确地通过电脑控制激光，在整形和美容手术中会更加安全。

如今最常见的激光使用是某些视觉障碍的矫正（近视、散光和远视）。激态原子激光释放了一种冷的非热性的光束，它既不会灼伤也不会切割组织。这种激光反而能增加能量，打破分子间的C–C连接，崩解组织并重塑角膜。第一种LASIK（激光辅助原位角膜磨镶术）和随后的LASER（准分子激光上皮下角膜切削术）手术已经让数以百万计的人摘除了眼镜和隐形眼镜。

30. 内镜

见微知著

罗德尼·泰勒（Rodney Taylor）

别走，我要把一面镜子放在你的面前，让你看一看你自己的灵魂。

——威廉·莎士比亚（Willam Shakespeare），《哈姆雷特》第3幕，第四场

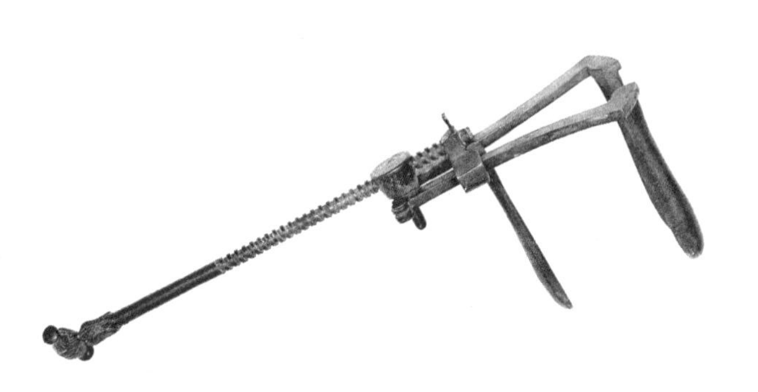

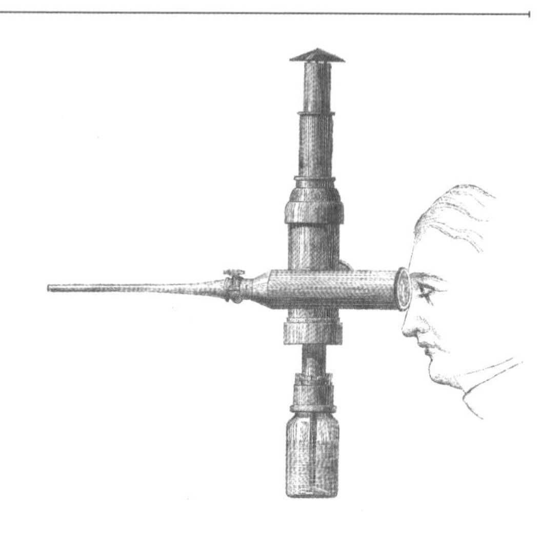

希波克拉底（公元前460～公元前370）在论文《关于痔疮》中第一次描述了使用直肠镜来观察身体内部的尝试。一个能追溯到公元70年的三片式阴道镜在罗马的庞贝古城的废墟中被发现。阿维森纳（伊本西纳，公元980～1037）描述了利用太阳光的反射和镜子来提供更好的照明条件以观察身体内部情况。虽然文艺复兴时期科学有了进步，然而两个巨大的问题仍然存在。身体内部大部分并不是直的；而且里面是黑暗的。人们需要一种仪器，它要具有合适的光源并能穿过拐角。

1805年，一位德国医生菲利普·博齐尼（Philip Bozzini，公元1773～1809）设计了一种光导系统，他称之为“光纤”，它能传导光线并使观察者能看到人体的内腔。1827年，皮埃尔·谢加拉斯在巴黎描述了一种更加精细的用来检查膀胱的仪器。1853年，安托万·让·德索淼克斯（Desormeaux，公元1815～1882）在泌尿系统病例中使用了这种仪器的升级版本，他称之为“内镜”。光源是通过镜子和柔性焦距透镜组聚焦的一盏灯的火焰，这就有灼伤病人的风险。1878年，托马斯·爱迪生发明的白炽灯解决了光线的问题。马克西米利安·尼采（公元1848～1906）将此应用在泌尿外科手术中。随后，这种仪器的调整版本被用在检查直肠、阴道和咽喉上。

第一个胃部检查是由阿道夫·库斯莫尔（Adolph Kussmaul，公元1822～1902）1868年在德国对一个吞剑表演者实施的，他使用了一把约47厘米（18英寸）长的金属管。但第一个实用的硬性胃镜是由约翰·冯·米库利奇–拉尼奇（Radecki，公元1850～1905）于1881年设计出来。直到1932年鲁道夫·辛德勒（公元1888～1968）和乔治·沃尔夫（公元1873～1938）设计了一种可弯曲的胃镜，医生通过弯曲它的最后三分之一，从

而更全面地检查胃。在转角处观察的视觉问题也通过整个橡胶管的连续凸透镜组合解决了。20世纪50年代发展的胃镜能使用器械顶端的微型摄像头进行盲拍。

纤维光学

直到20世纪50年代初期，由英国医生哈罗德·霍普金斯（Harold Hopkins，公元1918～1994）发展的光导纤维才成为观察身体角落的真正性的突破。光线的传播是通过可弯曲的玻璃纤维的完全内部折射；即使仪器弯曲，连贯的纤维束仍然可以传输光或者影像。罗勒·伊尔什曼（Hirschowitz，1925～）在1957年开发了光纤胃镜。光纤的图像在质量方面的限制在使用微芯片后得以克服，这种开发于1969年的芯片可以在电视屏幕上产生一个数字彩色图像，并在10年后被用在内窥镜上。内镜还能携带一个超声探头。

仪器控制系统现在允许更大的灵活性和更好的通路，而器械通道使胃肠道的可访问性能便于诊断过程，如活组织切片检查，以及结肠的息肉切除或食道静脉的打结。现在内镜能被用于整个消化道，虽然小肠更难观察，特殊的内镜版本即肠镜及如今能被吞服的胶囊内镜已经被开发出来。特定的内镜使得全面检查上下消化系统、泌尿道、妇科系统以及其他内部空间成为可能。通过腹壁塞入的腹腔镜已经是重要的诊断手段，并用于一些复杂的腹部手术。

临床医生和科学家的合作使得在原先难以触及的身体部位的诊断和治疗都有了客观的发展。

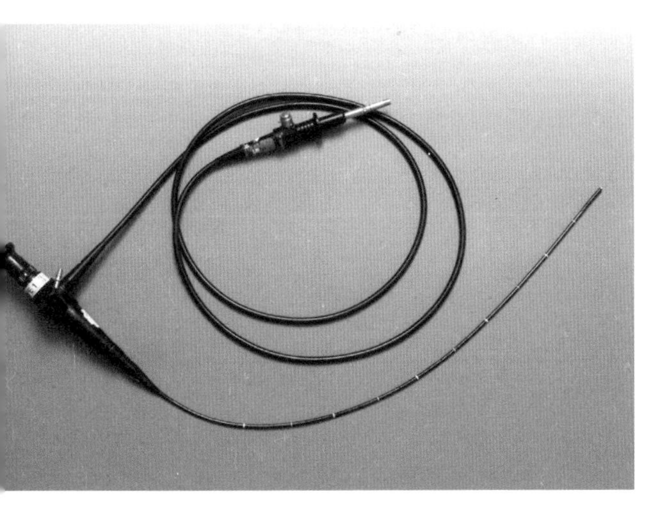

对页左图

追溯到公元70年的青铜三叶阴道窥器，在庞贝发现，同时发现的还有直肠窥器。

对页右图

德索森克斯“内镜”（1853）用于泌尿系统的观察。这是一种改进了的设计，但是仍需要火作为光源，这是危险的。

上图

一种光纤内镜，为内镜提供了便于查看的灵活的光源，并且极大地改善了病人在这项必需的不愉快检查中的经历。

右图

这根本不是一个钓鱼之旅，而是1879年的尼采—雷特膀胱镜（观察膀胱的内部）打包成便于携带的形式。

31. 身体成像

不止是X线

马尔科姆·尼科尔森（Malcolm Nicolson）

我必须说我喜欢这样在妇产科工作，对我们学科传统的猜测消除越多越好。

——伊恩·唐纳德（Ian Donald），1967

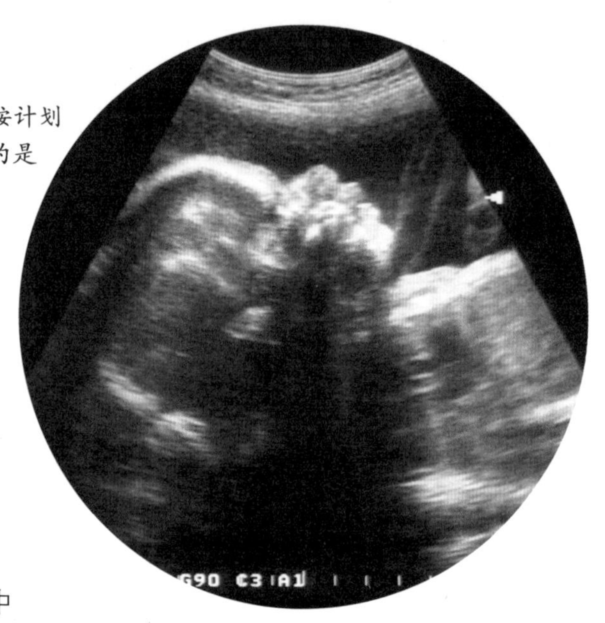

右图
“扫描”是准父母兴奋的一部分。当全部都不按计划走的时候，它的有用性是没法比的；令人愉快的是这是一个正常的24周大的婴儿。

对页图
大脑CT扫描中显色不对的部位显示了出血的影响，出血导致了中风。较暗的区域(左上象限)就是损伤的大脑组织。正常大脑的扫描中颜色应该是对称的。

在整个19世纪，当病理解剖在医学中的地位越来越重要时，医生们常常表达了想要不通过探查术来了解他们的病人体内情况的愿望。1895年，X线的发现让这个美梦成真。但是X线成像有很多限制条件。软组织的成像质量比骨骼差，而具有特定的临床意义的结构——比如胆囊结石——X线根本不能显示。

在第二次世界大战期间，美国和英国在通信和计算机方面投资巨大，当然还有雷达和声纳的回声定位技术。而在和平时期，工程师和临床医生想要为他们新获得的专门技术及精密电子设备找到在民用领域的应用。从“电子革命”中获益的一个领域就是人体的诊断性成像技术。

超声波扫描

第一个在临床使用的新成像技术就是超声波扫描。超声波是一种频率很高以至于人耳不能闻及的声音。现代医疗设备中，超声波是压电效应产生的：陶瓷元件中快速交替的电荷产生的物理振动，传播高频声波。很多超声设备是通过回波定位原理工作的：声音的高频率脉冲波直接朝向研究者感兴趣的目标对象，由目标反射的回波能被检测到。这个信息随后在屏幕上大致以双向实时的方式呈现。

在第二次世界大战后，一些研究者很快就意识到超声的诊断潜力。在20世纪50年代

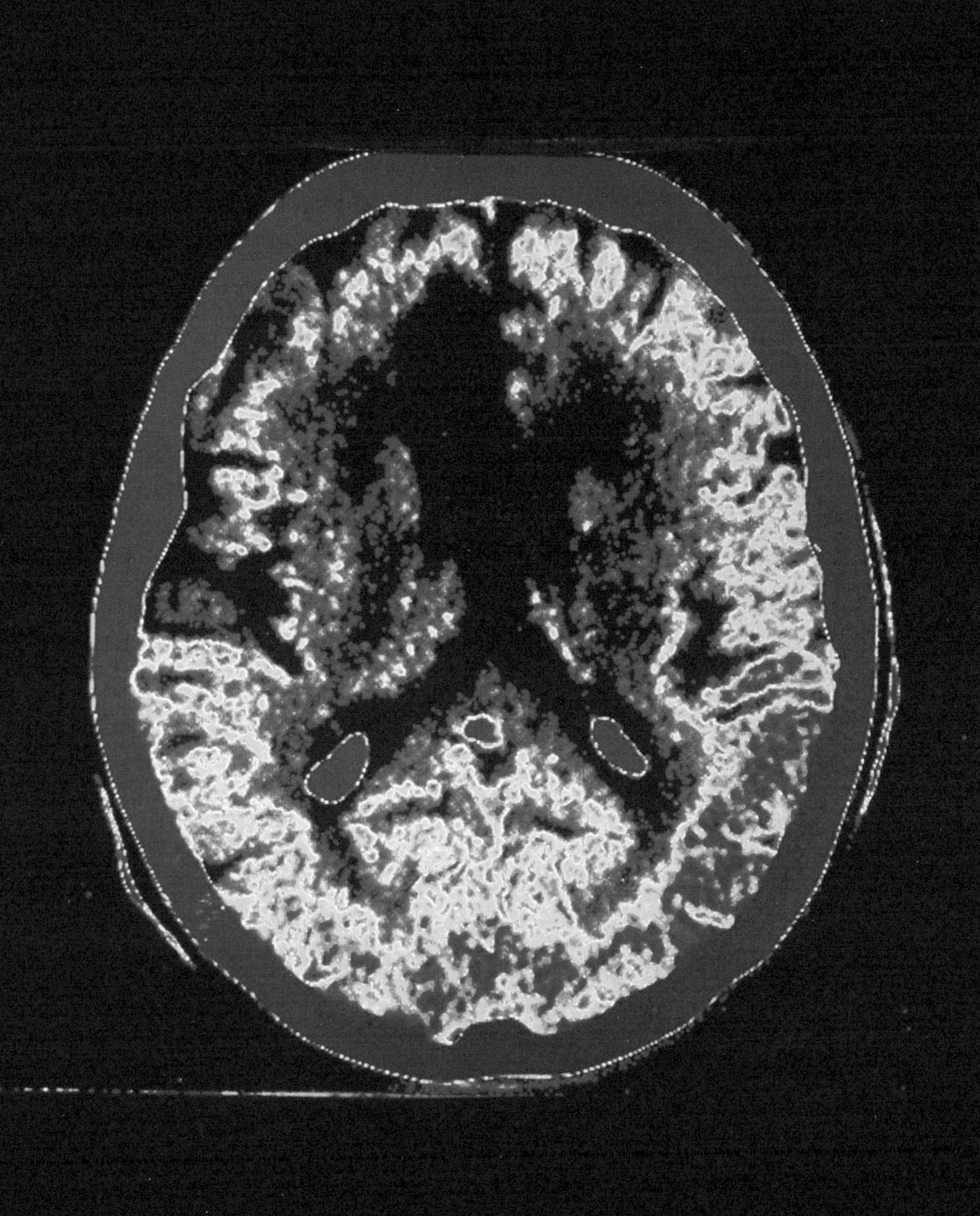

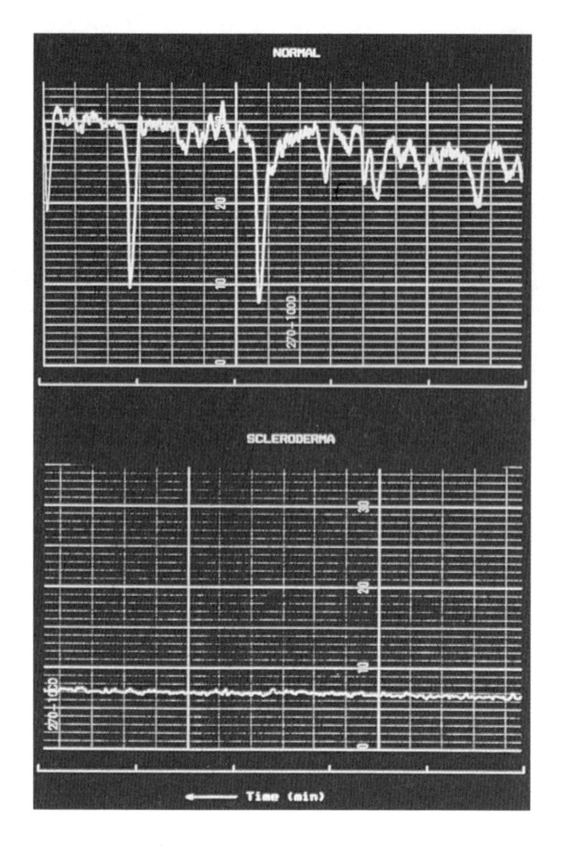

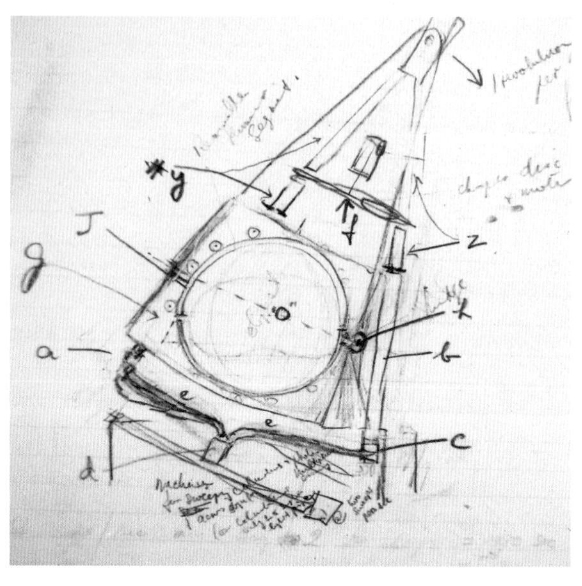

早期，美国有两个重大的研究项目在进行：一个是在丹佛，由道格拉斯·霍威（公元1920～1969）主持，另一个是由约翰·怀尔德（公元1914～2009）在明尼阿波利斯领导。在与一些工程师合作之后，霍威得到了颈部软组织的细节图像。然而霍威的仪器需要被扫描的主体坐浴很长一段时间，这在临床上不适用。怀尔德设计了一种更小的能够手持的扫描仪——在发现乳腺囊肿方面有了可喜的成绩，但是它的技术的复杂性也阻碍了其在临床的广泛应用。

用超声波产生出明确有用的结果的第一个团队，总部设在英国格拉斯哥大学，由伊恩·唐纳德（公元1910～1997）和汤姆·布朗领导，前者是一位妇产科医生，后者是一名工程师。布朗设计的扫描器并不需要被包在水中，而是可以直接放在患者的腹部，从而大大增加了该方法的临床应用。他改进了扫描的程序并且设计出一种双向的跨区的显示方法，这使得由探头收集到的信息得到最佳利用。同样也是在偶然的情况下，他们发现了胎儿这个被流体包围的坚固结构，竟然是进行超声检查的一个非常合适的目标，就像一个“潜艇”，正如怀特所说。唐纳德和怀特于1958年发表了他们的第一张怀孕子宫的图像。

在20世纪60年代和70年代初，唐纳德和他的同事采用越来越复杂的设备，改变了我们对怀孕的早期阶段的理解，并且大大提高了对孕晚期发生的并发症，如前置胎盘的管理。大约同时，英格·埃德勒（Inge Edler，公元1911～1969）和赫尔穆特·赫兹（Hellmuth Hertz，公元1920～1990）在瑞典开发了一个系统以检查心脏。

大多数超声图像是使用脉冲回波技术产生的，而多普勒扫描则是按不同的原理操作。多

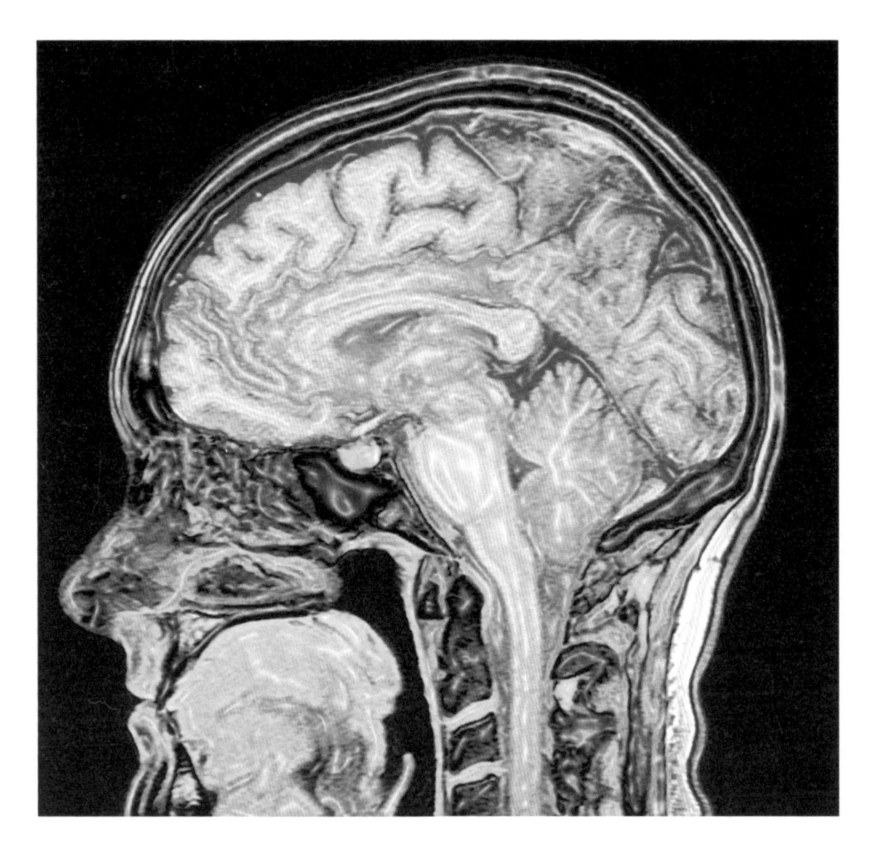

普勒仪器使用连续的超声波来检测流体（通常为血液）是朝向还是远离探头移动，并且还能确定其速度。这样，流动的速度和方向就是直观的，这在分娩过程中监测胎儿健康和检测血流的异常阴影时很有用。

电脑断层（CT）扫描

传统的X线设备有一些局限性。图像通过照相底片上的阴影产生，X射线穿过主体时，有些组织比其他组织对X射线的吸收更强烈。这个过程产生了一个三维目标的二维投影，并且难以解释，因为在主体内不同深度的结构却在一个平坦表面可视。显而易见的解决方案是要找到如断层扫描那样可显示相同的信息的某种方法，在整个身体的横截的“片”，这将把各种结构正确的解剖定位到另一个时显示。在整个20世纪中科学家为了实现这个目标进行了很多尝试，但是直到

对页左图

多普勒超声扫描可以测量随时间变化的血流速率。这里比较的是一个正常的人（上图），与自身免疫性疾病硬皮病（下图）的情况下的患者的扫描结果。其中，患者血液流动受到限制，下图中几乎扁平的线就是证明。

对页右图

电气工程师戈弗雷·豪森菲尔德与南非出生的物理学家艾伦·科马克共享了1979年诺贝尔生理或医学奖，以表彰他们各自为电脑断层扫描所做的贡献。豪森菲尔德在他的笔记本里画了这个初步的草图。

上图

头部的数字增强核磁共振成像扫描。脑和脊髓显示橙色和黄色，蓝色和粉红色是其他组织——细节都很精致。

20世纪五六十年代强大的计算机发展之后，这项技术才变得可行。

第一个实用断层扫描仪由戈弗雷·豪森菲尔德（公元1919～2004）设计，他在英国电磁干扰部门工作，这个扫描仪于1972年进入临床使用。在现代仪器中，病人躺在检测器的环内，而X射线源在身体周围旋转。当足够的数据已被收集，设计一种计算机程序要最大限度发挥其特殊临床效用的算法来构造断层图像。此过程的优点之一是它能发现待检测的各种组织密度之间的微小差异，如区分肌肉和脂肪。

磁共振成像（MRI）

但是层析技术并没有去除所有与X射线成像相关的缺点。骨的强吸收特性可以使邻近组织的可视化发生扭曲，另外该患者不可避免地会接受一定剂量的电离辐射。磁共振扫描没有这些缺点，并具有非常高的图像的分辨率。

病人被放置在磁共振扫描仪的强磁场中。电磁辐射的输入脉冲激发体内的氢原子的原子核，其释放的能量随后由无线电频率接收器检测到。该数据由计算机程序处理，如CT能产生二维的断层图像。而所有的早期成像方式（多普勒除外）只产生解剖学信息。MRI可检测组织的生物化学特性，因此可以提供人体的生理过程的信息，如血流和肌肉收缩的快照。

20世纪40年代，斯坦福的费利克斯·布洛赫（Felix Bloch，1905～1985）和在哈佛的爱德华·珀塞尔（Edward Purcell，1912～1997）为了研究化合物的分子结构而开发了磁共振技术。1971年，雷蒙德·达马迪安表明癌症肿瘤有显著的磁阻特点。到1974年，两个英国团体，一个是在亚伯丁以约翰·曼拉德为首的团队，另外一个团队是在诺丁汉由彼得·曼斯菲尔德带领，他们的工作是建立原型扫描仪。达马迪安和他的同事于1976年发表了第一张活的动物即老鼠的横截面图像。磁共振成像机器是到1981年才商业化生产。

而大多数诊断中使用的MR图像是静态的横截面，它可能是以低分辨率通过非常快速的扫描来产生几乎实时的图像序列。功能性磁共振成像，正如它的名字那样，是研究生理逻辑和脑肿瘤患者术前评价的应用程序。

正电子发射断层扫描（PET）

CT扫描仪计算能力的展示需要出示横截面图像，这也激发了正电子发射断层扫描的发展。在该技术中，具有短半衰期的放射性同位素被注入体内。当它们衰变的时候，它们发出的伽玛射线能被闪烁计数器阵列检测。PET扫描仪首次用于临床是在20世纪70

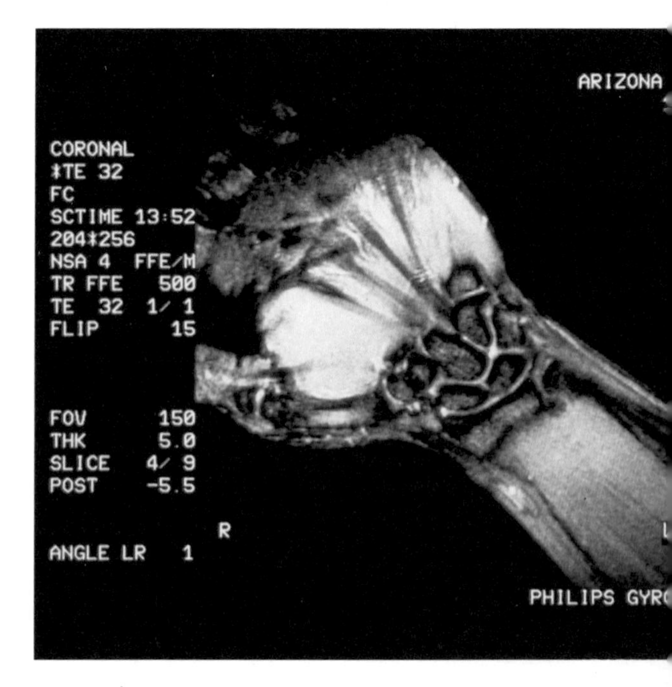

手腕血管的磁共振成像或核磁共振扫描，其中的血管似乎是处于这幅图像的戏剧性的突出地位。

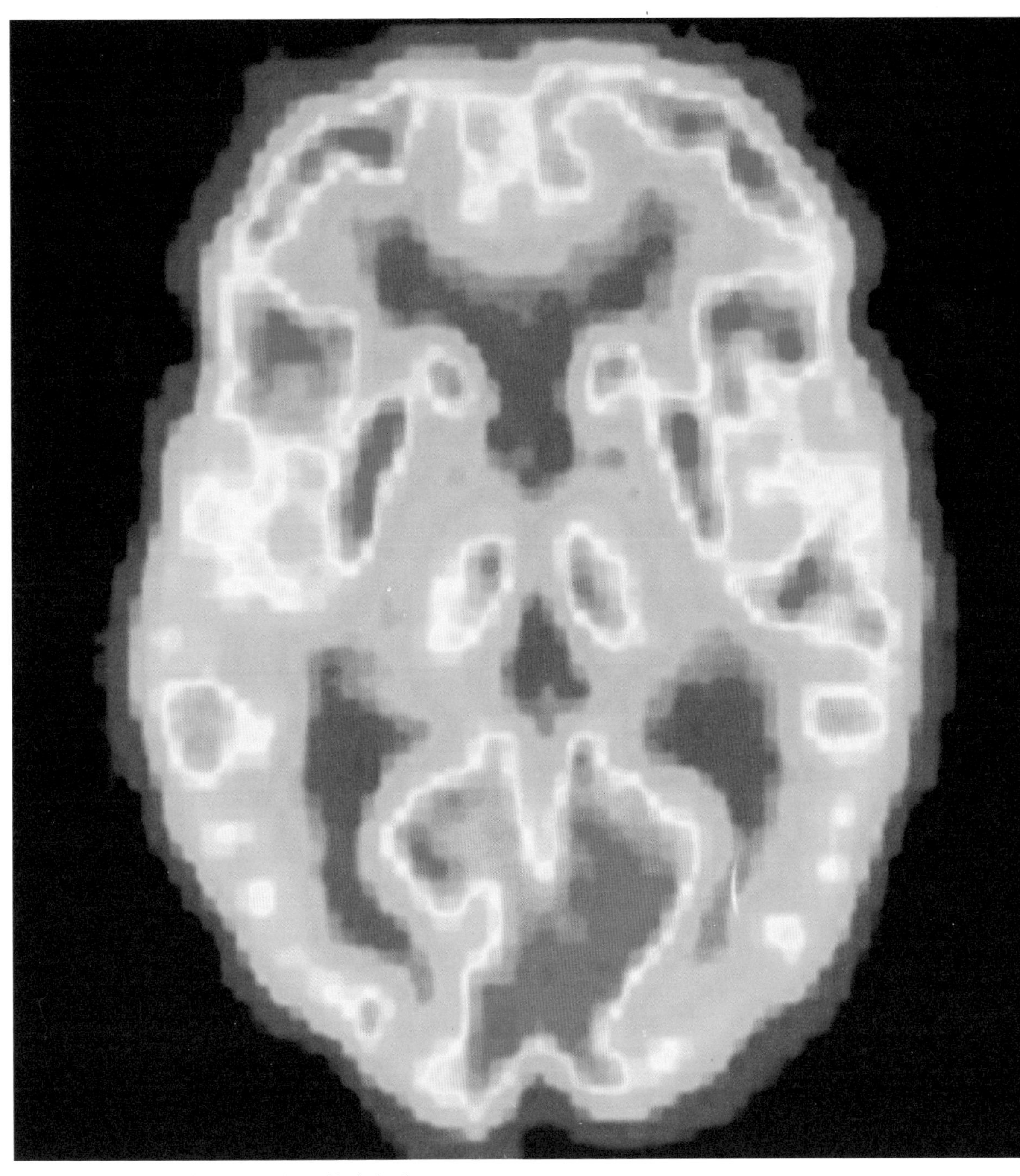

年代末，通过同位素在身体的特定部位可视化的运动而产生非常详细的图像。图像可以非常迅速地被刷新，因为它们的产生反映了有关的生理过程的信息。一些最显眼的PET图像显示了大脑对不同的认知和情感挑战的反应。但是PET扫描仪非常昂贵，因此基本上它的使用仅限于研究而不是临床。

一幅20岁健康人的脑部正电子发射断层扫描（PET）图。PET神经成像是假设其中引入放射性同位素的那些区域与大脑的活性区域有关。大脑里流向不同部位的血流不是直接测量的。

32. 保温箱

重新“发明”了子宫

杰弗里·贝克（Jeffrey Baker）

第一，也是必须的一点，就是拯救新生儿；第二，新生儿通过这样一种方式抢救之后，离开医院时妈妈能够给他哺乳。

——皮埃尔·布丹博士（Dr Pierre Budin），1900

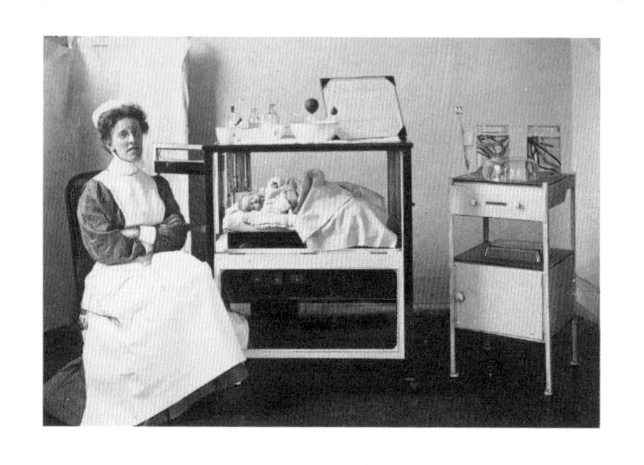

保温箱来到英国：1906年，位于伦敦兰贝斯约克路的一座医院里，一位护士正在看护她负责的躺在保温箱中的小生命。保温箱的玻璃墙让看护者能与婴儿互动。

早产是19世纪在欧洲和北美的城市导致婴儿死亡率（15%~20%）高的突出困扰之一。而最小的早产儿几乎没有生存的机会，直到20世纪60年代兴起了新生儿重症监护，更多存活的婴儿是只提前一到两个月的。新生儿缺少了“棕色脂肪”，棕色脂肪能使足月儿来维持体温，所以许多早产的婴儿死于体温过低，嗜睡和饥饿的恶性循环。他们的命运完全在母亲手中，这些妈妈除了母乳喂养和使用热水瓶保暖没有其他多少选择。

在英国和美国，社会达尔文主义和优生学上的假设不支持医生治疗这些所谓的“弱者”。不过法国产科医生可不这么做。在1870～1871年的普法战争中法国的尴尬失利，促使政治家和医生都重新认识到婴儿的高死亡率不是自然规律，而是作为一个社会问题在“抢劫”其未来国家的工人和士兵。

早产儿在冰冷病房的高死亡率一直是巴黎最大的产科医院的困扰，产科医生斯特凡·塔尼耶（Tarnier，公元1828～1927）在观看巴黎动物园中鸡孵化器的展示时发现了解决方案。婴幼儿所用的类似装置被及时在医院的病房里安装，成果斐然：出生时体重在2 000克（70盎司）的婴儿死亡率从66%下降到38%——下降了近一半。

机器和母亲

通过这一成功的推动，保温箱的使用迅速从法国蔓延到欧洲其他国家以及美国。当他们这样做的时候，公众的关注日益转移到技术本身。塔尼耶的早期合作者青睐用热水瓶加热的简单的保温箱，它可以放在母亲身边，母亲既能哺乳又能担任护士的角色。后来的创新者不断发展配备设施更复杂的模

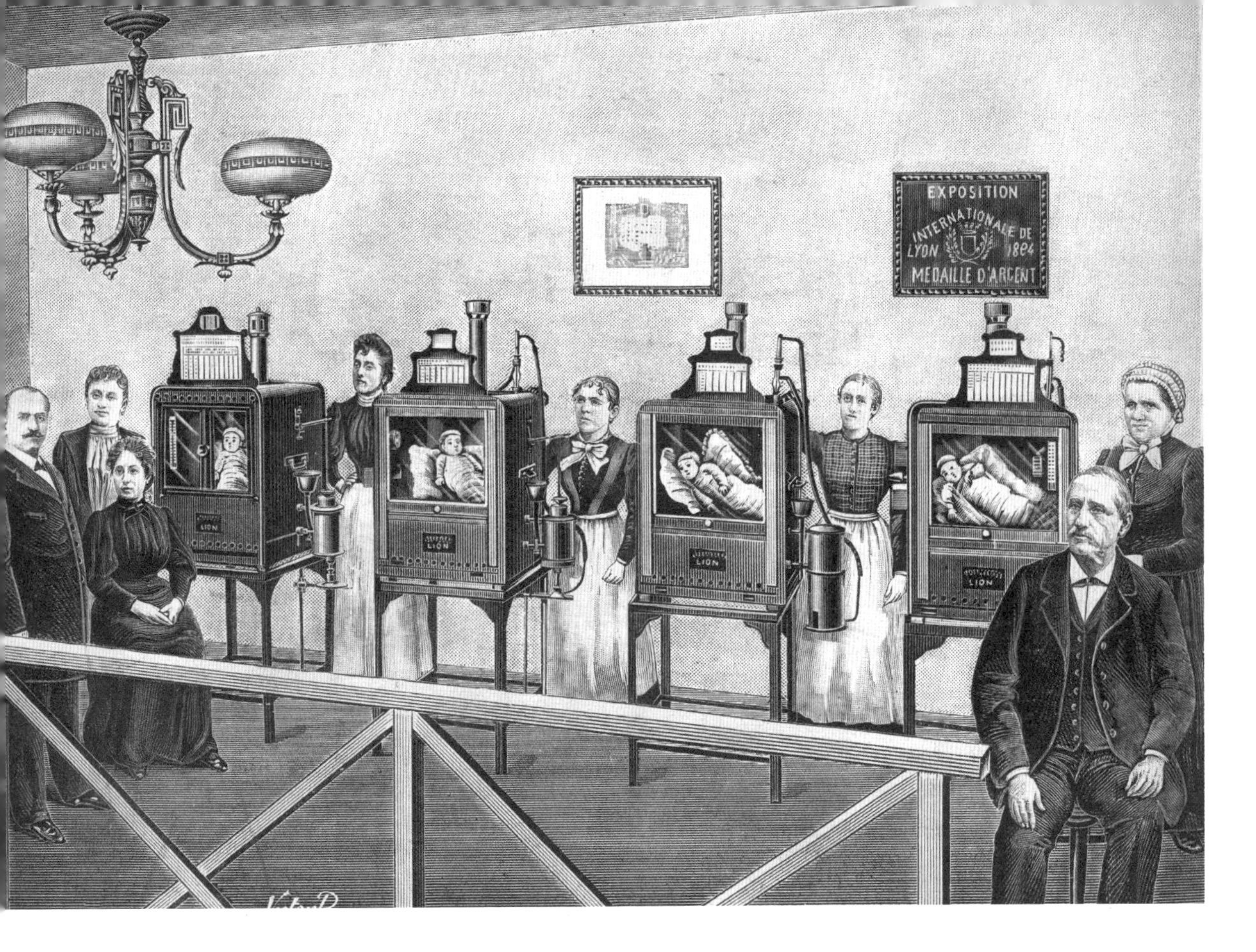

型，如恒温器、体重秤和通风系统。这些强大的设备，和母亲一样高大并努力拥有她的许多功能，就像机械的“子宫”，极大地激发了公众的热情。

最引人注目的是“孵化宝宝”，并在店面机构和世界博览会兴起。这些展品，其受欢迎程度在20世纪之交达到高峰，类似于侧面说明和庆祝今天的科技力量的医疗剧。美国人对特别是高度复杂的保温箱的未来眉飞色舞，他们认为后者能挽救身材哪怕小到如手般大小的婴儿。

专业照护

尽管大家都很兴奋，但保温箱进入常规医疗实践的过程其实要缓慢得多。以保温箱为基础的早产儿托儿所并没有普及，直到进入20世纪，随着产妇在医院分娩常态化，经济资源使专业化护理常成为可能。保温箱仍然是早产儿核心治疗技术，直到60年代最后被机械通风和新生儿重症监护室所取代。它们体现了一种治疗早产儿的保守风格，护士占主导地位，而不是医生，并强调细致的喂养和对脆弱的婴儿进行细微的处理。

即使按今天的标准，保温箱仍然是吸引公众普遍关注的第一位治疗“机器”。它们在使医学权威拓展到新生儿领域方面发挥了关键的作用。同时，它们充当照明灯，以了解有关限制和项目目的。

妇产科常用的狮牌保温箱在1894年里昂殖民地的世界博览会上展览。这些展品的出现都是非常受欢迎的，能吸引大批市民，并引发医疗界之外的媒体的关注。在这里可以看到，展示的保温箱体积大，结构复杂，并配有恒温器和独立的通风系统。

33. 医疗机器人

伸出援助之手

安德鲁·罗宾逊（Andrew Robinson）

许多小型和微型机器人的设计已经能模拟仿生蠕虫和昆虫的爬行和蠕动运动，或细菌的游泳运动。我们转向生物灵感是因为蠕虫具有适合于在人体中使用的运动系统。

——阿里安娜·曼西亚西博士（DrArianna Menciassi），2009

1920年，捷克作家卡雷尔·恰佩克在他的戏剧《罗萨姆的万能机器人》里发明了词汇“机器人”。1941年，科学家和科幻作家艾萨克·阿西莫夫（Isaac Asimov）创造了“机器人学”，该词因为他出版于1950年的的小说《我，机器人》而出名。20世纪60年代，机器人开始应用于工厂生产制造过程、空间探索和拆弹，执行对人类而言被认为是过于烦琐、危险或精确的任务。1966年，阿西莫夫出版小说《梦幻般的旅程》，他在这本书中想象了一支小型化的注射到患者体内的医生部队，来消除在他的大脑里威胁生命的血块。而小型化的人类仍然是一个“爱丽丝梦游仙境”的幻想，医用机器人可能很快就能被制成足够小以实现阿西莫夫的想象。

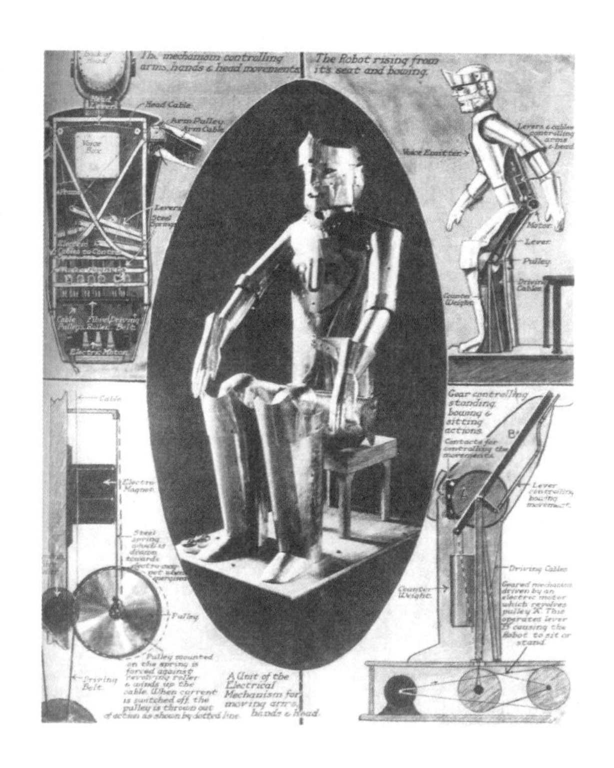

来自卡雷尔·恰佩克的戏剧《罗萨姆的万能机器人》（Rossum’s Universal Robots）的英文版插图，呈现了机器人的工作原理：一台机器被编程并执行人性化功能，并经常被制作成人的样子。

在1985年，第一个医疗机器人彪马560在CT引导下将一根活检针放入人大脑内。20世纪90年代，机器人—辅助药物的使用范围增多。2010年，一个无线“数字膏药”进入原型阶段——由病人佩戴的能在医院或在家监测和传输体温、心跳频率、呼吸频率等数据传输到计算机数据库的一次性设备。如果所述生命体征落在被认为是安全的预定范围之外，患者、医生或看护者就会改变选择。

下图

直觉外科股份有限公司的达芬奇外科手术系统，它不仅模仿而且提升了人类操作的灵巧度、精确度和控制力。各种各样的专业技巧——使用镊子、针驱动器、剪刀、电烙仪器和手术刀——允许不同的程序通过一个微小的切口进入人体。

底图

纳米机器的未来不可能是这样的：微型机器人与红细胞拼杀；相反，他们是预先设计的进行具体任务的分子。

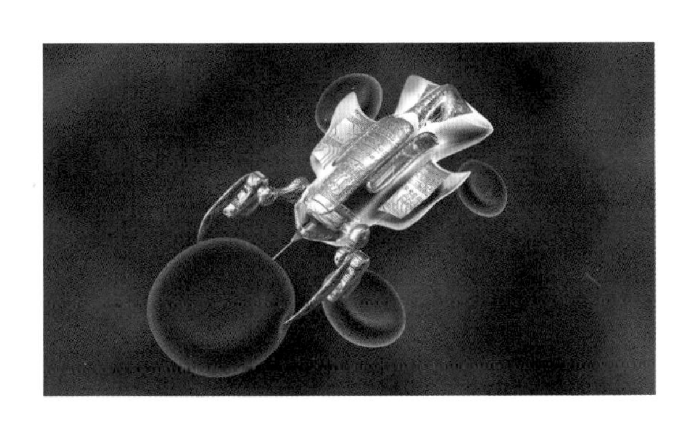

原始型的微型机器人直径只有10~15毫米。例如，用做胃肠道的内窥镜的远程控制相机药丸，它带有钩腿能轻轻向上夹住肠壁，能够引导外科医生到达他的关注点，该点有些像火星表面上的流动站。同时，向血液中注射直径小于1mm的微型机器人。虽然机器人还是新产物，21世纪最初的10年中，他们似乎注定不只被外科医生所熟悉，也为每一个医学实践者所了解。

最众所周知的医学操作机器人是达芬奇外科手术系统，所谓主—从机器人是20世纪90年代引入微创手术中的。1998年它在医生弗里德里希—威廉·莫尔控制下在德国的莱比锡心脏中心用来执行第一个机器人辅助心脏搭桥手术。达芬奇由三部分组成：一个外科医生控制台；病人一侧的机器人车配有可以由外科医生进行操作的四臂——一只手臂来控制摄像机，其他三个控制手术器械以及高清晰度的3D视觉系统。机器人能在感测外科医生手的运动和平移这些成比例缩小的微运动的同时，还能选择和滤除手部动作的任何震颤。达芬奇系统现在通常用于如子宫切除术、二尖瓣修复和清除前列腺癌的外科手术。

医用机器人的主要功能是改善现有诊断和操作技术。机器人手术的目的是减少术中出血、减少疼痛和愈合快。这种医用机器人可能不会被设计成独立或自动的——就像伍迪艾伦的未来奇幻漫画《斯利珀》——但保留下的功能是直接、精准和人性化的操控。机器人应该能够使切口更加准确、更小，但是这样的决定将继续由人类做出。

第四章

战胜祸害

半个世纪前，西方人认为传染病已或多或少地被征服了。公共卫生、预防接种、抗生素医疗水平的提高使传染病这个人类的宿敌成为了过去的角色。一切都改变了。国际化旅游的快速兴起创造了世界村。传染病的病原体表明它们有能力抵御抗生素等现代治疗药物。流感病毒的新菌株似乎不断地从猪、家禽和其他动物等正常宿主的范围内跳出，并获得在人类中生存的能力。新的传染性病原体，对我们防止和治疗方面做出的努力提供了新的挑战。人类免疫缺陷病毒（HIV）只是其中之一，传染病学在20世纪50年代是一个垂死的医学专业，现在是一个成长的行业。

在这部分，我们考察了一些过去的大祸患和它们对人类历史的影响以及人们的反应措施。这些事迹提供了冷静的阅读材料。消灭天花是人类的胜利，但是这种疾病会成为恐怖分子的潜在武器，可能令人担忧。脊髓灰质炎是“夏季瘟疫”，可能已经退却也可能已被根除。产褥热在西方很难见到，但也是全世界孕产妇死亡的几个原因中的一个。

这份报告单上考察的其他祸害也令人喜忧参半。鼠疫——14世纪的“黑死病”，造成了17世纪的伦敦大瘟疫，是19世纪后期一个严重的世界性传染病。虽然其致病微生物被发现了，但其疫情仍然存在（美国如今仍有零星病例）。幸运的是，鼠疫杆菌可以用抗生素治疗。斑疹伤寒是拥挤和不卫生条件下的传统疾病，即使条件有利于它的传播，也可以通过现代医学进行管理。这些疾病都是今天世界上常见的，而且很多发病地区的专业医疗服务供不应求。霍乱也是如此，它是19世纪欧洲最可怕的疾病之一，虽然它其实是可以通过初级技术管控的，包括使用干净的水、糖和盐、口服给药等进行简单治疗。

结核病是另一种疾病，几个世代以前的评论家很喜欢将它当作是历史上存在的疾病。但本病从来没有离开过发展中国家，也仍然存在于西方。随着耐药菌株的崛起，身体的防御已经被艾滋病毒破坏了的人群的出现，它再次成为一个威胁。结核病是可以治疗的，但是患者必须完成一个持续的药物治疗，不然他们的健康就会有危险，并可能因为耐药性的风险而危及他人。谁说保健是很容易的？

艾滋病毒促进了结核病的发生，当然它自身也是一个令人担忧的问题。今天生活的步伐日益加快，这种疾病已经从一种罕见的急性疾病似乎向广泛的慢性疾病发展。这也让我们思考健康等方面的问题：性取向、贫困和生活方式，我们要记住，大自然仍可能有令我们不愉快的意外。

《旧约》：在阿什杜德被瘟疫折磨的非利士人，他们因为盗窃约柜的行为遭到报应。这不一定是腺鼠疫，但瘟疫病选择一个社区的历史由来已久，现在仍然是这样。油画由彼得·范·海伦创作，1661。

34. 鼠疫

大规模的死亡

多萝西·克劳福德（Dorothy Crawford）

一个又一个环状红疹，
一个装满毒药的口袋，
阿嚏，阿嚏，
我们都倒下了。

在历史上，瘟疫是一个最可怕而且最致命的的疾病。它导致了不可避免的从一个家庭到另一个家庭的周期性蔓延的流行病，并被谴责造成50%被感染的患者感受到难以忍受的疼痛，虽然死亡来临得“仁慈”的快速。该病以“腹股沟淋巴结炎”为代表——巨大的淋巴腺肿大（因此称为“腹股沟腺炎”的瘟疫）。一位见证了1347年西西里岛黑死病早期病例的方济会的修士是这样描述的：

……疖在身体的不同部位发展：在性器官，有些人是大腿或手臂上，还有一些人是在脖子上。起初，这些疖都是榛子大小，病人会出现剧烈的发抖和痉挛，很快他就变得虚弱，再也无法直立，被迫躺在床上，高烧消耗他的能量，这个大灾难打倒了他。不久，疖子长到核桃大小，又发展成鸡蛋或鹅蛋大小，病人是极其痛苦的，身体被激惹后吐血。血从受影响肺部上升涌动到喉咙，最终造成整个身体发生腐烂和分解。该病一般持续三天，在第四天也就是最后一天，患者死亡。

近2 000年中，曾有瘟疫的三次大流行：第一次是公元542年的查士丁尼瘟疫；第二

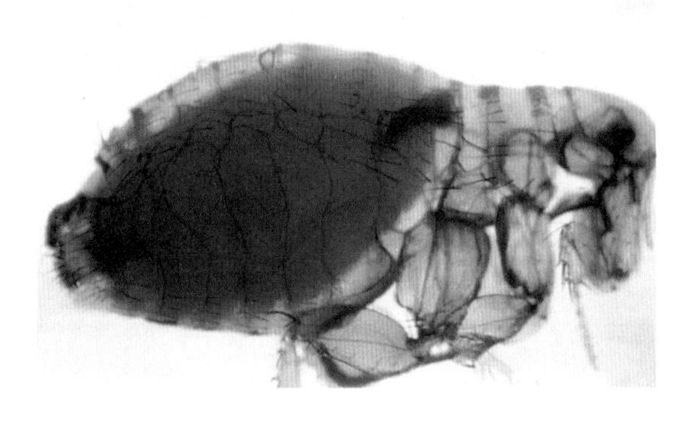

上图
一只东方鼠蚤感染了鼠疫杆菌。三天后细菌是很明显的，像在充血的腹部上的一个手指的投影。当跳蚤叮咬人时，被叮咬部位含有活杆菌的血液会发生回流。

下图
黑鼠口语化的名字——船鼠、屋顶鼠、家鼠、亚历山大鼠、老式英国鼠——表明了它在历史和人类生活的地位。它原本是一个亚洲热带原动物，在古罗马时期，穿过近东地区继续蔓延，在公元6世纪达到了欧洲。

次开始于1346年传说中的黑死病；第三次则是19世纪60年代起源于中国。前两个各持续了至少200年，第三个到今天仍然持续。流行病沿着贸易路线传播，几乎席卷了整个欧亚大陆，第三次瘟疫是通过国际航运线到达美洲。

上图

18世纪欧洲最突出的马赛大瘟疫是从地中海东部的船上发起的，造成城市及其腹地差不多10万人的死亡。这位马尔塞鼠疫医生正在吸烟作为应对空气中的瘴气（四种气味）的自我保护，瘴气被认为会导致该疾病。

细菌、跳蚤和老鼠：闭合回路

第三次大流行的开始正好与普遍接受的细菌理论和“细菌学的黄金时代”一致。1894年当瘟疫袭击香港时，分离致病微生物是一个公认的惯例。巴斯德研究所的亚历山大·耶尔森（Alexander Yersin，公元1863~1943）前往巴黎进行调查，他迅速分离出致病的细菌，作为他的荣誉，该菌被称为鼠疫耶尔森氏菌。三年后，也是从巴斯德研究所来的保罗-路易·西蒙Paul-Louis（Simond），在瘟疫横行的印度工作，揭开了微生物复杂的生命周期。

鼠疫耶尔森氏菌感染穴居啮齿类动物，通过它们身上的跳蚤在它们的群体中传播。大部分的动物，包括沙鼠、旱獭和黄鼠，感染后从不表现出任何不良影响，而微生物则在城市地下不断循环。在世界各地有几个感染的殖民地被称为鼠疫源地。在喜马拉雅山、欧亚大陆和非洲中部的聚集点比较早形成，而其他包括那些在美洲和南非的聚集点是到第三大流行期间才形成的。

只有当人类接触到受感染的啮齿动物，尤其是与黑色的（房子）大鼠（褐家鼠）接触后，瘟疫会威胁人类，因为这些动物特别容易感染鼠疫耶尔森氏菌。经典的感染链是从野生啮齿动物开始然后到黑鼠，后者会迅速死亡。死亡的黑鼠的跳蚤迅速离开尸体寻找它们的下一顿饭，而且由于每个人的家庭都有自己的黑鼠“殖民地”，饥饿的跳蚤一

Keyser
König
Cardinal
Das Haupt der Welt dem Tod heim fält.
Das Haupt gekront der Tod nicht schont.
Den Cardinal ich auch hin hol.
Narr
Der Tod Christi zunicht hat gemacht Den Tod, und Leben wider bracht.
Bischoff
Kriegsman
Den Todt und ewige Höllische Pein Hat verursagt die Sünd allein.
Herzog
Baür
Bürger
Edelman
Graff
Kein Edel Blut vor Todt behüt.

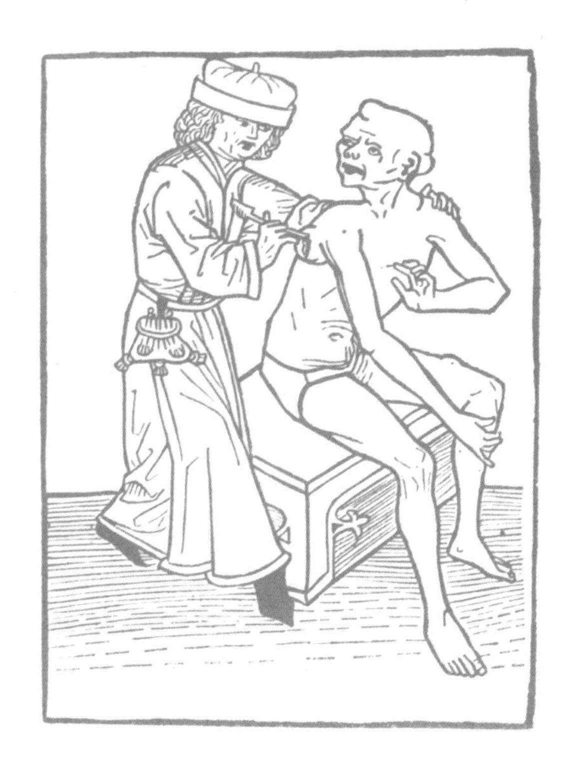

对页图

“死亡之舞”——中世纪晚期有关死亡的普遍性和随意性的寓言——应对这场可怕的瘟疫和其他突发、痛苦的结果的一种方式。死者召唤活着的人走向死亡，将他们的伙伴以不堪入目的舞蹈带上死路。

左图

中世纪外科医生割开病人的脓肿部位或腹股沟淋巴结炎。目的是排出和释放多余的体液。这是一个冒险的做法：血液充满蜂拥而至的细菌，但此类知识很长一段时间后人们才知道。

般以人体的血液为食，在这个过程中传播了一定量的鼠疫耶尔森氏菌。鼠疫的受害者不能直接传染其他人，每一个新的感染者必须首先被鼠蚤咬了一口。但是细菌只是偶尔通过血液到达患者的肺部，导致肺鼠疫，继而允许病菌通过咳嗽直接蔓延到其他人。

死亡和破坏

每个瘟疫大流行时的死亡人数都是巨大的，深远的影响能波及几代人。例如，查士丁尼瘟疫在公元6世纪袭击君士坦丁堡，当时查士丁尼皇帝正努力重聚罗马帝国旧日的东部和西部。在后来的200年期间流行病经常反复发作，估计死亡人数约有100万人。人手的严重缺乏导致拜占庭帝国的边境无人防守，而外敌入侵最终导致了其国力长时间的衰退。

同样，黑死病造成有史以来欧洲人口的最大幅下降，直到300年后人数才基本恢复。仅仅在英国就有140万人死亡，占总人口约1/3。因为没人知道这种疾病的来源，而且不知道如何避免或处置它，恐慌接踵而至。骗子和庸医充分利用人们的恐惧，虽然腹股沟腺采血能使病人得到一定程度的缓解，但是仍然没有有效的治疗方法。

第三次瘟疫大流行期间在印度、中国和非洲部分地区发生。至今它仍然在持续，并导致了每年全球5 000个病例的发生。细菌在19世纪90年代后期抵达旧金山，引起了小爆发，感染了地松鼠并在美国加州建立了鼠疫疫源地。这个不断扩大的焦点从加拿大延伸到墨西哥，并横跨半个美国，每年出现10～20个病例。但是与前几次感染不同，我们现在有抗生素对抗细菌。

35.

斑疹伤寒

“捕食”弱者

马克·哈里森（Mark Harrison）

斑疹伤寒没有灭绝。它能存活几百年，人类的愚蠢和残忍一旦给它一个机会，它就会继续打入开放的缺口。

——汉斯·金瑟（Hans Zinsser），1935

上图

斑疹伤寒已经有很多口语化的名字，包括露营热病。它的流行可以很容易地摧毁一支军队的作战能力，或者能够击毁这幅图所描述的那些已经被长距离作战削弱的士兵。1814年，拿破仑撤出了他的败兵、他的部队，这些人正受露营热病的折磨，凌乱地躺在德国美因茨的街道上。

对页图

在他的《大不列颠的劳动人口的卫生状况调查》中（1842），埃德温·查德威克映射出过度拥挤和卫生设施缺乏的社会丑恶现象，以及各种各样疾病的发病率，包括斑疹伤寒，让人读之心情沉重。

斑疹伤寒是一种传染性疾病，其特征是突然发热、皮疹、头痛，有引起流行病和多人死亡的可能性。战争和社会动乱长期相伴，该病与一些人类历史上最动荡的时期有关。它常常普遍在军队和流离失所者之中发生，也经常使农耕中粮食不足的不幸时刻雪上加霜。的确，斑疹伤寒和粮食短缺之间的关系是如此密切，因此通常被称作“饥荒热”。斑疹伤寒也是出了名的和人员密集相关的疾病。在生物历史的长河中斑疹伤寒被赋予了很多其他的名字，其中“监狱热病”、“船舶热病”和“露营热病”是最常见的。

常备陆军和海军是从17世纪后期形成的，国家更加注意保护他们的健康。监狱、船舶等狭小空间开始被清洁和消毒，相信这将抵消被认为会产生疾病的腐烂气味。到了18世纪末，这种方法已开始减少海军舰艇传染性热病的发生率，但是它却在迅速扩大的工业城市贫民窟中爆发。卫生改革者埃德温·查德威克（Chadwick，公元1800～1890）认为这些疾病属于社会丑恶现象，并相信他们可以通过去除污垢和拥挤来避免。

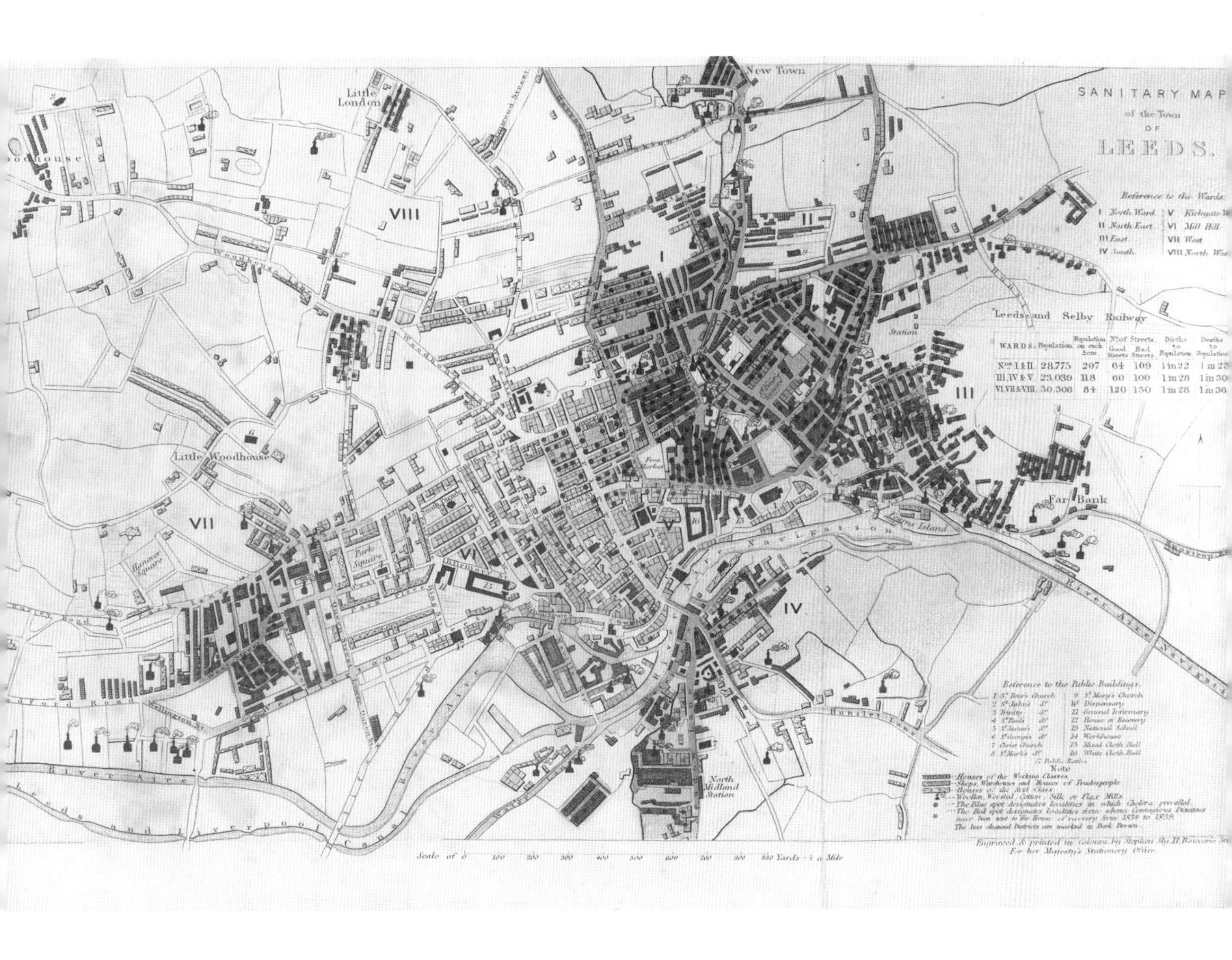

立克次体和它们的载体

斑疹伤寒无疑是这些可怕的发热疾病中的突出者，直到1849年伦敦医生威廉·詹纳（公元1815～1898）在临床上将斑疹伤寒与我们现在称之为伤寒的疾病区分开来，而在斑疹伤寒是否是一个独立的疾病这点上，仍存在许多争论。但是对“斑疹伤寒”的临床描述逐渐变得更加详细，在19世纪末，医学著作中对斑疹伤寒做了一些精确的描述。此外，在20世纪初，巴斯德和科赫的发现曾引起众人寻找他们认为是斑疹伤寒的感染剂。

1909年，霍华德·泰勒·立克次（Howard Taylor Ricketts，公元1891～1910）确定有机体造成落基山斑疹伤寒。1910年，立克次前往墨西哥城，指出本病与斑疹伤寒的症状之间的相似性，后者是流行病。在分离这种有机体后，立克次惨死于这种疾病。在第一次世界大战期间，他的工作继续由其他人完成。奥地利细菌学家和动物学家斯坦尼斯·冯·普（公元1875～1915）证实，在塞尔维亚肆虐的斑疹伤寒被确定是由立克次发现的生物体造成的。在调查战俘营的爆发疾病的时候，他也死了，但他的助手——恩里克·达罗沙－利马（Rocha-Lima，公元1879～1956），设法分离了这种致病微生物，并为纪念他们，后人将其命名为普氏立克次氏体。战争结束后，其他著名细菌学家，包括广受好评的一本关于

上方左图

霍华德·泰勒·立克次确认了斑疹伤寒的致病微生物，后来被命名为普氏立克次体，但工作过程中他悲剧地死于该病。

上方右图

第二次世界大战中美国作为盟友进入欧洲，杀虫剂DDT对抵御体虱有很大的作用，它有利于防止和控制斑疹伤寒。这幅图中美国士兵正被喷撒粉状DDT。

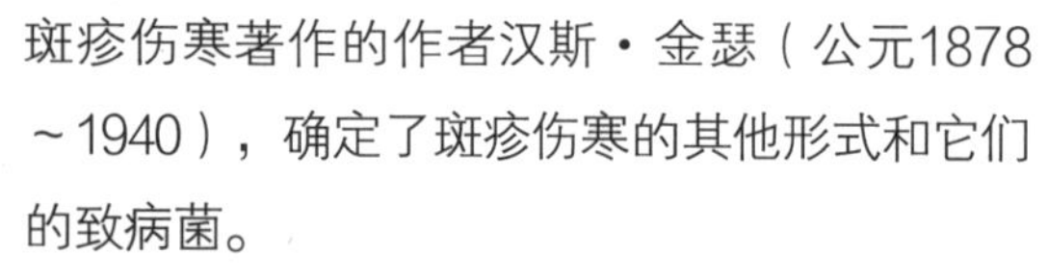

斑疹伤寒著作的作者汉斯·金瑟（公元1878～1940），确定了斑疹伤寒的其他形式和它们的致病菌。

目前已知许多立克次体疾病有不同的临床表现，立克次自己确定了最致命的一种。这些形式的“斑疹伤寒”是由不同的昆虫或节肢动物载体传播的，确定了疾病本身的致病有机体就几乎同时确定了该病。最初发现该病传播方式的一般归于诺贝尔奖得主法国人查尔斯·尼科尔（Charles Nicolle，公元1866～1936），他在1909年确定斑疹伤寒是由人体虱传播的。这让清晰区别虱传的和鼠传的斑疹伤寒成为可能，后者通过鼠蚤传播。虽然尼科尔的发现比较领先，两个美国研究人员约翰·安德森和约瑟夫·戈德伯格，几个月后也分别展示了斑疹伤寒经虱子传播的发现。随后，其他立克次体病的传播被阐明，因此可以明显得知，一些斑疹伤寒可以由蜱和螨虫传播。

对页图

1917年，俄国斑疹伤寒的流行爆发。这一幅1921年的公共卫生海报，敦促保持个人卫生，通过洗涤衣物等简单措施来击败体虱。体虱在这里被放大到可怕的地步。

РОССИЙСКАЯ СОЦИАЛИСТИЧЕСКАЯ ФЕДЕРАТИВНАЯ СОВЕТСКАЯ РЕСПУБЛИКА.　　ПРОЛЕТАРИИ ВСЕХ СТРАН, СОЕДИНЯЙТЕСЬ!

КРАСНАЯ АРМИЯ РАЗДАВИЛА БЕЛОГВАРДЕЙСКИХЪ ПАРАЗИТОВ – ЮДЕНИЧА, ДЕНИКИНА, КОЛЧАКА.

НОВАЯ БЕДА НАДВИНУЛАСЬ НА НЕЕ – ТИФОЗНАЯ ВОШЬ
ТОВАРИЩИ! БОРИТЕСЬ С ЗАРАЗОЙ!
УНИЧТОЖАЙТЕ ВОШЬ!

№ 67.

36. # 霍乱

最致命的腹泻

克里斯托弗·哈姆林（Christopher Hamlin）

> 见过霍乱这种疾病的任何人都会意识到那是一种可怕的“权力”，可以作为引发社会恐惧和社会变革的手段。
>
> 格兰特，A.卡内罗–菲略和迪林厄姆
>
> ——（Richard L.Guerrant,Benedito A.Carneiro–Filho&Rebecca A.Dillingham），2003

约翰·斯诺认为霍乱是通过水传播的，但他无法确定人们喝水以后究竟是什么进入了人的身体内。新河公司提供的微观生命提醒我们饮用水中含有活的生命体。

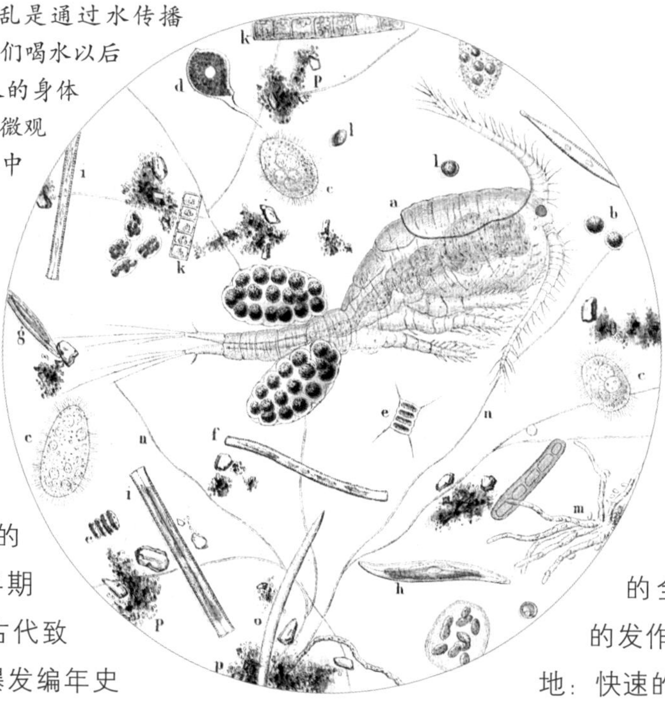

对于我们所说的霍乱疾病，它的早期历史是模糊的。古代致命疾病的大规模爆发编年史中报道过有些严重和长期的腹泻、呕吐、痉挛及四肢发凉。对这种病从一个地方到另一个地方无情蔓延的认识只出现在19世纪20年代初，但是，1817年这种认识逐渐开始清晰，一种有此类症状的致命传染病已经开始推进到孟加拉东部和西北部。这种疾病会逐渐被理解为亚洲、特别是孟加拉形式的霍乱。这个词本身来自于古典希腊医学，该医学认为它与过量胆汁的排出有关，通常是自限性疾病。

欧洲帝国主义的全盛时期，霍乱的发作多次遍布世界各地：快速的铁路和轮船运输新技术辅助了其传播，它也沿着古老的贸易和朝圣的路线传播。到1930年，它已在很大程度上只局限在亚洲，但在20世纪90年代初，霍乱越过了拉丁美洲大部，又在非洲部分地区流行。现代霍乱往往是灾难性的疾病，当战争或其他危机将大量的人聚在一起而卫生状况不佳时就会出现。

一个19世纪的疫病

几乎整个19世纪，霍乱究竟是如何传

播的一直是个争论的问题。它是否是一个独特的疾病，它的传染源是一个具有传染病的人还是环境中存在某些病理实体尚不明确。1854年后，继伦敦医生约翰·斯诺（John Snow，公元1813～1858）开创性的流行病学工作之后，人们认识到，饮用受污染的水至少是一个重要的霍乱传播的因素。霍乱已经确认是与卫生条件差和贫困有关。斯诺假设在水中存在特定的污染物，但他不能识别它。1883年罗伯特·科赫分离了所谓的“逗号弧菌”（后来被称为霍乱弧菌），为霍乱控制带来了很大的信心，但事实证明从许多没有危险的菌株中区分出少数能引起危险疾病的菌株是具有挑战性的。几乎在科赫的发现之后，人们立即尝试了疫苗的生产，但是由霍乱疫苗所提供的免疫力，通常是局部且短暂的。

霍乱在任何地方的停留通常都是短暂的，但非常致命：对许多医生而言，能拯救一半的人就是成功的标志。他们声称较高的治愈率要么是谎言要么是误诊。在某种程度上，治愈率的差异可能取决于定义：在一些地方温和的霍乱病例就被称为其他疾病，比如“霍乱腹泻”。现代医学权威指出大多数霍乱病例是温和的，它们经常不被确诊。

生病前与生病后。这位端庄的23岁越南女人嘴唇出现了皱缩和蓝色，这是由于在她肠子里的霍乱毒素引起循环系统和组织里的水分进入直肠，伴有呕吐或者出现具有典型霍乱特征的米泔样便。该病的很多受害者能在仅仅几小时内死亡。

如何治疗？

对19世纪之前的医生而言，霍乱是一种可以治愈的疾病——通过帮助身体排出毒素，治疗厥冷和痉挛恢复体力。在公共恐慌的压力下，有些医生认为疾病使身体产生这种剧烈的变化必然要求同样激进的疗法。霍乱几乎影响了身体的每一个部分除了人的意识；其病理状况很不确定，使得那些无数荒诞、痛苦甚至是危险的治疗手段都有充分的理由。霍乱为江湖医生提供了很大的机会来推销他们的治疗方法。

鉴于霍乱突出的体液损失的特点，人们可能已经预见到医生会尝试弥补这种损失。早期的霍乱治疗通常包括体液的恢复；问题是如何让体液损失的势头停下来。早在19世纪30年代曾有过尝试通过注射来恢复体液的方法。效果往往是惊人的，但通常是暂时的；当某治疗手段与其他疗法相比没有表现出更大的优势时，多数实验者会放弃它。

在20世纪初，伦纳德·罗杰斯（Leonard Rogers，公元1868～1962）在加尔各答工作，做了霍乱改变血液成分的研究之后，他能够将死亡率降低到约4%。他更好地预测到了那些往往是致命的并发症，让医生进一步改善了病人的情况。越来越多的成功带来了信心，以医院和实验室为基础的治疗通常是不必要的；在20世纪70年代初，医生就认识到口服糖和盐的混合溶液就能简单解决恢复病人体液的问题，并且这种治疗方法不仅适用于霍乱，对于大多数其他形式的能导致严重脱水的肠胃疾病也有效。钠和葡萄糖的口服补液通过小肠一起运输，促进了人体对水的吸收，这已被描述为“20世纪潜在的最重要的医学进展”。

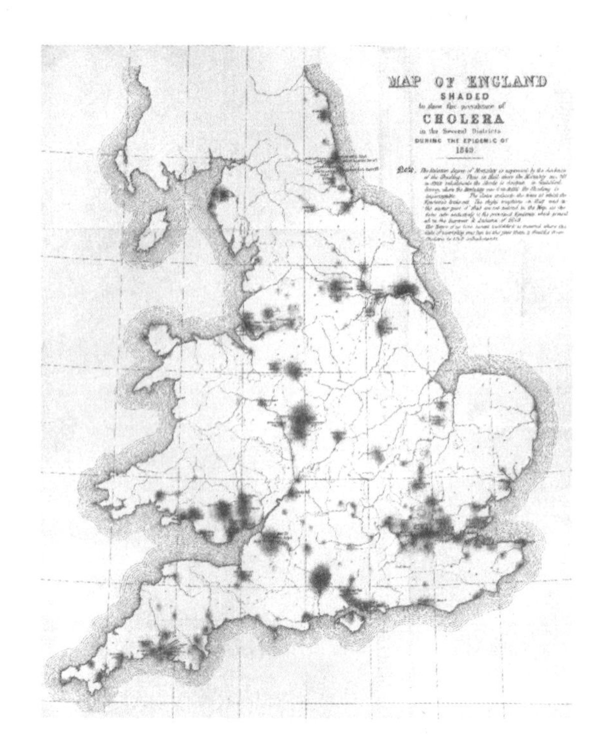

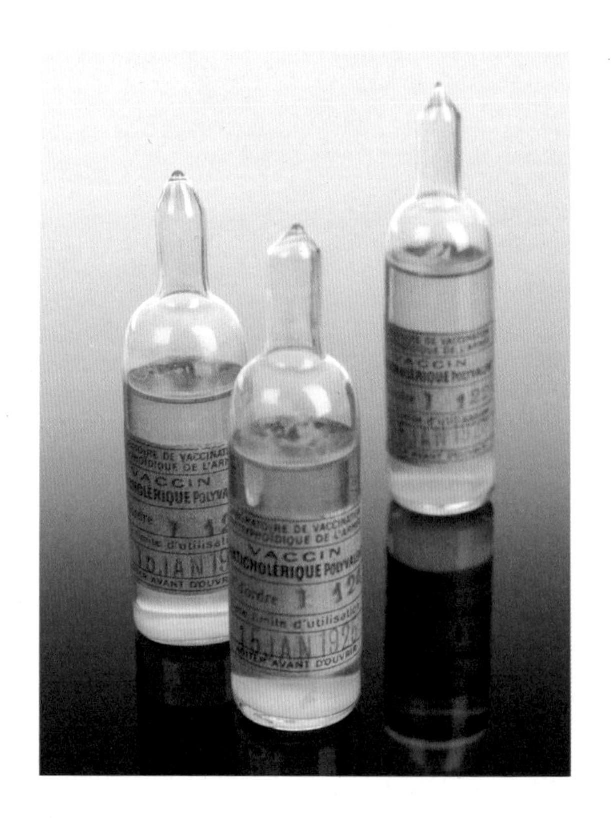

现代霍乱

在最近的几十年里，我们脑海里对霍乱的认识已经发生了根本的改变。霍乱弧菌已被证明是广泛分布的，特别是在温暖的半咸海水域，而且它在遗传上是不稳定的。还有多少霍乱病例存在这一点并不明朗。最现代化的医学权威相信目前的数字显然是低报的，其中部分原因是霍乱污名的持久性。出于实用的目的通常没有什么动力将其与其他腹泻进行区别——都可以通过公共和私人卫生预防（也许有一部分是疫苗的帮助），并通常借助口服补液。但是霍乱仍然有重新传播的可能性。一个世纪前的霍乱让人惊恐；现在它仍然能让人陷入危机——2010年11月海地霍乱疫情的爆发就是证据。

对页上图

1848年到达英国的霍乱疫情发生后，它的影响被图表化。死亡率的相对程度表现为阴影的黑暗程度。

对页下图

霍乱疫苗安瓿瓶由法国的“抗伤寒疫苗军队实验室”进行生产。使用日期被突出显示了出来。

上图

“如果你想要远离霍乱，那么不要做下面这些事情”：一幅1920年的俄国公共健康海报提醒人们如何避免感染此病。

左图

19世纪法国或比利时的被用作预防霍乱的吊坠，可以凭此召唤圣洛可的监护。在中世纪时期这个圣人在预防鼠疫方面发挥了类似的作用。

37. # 产褥热

杀死母亲的凶手

克里斯汀·哈利特（Christine Hallett）

对我而言这是一种不愉快的声明，是我把病传染给了许多妇女。

——亚历山大·戈登（Alexander Gordon），1795

一种破坏性疾病

产褥热——也被称为产后败血症——是近代最严重的医源性疾病（由医生造成的）之一，并且直到20世纪初都很常见。这是接生过程中因疏忽由助产士的手引入的感染源进入女人子宫的结果。感染可能起源于接生员的鼻子和咽喉，或者直接来源于先前感染的病人。最常见的致病微生物是一种特殊类型的链球菌，但也可能涉及其他细菌。

本病起病急，通常在分娩后的第三天开始，有典型细菌感染的症状：体温高，剧烈头痛，脉搏快和衰弱。该疾病持续的过程中，剧烈的腹痛变得严重，并伴有腹胀、呕吐和腹泻。死亡由感染的散播引起，往往最终导致腹膜炎和败血症等。产褥热受害者包括简·西摩，亨利八世的第三任妻子，烹饪作家伊莎贝拉·比顿以及作家玛丽·沃斯通克拉夫特，她在生下女儿玛丽·雪莱几天后死亡。

新医院和新科学

第一次产褥热疫情可能发生在17世纪中叶的巴黎，但到18世纪中期这种疾病的发病率迅速上升，这个时期是伟大的公立医院的兴起期，也是一个用药方式更加“科学”和“经验主义”的时代。新的“产院”也收治贫困和赤贫的患者。为了回报医院提供的保健、食品和住所，病人成为医生和医学院学生的教学对象并受到频繁的检查。在这里，产褥热经常发生。其病死率可超过30%。

一类新的医疗人员出现在18世纪：助产士或妇产科医生，这类专科医生属于外科集中在产科实践的一个分支。许多助产士研究产褥热。他们借鉴了自古以来“传染”和

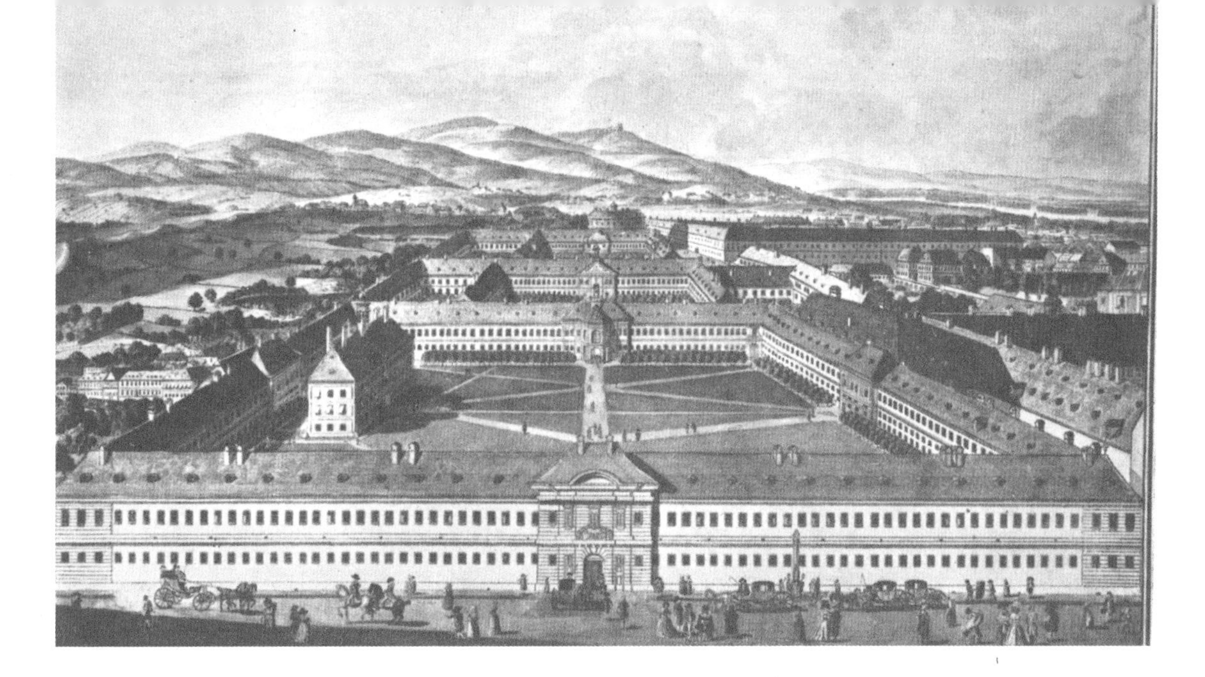

“感染”的理论，但他们认为这些不是最主要的，他们重要的业务是想找出疾病是如何在人体内发展的。这个研究越来越依赖于解剖知识以发现“损害的”有机位置。

大医院的疫情毫无疑问是由于医生和医学院学生直接从医院的解剖室到产房里而没有洗手或换衣服而引起的，解剖室是他们在受感染的尸体上面工作的地方，由于没有洗手更衣，医生们就把死者身上的感染性微生物传递给了活着的人。产褥热的悲剧来源在于医生在解剖室苦苦探索疾病的时间越长，他们自己感染病人的机会就越大。

顿悟

第一个严肃思索产褥热能通过接生员的手或者衣服而传递给一个实际上健康的女性的问题是亚历山大·戈登（公元1752~1799）。他在亚伯丁做助产士，这让他能观察到大量产褥热的病例，然后他意识到产妇是否能生存取决于那个为她接生的人。他的著作《亚伯丁的产褥热流行病学研究》（1795）引起轰动，他列出了那些有传播感染倾向的医生和助产士的名字。

1843年，美国医生奥利弗·温德尔·福尔摩斯（Holmes，公元1809~1894）在《新英格兰药物和手术的季刊》发表了《产褥热的接触传染性》，推荐接生员在给每个病人接生之前都要洗手和更换衣服，并且在他们给产妇接生的当天避免验尸。

与发现产褥热的传染性质最密不可分的名字是匈牙利助产士易拿斯·塞梅尔魏斯（Ignaz Semmelweis，公元1818~1865）。他自己一生的悲剧就映射出这个疾病的本

对页左图

亨利八世的第三任妻子珍·西摩尔（公元1508~1537）生下威尔士亲王爱德华后死于产褥热；画像的细节来自汉斯·荷尔拜因的《年轻》。

对页右图

玛丽·沃斯通克拉夫特（公元1759~1797）是一位主张男女平等的倡导者（她是《为女性权利辩护》的作者，1792），她死于这种本质上属于女性的痛苦。

上图

维也纳综合医院，在那里易拿斯·塞梅尔魏斯将产科临床上病人的死亡，与医学院学生从解剖室出来是否正确洗手联系在一起。

上图

一幅18世纪晚期由艾萨克·克鲁克香克创作的讽刺“新”男助产士的漫画，男性专业人员侵占了女性分娩的专业领域，不幸地提高了一些妇女产后败血症的风险。

对页图

装有百浪多息丸的药管——第一种磺胺类抗菌药物——由德国拜耳实验室的格哈德·多马克研发，他获得了1939年的诺贝尔奖，但是被纳粹禁止接受颁奖。

身。1846年他被任命去帮助维也纳综合医院第一产科门诊部，他发现那里的产褥热死亡率比他自己所在的第二产科门诊部还要高出很多。医学院学生是在第一门诊部接受培训，而第二门诊部是助产士学生接受指导的地方（他们不能参加解剖课）。

当一个同事各布·柯莱桥卡，在尸检过程中不小心切了自己的手后死于败血症，塞梅尔魏斯意识到医生和学生的手上的这种物质（他命名为“苍白粒子”）引起了产褥热的发生。1947年，他下令所有员工和学生在进入他的病房前必须用石灰氯溶液洗手；产褥热的死亡率急剧下降，但他的思想被讥讽，他为期三年的工作合同也不再续签。1849年他被迫离开维也纳，1860年仅在其著作《产褥热的病因，概念和预防》发表了他的看法。1865年，他患了精神病，被关进了收容所，47岁的他死于一次感染。

上图

易拿斯·塞梅尔魏斯在使他的同事们相信自己其实是产褥败血症“共犯”的过程中经历了重重困难；就像18世纪的亚历山大·戈登，他的主张给自己带来的是极端不受欢迎而非赞扬。

20世纪的突破

19世纪70年代路易斯·巴斯德发现了链球菌微生物之后，塞梅尔魏斯的思想开始受到重视。丽贝卡·兰斯菲尔德（公元1895～1981）在20世纪20年代将链球菌进行分类，这就让伦纳德·科尔布鲁克（公元1883～1967）在他姐姐多拉（公元1884～1965）的协助下确认了产褥热最常见的致病菌是溶血性链球菌。1935年伦纳德·科尔布鲁克发现了第一个有效的治疗方法：染料偶氮磺胺中的有效成分磺胺。随着无菌术和抗生素的进一步发展，产褥热几乎完全消失了。到了20世纪中期，这种疾病的治疗已经从一种医学失败转变为医学科学的伟大成就。

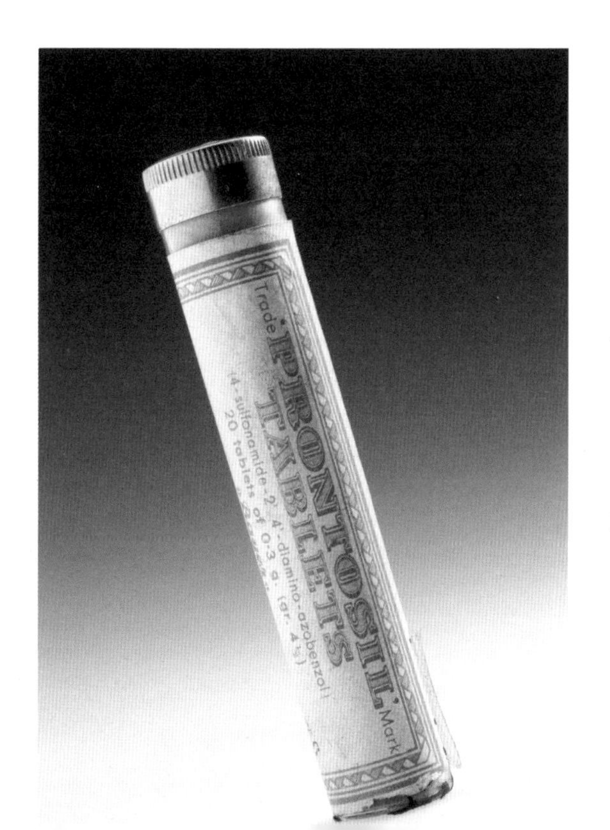

38. 肺结核

吐血

海伦·拜纳姆（Helen Bynum）

这些死亡的人的队长来攻击他并把他带走，这就是骗局；也就是它带他下到坟墓。

——约翰·班扬（John Bunyan），1680

左图

驼背的亚力山大教皇可能患有脊柱结核病。致病菌在血液中传播并到达（通常来源于肺部）胸椎和椎间盘之间，继而逐渐破坏它们，正如病变的肺组织一样。

对页上图

结核病的致病微生物是结核杆菌，在这个巨噬细胞里面看到了白细胞，它能吞噬和消灭入侵者，这是人体免疫反应的一部分。

对页下图

英格兰的詹姆斯一世统治时期的黄金触片（公元1566～1625），法国和英国的君主"触摸"那些瘰疬患者（淋巴管腺结核）：他们被神任命，被认为是神的中间人。

结核病是所有时代最强大的杀手之一。它引起的死亡数在19世纪初就占了所有死亡人数的17%～20%，成为最常见的死因。最普遍的是肺结核，它通过接触感染性的痰结核分枝杆菌——最普遍存在的引起结核的分枝杆菌——而传播。目前世界人口的三分之一被感染，而其中10%将继续发展成为活跃性疾病。

结核病也是最古老的人类疾病之一。结核分枝杆菌一直是我们的进化历史的一部分。DNA测序技术指出其在9 000年骨架中存在。来自印度、中国、中东和古希腊的古书描述了肺结核症状，而木乃伊遗骸揭示了此人生前被其蹂躏的痕迹。人类与动物都能感染结核菌，牛分枝杆菌引起人和牛共患此病。兽医和公共卫生措施可以保护牛奶供应不被污染，防止从动物到人类的传播。

结核菌到病菌

结核杆菌一旦进入人体内就能引起大范围的组织破坏。诗人亚历山大·蒲柏的塌陷的脊椎就是由结核病引起。那些得了瘰疬或者脖子上出现肿大的淋巴腺的病人，从中世纪时期直至18世纪，都是通过法国和英国君主的"触摸"来治疗的。塞缪尔·约翰逊博士（Samuel Johnson，公元1709～1784）还是个瘰疠婴儿的词典编纂者时，一直都佩戴着这枚纪念币。法国人勒内·拉埃内克（公元1781～1826）是听诊器的发明者，他把这些和其他明显不同的情况进行了统一。他意识到在尸检中和在长期的肺结核或消耗性疾病的病人肺部发现的结节，也在脊椎、肠道、淋巴腺中被发现，可见同一种疾病的发生过程遍及整个人体。

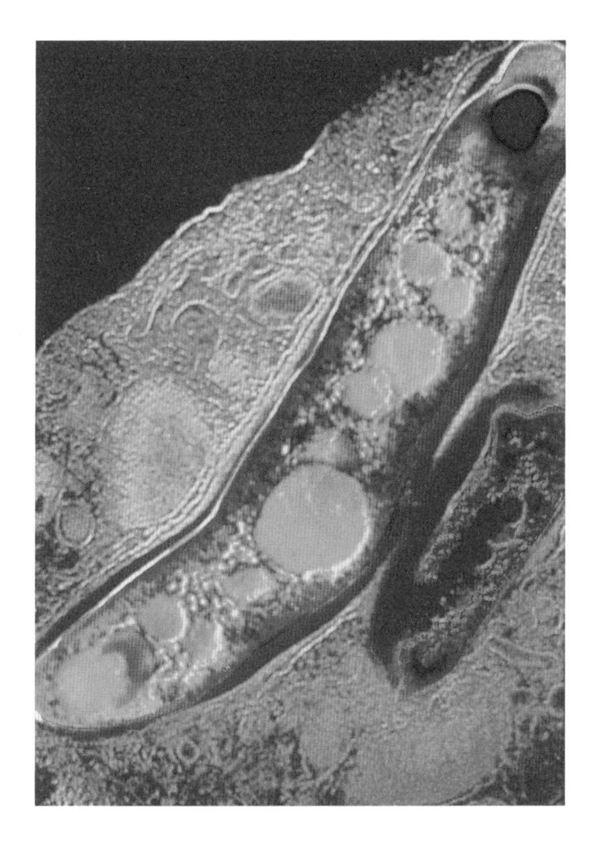

拉埃内克在1819年出版了他开创性的研究成果后不久死于肺结核，这是一种受害者多是富裕的有才华的人的疾病。有些人甚至认为结核病与天才之间存在高度的敏感性联系，这给人们浪漫的迷恋增加了动力，因结核而死好像成为了一件美丽的事情，正如诗人约翰·济慈写到“爱上了静谧的死亡”。事实并非如此。疲惫的患者咳嗽、吐血，眼看日渐消瘦。因为喉部的病灶，他们不能吞咽食物，而且他们也不停地腹泻，在夜间发烧时汗水浸透了床单。与舒适的家庭中出现这样一个病例相比，有更多贫穷而又可怜的家庭中也存在这样的病患。结核病疫情跟着城市化和工业化在全球范围内发展，摧毁了那些18～30岁正值工作和生育的黄金时代的人的生命。

不论贫富，结核病似乎总能使一些家庭变得困难。比如勃朗特姐妹：六个孩子中五个都得了结核病，其中包括作家艾米莉，安妮和布兰韦尔。她们的父亲可能是淋巴结核（虽然他活得比她们都久）。那么结核病是传染性的还是遗传性的呢？1882年德国医生和疾病的细菌理论的倡导者罗伯特·科赫（公元1843～1910）宣布发现了结核杆菌（因此该病后来缩写为TB），带来了对肺结核病因的新的确定，尽管要等几年之后人们才普遍信服这种说法。科赫于1903年获得了诺贝尔奖。

卧床及以后

知道是什么原因导致这种疾病是至关重要的，但是这并不能带来立即的治疗进展。科赫自己的结核菌素治疗是一个令人悲伤的失败。相反，结核病人当时被家人和邻居当作了危险的存在。疗养院提供了休息的地方，恢复性饮食，并且将病人与健康人隔离开。在托马斯·曼的《魔术山》（1924）中，富裕患者的条件可能要好一些，如位于阿迪朗达克萨拉的纳克湖畔的爱德华·特鲁多博士的疗养院。的确如此，但除非身体阻止了疾病的进展，否则病人的状况没有太多的希望。

1943年，塞尔曼·瓦克斯曼（Selman Waksman，公元1888～1973）和阿尔伯特·沙茨（Albert Schatz，公元1922～1995）

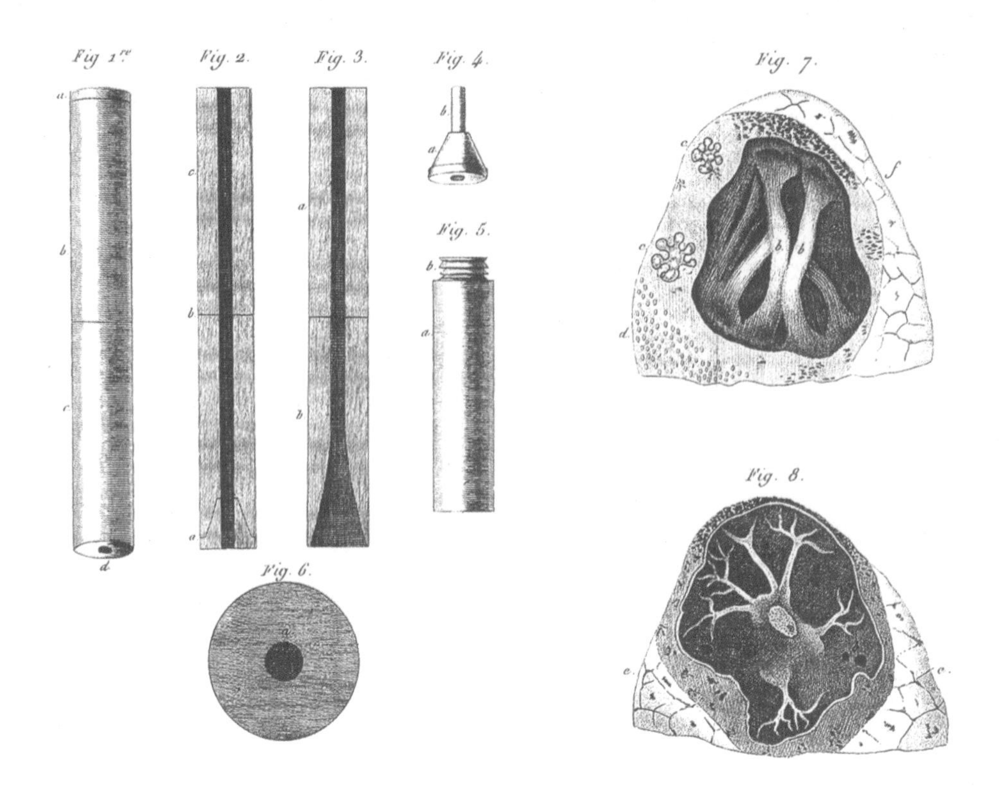

生产出链霉素，这是第一种预防结核病的抗生素。1952年，瓦克斯曼获得了有关结核病的第二个诺贝尔奖。链霉素治疗是不舒服的，它要求肌肉注射。很快链霉素、异烟肼和对氨基水杨酸的组合就明显地对治疗结核更有效，并有助于防止耐药性的发展。随后，利福平片取代了肌注链霉素。

具有讽刺意味的是，当患者都能获得治疗结核的三联药物的时候，结核病的发病率却已经逐渐降低。在发达国家，人民生活水平的提高已经改变了潮流，还有一些得益于1921年提出的BCG（卡介苗）接种。X射线检查来识别结核的前期症状的情况下，医生们还用药物治疗直到疫情结束。但疾病的消失显然是虚幻的，在发展中国家仍有大量的病例。

在20世纪过去的20年中，随着艾滋病患者的增多以及发达世界的下层阶级的成长，结核病以新的有力的姿态再度出现。DOTS（直接观察治疗情况，短疗程）的目的是确保患者（包括那些他们已经接触的人）的药物为6个月的全疗程。广泛耐药结核病给未来药物研究提出了明显的挑战，而希望人民生活水平提高和减少其他感染可能会再次占据健康的主导方向。

上图

《通过听诊》（*De l'auscultation mediate*）中拉埃内克的听诊器原型（左）以及一个肺结核的横截面（右）的版画。拉埃内克在书中宣布了他对结核结节统一的理论——无论这些病变出现在身体的哪个部位，都在发生着同一种疾病的过程。

对页图

在抗生素之前的时代，新鲜空气和阳光被认为有助于防止结核病。有结核子女的父母可以享受抗结核慈善机构赞助运行的夏令营。1917年法国海报所推广的这种邮票就是用来资助这种活动的。

Vilá
IMP. DES BEAUX-ARTS 79 RUE DAREAU PARIS
Achetez le TIMBRE
ANTITUBERCULEUX
MINISTÈRE DE LA SANTÉ PUBLIQUE (Commission Générale de Propagande de l'Office National d'Hygiène Sociale)
Campagne nationale du Timbre antituberculeux organisée par le
COMITÉ NATIONAL DE DÉFENSE CONTRE LA TUBERCULOSE

39. 甲型流感

一种变异的病毒

多萝西·克劳福德和英格·约翰内森（Dorothy Crawford & Ingo Johannessen）

……女王一抵达这里，就感觉对这个市镇常见的一种疾病非常熟悉，她叫来在这里新认识的人……

——1562年流感影响苏格兰爱丁堡时对玛丽女王的描述

甲型流感是最大的感染性威胁之一。全球都在监测、监控其发展进度，科学家也在生产疫苗和抗病毒药物来预防和控制它，历史已经告诉我们要小心面对这个致命杀手。

病毒的自然史

流感病毒能自然感染水禽，数百病毒株会在水禽的内脏和排泄物中繁殖，所以人类有时会通过处理这些动物受到感染，这并不奇怪。然而，并非所有的禽流感毒株都能感染人类。感染依赖于血细胞凝集素（H）分子和神经氨酸酶（N）分子在特定病毒株中有不同的组合，因而存在许多不同的菌株。这些菌株根据它们所包含的H和N的组合来命名，如H5N1禽流感和甲型H1N1流感，后者是目前流行的猪流感。

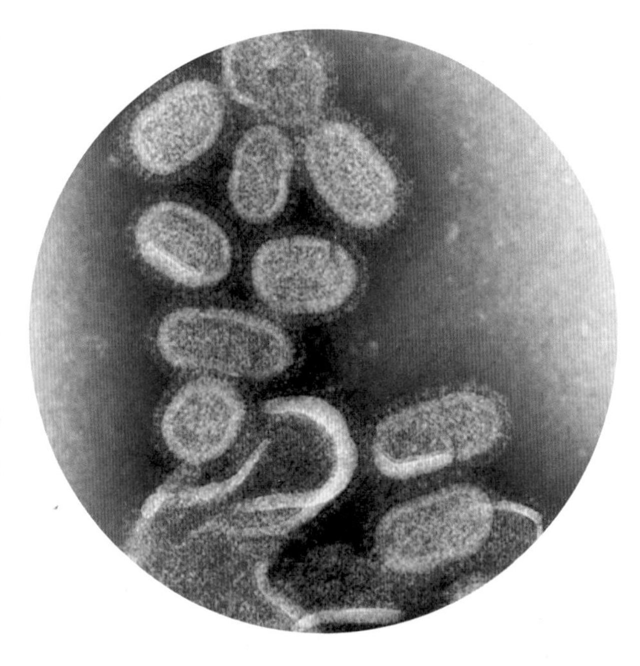

病毒学家已经重新合成了1918年到1919年的甲型流感病毒，在第一次世界大战后，甲型流感大流行造成了全球约4 000万人的死亡。

流感造成的大流行有悠久历史。当我们每个冬天经历“季节性流感”的暴发时，每10至40年就会发生流感大流行。当一个全新的毒株出现，而且没有人对此有免疫力时，流行病发生就能因此横扫世界畅行无阻。在20世纪，世界经历了三次流感大流行：“西班牙流感”（1918~1919）、“亚洲流感”

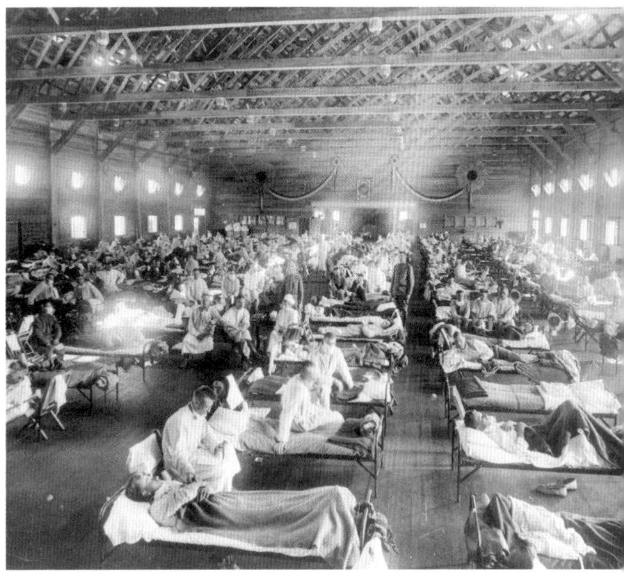

左上图

1918～1919年的“西班牙流感”大流行时，人们做了所有他们能做的来保护自己，比如戴上医用口罩。这两年中因流感死亡的人里一半都是年轻的且之前身体健康的成人。

右上图

医疗机构疲于应付“西班牙流感”爆发期间涌入的广大患者。正如这里可以看到的：建立临时民用住院部，便于部队照顾生病的士兵。

（1957）和“香港流感”（1968）。第一次流感大流行开始于第一次世界大战结束后，是最大的杀手：约4 000万人死亡，比战争本身死亡的人数多得多。“西班牙流感”的病毒很可能直接从鸟传递给人类，正如当前的猪流感等的其他病毒则是来源于猪。

漂移和转变

流感病毒的遗传物质由 8 个单独的节段或“染色体”组成。这种独特的特征造成动物的单个细胞被两个（或更多）病毒株感染时发生混合。这种“基因重配”常发生于鸟类，虽然这些病毒有可能先需要感染猪，才可以成功地感染人类。人类病毒和禽鸟病毒都可以感染猪，这两种病毒能够混合，可能产生一个全新的流感病毒的基因。这个过程被称为“抗原性转变”，并具有导致大流行的可能性。

H5N1型禽流感首次于1996年出现在中国广东省，并于1997年引起家禽养殖场和活禽交易市场的流感爆发。1997年5月一个三岁男童死于H5N1型肺炎，那年进一步造成17人患病5人死亡——29%的死亡率。大规模扑杀家禽控制了流感的爆发，但2003年病毒重新出现在东南亚，造成了更多人死亡。从那时起H5N1流感广泛传播于亚洲、欧洲和非洲；但科学家跟踪其进展情况后发现，来自美国中部的一个新型流感引起的威胁震惊了世界。

猪流感能引起猪的呼吸道疾病，偶尔引起猪处理者的感染。但H1N1流感先是出现在墨西哥的猪身上，继而在2009年传染给人

对页图

一个现在流行的猪H1N1或者猪流感病毒的模型。H1N1指的是病毒表面的血细胞凝集素（H）和神经氨酸酶（N）的蛋白种类。血细胞凝集素蛋白是红色的，神经氨酸酶蛋白则是黄色的，两者的比例差不多是10:1（H:N）。中间是八个病毒的染色体片段（用紫色表示）。

左图

2009年，位于中国浙江省的一家制药公司，工人们正在制备鸡胚来为H1N1禽流感病毒提供生长环境，后者用于疫苗的生产。

类，病毒株包含禽流感、人流感和猪流感病毒的混合基因。该病毒已蔓延全球，我们知道大多数感染是温和的，但（与季节性流感类似）猪H1N1可以对孕妇、幼儿、体弱者和老人产生危险。

一旦流感病毒在社会上流传，它慢慢积累的突变影响了H蛋白和N蛋白（抗原漂移）。这些细微的改变使病毒可以克服宿主的免疫力，重新出现而成为冬天的“季节性流感”。每一个新的季节性流感病毒可以感染那些对之前病毒株已有免疫力的人。

为意外做准备

流感的传播通过咳嗽、喷嚏产生的飞沫传播，也可通过患者直接或间接接触传播，如通过手和门把手。1~4天的潜伏期之后，典型的感染会引起患者寒战、头痛、干咳、发烧、肌肉酸痛、全身乏力和食欲不振，一般持续5~10天，主要的并发症为肺炎。流感并发症有可能特别严重（与季节性流感相反），而且经常出现在以往健康的年轻人身上。

40. 天花

根除一种疾病

桑乔伊·巴特查亚（Sanjoy Bhattacharya）

天花的消灭表明具有了较强的共同决心、团队精神和团结的国际精神，雄心勃勃的全球公共健康目标才能实现。

——陈冯富珍博士，世界卫生组织（WHO），2010

天花曾经是一种可怕的疾病：它的毒性更强的化身——大天花，在亚洲和非洲历史上都有关于它的广泛报道，可以导致感染者的死亡率在25%～50%之间。虽然少见的小天花，即该病的感染较少的形式在欧洲和美洲占主导地位，大天花偶尔沿着陆、海，以及后来的航空贸易和运输路线进入，天花疫情被普遍认为是件大事，这主要是因为它们能造成人员伤亡。

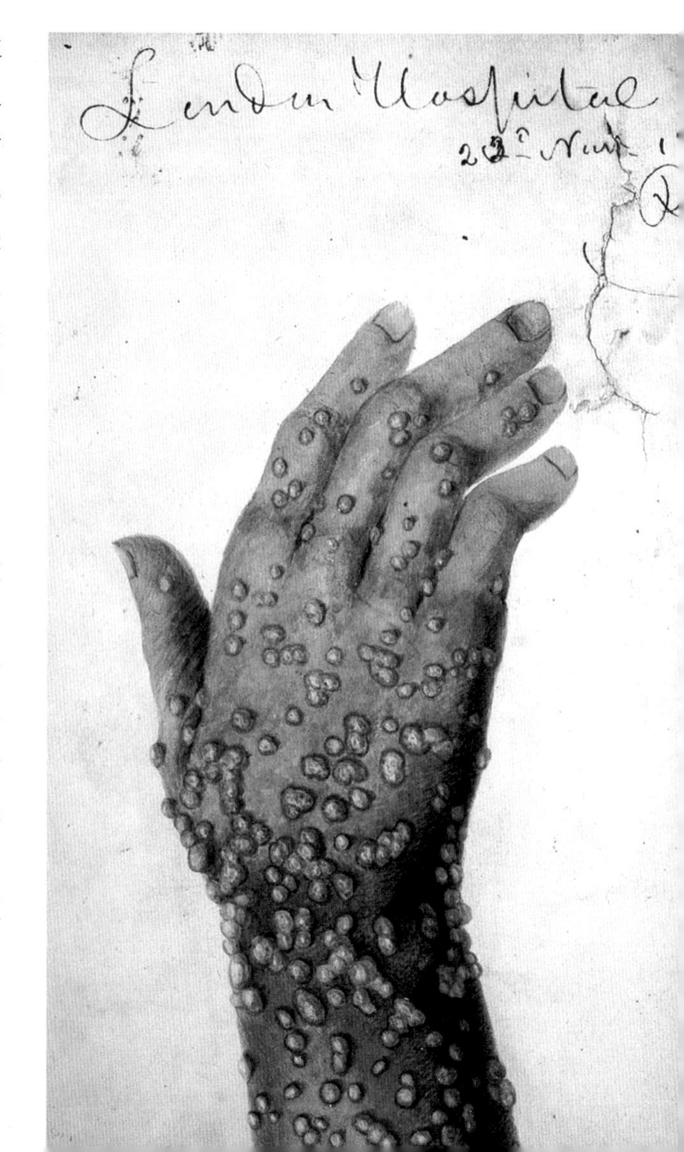

接种和早期疫苗

接种是在患病和健康的人之间传递天花物质（从脓包摄取），目的是传播疾病的轻微的症状，从而形成接受者免疫之间的转移。它有时也被称为人痘接种，具有多种形式，这是一种广泛应用于亚洲和非洲的古老的做法。玛丽·沃特利·蒙塔古夫人（公元1689～1762）是在土耳其的英国大使的夫人，1717年见证了该国的人痘接种，她被

对页图
病理学家罗伯特·卡斯韦尔的手和手腕满布绿色（多脓）痘疱的水彩画作品（1831）。他可能因为接触太平间的死人而感染。

上图
爱德华·詹纳在给一个婴儿接种（给不是1796年给8岁的詹姆斯·菲普斯接种疫苗试验）。虽然他的工作最初是被大家持怀疑态度接受的，但随着19世纪的到来他成为了一名医学“英雄”。油画来自尤金–欧内斯特·希勒马切尔，1884年。

下图
巴勒斯坦，1922年：一个患有天花的年轻男孩。一个随处可见的潜在的常见景象，到20世纪20年代，疫苗接种计划已使它自己在发达世界成为一个不同寻常的存在。

认为是负责向英国引进疫苗接种的人。人痘接种开始在英国盛行，编年史所描述的接种的操作形式有很多，有些形式更复杂（且昂贵）。随着东印度公司开始给欧洲军队接种人痘来对抗天花，这项医学实践在18世纪充分确立起来。进入19世纪后，不同的人痘接种方法继续共存于英属印度。

爱德华·詹纳（Edward Jenner，公元1749~1823）通过实验使用牛痘（一种关系密切的病毒）率先接种疫苗作为预防天花的方法。1796年詹纳给八岁的男孩詹姆斯·菲普斯接种来自牛痘疮的脓疱物质。几天后，他试图用天花去感染他：菲普斯获得了免疫。其他人如本杰明·杰斯提也做出了类似的努力。詹纳的实验之后产品并没有被简单地复制，他的疫苗生产和接种疫苗技术经过了无数实验和调整，最终得到了一个范围广泛的承认。

到了19世纪，欧洲国家在自己国家和其殖民地内都采取了这样的做法。天花疫苗已经成为一种既必然又有力的显示帝国统治好处的例子。各国强制接种疫苗以控制病情。在某些情况下再次接种是必须的：不像人痘接种，天花疫苗不提供终生免疫力。到了20世纪中期，天花已不再是发达国家的一个问题。

一个大胆的计划

作为病原体的天花病毒有一个很大的弱点：它没有动物宿主，使得那些负责控制其蔓延的人在开展工作时更容易。然而，在天花最常见的地方——热带，疫苗不稳定是一个严重的问题。20世纪50年代大规模生产冻干疫苗的技术被引进之后，疫苗效力丧失的问题得以解决。1958年，根据苏联向世界卫生大会提出的建议，世界卫生组织

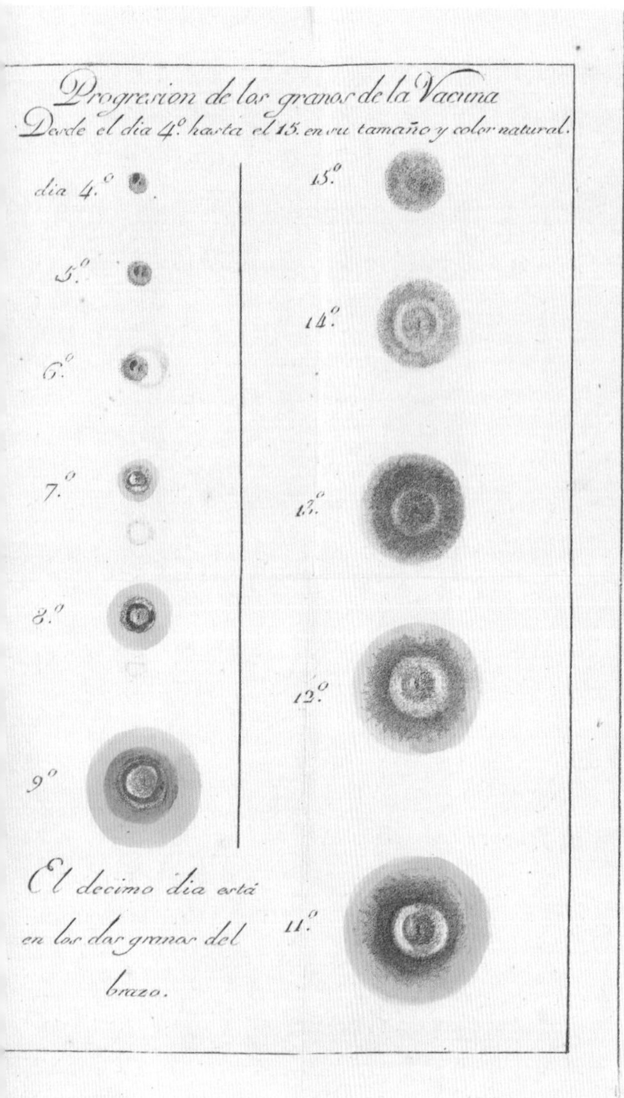

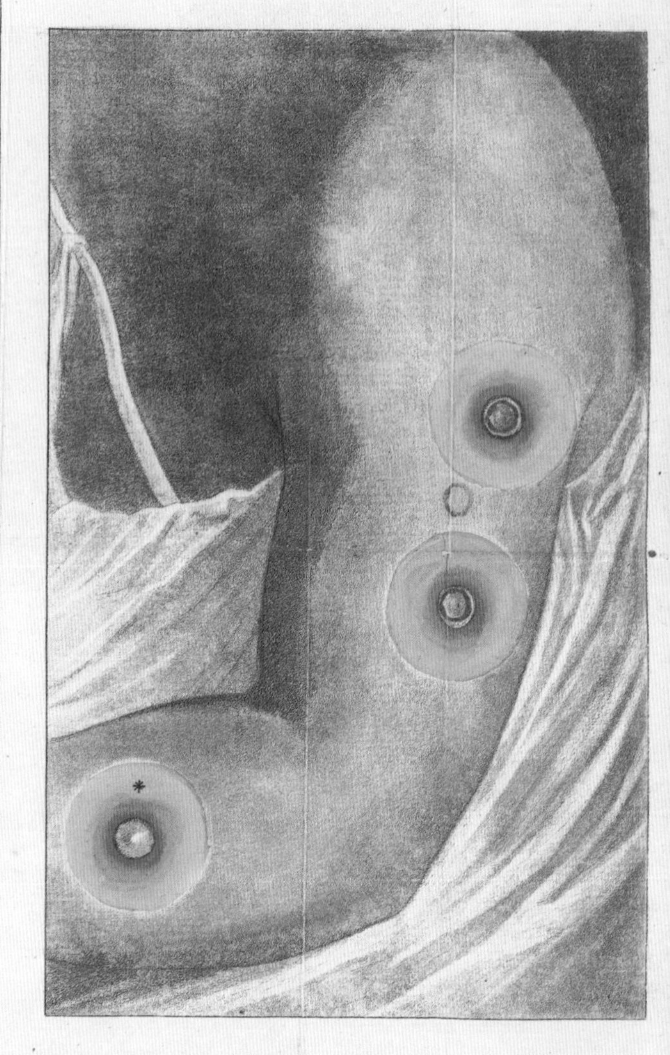

上图

弗朗西斯·泽维尔德·巴尔曼1803年发表的有关伤寒和接种疫苗的论史中折叠式板的做法，显示每天接种部位和瘢痕的发展进度。巴尔曼前往整个西班牙的统治地区推行并指导疫苗接种。

对页左图

疫苗接种枪的设计使大规模免疫更有效，在高压下穿过皮肤递送一定剂量的疫苗而无需使用针头。它在天花根除计划中被采用，虽然一个简单的分叉针更加常用。

对页右图

在12世纪的日本，传说中的英雄被他的敌人放逐到了大岛渚的小岛，在那里他凭借自己的凶猛击退痘的恶魔。痘鬼被击败后变成豌豆大小，漂出海面。木刻，1847～1852年。

（WHO）呼吁通过国家方案消灭天花。20世纪60年代，世界卫生组织根除天花的运动力度加大。1875年，天花的传播只局限在印度次大陆和非洲的合恩角，1980年5月，世界卫生大会认证天花已经在全球被根除。

全球天花根除计划的成功不能只归功于极少数的个人和机构的思想和行动，也不能归功于技术性的快速修整。这一成就的很大一部分要归功于那些参与了疫苗接种运动的大范围医务工作者。20世纪60年代和70年代的全球限制天花蔓延的项目，是国际和地方层面同时展开的，并且每个层面都有几个复杂的组成部分，包括大规模疫苗接种计划以及更集中的包括战略、监控、遏制和预防接种的组合（在面临疫苗短缺时开发的一种新战术，这在20世纪60年代末和70年代的亚洲和非洲非常流行）。

各级的参与者，从联邦和省级政府到在当地选举产生的城市和农村部门的成员都在天花根除计划中相互合作。当地工作人员在整个国家的接种活动中是至关重要的：他们每家每户排查天花病例，同时还担任领队、翻译、接种员、监管以及保护被隔离天花病例的住所。在20世纪70年代，高级项目管理人员认识到当地工作人员的重要性，并在事后广泛认可了这样的本地人才的作用，将他们的工作作为根除计划成功的原因之一。现场经验告诉管理者，需要仔细研究地方政治和基础设施条件以避免紧张局势，这有助于与目标人群进行有效的谈判，并让政策的修改符合要求。这为其他未来的疫病消灭计划提供了宝贵的经验教训。

天花病毒仍然存在于美国和俄罗斯的实验室。关于是否毁灭这些留存病毒的辩论仍然激烈，而且分歧很大。有些人担心它们会成为创造生物武器的来源，而其他人则认为该病毒的贮存能作为有效的响应以应对天花病毒为基础的生化武器的任何攻击。

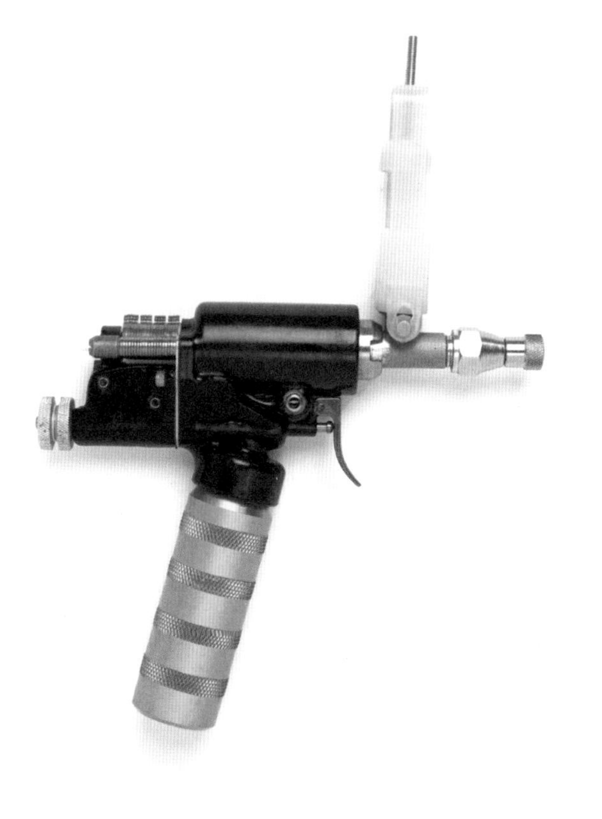

41. 脊髓灰质炎

夏季瘟疫

多萝西·克劳福德（Dorothy Crawford）

一旦你已经花了两年时间试图扭动一个脚趾，一切都会成比例发展。

——富兰克林·D.罗斯福（Franklin D.Roosevelt），1945

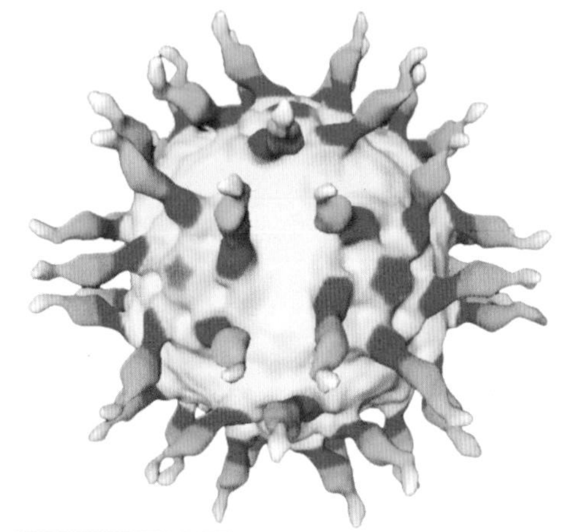

右图

一幅有助于揭示其结构的脊髓灰质炎病毒的低温电子显微镜照片（在非常低的温度下生成的图像，低于-150摄氏度/-258华氏度）。与目标细胞膜连接的病毒包膜的受体是可见的。

下图

富兰克林·D.罗斯福在轮椅上的一张图片。他在1921年暑假游泳后患上小儿麻痹症，此后无法在无人协助情况下站立。他成为了全国小儿麻痹症基金会主席，后来又成为美国出生缺陷基金会主席。

对页图

玛丽·柯斯罗斯基，一位五岁的小儿麻痹症受害者，她是1955年的美国出生缺陷基金会的海报女孩。她穿的典型支架是为那些腿部肌肉受到严重影响的患者而设计的，除此之外她还使用拐杖来帮助走路。

经典的脊髓灰质炎（小儿麻痹症）是由脊髓灰质炎病毒攻击神经系统造成的毁灭性疾病。著名的小儿麻痹症受害者包括富兰克林·D.罗斯福，他是1933～1945年的美国总统，他从40岁开始胸部以下瘫痪之后一直依靠轮椅生活，以及苏格兰作家沃尔特·斯科特爵士，他还是一个小男孩时就得了这个病，从此一直跛行。

本病也叫小儿麻痹症，因为它通常会影响儿童和青少年，起病急，常伴有头痛、发热、呕吐及颈部僵硬，虽然有些人可能在这个阶段中恢复过来，有些人则会出现病毒攻击神经系统，破坏支配肌肉的神经，造成弛缓性麻痹。任何肌肉都可能会受到影响，差别在损伤的程度可以从只是一个肌肉到几个肌肉群，在最严重的情况下是死亡，约占患者总量的5%，这是由于呼吸必需的肌肉麻痹所致。大约10%的病人能完全康复，但大多数

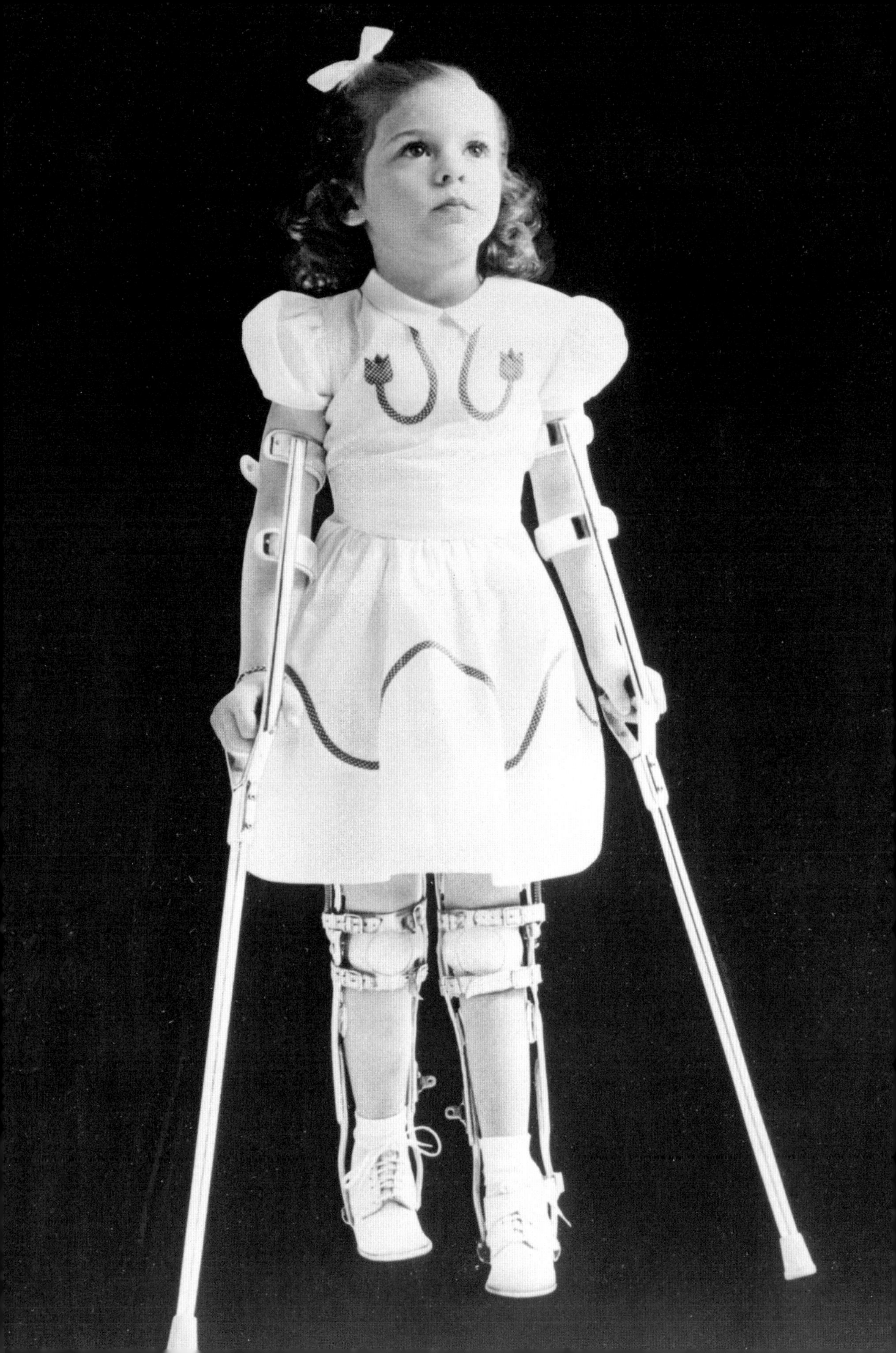

会终身瘫痪并伴有一个或多个的肌肉萎缩。

有趣的是，脊髓灰质炎主要是现代的一种疾病：在西方，20世纪40年代和50年代它的发病率上升非常明显，成为身处温带气候区的富人担心的一种夏天的流行病，而且明显是在一个社区中任何人都有可能感染此病。只有20世纪50年代疫苗接种计划的成功才让这种疾病的暴发开始减少。当时脊髓灰质炎似乎在发展中国家是很罕见的，但从20世纪50年代起，随着那里生活质量的提高，该病的发病率也开始上升。

感染模式

1948年，脊髓灰质炎病毒被首次分离成功，而随后的抗体研究发现了其背后独特的感染模式的原因。病毒感染肠中的细胞，尽管这通常不会引起任何消化道症状，排泄物中有大量的病毒。它们可以在污水中存活数周，主要通过饮食进入人体而在人与人之间传播，而这往往是在受污染的水中游泳引起的。在发展中国家和工业化国家的贫困地区这一传播概率因低生活水平而提高，所以在这里脊髓灰质炎病毒是无处不在的感染，几乎每个五岁孩子都受到感染，但一般无任何不良影响。然而当高卫生标准开始普及时，病毒的传播受到了限制，很多孩子由于缺乏接触病毒的机会而被保护不受感染。如果他们在以后的生活中首次暴露于病毒，他们患上麻痹性疾病的风险就更大。

人们对于这个与年龄相关的易感性的原因尚不清楚——即使在年龄相对大的群组中，神经系统的感染也是罕见的，100例患者中也差不多只有一个病人神经系统会受累。由于绝大多数病毒未引起任何症状，从而使大家种下了病毒的目标只在不幸的少数人的印象。但在无症状感染期，病毒依然在肠道复制，因此这些人充当了沉默的“病毒库”，随时可以助长一种流行病的发生。这种现象被称为“冰山效应”，这可以1954年夏天美国康涅狄格州新迦南的一个富人区的小儿麻痹症爆发为例。该事件集中发生在托儿所，还有16例麻痹性脊髓灰质炎是学校里的孩子、他们的家人或朋友。抗体研究表明几乎整个社区都感染了脊髓灰质炎病毒，所以那些患有小儿麻痹症的患者只是病毒呈现的冰山一角。

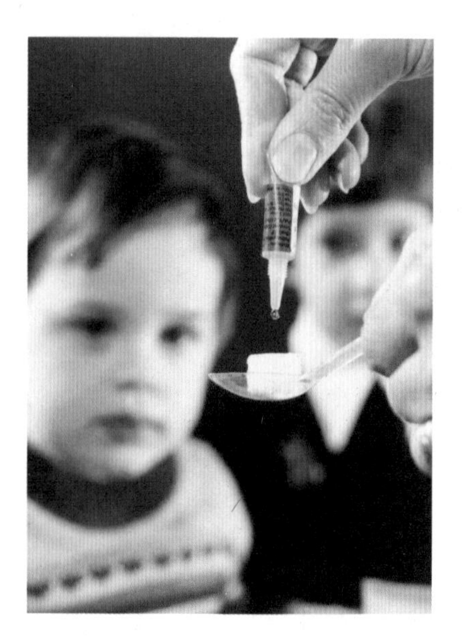

应对威胁

第一例脊髓灰质炎疫苗由美国病毒学家乔纳斯·沙克（Jonas Salk，公元1914～1995）制造并于1955年引入西欧，这是一个灭活的病毒制剂。它的出现立即产生了巨大的影响，这使美国的麻痹性脊髓灰质炎发病率下降10倍，各地每年的发病率从20 000下降到2 000。在斯堪的纳维亚国家，疫苗接种是强制性的，所以这种疾病几乎被消灭了。在20世纪60年代，另一位美国医学研究人员阿尔伯特·萨宾（Albert Sabin，公元1906～1993）提出了减毒活病毒疫苗，它是非致病性并且可以通过口服而不通过注射来使用。这更适用于发展中国家使用，并且对感染的肠道和疫苗在其他社区的扩展使用都有好处；它很快取代了沙克疫苗。

1988年，世界卫生组织（WHO）宣布了全球小儿麻痹症根除计划，目标是到2000年用口服疫苗作为其主要工具消除所有的病毒。虽然脊髓灰质炎的发病率自1988年以来下降了99%，这个目标并没有得到满足，因为隐蔽的病毒仍然在阿富汗、印度、巴基斯坦和尼日利亚传播。此外，一些周边国家，如安哥拉、乍得和苏丹，都经历过外来病例把病毒传染给当地居民的情况。世界卫生组织在这些国家制订了更深入和严格的疫苗计划，并希望该病毒会很快被灭绝。

然而还有一些需要被思考的重要问题。口服活疫苗是将疫苗传播给其他人，因此不能被用于完全消灭病毒本身。此外，这种通常是无害的疫苗病毒偶尔能恢复到原株，并导致小儿麻痹症。虽然这类与疫苗相关的脊髓灰质炎是非常罕见的，发生率大约是200万分之一，但它导致的病例却在应用脊髓灰质炎疫苗来预防脊髓灰质炎病毒传播的国家中占了大多数。由于这些原因，许多国家现在使用灭活疫苗，在彻底根除脊髓灰质炎病毒的目标实现之前，这一政策可能将不得不在全球范围内施行。

对页左图

活的（但减毒的）脊髓灰质炎疫苗的剂量传统上是通过一枚糖丸给予，它可以直接放入口中。这是由阿尔伯特·萨宾在1962年开发和授权的，它提供了一种替代乔纳斯·沙克的灭活的注射疫苗。

对页右图

1954年的海报。20世纪60年代的慈善形式更加多样化，因为疫苗接种计划已大大减少了脊髓灰质炎的发病率。

下图

1955年，美国波士顿的海因斯纪念医院。在脊髓灰质炎疫情中，铁肺（机械通气）能保证患者存活直到患者的呼吸肌恢复功能。气泵改变胸腔的压力以模仿胸腔和膈肌的自然运动。

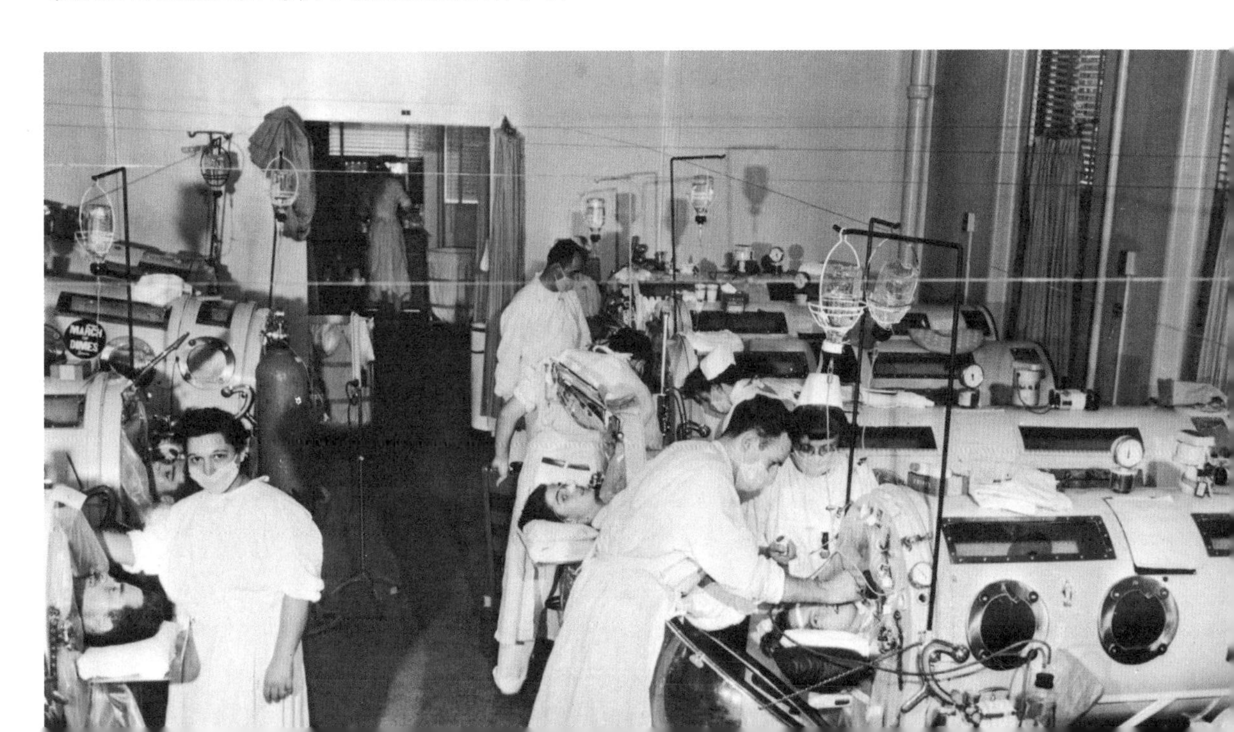

42. 艾滋病
一个鲜明的提醒

迈克尔·阿德勒（Michael Adler）

艾滋病继续挑战我们的一切努力。今天，每两个人开始接受抗逆转病毒药物的时候，另外五个新感染病例就出现了。

——联合国艾滋病规划署，2007年年度报告——艾滋病流行最新情况

在20世纪80年代初，以前未知的疾病控制了全世界的想象力。艾滋病已经成为一个具有深刻的社会和经济影响的全球性的流行病，尤其是在发展中国家。

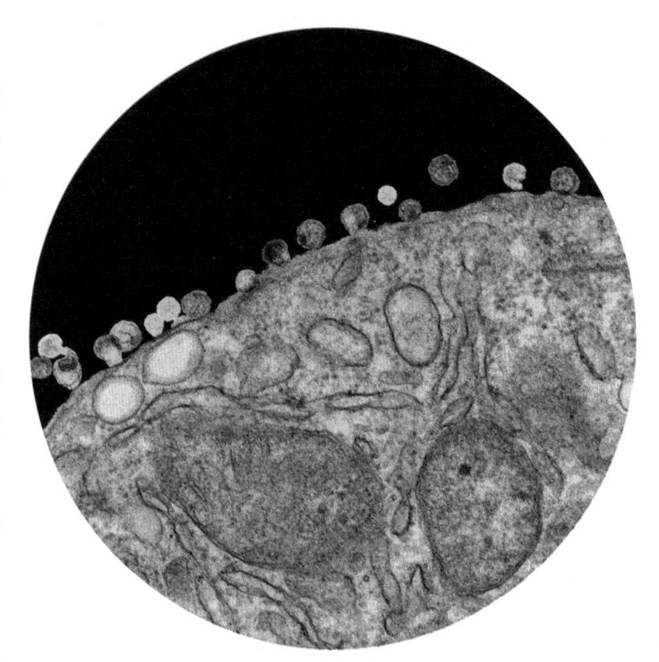

第一例确诊的病例

1981年，美国的两份报告出现了一种非常罕见的肺炎病例（卡氏肺囊虫肺炎，或PCP）和同样罕见的肿瘤（卡波济氏肉瘤）。这些病例都发生在年轻的免疫功能低下的同性恋者身上，随后被描述为获得性免疫缺陷综合征（AIDS）。第一个英国的病例也出现在1981年。病原体是人类免疫缺陷病毒（HIV），它于1983年被在巴黎的吕克·蒙塔尼领导的巴斯德研究所发现并分离。几乎在同一时间，罗伯特·加洛领导的美国国家癌症研究所也得到了同样的结果。重大突破来自于1984年抗体检测的发展，这项技术能识别受感染的人，帮助理解病毒传播动力学和人口患病率。

卡波济氏肉瘤是与HIV感染有关的第一种肿瘤。淋巴瘤也发生在脑部、胃肠道、肝、骨，还有的感染个体中也会额外出现霍奇金淋巴瘤和肛门癌。而随着PCP相关的认识逐渐清晰，人们后来意识到大量的其他传染病也可发生于免疫力低下的个体，特别是在胸部、大脑和胃肠道。

传播

该病毒主要是通过性传播，艾滋病病毒在精液和宫颈分泌物中被分离出来。性交是通过肛门还是阴道都是不重要的。该病毒也从血液、脑脊髓液、泪液、唾液、尿液和乳汁中分离出来。病毒载量必须很高（如血液、精液和宫颈分泌物）才能成功传输，因此这些液体不都是感染源。在疫情初期，疾病通常是通过使用污染或感染了的血液和血液制品（如血友病患者的Ⅷ因子）传播。其他的传播方式如通过捐赠的器官、共享或重复使用污染的针头、母婴（在子宫内，可能在出生时以及母乳喂养）都能导致艾滋病的发生。

最初，人们对艾滋病毒是传染的这一事实非常关注。然而，没有证据证明艾滋病病毒能通过偶然或社交接触传播，但也有通过针头意外伤害，皮肤或眼睛接触受感染的血液或体液而感染的医护人员案例。

对页上图

人类免疫缺陷病毒（HIV）的颗粒（蓝色）在T细胞（一种淋巴细胞）的表面萌芽。病毒在细胞内复制，不同的物质聚集在细胞膜表面集合成新的病毒颗粒。

对页下图

弗朗索瓦丝·巴尔-西诺西与吕克·蒙塔尼一起荣获2008年诺贝尔生理和医学奖，她在1983年发现人类免疫缺陷病毒（HIV）导致了艾滋病的发生。

下图

虽然在艾滋病病毒被发现时，社会上对其有尖刻的评论，罗伯特·加洛（左二）和吕克·蒙塔尼（右）后来一起工作和奋战，图为1999年的巴黎之聚。

一个惊人的流行病

艾滋病病毒感染目前分布于全球范围内，但重点是在发展中/资源贫乏的国家。联合国艾滋病规划署（UNAIDS）估计，3 340万的人都感染了艾滋病病毒/艾滋病（3 130万

成年人和210万15岁以下儿童）。目前，每年新的感染病例的数量不到300万，每天约有5 500例发生。95%的HIV感染病例发生在发展中国家——重灾区位于撒哈拉以南和亚洲的东南亚地区。全球超过65%的感染艾滋病毒的成人和儿童生活在非洲撒哈拉以南地区，而该地区三分之二的艾滋病病毒感染者是女性。新感染病例中的45%发生在15~24岁的年轻人身上。

在发达国家，以英国为例，病例数量每年增加。然而，自20世纪80年代初疫情性质发生了很大变化。男人与男人发生性关系（MSM）中确诊的HIV感染病例，在1985年达到高峰随后趋于稳定。与此相反，异性恋中新诊断的艾滋病例在1996~2005年迅速增加5倍，大部分病例发生在英国以外，主要是在非洲。吸毒者共用针具是一个重要的驱动因素，但针具交换计划的早期发展基本上是削灭了这个诱因。

影响、预防和治疗

艾滋病疫情已在发展中国家产生重大影响。预期寿命已经缩短，特别是在这些国家的成年人拥有超过10%的患病率。到2015年肯尼亚、津巴布韦、南非、赞比亚和卢旺达面临可能减少超过15年预期寿命的前景，这会对他们的社会经济发展产生深远的影响。传统的家庭结构和扩展型家庭正面临越来越大的压力，孤儿的数量也越来越多。经常发生的情况是双亲已经因艾滋病去世，留下一个年幼的孩子作为经济支柱，其唯一的收入形式可能是性交易。

预防胜于治疗，并应该在一个人初次性接触之前尽早开始良好的性教育。以下措施能减少艾滋病毒感染的风险：使用避孕套进行一切具有渗透形式的性交；减少性交伙伴的数量；采取安全的性行为；推迟首次性行为的年龄；并定期筛查和检测艾滋病毒和性传播感染。

主要治疗进展发生在1987年，随着齐多夫定（AZT，抗逆转病毒药物）的开

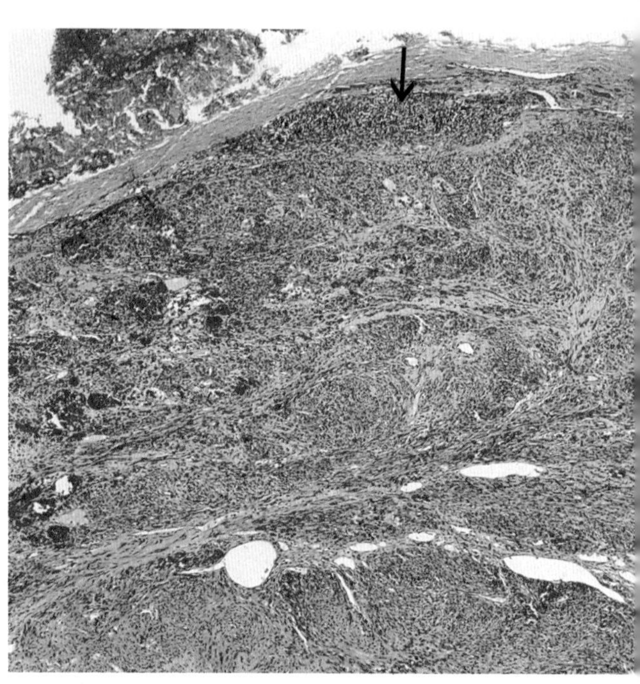

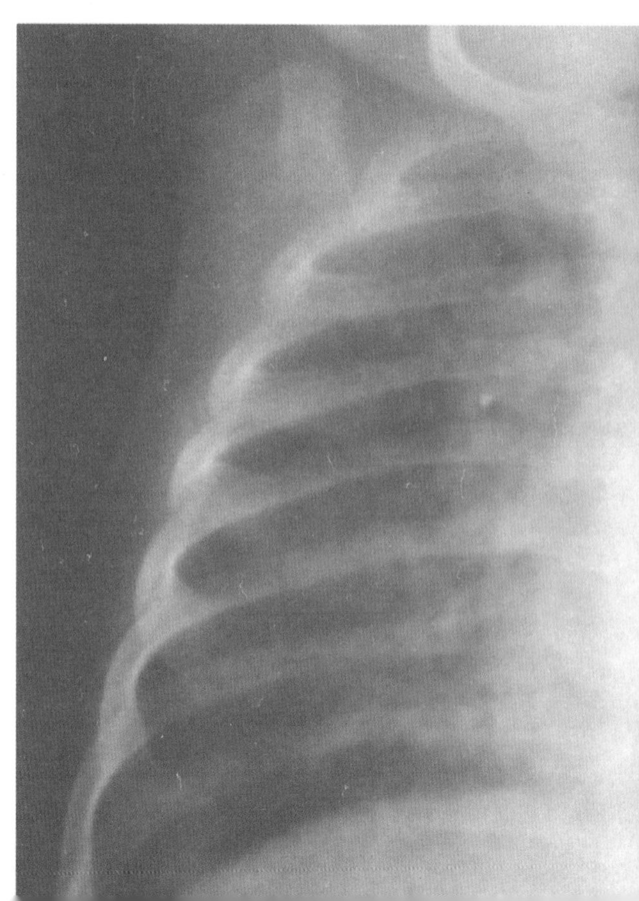

发，1996年，科学家提出综合疗法。感染疗法对感染个体的预期寿命有非常深远的影响。抗逆转病毒药物抑制病毒的复制，从而使免疫系统能够修复。真正的挑战在于发展中国家获得抗逆转病毒的治疗受到限制。一些机构，如联合国艾滋病规划署，世界卫生组织，艾滋病救济（PEPFAR）总署，盖茨基金会，全球抗击艾滋病、结核病和疟疾基金都试图解决这个问题。目前，发展中国家60%需要治疗的感染个体没有获得治疗。每两个人开始服用抗逆转病毒药物时，另外五个新感染病例就会出现。寻找潜在的新疫苗的研究正在继续。

尽管艾滋病病毒的最终起源尚不完全清楚，人类病毒的成分与影响黑猩猩的病毒相类似。大多数科学家认为，很多年前在非洲，人类意外感染的这种病毒可能是目前流行的原因。20世纪50年代去世的病人的组织样品中含有病毒的证据，可能是蛰伏了数年后才被普遍传播。

艾滋病病毒已导致了全球人类的苦难，并且这是一个重大的健康问题，仅仅认为这是一个医学问题将是错误的。

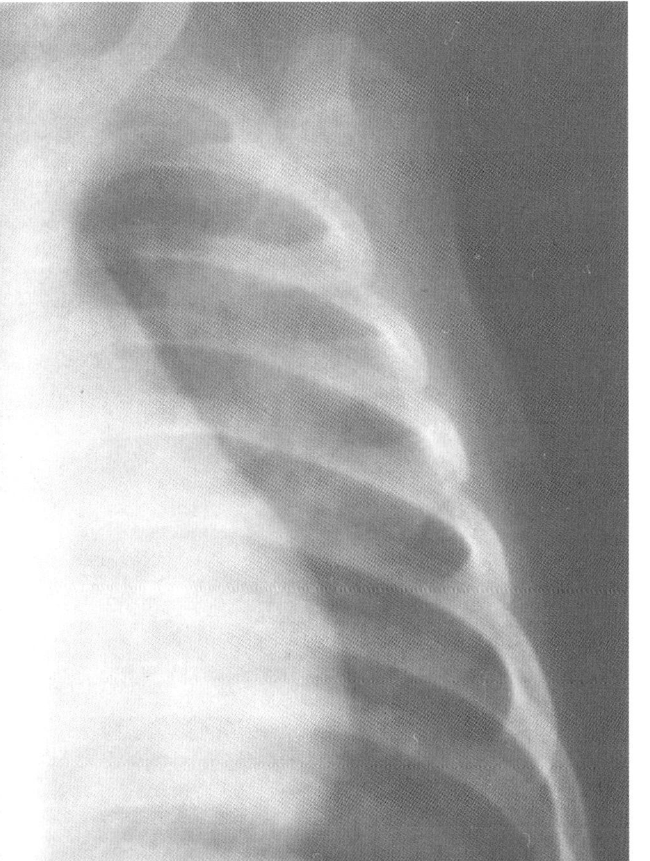

对页上图

卡波西氏肉瘤：一个HIV阳性的非洲儿童的淋巴结活检。顶部（箭头指向）是淋巴组织的一小周边，但淋巴结的大部分现在是肿瘤组织。

上图

“隐瞒自己的病情的人不能指望被治愈。”埃塞俄比亚的谚语被用在这个公共健康的海报上试图鼓励那些可能有HIV感染危险的人进行测试，必要时进行治疗。

左图

感染艾滋病毒和氏肺囊虫肺炎（PCP）的婴儿的X射线片。

第五章

“能治所有病的药”

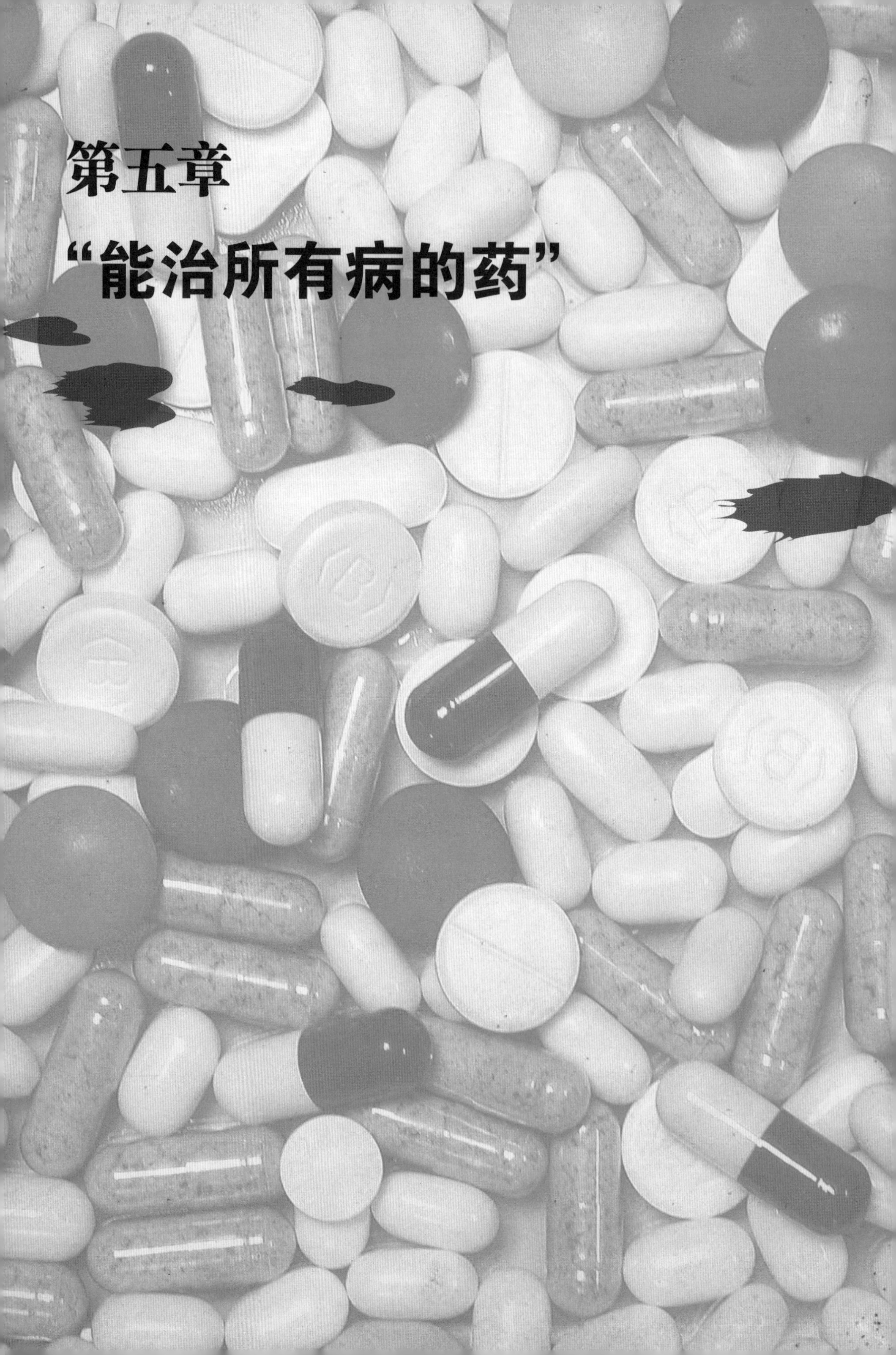

我们今天吃的药，几乎都是最近才研发出来的。药理学转变了医生调节人体的方法，使身体维持正常功能，提高我们生存的概率，并且，偶尔还能治愈我们的病痛。

有些古老的药方至今还在使用。作为止痛药和致幻剂，鸦片制剂的历史非常悠久；奎宁在17世纪时从南美引入欧洲。早在1785年，威廉·威瑟灵（William Withering）证明洋地黄对于心脏疾病非常有用之前，洋地黄就已被作为药用了。这些古代药物有个共同点：它们都来源于植物。根据现代科学标准，植物药的活性成分必须经提纯并检验才能用于人体。即使如此，植物仍然是药物的一个重要来源。完成实验室的实验和动物试验后，新药必须通过一系列严格而昂贵的临床试验来验证它们的安全性和有效性；如果这个步骤没有严格执行，就有可能发生类似抗早孕反应药“反应停”引起的先天畸形的灾难。

还有其他多种药物都有类似的来源：从霉斑中提取的青霉素；现代第一种口服避孕药是从墨西哥薯蓣中提取的；就连目前处方量最大的药物之一——降胆固醇药斯达汀，也是从真菌提取而来。所有的例子中，活性成分最终都被分离出来，以便更进一步的研究，然后经化学处提高药效，使其更方便服用，或减少副作用。现代药理学研究都分为类似的系统性研究和对原始组成成分的小幅修饰，并由此获得专利（以及利润）。

今天的药理学科研人员希望了解药物的化学结构和发挥作用的分子机制。给哮喘的治疗带来变革的支气管扩张剂万托林，广泛应用于治疗多种心脏病的β受体阻滞剂，都能在生理学关于控制身体特定机能的神经系统的复杂理论中找到原理。β受体阻滞剂是典型的“设计药”，它在分子层面的机制和它被设计的机制完全一样。与β受体阻滞剂相反，许多改革了现代精神病治疗方法的药物都是偶然的发现。大多数减轻精神分裂症发作症状和其他主要精神障碍的药物，使神经官能症患者减轻焦虑的药物，哪怕仅仅是帮助患者面对生活的药物，都有副作用和/或成瘾性，这些药物都已被广泛开具并被大量使用。抗抑郁药对于那些“忧郁的一代”来说非常重要，这也是药物对现代生活核心影响的又一鲜活例证。

医生拥有不断增多的作用强大的药物可以使用，而这些药物既是现代医疗保健工作的成果，也是代价。

片剂和胶囊是口服药的常见剂型。药片——一种很小的扁平物体——是将粉状药物压缩成固体，16世纪末开始在制药中使用。胶囊——小的容器——19世纪起开始使用，将难以下咽的药物装入明胶做的外壳中以方便服用。

43. 鸦片

快感和痛苦

弗吉尼亚·贝里奇（Virginia Berridge）

罂粟、曼陀罗或世上一切使人昏迷的药草，都无法使你得到那样的酣眠。

——威廉·莎士比亚（William Shakespeare），《奥赛罗》，第三幕第五场

历史上，鸦片及其制品一直占据了医疗实践和自我治疗的中心地位。这种物质在世界贸易中也扮演了重要角色，今天国际政策中对鸦片及其衍生品的管控体现了精神药物管理的窘境，不论是合法使用还是非法使用。

古老的开始

鸦片是一种褐色的树脂状物质，切开罂粟的果皮，流出的汁液干燥后得到。罂粟，学名*Papaver somniferum*，远古时期开始就在中东广为流传。这种药物的止疼和镇静作用许多世纪以前就已被熟知。公元前4 000年，苏美尔人的文字中就已提到了罂粟的汁液。至少在公元前2世纪，埃及和波斯的医生就开始使用鸦片。罗马医学里经常出现鸦片，阿拉伯医生们也广泛使用鸦片。

鸦片在欧洲开始流行于16世纪，得益于对盖伦（Galen，公元129～216）这一重要权威的肯定，他曾推荐使用鸦片。瑞士医生帕拉塞尔苏斯（Paracelsus，公元1493～1541）质疑过盖伦，但他还是认可了鸦片的价值；他将其与酒精混合制成鸦片酊，用以减轻疼痛。

鸦片未成熟的果皮。花瓣凋落后中心种荚开始膨大。鸦片就是从未成熟的心皮中流出的树胶样汁液中提取出来的。

进口，出口

鸦片曾是重要的贸易商品。在以前的

中国，吸食鸦片最初是和吸食烟草一起进行的，但逐渐人们开始单独吸食鸦片，并在社会上广泛流行。除了数量可观的国产制品，鸦片也通过贸易进口。

英国进口了大量中国货物，而其解决由此带来的收支逆差的办法就是从印度向清朝政府出口鸦片。英国商人主导着市场，但美国人也参与其中。两次鸦片战争（1839~1842，1856~1860）中，英国以武力阻止中国禁止贸易的尝试，迫使进口印度鸦片成为合法。鸦片交易量直到19世纪结束都一路飙升，之后开始下降，在20世纪初终止。

扩大的应用和相应的措施

英国和其他西方国家在19世纪对鸦片的需求同样大量增加。大多数人缺少获得正

鸦片酒，也叫鸦片酊，是将鸦片溶于酒精而成。它在19世纪（这些药瓶的年代）曾被广泛用作止痛药；注意其中一个瓶子上写着毒药。

规医疗的渠道，而鸦片作为“能治所有病的药”和止痛的强效良方已名声在外，使得鸦片在正规医疗和自我治疗中都占据了中心地位。药店有多种鸦片制剂可供选购——片剂、敷贴、鸦片酊——还有不断增加的专利和商业医药。像戈弗雷（Godfrey）氏香酒或科利斯·布朗（Collis Browne）的利眠宁这些产品都曾被用作多种疾病的自我治疗。

新的药剂学发现强化了鸦片的美名并增加了它在医药上的用量。从弗里德里希·塞图尔纳（Friedrich Sertürner，公元1785～1841）1806年发现吗啡（名字来自摩耳甫斯，希腊神话中的睡梦之神）开始，提纯鸦片中的生物碱，探究其作用原理就在不断进行中。1832年可待因发现。拜耳（Bayer）公司在1898年开始销售海洛因。从19世纪50年代开始应用的皮下注射，为使用这些药物提供了一种起效更快的用药方法，并且最初还被认为比“老办法”口服要更安全。这种新型鸦片制剂风险更小的说法同样广为传播。

19世纪末开始，鸦片在医疗实践中不再那么重要。在英国和美国，关于“习惯性”（迟发，成瘾）的新理论被提出。最初是用来阐述酒精成瘾的机制，其中也包含了液体鸦片制剂，概述了使用它们的问题和危险。与宣传戒酒的组织类似，反鸦片团体如英国抵制鸦片贸易协会，开始登上国际舞台。

反鸦片运动重点关注印度和中国的鸦片贸易。而美国因为道德因素、对贸易的渴求、扩大美国商业利润的冲动，以及加强在远东的政治霸权等原因，鼓励反鸦片运动。1909~1914年，通过在上海和海牙签订的一系列条约，国际间达成了协议。第一次世界大战后的和平协定建立了一个由国际联盟领导的全面可行的国际管控系统。

随后各国采纳了各自的方案。美国20

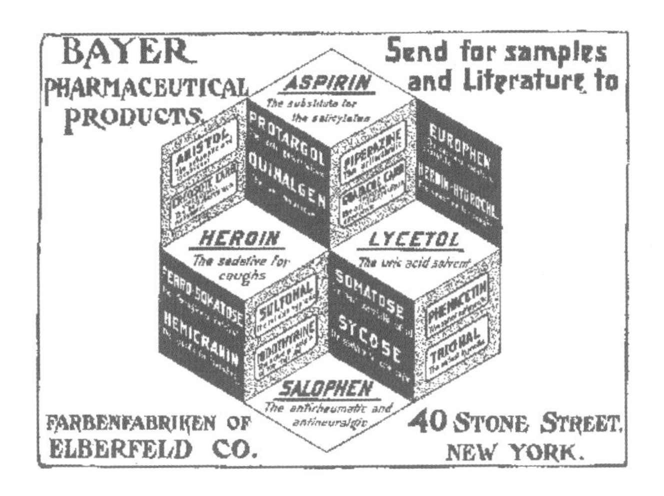

上页

19世纪的中国的一个鸦片馆。左边的人手里拿着一根鸦片枪（鸦片被吸入之前在这里汽化），而右边的人可能正将鸦片用作鼻烟。两人中间放着一盏鸦片烟灯，它可以加热烟枪的烟锅从而产生那醉人的蒸汽。

上图（左侧）

20世纪来临时，拜耳将二乙酰吗啡以海洛因的商品名上市销售，它被用作止咳药，是吗啡的一种不会成瘾的替代品。

上图（右侧）

一种由氯仿和吗啡混合而成的复方酊剂，大约在1881年由宝威公司（Burroughs Wellcome）生产。这种复方药可以止咳，缓解绞痛，减轻酒精成瘾造成的震颤，以及诱发睡眠。

世纪20年代禁止了成瘾者在医学监护下（戒毒护理）继续使用毒品的做法，到20世纪70年代毒品成瘾被列为犯罪：强制戒毒成为常规。在英国，医务人员大力支持戒毒护理疗法。这种“英国方案”只适用于付得起治疗费的成瘾者：总体框架还是入罪并加大惩罚。早期殖民地通过收税、许可证、“种植园”或垄断建立起的鸦片交易规则和制度被大家抛弃了。

第二次世界大战之后，新建立的联合国接过领导权，而美国实际获得了主导地位，开始树立典型并惩罚之。然而，非法的国际市场正在兴盛，鸦片产地和贸易路线随着政治环境不断改变。20世纪80年代，HIV/艾滋病出现在注射吸毒的人群中，这造成的窘境后来在一些国家得到解决。英国采用了以美沙酮（一种合成鸦片制剂）进行戒毒护理的方案，这个方案能减少痛苦，同时提倡更换针头。英国的政策直到2010年都在严格执行。21世纪初，鸦片仍然是国内和国际政策制定过程中的重要议题。

44. 奎宁

向盯咬宣战

蒂利·坦西（Tilli Tansey）

金鸡纳树给医学带来的革命与火药给战争带来的革命同样深刻。

——贝尔纳迪诺·拉马齐尼（Bernardino Ramazzini），1717

奎宁是一种从原产于南美洲的金鸡纳树树皮中提取的天然药物。虽然现在很少作为药用，但直到20世纪中叶，奎宁作为治疗疟疾的药物一直使用了近400年。

将金鸡纳树树皮磨成粉再煎煮着喝，秘鲁和玻利维亚的原住民以这样的方法治疗各种原因的发热，其中就包括了现在我们称之为疟疾的疾病。1742年，瑞典植物学家卡尔·林奈（Carl Linnaeus，公元1707～1778）首先将这种树命名为金鸡纳树（*Cinchona*），可能是为了纪念女伯爵钦琼（Countess of Chinchón），她是一位秘鲁总督的妻子，传说她就是被某种树皮的浸出液治好了发热。17世纪时，耶稣会的传教士记录下了当地人对这种树皮的使用及效果，这种树皮也被叫做奎纳皮（*quinquina*），意思是“树皮的怒吼”①。传教士们将这种药方带回欧洲，并用在医疗实践中。此后这种树皮被定期运往欧洲，不过这种疗法并没有被所有人接受，在信仰新教的英格兰，人们认为它是“天主教的药方”而对其持怀疑态度。

研究化学，出售产品

19世纪刚开始时，一名葡萄牙外科医生贝尔纳迪诺·戈麦斯（Bernardino Gomez）尝试分离树皮中起治疗作用的成分，或者叫活性成分。他得到了一种物种的结晶，他称其为“辛可宁”。这种物质没有树皮浸出液的苦味，由于他没能完全验证它具有树皮的相同效果，所以他怀疑还有其他关键成分。1820年，两名法国化学家，皮埃尔·

① 原文是bark of barks。bark一词既有“树皮”的意思，也有“吠叫”和“大声喊出”的意思。——译注

上页

金鸡纳树（Cinchona officinalis）的花和心皮，它的树皮可产出奎宁：第一种特效抗疟药。秘鲁和玻利维亚原住民长期以来使用它治疗发热，17世纪奎宁被引进欧洲。

左图

欧内斯特·博德（Earnest Board，20世纪初）描绘了1820年法国人约瑟夫·别奈梅·卡文图和皮埃尔·约瑟夫·佩尔蒂埃分离金鸡纳树树皮中的高活性生物碱的情形，后来他们将其命名为奎宁。

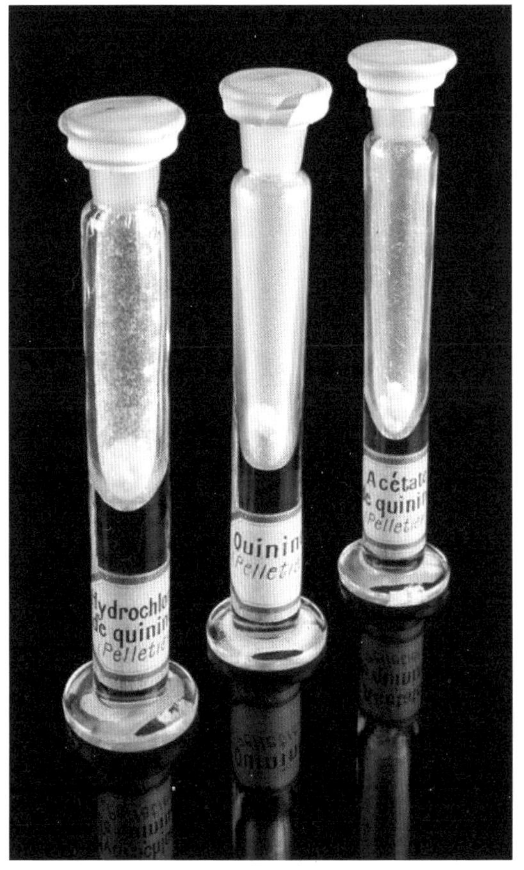

下图

19世纪初至19世纪中叶最早的样品，盐酸奎宁（左）、奎宁（中）和醋酸奎宁（右）。这种味苦的粉末可以用来治疗发热性疾病，至于苦味，混合着开胃酒一起喝就好了。

约瑟夫·佩尔蒂埃（Pierre Joseph Pelletier，公元1788～1842）和约瑟夫·别奈梅·卡文图（Joseph Bienaimé Caventou，公元1795～1887）重复了戈麦斯的工作，进而分离出了一种更强效的生物碱，他们将其命名为奎宁。它便是第一个有效治疗疟疾的药物。完成他们的研究工作后，佩尔蒂埃和卡文图鼓励使用纯制剂，取代整株植物入药，这给临床治疗带来了显著改变。他们的发现立即导致了对奎宁的大量需求，到了1826年，佩尔蒂埃的工厂处理了150 000多千克的金鸡纳树树皮。

对奎宁的需求持续增加，引发了对南美金鸡纳树森林资源能否持续利用的关注，特别是那些处于欧洲殖民者势力范围内的森林。秘鲁当局试图以维持垄断的手段将外国人从秘鲁的森林中赶出去。不过在1860年，英国政府发起了一系列考察活动，寻找能移植到印度的树种。加尔各答、马德拉斯和孟买都建立了金鸡纳委员会来鉴别每种树中化学物质的组成，以找到治疗疟疾最有效的组合。荷兰人也同样在他们东印度群岛的殖民地上种植不同品种的金鸡纳树进行实验，特别是在印度尼西亚的爪哇，查尔斯·莱杰（Charles Ledger），这名生活在秘鲁的英国人提供的种子最终在那里获得了巨大成功。荷兰的金鸡纳树林有效打破了秘鲁的垄断，并建立起自己的垄断体系。直到第二次世界大战，荷兰都垄断了全球85%~95%的奎宁生产。

整个19世纪，奎宁的需求量一直在增长，到了1880年它已成为治疗发热最常用的处方药。许多公司都效仿佩尔蒂埃（以及他制取奎宁的方法，他已将此法公开发表）生产销售奎宁。在这其中，有英国的制药企业：宝威公司。出生于美国的亨利·韦尔科姆（Henry Wellcome，公元1853~1936）在厄瓜多尔以寻找金鸡纳树开始了他的制药业生涯，而奎宁制剂则是公司首批生产并销往全球的产品之一。奎宁是公司出差人员药箱中重要的一员，英国和外国军队、传教士、种植园主之间的大额合同也促成了宝威公司的成功。1916年，时值第一次世界大战，他们向军队发售了超过21吨（近6 500万剂）的奎宁用于治疗疟疾。不过，奎宁并不仅仅用于治疗疟疾；例如20世纪20年代至30年代，荷兰的“促进奎宁应用局”就批准了奎宁在治疗急性腰痛、听力下降、心脏疾病甚至局部麻醉这些多方面的用途。

寄生虫学的问题

找到了疟疾的元凶，即原生动物疟原虫之后，针对奎宁作用机制的研究开始发展起来。研究发现，奎宁可以感染疟原虫的生殖周期并使虫体裂解。人们为人工合成奎宁和开发新的抗疟药物做了许多尝试，但直到1942年日本入侵荷属东印度群岛并切断了对盟军的奎宁供应链后，这些研究才真正认真地开展起来。1934年首次合成的氯喹，在

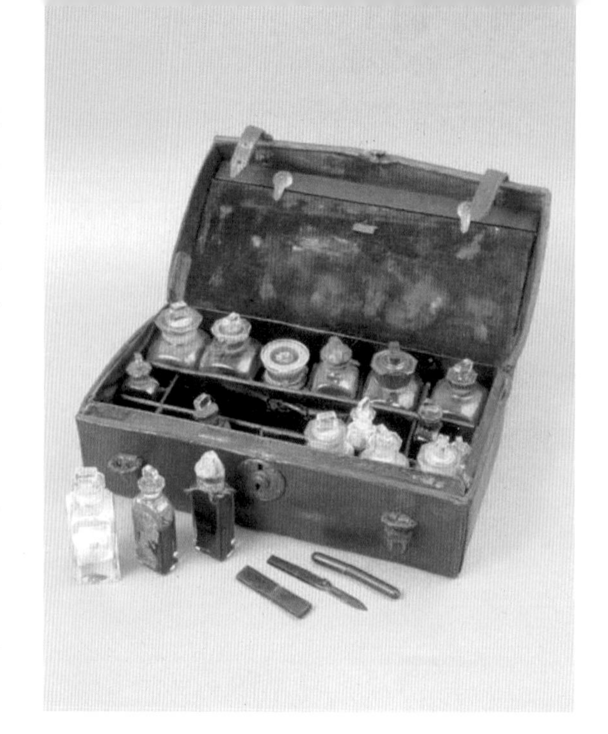

探险家、传教士戴维·利文斯通（David Livingstone，公元1813~1873）最后一次深入非洲腹地探险时带的药箱。利文斯通很乐意带上奎宁，他是用奎宁抗疟的倡导者，奎宁与泻根、大黄、甘汞和豆蔻酊混合而成的药片“唤醒片”治好了利文斯通许多发热的同伴。

1944年开始在军队中用于预防疟疾，并在第二次世界大战结束后为平民使用。

20世纪70年代麦帕克林和甲氟喹被成功合成，40年后马拉隆研制成功。然而，随着寄生虫耐药性的提升，这些药物的作用都在减弱。20世纪的最后10年，从中国古方中提取的青蒿素，它也是一种来源于植物的现代药物，开始在全球范围使用，不过它仍然要和其他药物联合使用（ACT，即artemisinin combination therapy，青蒿素联合疗法）以预防耐药性的产生。

目前奎宁的治疗地位正在下降，不过它仍会用于治疗某些耐药病例。饮料中也会加入少量奎宁——为了它独特的苦味，而不是抗疟作用。

在爪哇，金鸡纳（*Cinchona ledgerina*）被嫁接到鸡纳树（*Cinchona succirubra*）上。金鸡纳的这两个种属奎宁产量最高。荷兰人在东印度群岛建立了种植园，最终取得了全球奎宁供应的主导地位，直到1942年日本入侵。

45.

洋地黄

心脏补药

威廉·拜纳姆（William Bynum）

没有哪种草药比洋地黄更有活性了。

——威廉·威瑟灵（William Withering），1785

将洋地黄（digitalis）入药是18世纪医药学的一次胜利。它的名字来自于紫色的毛地黄（*Digitalis purpurea*），这是一种森林里常见的美丽花朵，洋地黄就从中提取而来。洋地黄这味来源于植物的重要药物，原是民间医学的土方，早期医学记录里称其毒性太大不能使用。1775年，威廉·威瑟灵（William Withering，公元1741～1799），这位杰出的医生和植物学家，了解到英格兰西部的什罗普郡有一位老媪能用从植物中提取的混合物治疗浮肿。他对这种混合物进行了检验，发现有效成分正是洋地黄。1785年他发表了关于洋地黄在治疗浮肿方面的论文。

浮肿（现在称之为水肿）是指液体在体内过多聚集。现在的医生们将其视为诸如心脏病或肝硬化等疾病的一种征象。威瑟灵和他那个时代的人认为水肿本身就是一种疾病，但他也发现了经洋地黄治疗后只有部分病人能够好转，他认为这和肾脏有密切关系。他也注意到洋地黄对心率的影响，并记录下了病人用药过量时的表现。威瑟灵整理了如何处理植株叶片以作药用的说明。

威瑟灵的治疗鼓励了其他医生使用洋地黄，洋地黄

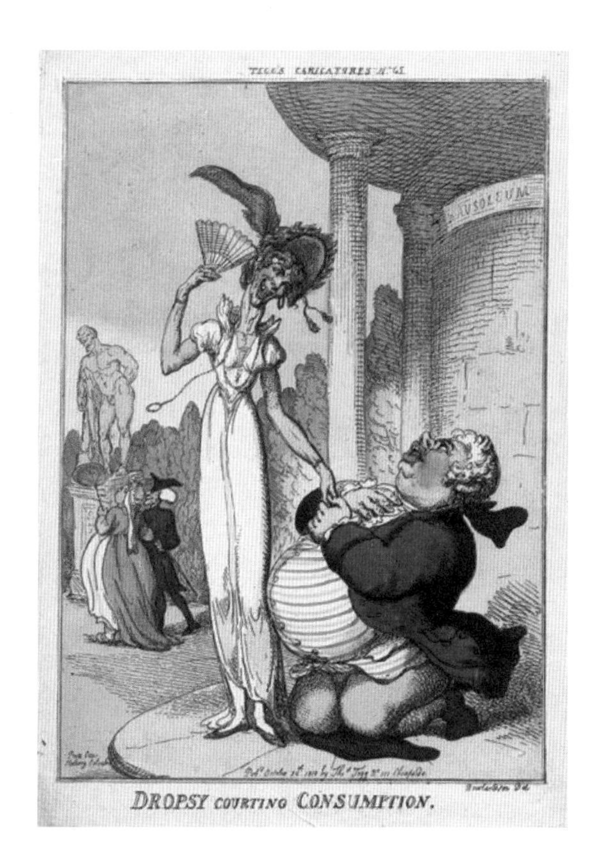

上页左图

威廉·威瑟灵，18世纪医生，将民间医学土方中的洋地黄改变成为药典中的重要一员。

上页右图

紫色的毛地黄，学名*Digitalis purpurea*。过量的活性物质洋地黄皂苷（存在于叶、花和种子中）可导致心率过低、心脏骤停和猝死，而正确的剂量可以减轻水肿（体液潴留）、增加尿量及增强心功能。

左图

“水肿向消瘦求婚”，托马斯·罗兰森（Thomas Rowlandson）的一幅漫画（1810年），夸张地描绘了水肿患者过分膨胀的身体和消耗性疾病（结核）患者的消瘦。有些水肿性疾病能被洋地黄改善，但洋地黄并不是包治百病的药，如消瘦性疾病它就治不了。

下图

一瓶洋地黄酊（药物溶于酒精制成的溶液），这瓶是1901~1904年罗伯特·福尔肯·斯科特（Robert Falcon Scott）赴南极考察时药箱中所带的，由宝威公司提供。

成了一种重要药物。不过在19世纪，它也被用于治疗许多其他疾病——例如癫痫、结核病、精神错乱——其实洋地黄对于治疗这些疾病毫无用处。这是医学治疗中的一个常见现象：一种疾病的有效疗法常被不加选择地尝试用于治疗其他疾病（最近的例子是可的松和青霉素，在发现它们的早期狂热中曾被大量超范围使用）。因为洋地黄能引起严重的不良反应，不合理应用导致19世纪时许多医生直接放弃了对它的使用。

1900年前后，药物学家开始更仔细地研究洋地黄的作用。德国的卡尔·本茨（Karl Benz，公元1832~1912）和英国的阿瑟·卡什尼（Arthur Cushny，公元1866~1926）研究了洋地黄对心脏搏动的影响，揭示了它在控制心房纤颤方面的强大作用（心房纤颤是一种常见的心脏病，发病时心脏搏动失去规律）。许多心功能衰竭的病人都有这种让人痛苦的并发症，它也会导致液体在肺、腹部和下肢聚集（水肿）。洋地黄能控制不规则搏动，从而挽救正走向衰竭的心脏功能，并帮助身体排出多余的液体。到了1970年，洋地黄成为美国处方用药量第四大药物。

20世纪早期，心电图的发展为心衰病人的临床管理提供了难以估量的帮助；今天，心电图已成为各级医院里的常规仪器。现在的生理学家已经在细胞层面上搞明白了洋地黄的作用原理，它通过对某些关键化学物质产生影响而发挥作用，比如钙和钠，二者都是心脏正常生理活动的关键。

46.

青霉素

治疗之霉

罗伯特·巴德（Robert Bud）

人们不需要水晶球也能预言，就在这一代人的时间里，医学即将战胜并掌控所有人类的外部敌人。

——里奇·考尔德（Ritchie Calder），1958

1928年亚历山大·弗莱明在伦敦圣玛丽医院最先发现了青霉菌的抗菌特性。

20世纪30年代末，医学迎来了一场变革。曾经被视为痛苦之源的感染，曾经常常不可避免导向死亡的感染，曾经人人惧怕的感染，在不到十年的时间里变成了大家都知道可以治愈的疾病。最大的原因就是青霉素的发现。今天的我们都是这一史无前例的科学进步的获益者，同时也是那些宣传承诺治愈奇迹的受害者。

关于霉菌能有效治疗感染的传言可上溯千年，同时流传的还有它们微小、难以扩植的定论。然而在1928年，就职于伦敦圣玛丽医院医科学校的亚历山大·弗莱明（Alexander Fleming，公元1881~1955），对此做了观察，并认真跟进研究，最终发表了他的结论。正当他打算丢弃一块被青霉菌（*Penicillium*）污染的培养皿时，他发现培养皿其他地方生长旺盛的细菌，在入侵这种霉菌附近时要么完全无法生长要么死掉。继续研究这个现象后，他发现这种霉菌可以分泌少量黄色液体，能影响一些敏感菌株。弗莱明无法提纯这种黄色液体来分离活性物质。所以他在一篇论文中描述了他缜密的实验，并根据霉菌的名字将这种未提纯的液体命名青霉素。

提取和生产

直到20世纪30年代末才出现了更先进的技术。在牛津大学，德国生物化学家厄恩斯特·钱恩（Ernst Chain，公元1906~1979）发现了弗莱明关于青霉素的旧论文。因为无法科学地提取，他转而使用了新式的冻干法，剑桥就用这一方法获得血液制品。1940年3月，他成功制得了一种干燥的物质，不过仍然不够纯净。很快，他的一位同事诺曼·希特利（Norman Heatley，公元1911~2004）建议采用一种完全不同的方法来提取青霉素，即使其连续通过两种本身不会混合的溶剂。这两种方法的组合使用让药物的提取变为可能。1940年5月在8只老鼠身上的试验，显示这种化学物质确能挽救本以为必死的生命。

医学带来的希望和战争把青霉素从学术界的新玩意儿变成了对科学的风靡潮

上图

在把青霉素从培养皿中的实验发展为一种大量生产的药物的过程中，霍华德·弗洛里（Howard Florey，左）和厄恩斯特·钱恩（右）与亚历山大·弗莱明因为各自不同的贡献而共同分享了诺贝尔医学奖。因为最多只能3人分享奖项，诺曼·希特利所做的不可或缺的工作被忽略了。

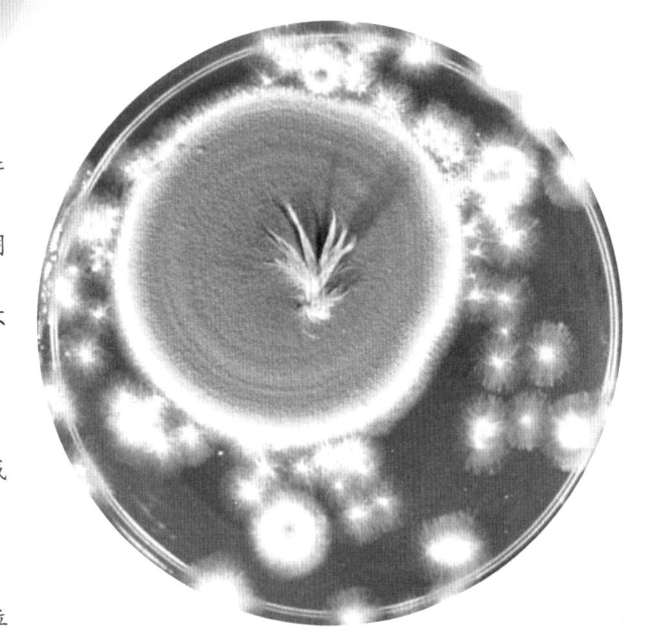

右图

特异青霉菌（*Penicillium notatum*）在培养皿中形成的菌斑。

下图

扫描电子显微镜展现青霉菌（*Penicillium*，来源于拉丁语*penicillus*）正在制造孢子链。青霉属的霉菌都是土壤真菌，喜冷，需含有机物的温和环境。

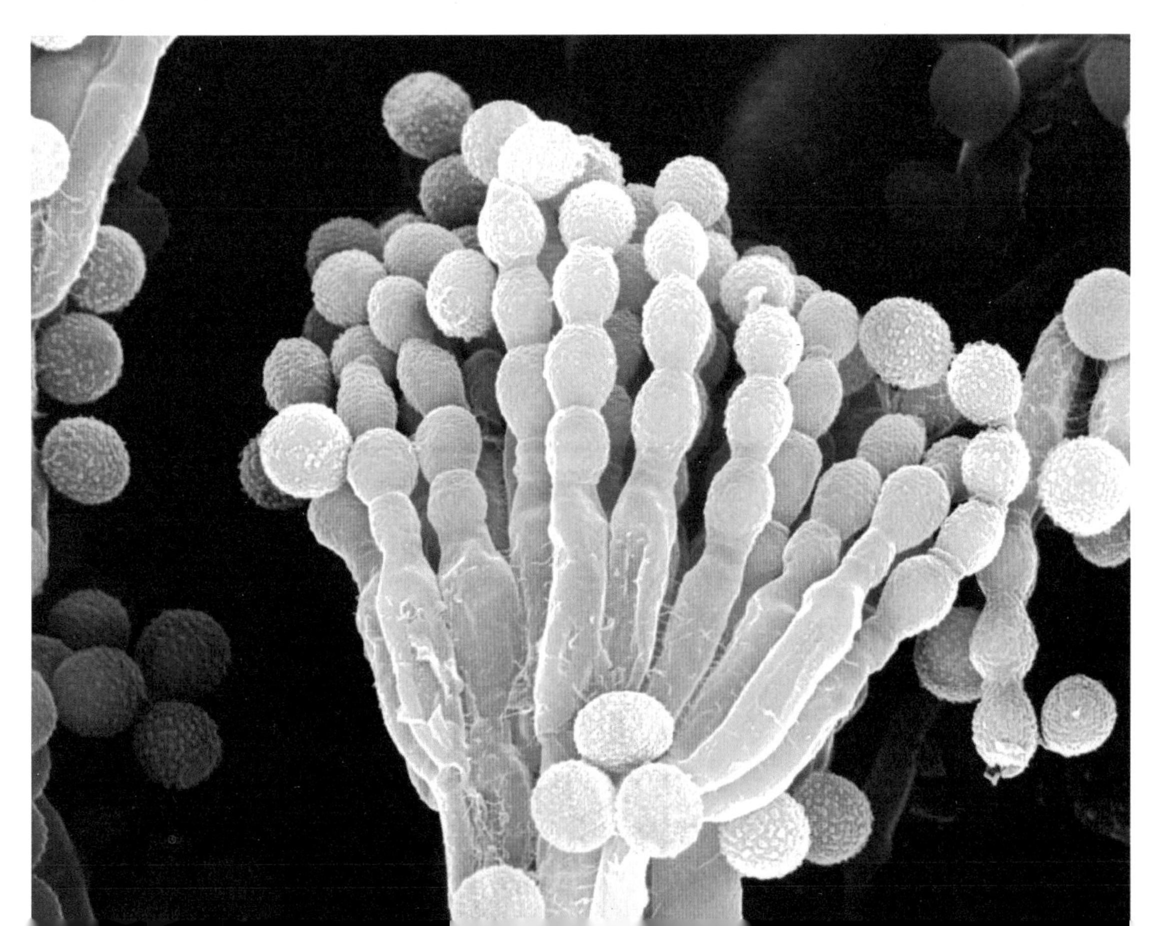

上图

诺曼·希特利解决了提取和提纯青霉素这一基本问题，他在技术上的足智多谋把这一多步骤的过程自动化，使用的都是各种随处可见的“设备”，如浴缸、汽油桶、饼干盒的盖子和牛奶搅拌器。

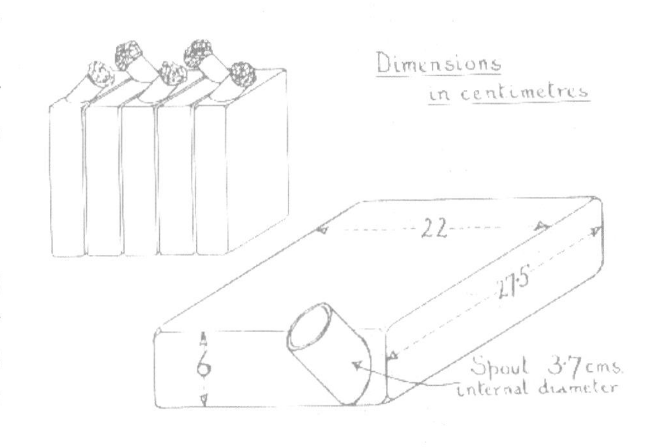

右图

希特利为陶制“便盆”所绘的草图，它们在牛津大学的杜恩病理学院被用来培育青霉菌。这间由6名“青霉素女孩”组成的临时工厂生产出了刚好足够进行人体试验的青霉素。

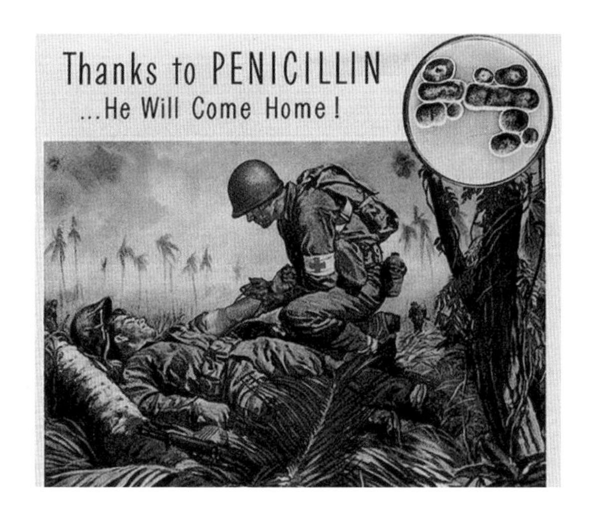

左图
诺曼底登陆时军队曾考虑到了将会需要足量的青霉素供给，以便利用这种强大的药物挽救在即将到来的战役中士兵们的肢体甚至是生命。

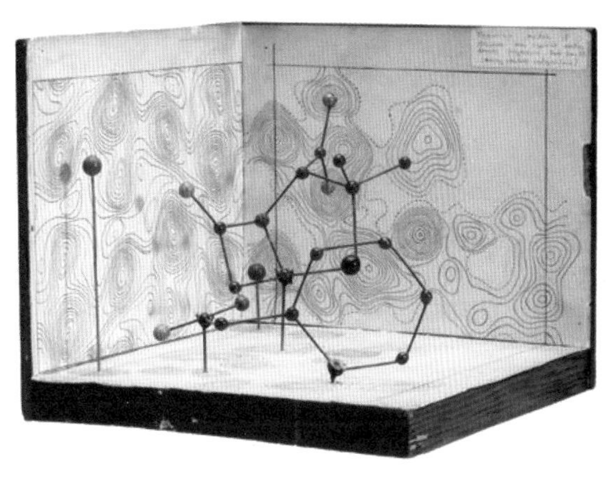

右图
多萝西·霍奇金（Dorothy Hodgkin）的青霉素分子模型。1944年制造出合适的青霉素晶体后，她于1945年在穿孔卡片计算机的帮助下确定了这一结构。这是计算机辅助X射线晶体学的最早成就之一。

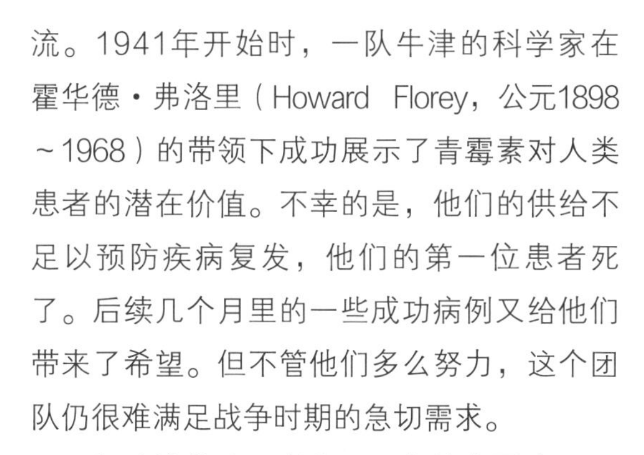

流。1941年开始时，一队牛津的科学家在霍华德·弗洛里（Howard Florey，公元1898～1968）的带领下成功展示了青霉素对人类患者的潜在价值。不幸的是，他们的供给不足以预防疾病复发，他们的第一位患者死了。后续几个月里的一些成功病例又给他们带来了希望。但不管他们多么努力，这个团队仍很难满足战争时期的急切需求。

每吨液体中只能提取2克的青霉素。一些公司生产霉菌液给他们用于提取，不过英国的生产商缺乏这方面的专家，而战争时期这样的基础研究又不是那么重要。为了给他们的实验获得更好的供给，弗洛里和希特利于1941年7月飞往美国。尽管美国人自己也要积极备战，不过他们仍立即积极组织了一场协调会。

农业部在印第安纳一个实验室的科学家听取了希特利的简介，讲述了如何在装有废弃玉米的大桶里，以气泡供应空气，并提供食物的情况下更有效地产出青霉素。一些当时规模还很小的公司，例如布鲁克林的辉瑞公司和新泽西的默克公司都聘请了大量工程和微生物方面的专家来把这种实验室里的新发现转变为工业化的产品。

之后的两年，英国和美国生产了足够量的青霉素，用来在大量的伤兵和平民身上进行试验，结果显示这确实是一种革命性的产品。治疗的成功为战争时期对神奇新药的宣传提供了证据支持。医生和报社老板都看出了宣传这样一种伟大成就对自己和对整个英国的益处。为了回应对英国缺少成功案例的批评和四处可见的美国的成功典型，他们编撰并广泛宣传着这么一则简单的消息：英国不久前发现了能够治愈梅毒、肺炎和坏疽的新药，此药就像盐水一样，没有任何副作用。

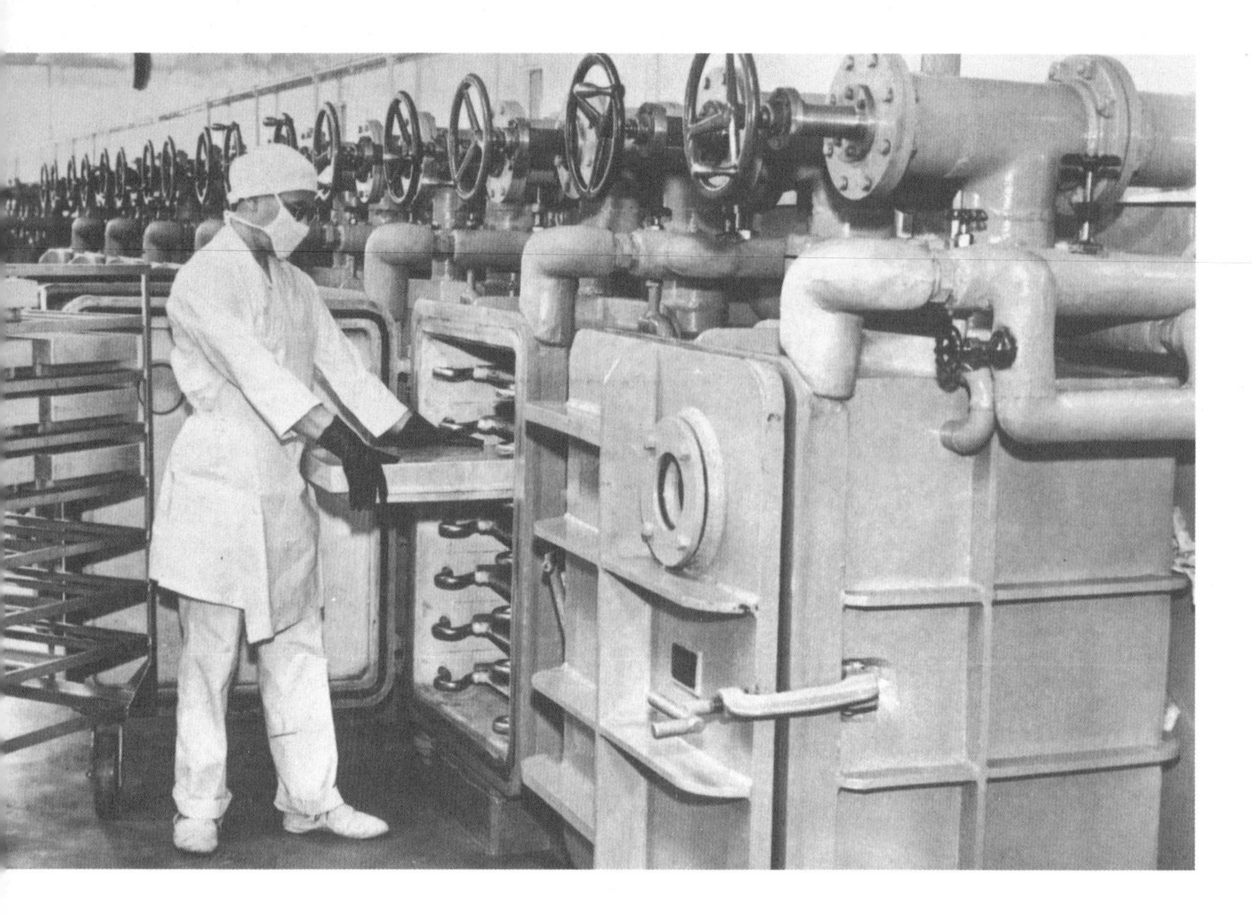

神奇新药

到了战争结束时，已经有足够的青霉素产量来满足先是美国、然后是英国，很快就是整个欧洲的需求。医生们急切地希望能够帮助病人，病人们也迫切地渴求获得这种神奇的新药。很少人去关心青霉素对普通感冒或流感这样的感染是否真的有效，以及基本的卫生观念是否随青霉素的使用削弱了。对于更加强大的天然药物的渴望，引起了一场寻找新抗生素的热潮，而四环素类药物和链霉素的投产又巩固了这种偏执。

但是，20世纪50年代，人们发现细菌甚至对最新的药物都产生了耐药性。这回，一种以青霉素为基础的新技术似乎又成了能解决一切麻烦的最终方案。即使有战争影响，仍有多种与青霉素化学结构相似的新药被发现。厄恩斯特·钱恩搬到罗马后组建了一支大型研究团队，致力于改良发酵技术并提高产量。比彻姆医药公司派来的两名年轻的研究员在钱恩的实验室里锻炼了自己的能力，返回比彻姆后，他们很快发现自己无意间发现了所有青霉素类药物的共有内核。现在他们可以很容易地对青霉素进行修饰，而不再需要依靠天然发现。20世纪60年代，能杀灭曾令人束手无策的金黄色葡萄球菌（*Staphylococcus aureus*）的甲氧西林研制成功并被迅速推向市场。

其他制造新型青霉素的方法很快发展了起来，氨苄西林和阿莫西林这些我们今天所熟知的产品被成功研制出，它们也开始被广泛使用。同样地，细菌也开始对甲氧西林产生耐药性——耐甲氧西林的金黄色葡萄球菌（MRSA）很快被人们发现，不过直到20世

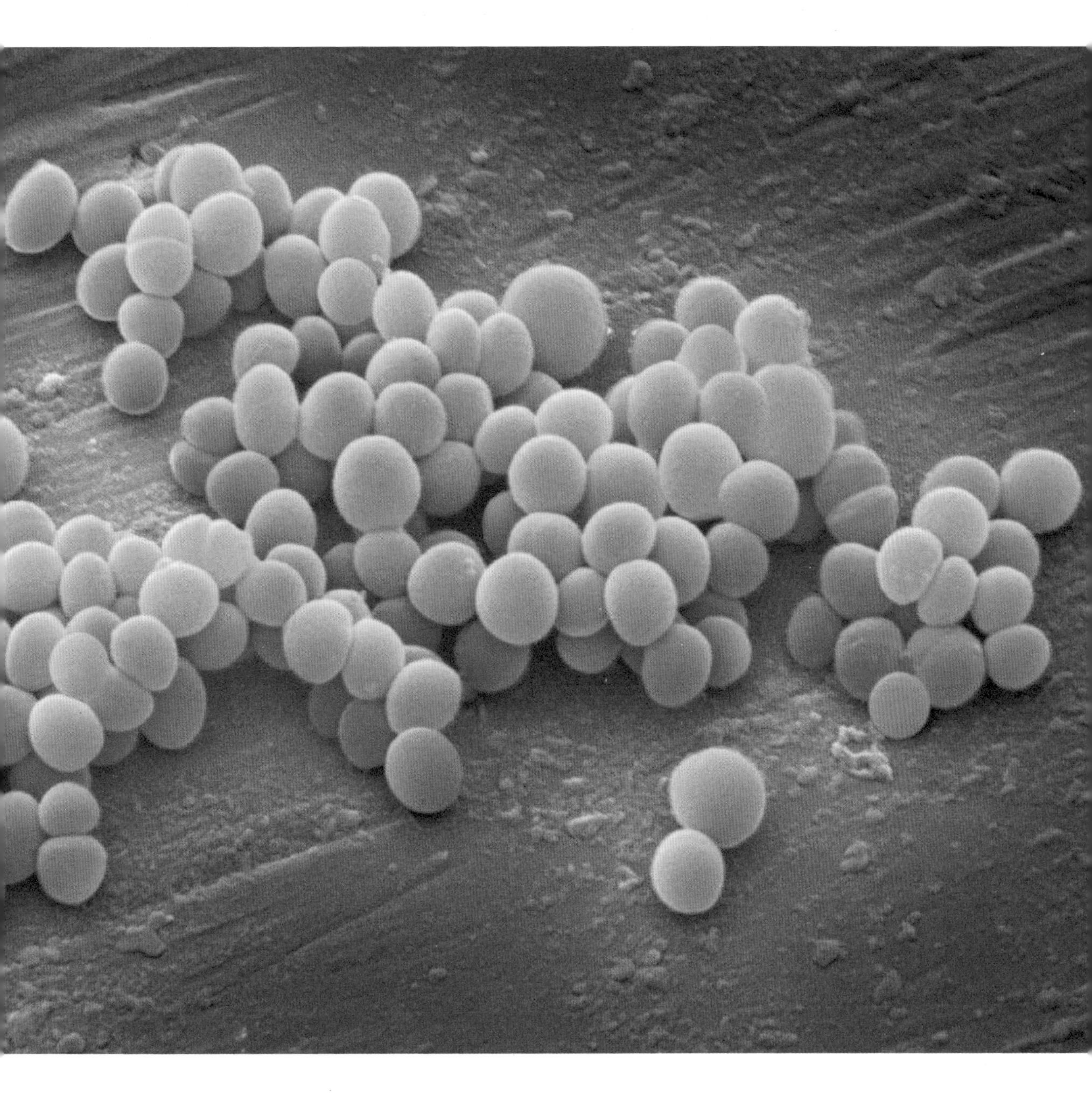

纪90年代它才开始流行。人们很快意识到正是将青霉素视为神奇新药的狂热态度和随之而来的滥用，培育了这些可怕的病原体。人们认识到青霉素这样的抗生素可以控制感染，但永远无法根除感染。

对页

美国应用深层发酵大规模生产青霉素。辉瑞公司里的生产线下游，一名员工将盛放着瓶装的冷冻青霉素溶液的托盘放入干燥器，以真空的方式让水分蒸发。

上图

耐甲氧西林的金黄色葡萄球菌（MRSA）的菌株。它是众多进化出耐药性的细菌之一，它们提醒着我们，我们对于病原微生物的成功掌控也许真的效果卓群，但也只是昙花一现。

47. 小药丸

妇女的选择

拉腊·马克斯（Lara Marks）

在20世纪30年代磺胺征服了肺炎和其他许多感染之后，仅有为数不多的药物能对全世界的人产生如此深远的影响。事实上，它可能是阿司匹林之后最受欢迎的药物。它能根除剧烈的头痛——不论的家庭的头痛还是世界的。

——S·M·斯潘塞（S.M.Spencer），1966

20世纪最具革命性的医药发明之一口服避孕药，在过去的50年里变革了我们的生活。人们认为它催生了20世纪60年代的性革命，并且是解决全球人口增长的良方。它是人类第一种“生活方式”或“自主改变”性质的药物之一。自从1960年首次问世以来，世界范围内已有超过3亿妇女服用过它，这对全社会都造成了深远的影响。

早在1912年，美国护士节育运动倡导者——山额夫人（Margaret Sanger）就提倡用一种“神奇药丸”进行避孕，以此促进妇女健康，改良社会现状。但这并不是一项轻松的任务。尽管自古以来人们就在不断试验各种植物或矿物，以寻求一种口服避孕药，但直到20世纪初，最有效的避孕方法仍然是屏障法，例如避孕套和避孕膜，而这些手段都有可能因随性而来的爱意而无法实施。

1921年，奥地利生理学家路德维希·哈伯兰特（Ludwig Haberlandt，公元1879~1966）首次指出性激素可能适合用作避孕药。这很难实现，因为缺乏便宜有效的手段，性激素非常昂贵。部分问题在20世纪40年代美国化学家罗素·马克（Russell Marker，公元1902~1995）研究墨西哥薯蓣时得到解决，

上图

美国节育运动倡导者山额夫人认为让妇女掌控自己的怀孕能促进性别平等，也能预防频繁生育或堕胎带来的健康问题。

下页左图

玛丽·斯托普斯（Marie Stopes，公元1880~1958）生产的避孕膜“宫颈帽”包装好的样子。斯托普斯是英国的一位节育运动先驱，于1921年在伦敦开设了第一家节育诊所，提供避孕膜等屏障法的避孕措施。

右上图

1967年加利福尼亚，“爱的活跃期”：在充满了非法药物、音乐和“自由的爱”中进行另类生活的社会实验。避孕药于1960年取得上市许可，作为避孕手段销售，但直到1972年美国所有州都不允许向未婚妇女出售。

他在甾体化学上取得重大突破，为大规模生产廉价性激素铺平了道路。

早期试验

尽管激素供应和药效逐年提高，但很少有学者研究将它们用作口服避孕药的可能性。一个原因是因为避孕是个根深蒂固的禁忌话题，在某些地区甚至是非法的，导致这个课题非常难以吸引资金或研究者。尽管阻碍重重，山额夫人还是在1950年从美国慈善家凯瑟琳·德克斯特·麦考密克（Katherine Dexter McCormick，公元1875～1967）处获得了稳定的资金来源以支持她的研究。她们都认为避孕药不仅将使妇女获益，同时也是对抗人口增长这一影响世界和平的问题的武器。

麦考密克从20世纪50年代开始资助生殖生物学家格雷戈里·平卡斯（Gregory Pincus，公元1905～1967）研制避孕药。平卡斯很适合这项研究：他熟悉关键的专家和提供所需原料的供应网络，他同时还是一家独立研究院的领导之一。这使他在这项富有争议的研究上比别人更具自由，其他研究机构如果参与这样的研究很可能会被取消资助。1951年，平卡斯和他的华裔同事张明觉（Min Chueh Chang，公元1908～1991）开始在动物身上试验不同激素的作用。1955年他们确认了两种可用于人体试验的物质：一种在1951年由墨西哥医药公司兴泰克（Syntex）旗下的两名化学家卡尔·杰拉西（Carl Djerassi）和路易斯·米拉蒙特斯（Luis Miramontes）研发；一种在1952年由美国医药公司G·D·瑟尔的化学家弗兰克·科尔顿（Frank Colton）合成。

平卡斯在波士顿的妇产科医生约翰·罗克（John Rock，公元1890～1984）的帮助下于1953年开始了首次将避孕药用于妇女身上的临床试验。最初是在马萨诸塞州的小规模试验，并且以解决不孕问题为掩护，被试者包括了自愿参加的护士和不孕妇女。因为需要妇女更高程度的配合，被试者都被告知可能要使用避孕药。因为马萨诸塞州对避孕制定的严苛法律，更大规模的试验无法在当地进行。平卡斯和他的同事们面临的最大问题就是寻找一个避孕不是非法的地方，并且当地还有为数众多的妇女愿意遵守繁杂的试验规则并忍受频繁但必要的医学调查。1956年波多黎各在来自低收入大家庭的妇女中开展了两场大规模试验，随后美国部分州和世界其他地区也开始了各自的试验。

挑战和成功

第一个被批准上市的避孕药是科尔顿研制的，被称为“安无妊（Enovid）”的复方药。安无妊最初于1957年获得批准用以治疗妇科疾病，1960年美国批准其成为口服避孕药，第二年英国和其他国家也批准了它的应用。安无妊很快风靡，到了1965年全球有近1 100万妇女在服用它。很多人热烈欢迎避孕药的上市，但并不是所有人都欢迎。天主教会、印度和日本政府就是强烈的批判者，它们认为避孕药违反自然。20世纪60年代早期开始，随着对避孕药可能的心血管和致癌风险顾虑的增加，部分批判者开始探讨妇女为了避孕究竟应该承担多大的责任，同时开始鼓励研究男用避孕药，不过直到今天仍未研制成功。

与现有的大多数药物不同，避孕药的独特之处在于它要被健康人长期服用。这就给有限的用药监控和药物监管带来了挑战，避孕药引发了一些有史以来最大规模的药物研究行动。避孕药不仅带来了医学上风险收益的问题，也彻底改变了对其他避孕手段的评价标准：它们之前是以有效性和对性交过程的干扰程度为评价的。口服避孕药在控制生育方面的巨大能力也使得男人和女人们可以追求更高的教育，这就给他们的事业也带来了无法想见的重大影响。

避孕药给社会和经济带来的好处多局限于发达国家，这里避孕药的服用量最大。而那些20世纪50年代山额夫人和麦考密克最为关心的发展中国家，避孕药的影响就没有那么显著了。这里的妇女们缺少获得各种避孕方法和医疗保健的途径，这就意味着发展中国家妇女们的生育健康水平仍然十分低下。

左图

大约1960年的一种早期避孕药，这是一种单相（每种激素每天都要服用相同剂量）复方避孕药，由雌激素和孕激素组成。转动透明塑料盘，可以拿到相应的21天的药片。7天的间隔后再开始一块新的药盘。

下图

安无妊最初于1957年获得批准用以治疗妇科疾病，随后在1960年被许可作为第一种复方口服避孕药上市出售。

对页

《每日先驱报》的一篇文章刊发了这张照片，这是G·D·瑟尔制药公司的一条奥弗洛（Ovulen）的包装流水线。G·D·瑟尔制药公司位于英格兰南部的海威科姆，1965年该公司生产了800万片避孕药。

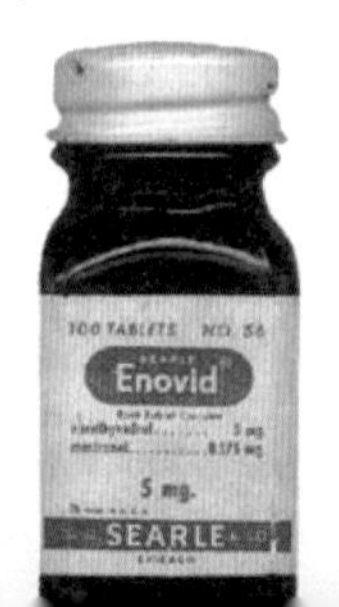

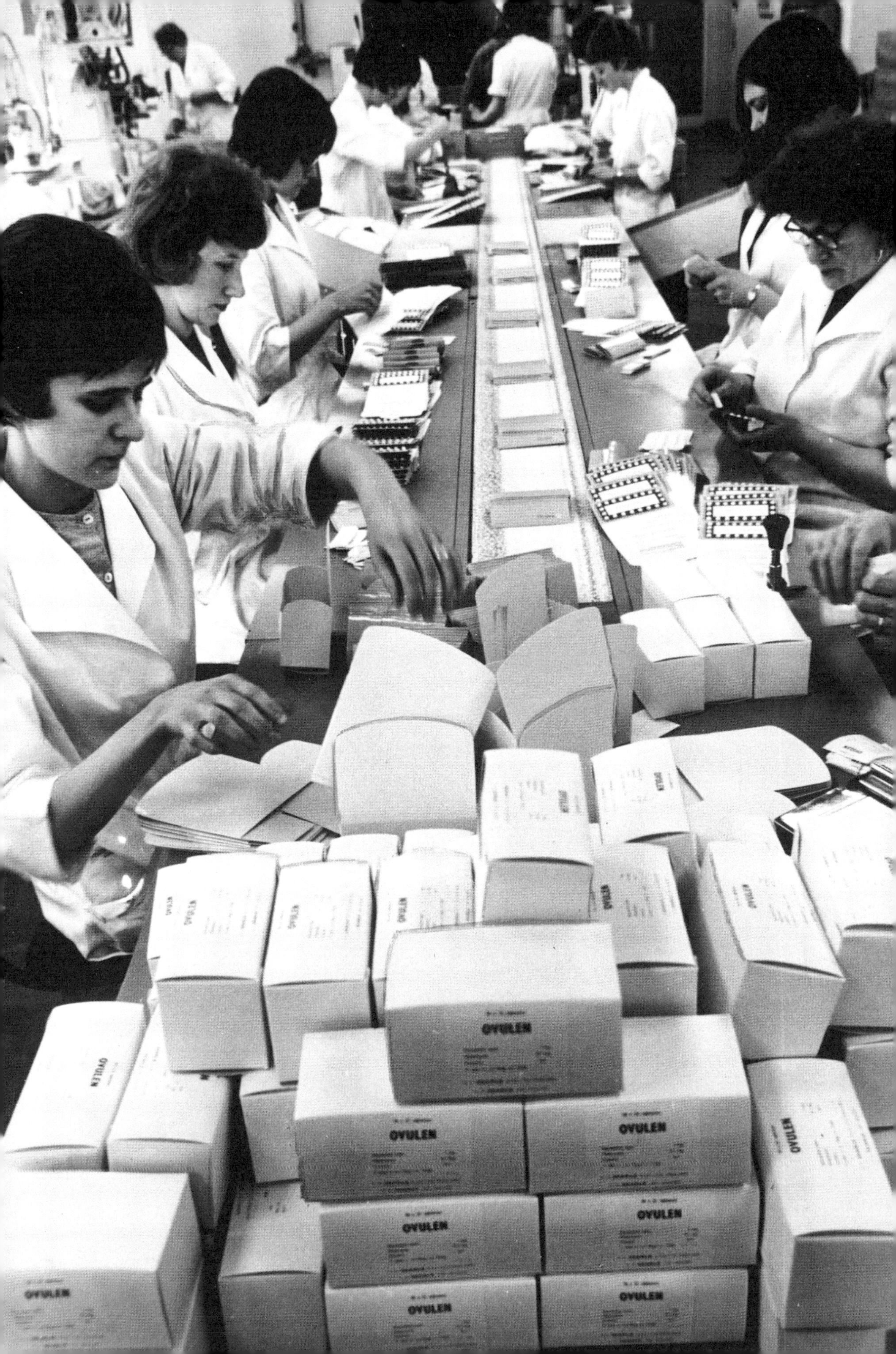
OVULEN

48. 精神药品

治疗精神的病痛

安德鲁·斯卡尔（Andrew Scull）

——有时，我想我们会不会最终发现现代精神药理学，就像在弗洛伊德时代那样，变成了各种交错的思潮，而我们在这思潮的指引下各自生活。

——彼得·D. 克雷默（Peter D.Kramer），1993

很久以前就有药物被用来减轻精神症状。19世纪时，一些精神病医生试验性地给他们的病人使用大麻，不过很快他们就放弃了这种尝试。鸦片曾被当作安眠药用在躁狂的病人身上。水合氯醛和溴化物也曾流行过，虽然过量溴化物也会导致精神症状，而它们在精神病院外被滥用之后导致的中毒反应也使得大量患者被当作疯子送进了精神病医院。氯醛作为镇静剂很有效，但它有致瘾性，并且长期使用会导致幻觉和类似震颤性谵妄的症状。

锂盐似乎可以使躁狂的病人不再那么兴奋，一些进行水疗的机构在治疗过程中用锂盐安抚那些紧张的患者们。但锂很容易引起中毒，导致食欲不振、抑郁，甚至引起心血管疾病和猝死。澳大利亚精神病医生约翰·凯德（John Cade，公元1912~1980）在第二次世界大战后再次证明了锂盐的价值，锂盐对躁狂患者的镇静作用也在欧洲和北美持续引发临床的关注。

20世纪20年代，巴比妥类药物开始走向试验，如用它将精神病患者诱导进入假死状态，试图获得治愈。而巴比妥类药物同样有严重的不良反应：它们有致瘾性，过量使用容易导致死亡，而且停药后的戒断症状非常

溴化钾曾专门用于抗癫痫治疗，但到了19世纪末却更常被用于镇静和安抚。第一次世界大战时军队中经常出现“神经质”，患者长期处于乏味的战壕，同时身处高度紧张的气氛中，溴化物曾被认为可以治疗这一病症。

一幅“乔治娜·W（Georgina　W）”的画像，时年46岁。乔治娜是一名女佣，1864年她20岁时被收入莫宁赛德区的皇家爱丁堡精神病院。22年后她被转入克雷格洛克哈特济贫院，这幅画就是在那里绘制的。这幅画被B·布拉姆韦尔（B.Bramwell）收录在他的《医学图谱》（1892~1896版）中，用以展示“抑郁症”。

痛苦，甚至很危险。而且和精神病医生们早期使用的那些药物一样，巴比妥类药物也会导致精神错乱、判断力障碍和注意力无法集中，以及一系列的机体症状。

抗精神病药来了

20世纪50年代早期，一类新药进入精神病领域，最初人们只是觉得它们的副作用比较少而已。随着时间推移，这些所谓的抗精神病药，吩噻嗪类药物，其中首要的是氯丙嗪，欧洲名为Largactil），在精神病领域引起了革命。他们将药物治疗变成了所有精神疾病治疗的首要方法，并且使学界和大众认识到精神疾病是有生物学基础的。氯丙嗪用于治疗精神疾病是个意外的发现，在制药公司考察它的临床适应性时，首先是法国的罗纳·普朗公司（Rhône Poulenc），然后是美国的史克公司（Smith Kline & French）都发现了它能减少手术中麻醉药品的用量，并可用于止吐和治疗皮肤过敏。

精神病患者使用氯丙嗪后能减轻发作症状并趋于平静，用药产生的淡漠被一些观察研究比作“化学脑叶切除术”，这被视为是积极的变化。氯丙嗪似乎没有致瘾性，也没有其他药物的那些副作用。1954年投入使用后，氯丙嗪获得了巨大的商业成功。在它首次上市的13个月后，仅美国就有大约200万患者服用过氯丙嗪。到了1970年，美国的药店出售了价值超过5亿美元的精神病药物，这其中吩噻嗪类药物的份额超过了1.1亿美元。作为制药业越来越常见的模式，史克公司的竞争对手很快急切地开始了他们的研究，新药与原药仅有少许不同，但却是这些竞争者们用来为自己申请专利的——也就是可以获利的——新品种。

氯丙嗪和它的衍生品给精神病医生提供了一种容易实施的治疗手段，这是史无前例的，这种手段还把精神病治疗与传统医学治疗紧密联系在了一起。虽然最初这些药物投入使用让人们非常惊喜，但它们仍然最多只算是控制住了精神疾病的症状而已，它们没有治愈原本的疾病。随着时间的推移，它们一些让人担忧的副作用也开始见诸报道——躁动不宁、运动障碍，以及严重的甚至是致命的神经系统并发

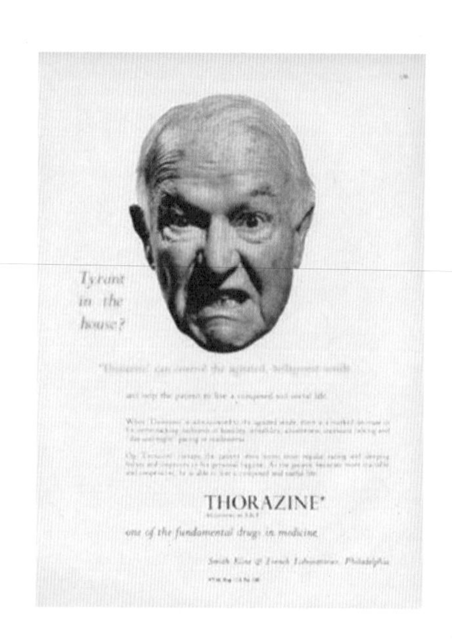

症。其中较突出的是一种称为迟发性运动障碍的并发症，它表现为不自主运动、面肌抽搐和苦笑面容，这使得患者常常无法正常进行社会活动。对于部分患者而言，这些代价与减轻精神症状这种实实在在的好处相比不算什么，但对其他患者来说，这些药物效果就非常差了，甚至可以说完全没有效果。

药物和心境障碍

早在这些问题吸引来大量关注之前，制药业就已经引进了其他种类的精神类药物。首先是所谓的弱安定（minor tranquillizer）：眠尔通（Miltown）和安宁（Equanil），二者成分都是甲丙氨酯，会让服用者变得迷迷糊糊的。然后是安定（Valium）和利眠宁（Librium），皆为苯二氮䓬类药物，它们就不会使患者犯迷糊。随着这些药物的出现，日常生活中的麻烦都直接变成了精神疾病。这些药物可以排解困顿的家庭主妇心中的烦闷，可以消除烦劳的母亲们的忧郁，可以拯救那些堕落的中年人群。1956年初，研究显示，每个月20个美国人里至少有1个服用了镇静剂。焦虑、紧张、无乐趣——似乎都可以被药物治愈。但是又一次，享受这些好处是要付出代价的：许多服用者都产生了生理成瘾，让他们停止服用非常困难，甚至是无法做到的。因为停药后出现的症状和精神上的痛楚，比之前让他们寻求药物帮助的原发疾病还要严重。

其他可以改变人类情绪的药物在20世纪50年代晚期陆续发明出来了，最早是1957年的异烟酰异丙肼（一种单胺氧化酶抑制剂）；然后是1958年的托法尼（Trofranil）和1961年的依拉维尔（Elavil），它们都是三环类抗抑郁药。可能是因为许多抑郁患者都是在沉默中独自痛苦，抑郁症曾一度被认为是一种相对少见的疾病。20世纪90年代百忧解（Prozac）迟来的成功，彻底转变了这种思维定势。现在抑郁症开始有了流行的趋势。

对页左图

20世纪30年代，法国一家精神病院中的一名病人，被约束在紧身衣里。虽然19世纪时对病人的约束已大幅减少，但对极端暴力的病人仍需采用约束措施。批判者认为20世纪50年代出现的抗精神病药其实就像曾经约束身体一样把精神约束了起来。

对页右图

氯丙嗪是最早出现的抗精神病药之一。在这则1957年的广告中，那些原本温文尔雅的老人们变得躁动、暴力，难以在家庭环境中被照顾时，氯丙嗪就可以给他们提供帮助。氯丙嗪作用于中枢神经系统中的多种受体，所以会出现许多不同的副作用，包括便秘、过度镇静和低血压。

上图

神经递质5-羟色胺的晶体。抑郁症和季节性情感障碍的患者体内5-羟色胺水平可能会下降。百忧解是一种选择性5-羟色胺再摄取抑制剂（SSRIs），SSRIs可以通过抑制突触中的分泌细胞重新吸收5-羟色胺而提高它在体内的水平。

49. 沙丁胺醇

轻松呼吸

马克・杰克逊（Mark Jackson）

这是世界上使用最多的支气管扩张药。

戴维・杰克爵士（Sir David Jack），1996

英国制药公司艾伦和汉伯里公司（Allen & Hanbury）20世纪60年代末发布的沙丁胺醇成了哮喘治疗的分水岭。沙丁胺醇以商品名万托林上市，分装在一个特制的蓝色手持吸入器里，它很快成为哮喘患者和医生的首选，用来缓解哮喘的呼吸困难症状，以及防范急性发作时可能危及生命的后果。

哮喘在古代就被分类成是一种以呼吸困难为特点的疾病，伴有哮鸣和咳嗽。20世纪人们进一步认识到它是一种可逆的气道阻塞，常由对尘螨、花粉和动物的过敏反应或是情绪激动引起。许多世纪以来，多种草药药方都被用作治疗哮喘，以减少痰量、放松呼吸道和缓解呼吸困难。20世纪早期的时候，药物学的新发现扩展了哮喘的治疗手段：从中药麻黄中提取的麻黄碱以及肾上腺素可用以松弛支气管平滑肌；口服或注射用的氨茶碱、口服甾体类药物和抗组织胺药可减轻炎症并扩张气道。纵然有了这些发展，哮喘的发病率和死亡率仍于20世纪中叶不断增加。

沙丁胺醇的上市有赖于两项关键的科学进展。首先，必须要有吸入器技术的发展。许多古文明都用吸入法治疗哮喘，吸入法在18世纪和19世纪已在商业上和临床上都变得十分重要。20世纪50年代可计量吸入器的发

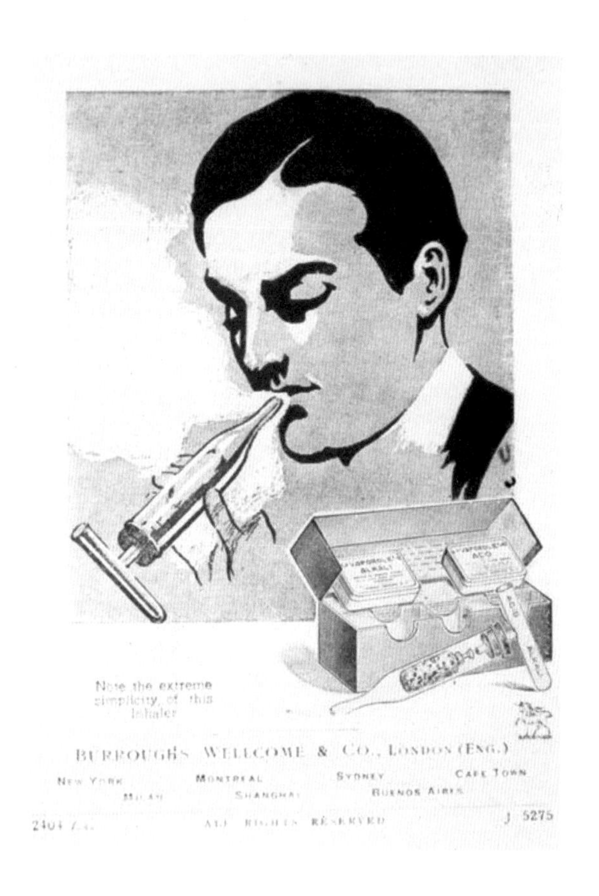

上图

一则宝威公司吸入器的广告，大约发布于1910年，以其“超凡简便”为卖点。这一时期中哮喘病人吸入了各种不同物种，包括苯酚和氯仿，而香烟中也加进了有毒的曼陀罗供病人吸入。

明第一次使得精确控制哮喘患者的活性物质吸入剂量成为可能。其次，沙丁胺醇的发现也仰仗于科学对肾上腺素等受体生理作用的更好探究，它们是细胞表面用于激发对肾上腺素和去甲肾上腺素反应的受体。

早期的支气管扩张药，如异丙肾上腺素，会一并激动肺和心脏中的受体，这偶尔会引起致命的心脏并发症。20世纪60年代，戴维·杰克和他在艾伦和汉伯里公司的同事们想利用心脏中的β_1受体和肺中的β_2受体之间的不同特点来开发可供选择的支气管扩张药，以便有效舒张气道的同时对心脏几无影响：沙丁胺醇便是他们的成果。

万托林可用吸入器吸入，也可用喷雾吸入，它很快成为家庭和医院里缓解哮喘急性发作最有效的手段。除了改善患者们的生活质量外，万托林还给艾伦和汉伯里公司带来了巨大的财富：1985年，万托林的年销售额就达到了1.7亿英镑，1995年更是超过了5亿英镑。1975年戴维·杰克和他的团队荣获了女王技术成就奖，杰克本人则在1982年被授予大英帝国司令勋章，并在1993年获封爵士。

万托林的成功，激励了对哮喘的进一步研究。1972年，杰克的团队推出了必可酮，一种糖皮质激素吸入剂，用以预防哮喘发作；20世纪晚期他们又上市了几种长效β_2受体激动剂药物，例如沙美特罗。联合使用长效支气管扩张剂和糖皮质激素吸入剂已部分取代了沙丁胺醇在哮喘治疗上的地位，不过万托林仍然是解除哮喘所引起呼吸困难的最重要也是最有代表性的药物。

上图

沙丁胺醇（万托林）的晶体。沙丁胺醇是一种短效β_2受体激动剂，可作用于肺部组织的受体。沙丁胺醇常用作吸入剂，治疗各种原因引起的气道狭窄，如支气管炎、哮喘和肺气肿。肺的受体被沙丁胺醇激动后可导致气道肌肉放松从而开放气道。图中晶簇直径约600微米。

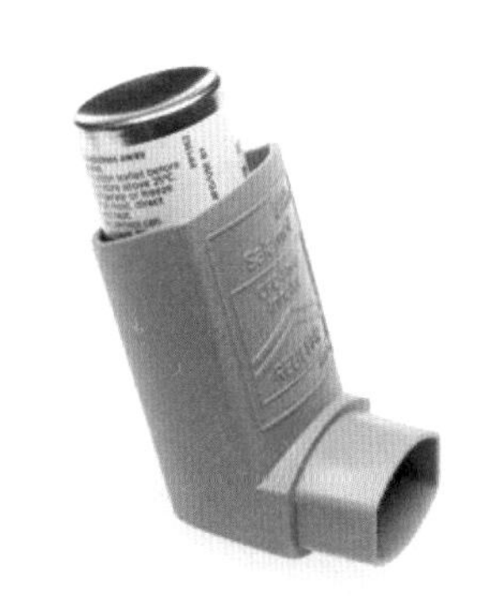

右图

一只现代吸入器，用以吸入类似沙丁胺醇（万托林）的药物。因为多种药物都可以吸入剂的形式服用，所以吸入器的塑料外壳被涂成不同的颜色来帮助患者区分正确的药物。药物装在吸入器内侧的加压容器中，当它被按下时，一定量的药物就会被释放出来。

50. β受体阻滞剂

设计出来的药物

蒂利·坦西（Tilli Tansey）

……在世界范围内挽救了成千上万人的生命……

詹姆斯·布莱克爵士（Sir James Black，公元1924～2010）的讣告，《纽约时报》，2010

左图

詹姆斯·布莱克爵士因为开发了β受体阻滞剂而在1988年与其他人一起荣获了诺贝尔医学奖。

对页图

约1843年时的一幅病变心脏（上图）和肺（下图）的剖面图，图中展示了血凝块和出血灶。冠状动脉的血凝块可引起心脏病。β受体阻滞剂可扩张冠状动脉，增加血流，同时减慢心率并减弱心肌收缩力，从而阻止病变恶化。

治疗心律失常这样的疾病时，使用β受体阻滞剂可以影响心脏的机能，从而在心脏病发作（心肌梗死）后保护心脏。β受体阻滞剂同时还可以控制高血压。严格来说，它们并不是被“发现”的，更确切地说它们是被设计出来的：20世纪50年代被一位化学药理学家在其他科学研究的基础上设计出来，这位药理学家就是詹姆斯·布莱克（之后成为了布莱克爵士）。

β受体阻滞剂可以干扰或阻断一类被称作儿茶酚胺的化学物质发挥作用，去甲肾上腺素就是儿茶酚胺的一种。儿茶酚胺被不随意神经系统，或叫自主神经系统用来控制常规性的、不随意的功能，如呼吸、心跳和腺体分泌；与之相对的活动如跑步、说话等，则由随意神经系统控制。

基础科学

20世纪早期人们就认识到自主神经系统在解剖和生理上由两个不同部分组成：副交感神经系统，主管慢速运动；以及交感神经系统，可主导应激或叫应激反应，应激时心率加快，瞳孔散大，血液从非关键组织流向骨骼肌。

随后的研究发现副交感神经系统主要使用乙酰胆碱作为神经递质（一种在神经细胞之间或神经细胞和最终“效应”细胞——例如腺体或心脏细胞——之间传递信息的物质）；交感神经系统使用的化学物质与之相似，但不完全相同，那就是肾上腺素，它在那个时候被认为是由肾上腺分泌的。不过，交感神经系统所涉及的化学问题比副交感神

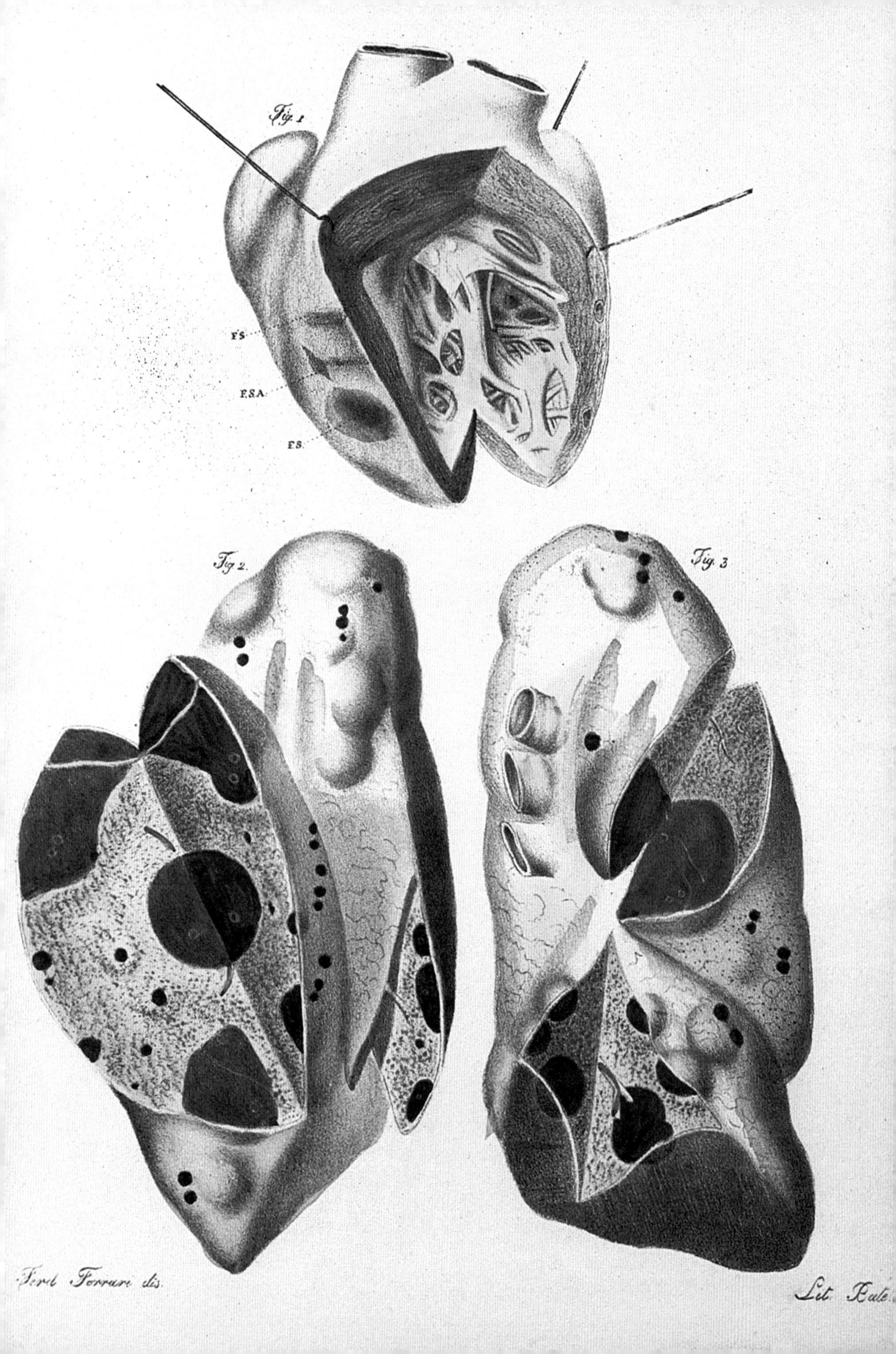
Fig. 1
F.S.
F.S.A.
F.S.
Fig. 2.
Fig. 3
Ferd. Ferrari dis.
Lit. Bale

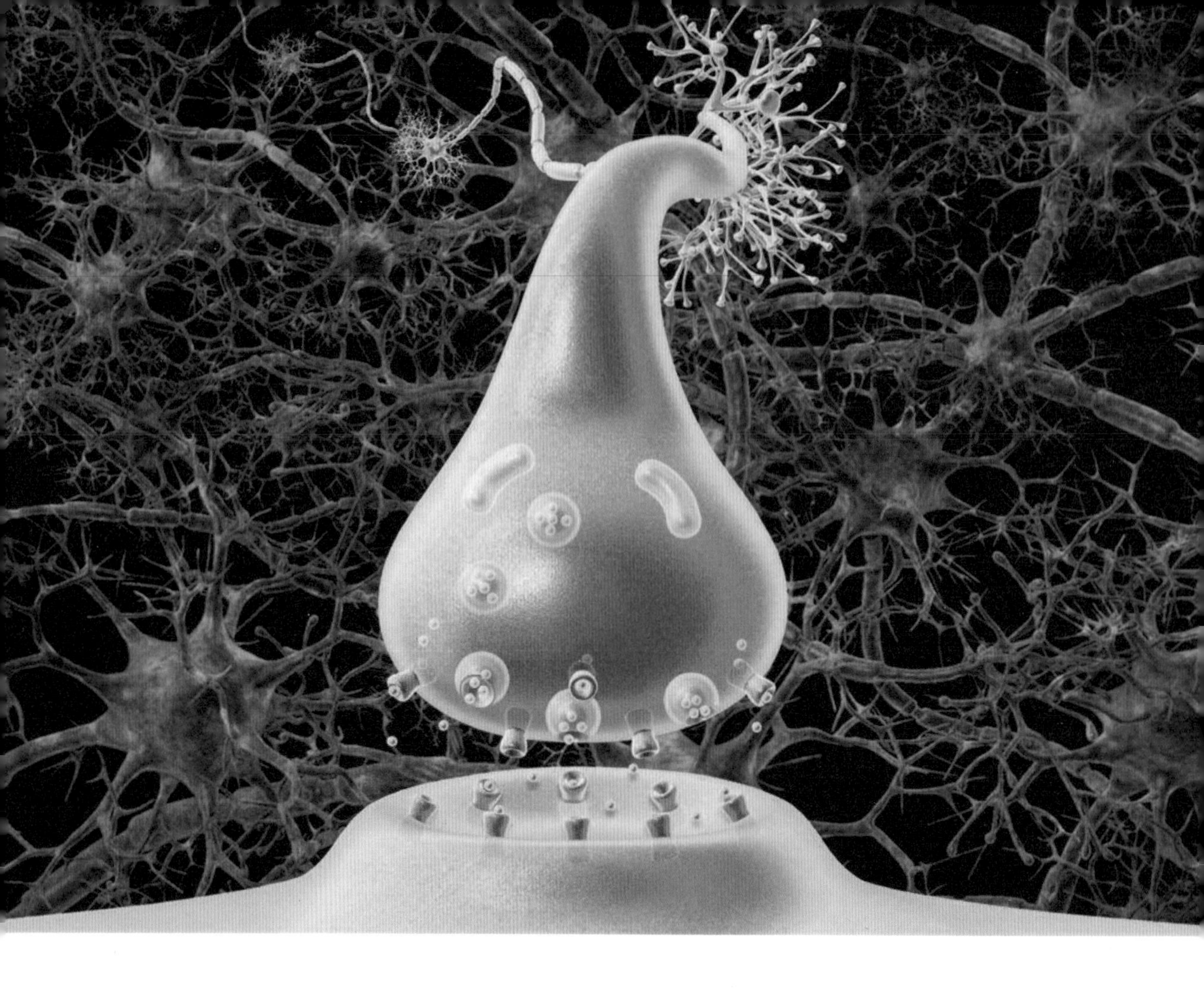

一幅展示突触间隙——神经细胞（上方）和它在肌肉、其他神经或腺体（下方）上的靶受体之间的缝隙——里面类似去甲肾上腺素之类的神经递质活动的数字图像。含有神经递质（绿色）的突触小泡向突触前膜移动，它们在那里和细胞膜融合，然后将它们所含的递质释放进突触间隙。神经递质分子通过与细胞表面的特异受体（紫色）结合对靶细胞发挥作用。神经细胞可以回收利用这些神经递质分子，它们被其他的受体（橙色）摄取。

经系统的要复杂，研究肾上腺素和其相似化合物，包括实验室人工合成的去甲肾上腺素之作用的科学家们发现，这些物质根据其种类、用量和使用部位的不同，它们既可引起平滑肌的收缩也可引起平滑肌舒张。

进步

20世纪40年代有两项重大进步。首先是瑞典药理学家乌尔夫・S. 冯・奥伊勒（Ulf S. von Euler，公元1905～1983）发现去甲肾上腺素人体天然有之。其次是美国药理学家雷蒙德・阿尔奎斯特（Raymond Ahlquist）根据交感神经系统对不同儿茶酚胺的反应提出交感神经系统含有两种受体，这一学说起初受到了抵制。对去甲肾上腺素最敏感，肾上

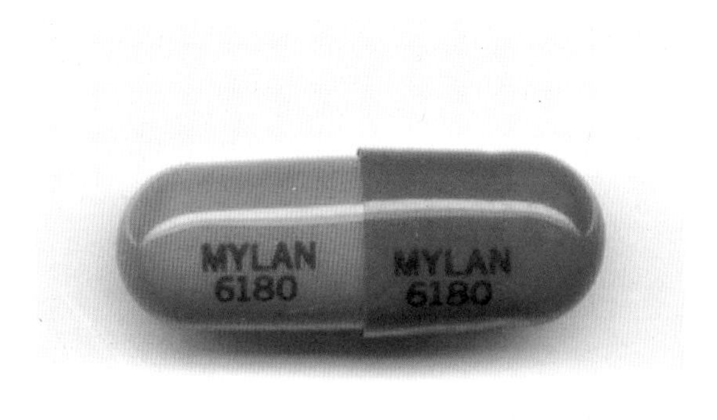

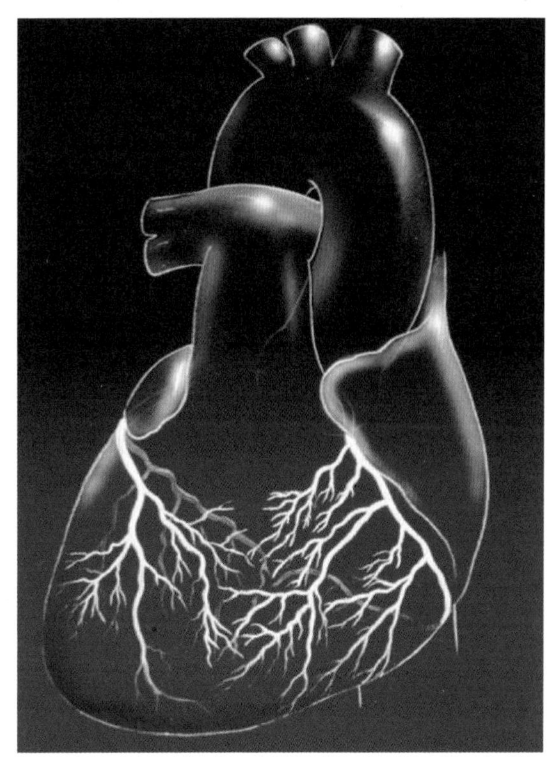

上图

一个普萘洛尔胶囊，它是詹姆斯·布莱克20世纪50年代末研发的第二种β受体阻滞药的商品名。它是世界上销量最大的药物之一。

右图

心绞痛时“心脏疼痛”的视觉化示意图。心绞痛是由心肌血流不足导致缺氧而引起的突发性疼痛，疼痛的性质、部位和放射痛均有相应特点。

腺素次之，异丙肾上腺素最次的受体被他归类为α受体，他认为平滑肌舒张是由这类受体引起的。而对异丙肾上腺素最敏感，对肾上腺素和去甲肾上腺素同样敏感的受体被称做β受体，他认为β受体与心脏和平滑肌收缩有关。

布氏设计

詹姆斯·布莱克受到一种假说的启发，即可以设计出一种分子，使它能够阻断与某些病症有关的化学物质的作用，例如心绞痛。他的父亲就曾受此病折磨多年，那个时候“治疗”心绞痛的唯一措施就是服用硝化甘油药片，那时的人们相信服用硝化甘油可以暂时增加病变心脏的血流。布莱克认为，除了增加血流，降低心脏的能量消耗也可以达到相同的效果。学习了阿尔奎斯的学说之后，他开始尝试设计一种选择性受体阻滞剂，以阻断心脏上的β受体。布莱克在帝国化学工业公司工作时生产出了第一种可临床应用的β受体阻滞剂普罗纳赛洛（pronethalol）。其后普萘洛尔（propanolol）的问世取代了普罗纳赛洛。

这是第一种以理论指导设计出来的，而不是凭经验随机发现的药物。虽然基本上已被更完善、更具选择性的阻滞剂取代，普萘洛尔仍用于临床。因为它可控制怯场的颤栗感，所以和其他β受体阻滞剂一样被奥委会列为禁药。就像这样，第一种β受体阻滞剂革新了心绞痛的治疗方法，也是发现药物和设计药物之间的一个转折点。它是20世纪对临床医学和药理学最重要的贡献之一。

51. 他汀类药物

减少胆固醇

铃木晃仁（Akihito Suzuki）

……动脉硬化治疗的青霉素。

——《新英格兰医学杂志》（*New England Journal of Medicine*），1981

左图

远藤章：长期以来对真菌生物化学的兴趣，最终使他发现了他汀类药物及其在胆固醇代谢中的作用。2008年他获得了拉斯克临床医学奖。

对页

一根粥样硬化动脉的剖面图：动脉壁（紫色）包绕着血管腔（白色），内有多个胆固醇裂隙（红色），胆固醇结晶在制备此标本的过程溶解了。在活体，这样的结晶会使动脉梗阻，他汀类药物可以减小结晶体积，并减少它们的数量。

他汀是一类能降低血液中胆固醇水平的药物，可用来预防动脉硬化，也叫动脉粥样硬化，而动脉硬化是引起心脏病的一个主要原因。1981年，他汀类药物被宣传成新式奇药，而它也没有辜负人们的期待：现在每天全世界仍有4 000万病人服用他汀类药物，他汀类药物的年销售额也达到了26亿美元。这种成功药物的发现过程就是现代医学的缩影，它涉及来自全世界的流行病学家、研究学者、临床医生和制药公司。

新的病种

流行病的转变——感染性疾病的减少和退行性疾病的增加——开始于20世纪20年代的经济较发达国家。从那以后许多国家都经历了这一过程。有了高质量的生活水平和对抗感染性疾病的有效药物，发达国家开始面临全新的“文明病”。动脉硬化就是其中一种。

20世纪中期的研究，例如，1948年马萨诸塞州弗雷明汉的5 209名住院医师发起的弗雷明汉心脏研究（Framingham Heart Study）揭示了可导致冠脉性心脏疾病的危险因素。随后很多大规模、常常也是国际性的研究逐步跟进。这些研究发现除了年龄、家族史和吸烟，过高的血胆固醇水平和发生心脏病的可能性之间呈正相关。

对胆固醇病理学和实验性研究均证明了流行病学上的发现。20世纪50年代，科学家研究清楚了胆固醇的体内合成过程，它主要在肝脏合成。这一突破也让康拉德·E. 布洛赫（Konrad E. Bloch）和费奥多尔·吕嫩（Feodor Lynen）荣获了1964年的诺贝尔奖。

新方案

真正发现能有效降低胆固醇药物的人相对不是那么出名。远藤章（Akira Endo，公元

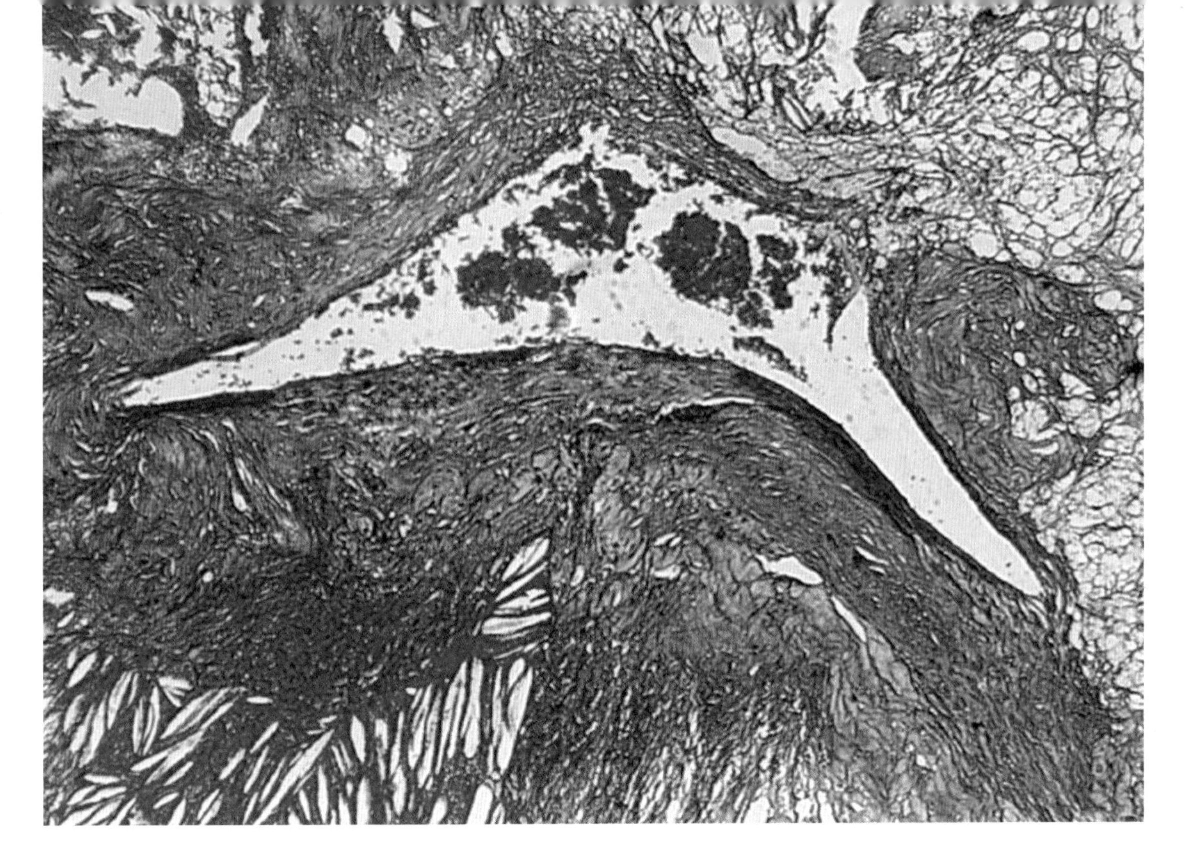

1933~）是一名三共制药公司的科学家，当时他正在寻找一种真菌，希望这种真菌的代谢产物可以通过抑制HMG-CoA还原酶的活性以阻碍胆固醇合成，这种酶是合成过程中的关键酶。他和他的团队花了两年时间，检验了6 000种真菌来寻找HMG-CoA还原酶的抑制剂，直到1973年他发现桔青霉菌（Penicillium citrinum），一种从京都某个供货商提供的大米中分离出的真菌，可以产生一种能在体外抑制胆固醇合成的物质。这就是第一种他汀类药物，美伐他汀，也叫康百汀。1975年比彻姆实验室的科学家们也独立发现了这种物质，不过没有进一步研究下去。

三共公司许多次差点要否决康百汀。第一次是他们发现康百汀不能降低大鼠的胆固醇水平，不过远藤证明了它对鸡和狗是有效的。后来三共的其他科学家担心康百汀会引起实验动物的肝功能紊乱，这一次，大学里的临床医生拯救了这种药物的命运。1977年大阪大学的山本昌（Akira Yamamoto）向远藤要了一些康百汀来治疗高胆固醇血症的重症患者。远藤没有向三共公司报告这次临床试验，而是悄悄地将这些药给了山本。远藤和山本十分幸运，他们赌赢了。三共公司于1978年正式开展临床试验。

国际制药巨头，美国默克公司很快注意到三共开发出治疗动脉硬化的神药这一消息。默克积极与三共合作，以更系统化、更高效的方法研制新药。其他研究也在进行。因为对低密度脂蛋白从血流中截获胆固醇的研究，约瑟夫·L.戈尔茨坦（Joseph L. Goldstein）和迈克尔·S. 布朗（Michael S. Brown）在1985年获得了诺贝尔奖。

1987年默克公司的第一批他汀类药物获得美国食品药品监督管理局批准，但关于他汀功效的质疑仍在继续，直到20世纪90年代，多项大规模、多中心的临床调查证明了他汀类药物可以预防心脏病和中风，即可以延长寿命。

第六章

外科突破

外科既是一门古老的手艺，也是一门现代的学科。在19世纪麻醉和无菌术发明以前，外科医生医治病人的手段十分有限。感染和休克的危险使得医生只能在四肢和浅层组织里动刀，他们可以切除脓肿和疖，复位简单的骨折，以及治疗撕裂伤和挫伤。他们治疗皮肤病，还会用放血疗法。截肢和胆结石摘除是他们平常做的最多的手术。在这样的背景下，法国的外科医生安布鲁瓦兹・帕雷（Ambroise Paré）脱颖而出，成为外科技艺的领军人物。

麻醉，用以镇痛；无菌术，防止术后感染。这两者逐渐改变了外科的面貌。它们使外科医生更加从容，并能避免早期手术中常见的致命性感染。它们也让外科医生有能力打开体腔——腹腔（包括剖宫产）、胸腔和颅腔——之前医生们完全无法进入这些体腔。因为手术切除肿瘤、胆结石或发炎的阑尾可以带来确切的疗效，而其他治疗手段都不那么有效，外科医生成为了现代医学的先锋。他们可以治愈，而不仅仅是帮助，并且即使许多开创性手术都有极高的死亡率，外科医生仍然坚持了下来，并将以往危险的术式变成了常规术式。

现代的手术仰赖团队合作，许多创新也仰赖着技术和科学研究。手术的后援——助手、手术护士、麻醉医师、麻醉复苏室、监护设备、输血——意味着外科医生不再独自工作。科学技术对外科进步的贡献方式不尽相同。在神经外科，外科学的这一分支很早就有了，它就主要以生理学对脑功能的定位为基础，从而使得外科医生和神经学家准确指出病变所在。如果没有对机体免疫系统的深入了解，以及抑制机体自发排斥异体组织器官药物的研发，移植手术就不可能得到发展。

心肺机可以在体外维持循环和呼吸，从而使外科医生能够让患者的心脏停搏，没有心肺机这一技术创新，现代心脏外科就不会存在。心脏移植和其他所有移植手术一样需要免疫学的支持，因为假如心脏出现问题，患者就会死亡。不做肾移植，患者就只能退而求其次依靠透析治疗。髋关节置换术，这种可以改善生活质量的手术在老年人中需求甚多，需要惰性材料来制作新的髋关节，这种材料的关键之处在于要耐久，并且还得能逃避机体天然的免疫反应。髋关节置换术就是用技术解决常见问题的例子。

白内障手术也被技术革新改变了面貌，手术本身和所用材料都被革新了。不过，现代外科领域里没有哪一项能比微创手术更加依赖技术的发展。视野的提升，机器人操控，光纤和扫描设备让现代外科医生能以对患者身体更小的创伤完成更多的治疗。外科正在转变成一项门诊专科。

14世纪一份外科手稿中的这幅画展示了取石术——去除膀胱结石的手术。在没有麻醉的情况下，患者的双手会被绑起来，术者的助手也会发挥进一步的约束作用。毫不奇怪，外科医生完成这种手术的速度是对他专业技能评价的一部分。

52.

帕雷和伤口

战场上的创新

西蒙·查普林（Simon Chaplin）

我为他换药，上帝为他治疗。

——安布鲁瓦兹·帕雷（Ambroise Paré），1585

安布鲁瓦兹·帕雷（公元1510～1590）常被看作是外科医生的典型。他在战争时期入学并以学徒身份接受医学训练，他对医学教条的挑战至今仍受称赞。他反对在枪伤伤口上使用沸油，他使用动脉结扎术（结扎血管阻止大量出血）帮助进行截肢，他还发明了烧伤的新疗法。虽然他没有受过多少正规教育，帕雷仍然成为了他那个时代最有影响力的医生之一。

帕雷出生于法国西北的曼恩省拉瓦勒附近，他最开始是一名兼做外科医生的理发师。22岁时他搬到了巴黎，成为了该市一所公共医院——主宫医院的一名外科住院医师。在此期间，他进行了解剖练习，并获得了丰富的临床和外科经验。1556年离开医院后，他加入了蒙让元帅的部队，并随法军前往意大利。

军事外科

军事战争使帕雷有机会面对他在治疗平民时见不到的病例，最突出的就是枪伤。与剑伤不同，枪击导致的伤口参差不齐，且常会混入异物，使得伤口非常容易出现今天我们称作细菌感染的现象。16世纪的外科医生将其怪罪于火药的“毒性”作用。为了对抗毒性，意大利外科医生乔瓦尼·达·维戈（Giovanni da Vigo，公元1450？～1525）推行了在伤口上使用沸油的方法。帕雷最初也使用这种方法，但在1537年都灵附近的一场战役中，他的油用完了，他即兴用鸡蛋黄、玫瑰油和松节油制作了冷敷料。他一晚上都在担心这样做的后果，而当他回到患者身边却发现：使用他的新式配方治疗的患者恢复良好，而被施以沸油的患者却发着烧

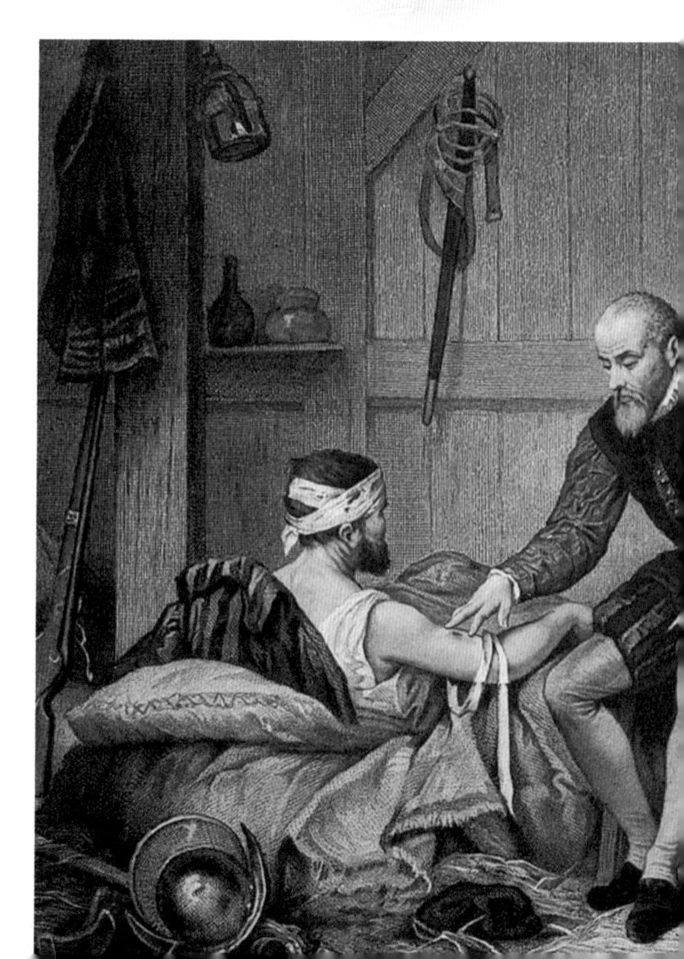

且疼痛难忍。帕雷在他的第一本书《创伤治疗法》中提到了这次经历。书中除了讲述伤口敷料外，还在深入的解剖学习基础上介绍了定位和取出弹片的方法。帕雷用浅显的法语写成此书，而且他的行文引人入胜，相较传统的拉丁语记述，有利于帕雷的观点更加广泛地传播开去。

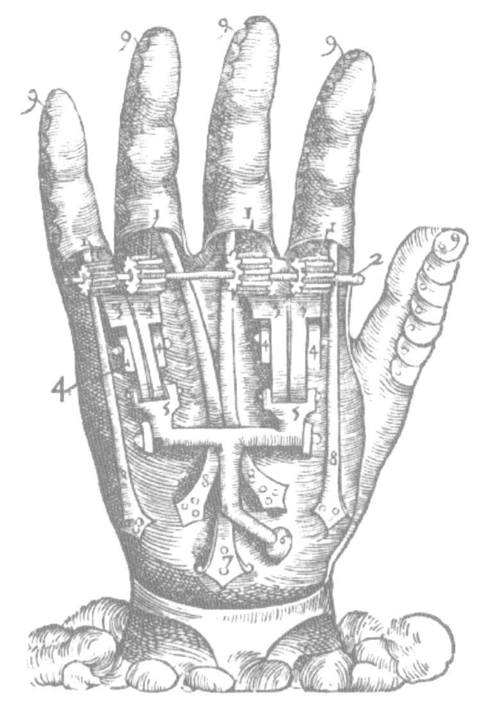

战场之外

战役不断展开，帕雷间或还会救治一些平民，而他的成功让他在1552年被指定为法国国王亨利二世的外科医生。在随后将近40年里，他又继续为其他三位法国国王服务。他仍持续著作，不光有关于外科学的书，还涉及了解剖学、助产术、畸胎学，以及肿瘤和鼠疫、麻疹等病的治疗。他的外科论文中描述了很多器械，其中有一种鸦嘴钳可以在截肢手术结扎动脉时夹持住血管——而说到结扎动脉，帕雷则更喜欢用热灼烧的方法。不过和帕雷其他许多想法一样，这并不是完全的创新之作，而是改良了已有的方法。

虽然圣孔学院在1554年录用帕雷为高级外科医师，但他仍然没有受到广泛认同。他卷入了多场争论中，尤其是当他的研究从外科学偏离到药学时。帕雷在其后出版的书中回应了一些批评。

对页上图

安布鲁瓦兹·帕雷仅受过很短时间的正规教育和训练，但他因对战伤治疗的创新而闻名于世。

上图

帕雷设计的机械手的图示，这是他设计的许多义肢之一，他在自己的书中展示了这些义肢的示意图。

左图

帕雷治疗从战场退下的伤员。从右边的门中可以看见军队帐篷。这幅图里并没有沸油——帕雷摒弃了这种糟糕的创伤疗法并鼓励其他医生也这么做。他在行医和写作过程中绘制了这幅图，他用图表现他对患者的护理和仔细检查的过程。

53. # 麻醉

外科的革命

斯特凡妮·斯诺（Stephanie Snow）

这是最伟大、最令人欣喜的发现。

——查尔斯·达尔文（Charles Darwin），1850

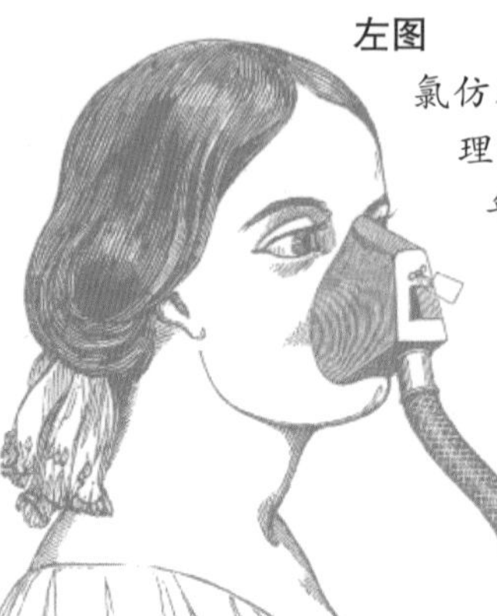

左图

氯仿对人体作用的一种恐怖化的理解。作者理查德·库珀（Richard Cooper），约1912年。一个被麻醉了的人躺在手术台上，小恶魔挥舞着手术器械正在侵蚀他。

右图

19世纪中期约翰·斯诺的麻醉吸入器，用来吸入氯仿，斯诺的认真研究诞生了这种吸入器，使他可以给他的病人使用精确的剂量。

麻醉是19世纪最重要同时也是最富争议的发现之一。外科医生长久以来一直在寻找能解除疼痛的方法，而第一种麻醉手段——乙醚和一氧化二氮——则是一名美国的牙医在19世纪40年代无意中发现的。一氧化二氮在18世纪90年代就已通过汉弗莱·戴维（Humphry Davy）对其的实验而被人了解。19世纪40年代时它被称作“笑气”，并在集市上用于娱乐。1844年美国哈特福德的牙医霍勒斯·韦尔斯（Horace Wells，公元1815～1848）注意到一个年轻人在笑气的影响下，似乎不再受腿部伤口的困扰了。韦尔斯成功地将一氧化二氮用于牙科患者，但是1845年当他在麻省总医院示范时却失败了，于是这一方法被当作骗局而搁置。

乙醚和氯仿

12个月之后，牙科进修生威廉·莫顿（William Morton，公元1819～1868）实验了乙醚，这是一种有强烈刺激性的气体，很容易获得，当时被用来治疗支气管疾病。美国南部佐治亚州的一名医生克劳福德·朗（Crawford Long）就在手术中使用乙醚，不过他没有发表自己的结果。他不确定麻醉效果确实是由乙醚产生的还是仅仅只是患者的幻觉。莫顿就没有这样的疑虑，并且在1846年10月16日于波士顿[①]成功地演示了乙醚的作用。

6个月内，这个消息就跨过大西洋传到了英国，传遍了欧洲，传遍了世界。伦敦医生立刻开始用起了乙醚。1846年12月21日罗伯特·利斯顿（Robert Liston，公元1794～1847）医生成功地将其用于一例下肢截肢术中。麻醉带来的好处毋庸置疑，但许多医生在有效用量上难以定夺。给患者剂量过小，

① 麻省总医院位于波士顿。——译注。

他们会变得十分兴奋，抛下一切礼仪出尽洋相。一名很有威望的战士向他的牙医说“我们一起来跳支波尔卡吧”。严肃的外科诊疗变成了一场闹剧。作家夏洛蒂·勃朗特（Charlotte Bronte）就说过：“（我）在决定吸入麻药前可得三思一下；我可不希望丢尽自己的脸面。”

很少有医生能搞清楚麻醉的科学原理，大多数医生就这样使用了麻醉，这就导致了一些问题。约翰·斯诺（John Snow，公元1813～1858）那时还是伦敦的一名全科医生，后来因对霍乱的研究而成名，他研究了乙醚的化学性质和生理作用。他发现麻醉程度取决于血液中乙醚的浓度，而乙醚浓度又取决于温度。他设计了一种吸入器，配有水浴来控制气温，从而控制了患者吸入的乙醚剂量。

斯诺推断乙醚的麻醉效应是通过被吸收进入血液后作用于神经系统而发挥的。乙醚最开始会影响大脑中更高级、更精密的功能，随着在血液中浓度的提高，感觉开始消

上图

1846年威廉·莫顿在其开创性的手术中使用的吸入器的复制品。玻璃容器中的海绵充入了乙醚，有一管路连接至面罩（本图中二者均未展示），再戴在患者口部。

下图

1846年12月21日罗伯特·利斯顿在大学医学院的医院中第一次使用乙醚时，医学生威廉·斯夸尔（William Squire）协助了他。他设计的吸入器的这一复制品是由药剂师彼得·斯夸尔（Peter Squire，威廉的叔叔）制作的。

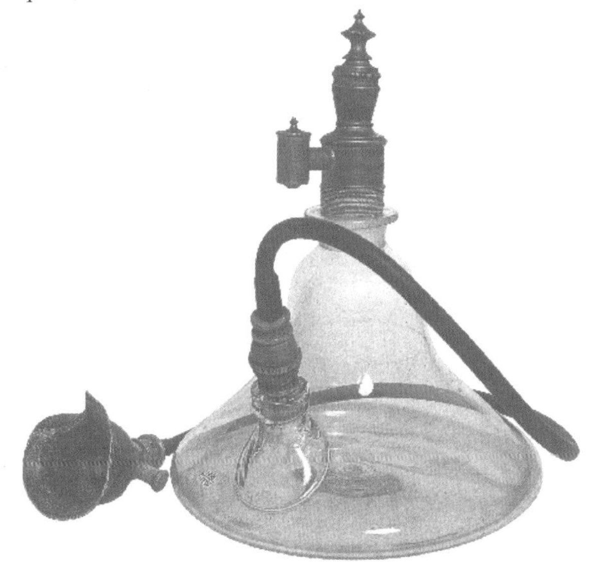

POETRY.

his is not the Laughing, but the Hippocrene or Poetic Gas, Sir,
he Gentleman you see inspired here is throwing out the roug
aterials for an Heroic Poem. we have various sorts as the Terr
uch in request, the Simple by which all the new Songs are done, and many others

失，而且更重要的功能如呼吸，也会处于持续的抑制状态。

1847年11月，爱丁堡的医生詹姆斯·扬·辛普森（James Young Simpson，公元1811～1870）发现了氯仿的麻醉作用。氯仿在全世界范围内取代了乙醚。但在1848年1月，15岁的汉娜·格林纳（Hannah Greener）在泰恩河畔纽卡斯尔（Newcastle upon Tyne）的家中接受趾甲切除手术时，在吸入氯仿2分钟后就死了。由此引发激烈的争论。是氯仿本身通过呼吸害死了她，还是过量的氯仿对心脏造成了毒害？这一问题直到1911年才被解决，生理学家A. 古德曼·利维（A. Goodman Levy，公元1866～1954）证明了低剂量氯仿也能引起心脏室颤从而导致死亡。

道德和医学的两难

患者很快就对麻醉感到万分激动，但氯仿的死亡率也引发了对麻醉安全性的讨论。虽然医生们总在寻求缓解疼痛的方法，但在西方医学中这同时具有生理学和道德上的争议。在外科领域，人们认为疼痛在手术的应激下，是一种帮助患者保持生存欲望的刺激器。

1853年，氯仿造成的大量死亡使得英国医学杂志《柳叶刀》宣称麻醉的风险过高，哪怕是用在截肢中。医生们认为分娩时氯仿可能引起并发症，产科教授查尔斯·梅格斯（Charles Meigs，公元1792～1869）就说分娩的痛苦是“自然的，并且是神任命我们必须享受或者忍受的生理力量”。然而母亲们却坚持要求镇痛，而且氯仿有个最为出名的使用者，那就是维多利亚女王（她在分娩其最后两个孩子时由约翰·斯诺给她使用了氯仿）。随着时间推移，麻醉在无数手术中的成功，尤其是1853年至1856年的克里米亚战争中的战场手术，更加证明了疼痛对患者的危险性大于麻醉的危险性。

19世纪结束时，无菌术控制住了感染，麻醉和其一道彻底变革了外科学。一系列的吸入性麻药——氯仿、乙醚和一氧化二氮——都投入了使用，新的吸入器被发明出来，而一门新的医学专科就此诞生了。然而风险仍在：最精确的估计认为每2 500例氯仿麻醉就会有一个死亡患者。一些国家的医生已经重新使用乙醚作为更安全的麻药，但在英国直到20世纪50年代氯仿仍甚为流行。

今天的镇痛

20世纪里，新的技术如气管插管——向气管中插入一根管子来控制呼吸——以及新的药物，包括静注巴比妥，它可以让患者免受吸入的不适就可入睡，提高了患者的舒适感和安全感。麻醉的死亡率已降至约十万分之一。肌松药的使用也改善了手术条件。现在的麻醉医师要用到多种不同功能的药物——镇痛药、干扰记忆的药物、肌松药、镇静药——来维持稳定的麻醉效果，并且要服务于多种医疗科室，如重症监护室（ICU）和慢性疼痛门诊。全世界有成千上万的患者受益于麻醉，这一19世纪的新技术已永远改变了人们对疼痛的理解。

对页图

罗伯特·西摩（Robert Seymour）的一幅彩色印刷版画，作于1829年，展现了一场笑气（一氧化二氮）聚会。自从汉弗莱·戴维发现一氧化二氮的兴奋作用以来，布里斯托尔的医生、研究人员和诗人都实验过了它的作用，并且这种活动在19世纪前三分之一的时间里在各种知识分子阶层中广为流传。

54. 消毒和无菌术

清洁的外科

托马斯·施利希（Thomas Schlich）

以外科无菌术为基石的手术就是一次细菌学的实验。

——查尔斯·巴雷特·洛克伍德（Charles Barrett Lockwood），1896

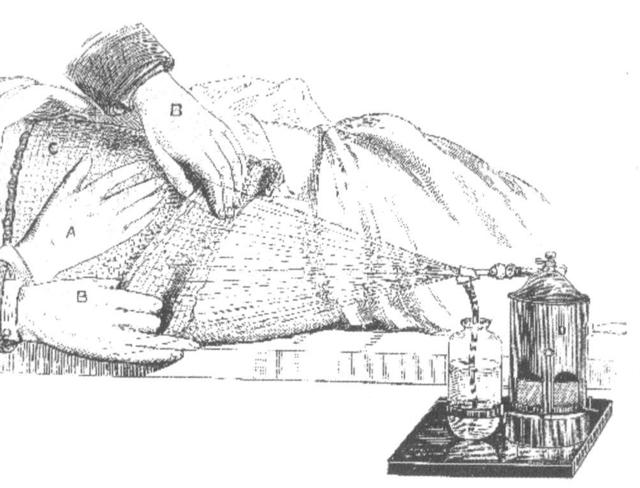

左图

用利斯特法给脓肿患者引流换药。利斯特标志性的石炭酸在换药时（敷料也浸泡了石炭酸）被喷在伤口处（参见70页）。

对页图

约瑟夫·利斯特自1873年开始绘制的镜下菌落草图。虽然此时利斯特接受了微生物学作为其进行消毒的科学基础，但他仍然认为术后感染的问题是微生物发酵而不是细菌感染所引起，直到罗伯特·科赫（Robert Koch）的细菌学被广为认可。

随着19世纪早期新技术的发展，外科手术开展的数量、涉及的病种和操作的范围都有了显著增加。然而，很多手术很成功的患者却因为创伤性发热而在几天后死去。比如，大腿截肢术的死亡率就在45%～65%之间。奇怪的是，死亡率却因手术医生的不同而有显著差异。

很多外科医生认为在身体内的手术操作会导致感染，损伤的组织也会自发地形成感染。因此，不同医生治疗感染的手段也不尽相同，不过都会包括处理局部伤口和恢复组织活性。医生自身的清洁问题似乎就没那么重要。据一名外科医生后来回忆，19世纪60年代以前的外科医生手术时穿着布满血渍、经常还会有脓液的外套，没有消毒的手使用着未经消毒的器械，上一台充满脓液的手术中使用过的海绵仅在自来水中清洗了一下便继续使用。

利斯特消毒法

这一切都在1860～1890年之间改变了，那些年里外科学在清洁卫生方面经历了一场真正的变革。外科医生们渐渐地开始改变他们的常规做法来避免我们今天称之为切口感染的现象。若要追溯起来，这些改变都是由英国外科医生约瑟夫·利斯特（Joseph Lister，公元1827～1912）引发的。利斯特找到了一种方法能消除切口中或环境中可能的感染源，他使用了诸如石炭酸这样的抗感染物质，这种方法被称为消毒。石炭酸在当时是因为可有效消除机体腐烂时散发的气味而被人熟知，也因此被广泛当作消毒剂使用，

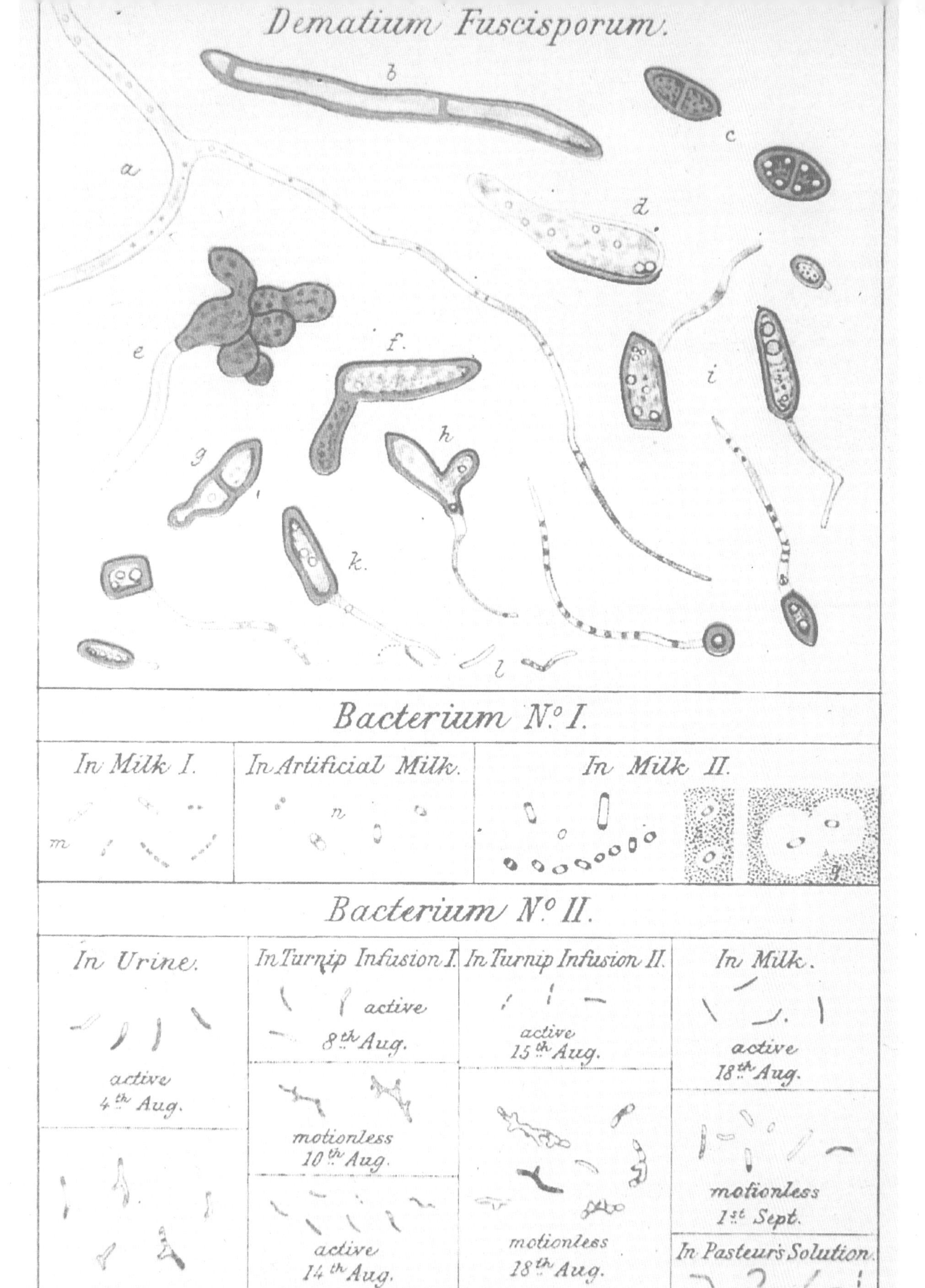

Dematium Fuscisporum.
a
b
c
d
e
f.
g
h
i
k.
l
Bacterium N.º I.
In Milk I.
m
In Artificial Milk.
n
In Milk II.
o
q
Bacterium N.º II.
In Urine.
active
4th Aug.
motionless
6th Aug.
In Turnip Infusion I.
active
8th Aug.
motionless
10th Aug.
active
14th Aug.
motionless
20th Aug.
In Turnip Infusion II.
active
15th Aug.
motionless
18th Aug.
active
20th Aug.
In Milk.
active
18th Aug.
motionless
1st Sept.
In Pasteur's Solution.
active
20th Aug.
motionless
on 28th Aug.

有时也会被用于减少伤口的坏死。

1865年8月12日，利斯特在格拉斯哥第一次进行了他的石炭酸实验，一名11岁男童左腿遭一辆马车碾压，在这孩子的复合胫骨骨折的伤口上，利斯特使用浸泡了亚麻籽油和石炭酸的棉布做敷料，并盖着锡箔以防蒸发，敷料在伤口处敷用了4天，伤口愈合得非常好，这名男童也在6周后走着离开了格拉斯哥医院。

到1867年他首次发表他对这种物质的实验时，利斯特提出了一个能够解释他的方法得以成功的理论。他曾听闻路易·巴斯德（Louis Pasteur）提出的微生物理论，即微生物普遍存在于环境中，并可在特定的食物中进行发酵。利斯特认为细菌也可以进入伤口，靠失活组织生存并导致化脓，因此伤口必须加以保护，避免被微生物攻击，而身体表面任何缝隙都会招致这些微生物的入侵。利斯特1871年使用了特殊的喷雾工艺，从而完善了他的无菌技术：石炭酸气雾剂可在微生物还未到达伤口时就杀死它们。

为了向同事们证明消毒技术的效果，利

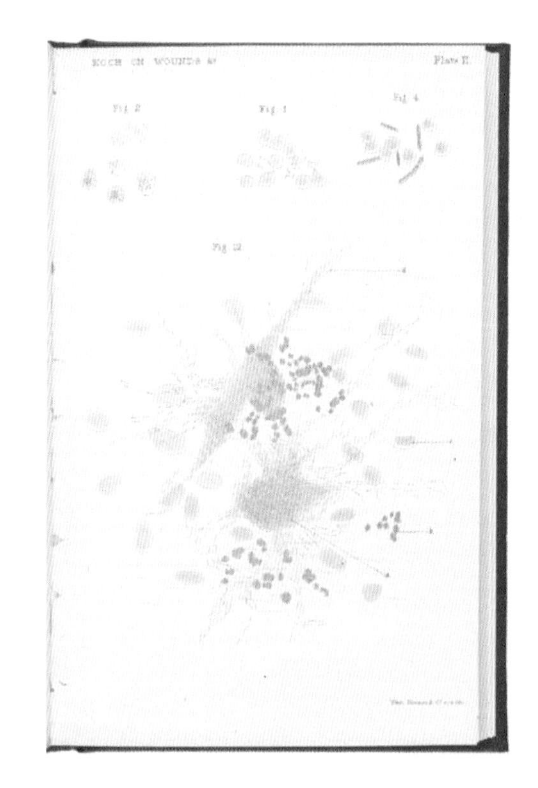

斯特报告称1864～1866年，他的35例截肢手术中死亡16例（46%），使用了消毒技术后的1867～1869年，这一比率降到了40例中死亡6例（15%）。但不是所有人都相信这种改善是由消毒带来的。很多利斯特的同事们都质疑他所说的空气中无处不在的感

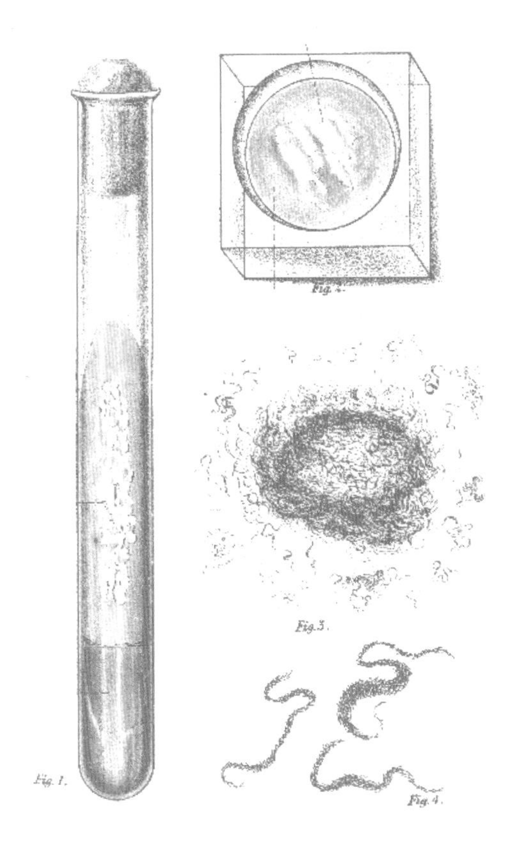

对页上图

1892年巴黎，约瑟夫·利斯特在路易·巴斯德的生辰纪念上向其祝贺。两人此时均已被视为现代无菌外科手术的奠基人，这是他们二人非常有纪念意义的会面，这也反映了利斯特生平所获的赞誉。

对页下图

罗伯特·科赫1878年出版了关于伤口细菌感染的书，此图是书中一幅培养皿的图片，其上是在实验室实验中诱导大鼠和兔感染而获得的细菌。这本书很快由利斯特的学生威廉·沃森·切恩（William Watson Cheyne）翻译成了英文。

左图

培养结核的致病菌，包括在试管和培养皿中的凝固血清上的纯培养物和右下方所示独立菌落。在无菌外科开始发展后，人们进行了大量尝试以期用外科方法治疗各种类型的结核病。感染的关节可由保守手术治愈而不再将截肢作为最后手段。肺萎陷后有少数成功病例把感染组织顺利去除了。

染源。病原体是来源于外界的活体生物并且可以在伤口里自我繁殖，只有这一假设可以证明哪怕是最清洁的伤口也要努力除菌。同时，根据大众的经验，暴露并保持清洁的伤口往往比一直浸于消毒水中的伤口愈合更好。批评者认为更着重清洁的简单方法，就可达到甚至超过利斯特的消毒法所产生的治疗效果。毕竟，利斯特仍然要穿着满是血污的外套进行手术。另外，日常使用利斯特的消毒法，包括喷雾剂都太过繁琐并且累赘。

细菌学和微生物理论

并不是所有为了更安全的手术而改善卫生的外科医生都相信活体感染源是引起感染并发症的原因。到了19世纪70年代末，德国医生、科学家罗伯特·科赫（Robert Koch，公元1843～1910）为消毒手术提供了新的科学依据。他在研究伤口时培养并鉴定了多种细菌，并可靠地证明了它们就是引起化脓的原因。据科赫的研究，特定种类细菌可引起特定疾病，其中就有伤口感染。那些医生们熟知的病症，如化脓、腐烂和创伤性发热都是因为感染性细菌侵入了组织，或是侵入了整个机体，换句话说，这也就是当今人们对感染的认识。

这样一来，细菌学将消毒和无菌术与疾病的微生物理论紧密联系在了一起，还为评价手术感染治疗的有效性提供了客观标准。现在，外科医生们可以用细菌实验室里得到的证据验证自己的观点。查尔斯·B.洛克伍德（Charles B. Lockwood，公元1856～1914）就曾将外科手术和细菌实验等价起来，意指以科学方法控制微生物和新时期外科手术的科学性。

无菌术

许多新技术都可被看作是后来我们称之

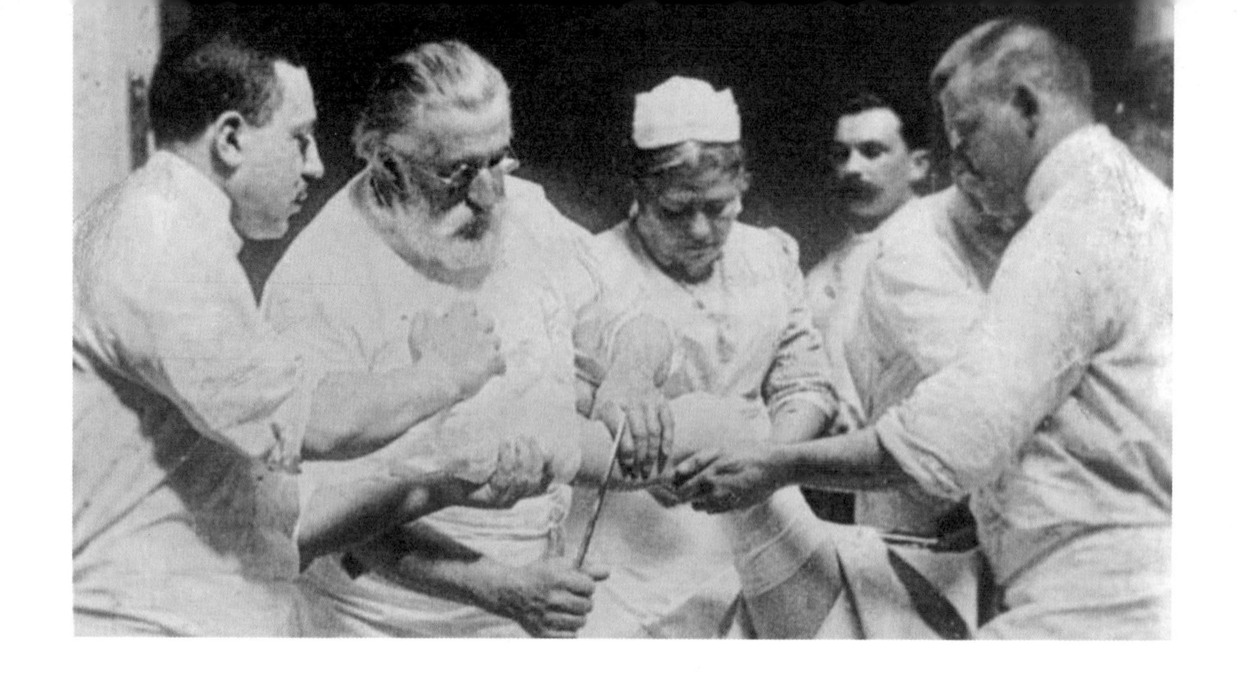

为“无菌术”的技术。这一复杂但标准化的系统性技术的引入可归功于19世纪80年代德国外科医生厄恩斯特·冯·贝格曼（Ernst von Bergmann，公元1836~1907）的贡献。与消毒不同，无菌术是指从一开始就避免任何污染。对微生物的控制提前到了更早的阶段：任何有可能接触伤口的东西，包括医生的手，都要仔细清洗并消毒。其他物品，如器械和手术衣都要用高温灭菌。高温灭菌——一种细菌学研究使用的技术——开始变成了无菌手术的标志。现代无菌理念渐渐形成。

约翰·冯·米库利奇-拉德基（Johann von Mikulicz-Radecki，公元1850~1905）在1897年提出在手术中说话会增加飞沫传播——他自己创造的术语——的机会，而这种感染的风险可由佩戴口罩而显著降低。一些医生开始在手术中使用棉质或丝质手套。1890年美国约翰霍普金斯医院的一名外科医生威廉·斯图尔特·霍尔斯特德（William Stewart Halsted，公元1852~1922）开始在手术中使用橡胶手套。他在1889年向古德伊尔（Goodyear）①定做了这些手套，给他的手术护士（也是他的未婚妻）用来预防她手上感染皮炎（因接触消毒剂而引起）。

19世纪最后25年里，手术死亡率已大幅下降，这一成就应归功于消毒和无菌术。利斯特倡导的这两种观点在当时被看作是同一种理念。大多数外科医生接受了它的基本概念，并开始实践了一定程度上的消毒和无菌术。结果，外科手术开始变得非常像我们今天所认识的样子：手术医生的团队和手术室工作人员都穿着灭菌的手术衣，戴着口罩和橡胶手套，以拘谨严格的方式走动，在严密隔离的、灯火通明的手术室里工作。

上图

1897年，柏林大学的外科病院。厄恩斯特·冯·贝格曼正在无菌环境下给大腿截肢，不过此时口罩和手套尚未使用。

对页图

《一台外科手术》，由英格兰社会现实主义画家雷金纳德·布里尔（Reginald Brill，公元1902~1974）于1934~1935年间绘成。这个时候的手术室已和我们今天看到的非常相像了。

① 查尔斯·古德伊尔（Charles Goodyear），硫化橡胶发明人。——译注。

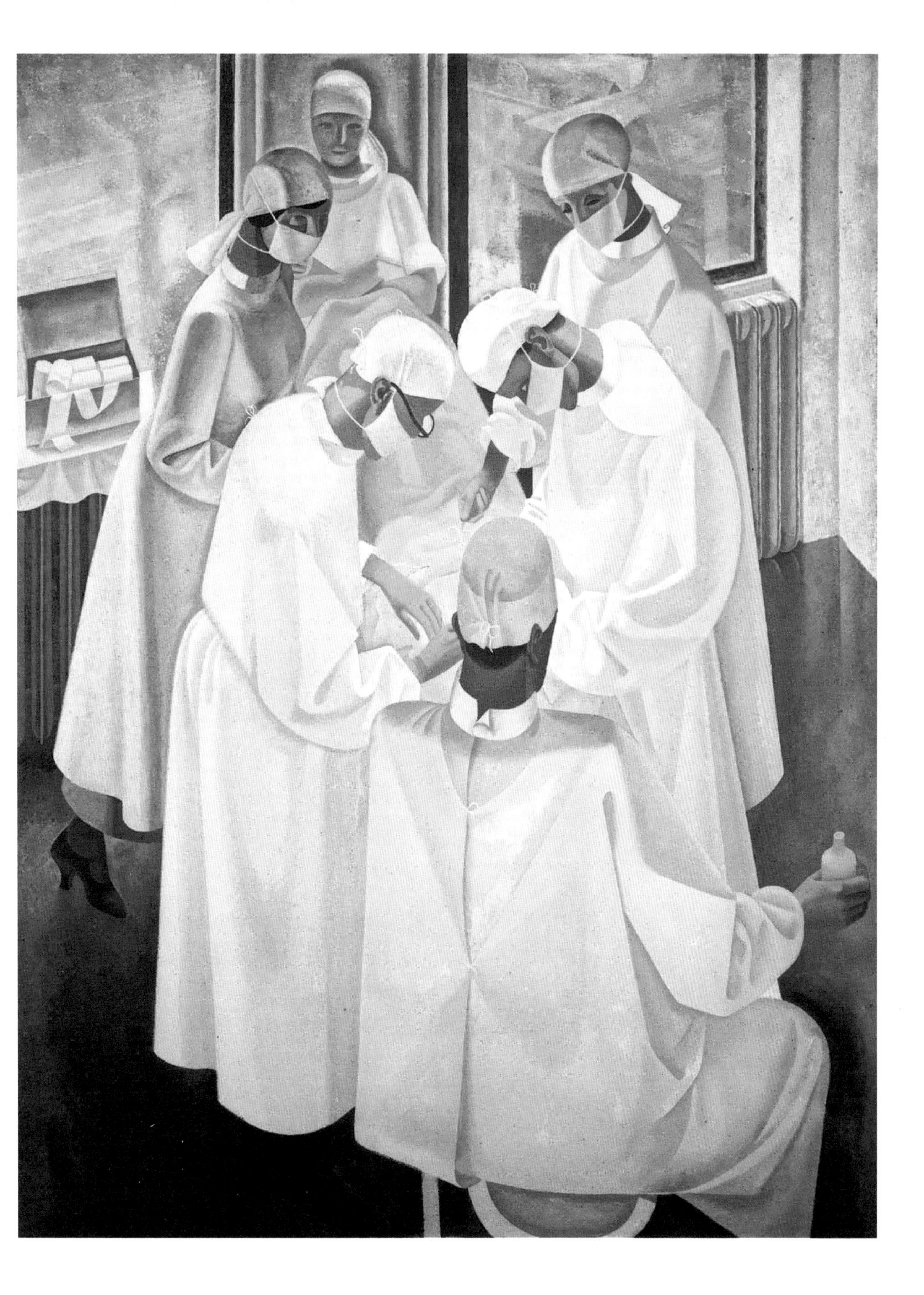

55. # 输血

馈赠之情

威廉·拜纳姆（William Bynum）

血液是一种非常特殊的汁液。

——歌德（Goethe），1808

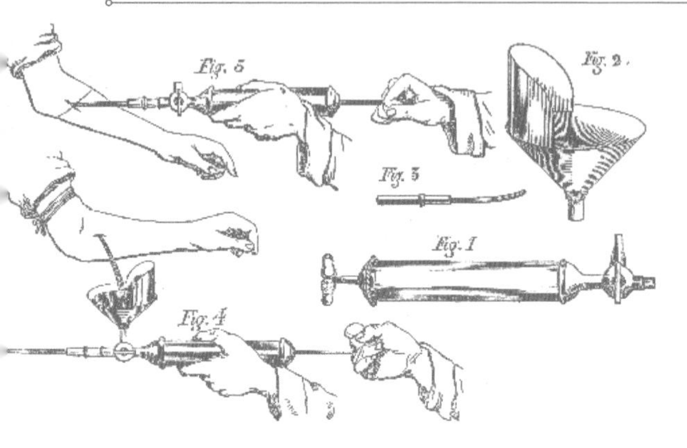

血液一直都与生命本身联系在一起，而人类也一直希望能够转移血液的功效。喝下敌人的血（希望获得对方的力量和勇气），用处子们的血沐浴（以获得他们的美丽和青春），以及牺牲动物的血（来安抚神明），这三者都说明了血液的特殊含义。

输血——将血液从一个器官输向另一个器官——早在17世纪60年代的医书中就有零星记载，当时英格兰和法国的研究者们分别在各自的学术团体面前公开演示了输血。最初，每位病人都由一只羊羔供血，虽然两地都没有受血者叙述自己有任何不适的记载，但最终法国的一次输血导致了病人死亡，使得这种实验并没能获得广泛关注。

詹姆斯·布伦德尔（James Blundell，公元1790～1877）是伦敦的一名产科医生，他重拾这项技术，使用人类供血者为分娩时大量失血的患者输血。19世纪时也有其他医生认为输血可以挽救生命。但输血也很危险，经常招致机体产生有害的反应，并会诱发感染，还会在患者的循环系统中产生血栓。

血型

转折点是1901年卡尔·兰德施泰纳（Karl Landsteiner，公元1868～1943）发现了人类的血型系统（最终被命名为A型、B型、AB型和O型）。这些血型是红细胞通过遗传获得的免疫学表征。之后兰德施泰纳（他于1930年获得了诺贝尔奖）参加了对人类另一主要血型系统的研究，即Rh血型系统，母婴血型不相配主要就是指这一血型系统不相配。如果母亲是Rh阴性血，而她的孩子是Rh阳性，有时婴儿出生后就会发生溶血反应，这一病症今天可以用换血来治疗了。人类红细胞其他许多基因差异也陆续被发现，不过对于输血而言，ABO系统和Rh系统是最重要的。这些血型系统可以解释为什么输血后红细胞会被激活，凝集成团，对身体造成损害，有时甚至导致死亡。

血库

除了兰德施泰纳，许多外科医生也独立发现了输血在治疗创伤性休克中的重要作用，创伤性休克时多有失血和低血压等威胁。第一次世界大战时血型的发现避免了血型不合造成的反应，同时也使输血的意义充分显示出来。因为储存血会凝集，此时输血仍然是胳膊对胳膊的直输。两次世界大战之间，人们开始向收集的血液中添加柠檬酸[①]来避免凝血，而冷藏技术则让血液可以储存起来以备不时之需。

这些进步让部分医院建立起了血库，珀西·莱恩·奥利弗（Percy Lane Oliver，公元1878~1944）利用伦敦红十字会，以伦敦为基地为各医院建立一套献血体系。这套体系最终发展成全国性的系统，此系统的最大特点就是献血是无偿的，完全没有酬劳。西班牙在其内战时（1936~1939）也发展出了一套系统的献血体制。某些国家，则发展出了血液的商业市场。这种市场会带来一定问题，因为那些选择去卖血的人可能处于社会经济的边缘地位，正受到可通过血液传播的疾病的折磨，如肝炎和性病。

心脏手术和其他大型手术都会用到大量血液，而血液的供给问题却十分复杂。最重要的仍然是安全问题，多种病毒，例如最出名的病毒HIV都可通过被污染的血液传播。血友病患者需要定期输血来抑制出血倾向，他们中有相当多的人最后都罹患了获得性免疫缺陷综合征[②]。所以，为了保障输血安全，血液除了配型外，还必须经过筛检。

上图

包装好的血液，随时可进行输注：每个血袋上都贴有血型标签——A型、B型、AB型和O型——以及Rh血型（阳性或阴性）。这些是输血配型时需要区分的最重要的基因差异，正确配型可避免可能的致死性免疫反应。

下图

17世纪末，人们突然对输血产生了兴趣。此图描绘的是在科学研究中经常用来公开演示的方法，供血动物是只羊羔。

对页图

约1850年，查尔斯·沃勒（Charles Waller）制成的输血工具。沃勒是伦敦圣托马斯医院的一名产科医生，他提倡为产后大出血的产妇进行输血。在血型发现之前，常是产妇的丈夫献出自己的血。

① citrates，柠檬酸，用于抗凝时多称“枸橼酸”。——译注。

② 即AIDS，音译为艾滋病。——译注。

56. **神经外科**

通向大脑的学科

迈克尔·布利斯(Michael Bliss)

库欣开辟了手术领域的新篇章。

——威廉姆·奥斯勒(William Osler),1901年

几千年来,人们在脑外科手术方面的尝试一直相当粗暴,而且经常导致灾难性的后果。到了20世纪早期,这一行业才初见成功的倪端。一位美国医生哈维·库欣(公元1869~1959),研发出一系列技术,以在病患的大脑中探入探出,而对于他的病患来说,这些技术毫无疑问是利大于弊的。

探入大脑

希波克拉底(Hippocratic)的著作中提到古代已出现了颅骨穿孔术,或者说颅骨环钻术。自古以来,人们头痛到无以复加时,便会孤注一掷地试图打破颅骨,释放脑中的恶魔。其后果几乎全是一命呜呼,但偶尔也会有幸运儿大难不死。即使伤者没有因流血过多而迅速死亡,也会因为失血的副作用或脑组织滑到颅骨外,遭受感染而亡。

19世纪,麻醉和无菌操作技术的出现,让外科医生备受鼓舞,从而更为系统化地探

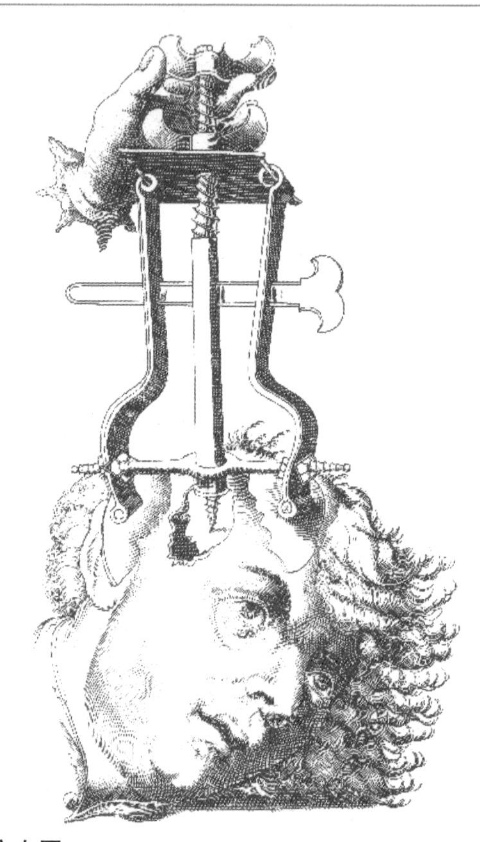

上方左图

哈维·库欣,神经外科先驱:从哈佛大学毕业后,库欣在巴德摩尔的约翰·霍普金斯医院(Johns Hopkins Hospital)与威廉姆·斯图尔特·霍尔斯特德(Williams Stewart Halsted)共事,在那里他从霍尔斯特德身上学到了其在外科技术上的严谨态度。

上图

环钻(或环锯术)是一种古老的医学实践。新石器时期的头骨上曾发现有钻孔痕迹,在希波克拉底的著作中也曾对此进行过论述。图为公元1世纪希波克拉底手术解说,图为16世纪的拉丁文版,图中展示了实施环钻术后如何移除头骨的情景。

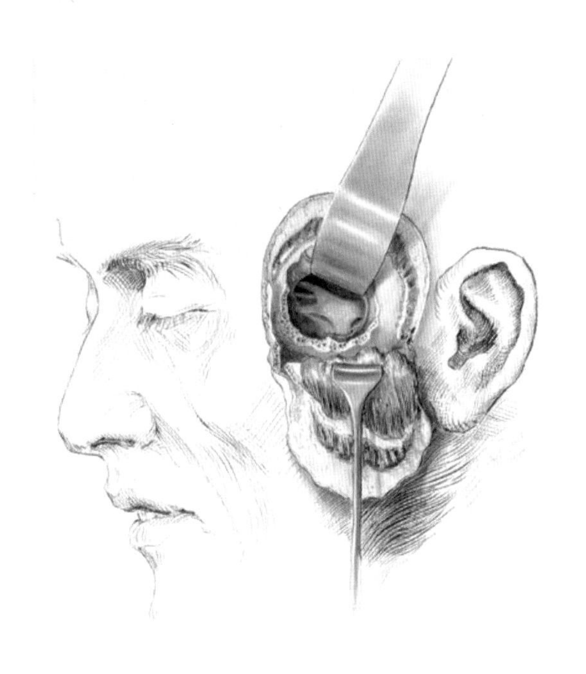

上图

库欣的绘画天赋丝毫不逊于他的外科技术，他的绘画完美记录了其精湛细致的外科实验工作。在这幅1900年的图例中，他描绘了自己在深入颅骨内部的三叉神经节上做出的开创性的尝试。

下图

图为18世纪时用来在颅骨上钻孔的环钻。上面的刀片会像木工钻一样先切出一个圆形的洞，然后再打孔。这支环钻装饰华丽，但不幸的是，这样反而为细菌提供了一个茁壮成长的环境。

究大脑。他们希望能够掀开头皮，钻透颅骨，穿过大脑的保护层，查出脓肿、肿瘤等其他疾病的所在位置并施以治疗，然后再小心翼翼地退出来，让自己的患者得以痊愈。

手术结果大多是令人沮丧的。有少数外科医生取得了惊人的成果，如亚历山大·休斯·贝内特（Alexander Hughes Bennett）（公元1848～1901）和里克曼·戈德利（Rickman Godlee，公元1849～1925）于1884年在伦敦定位并切除了一例脑部肿瘤，只不过病患因感染而最终死亡。在19世纪90年代，脑外科手术死亡率约为50%，其中也有一些先驱者的表现稍好一些，如英国的威廉姆·麦克尤恩（William Macewen，公元1848～1924）和维克托·霍斯利（Victor Horsley，公元1857～1916），美国的威廉姆·威廉姆斯·基恩（William Williams Keen，公元1857～1952），以及德国的费多尔·克劳泽（Fedor Krause，公元1857～1957）。绝大多数野心勃勃的外科医生也只是浅尝辄止，不敢再涉足脑外科手术。而大部分神经科医生对神经外科手术也并不信服。

保守主义发起的革命

哈维·库欣，生于美国俄亥俄州克里夫兰市，曾先后在哈佛大学和麻省综合医院（Massachusetts General Hospital）接受医学培训。19世纪90年代末，他在巴尔的摩的霍普金斯医院（Johns Hopkins Hospital）实习期间，开始对脑科产生了兴趣。作为一个保守的完美主义者，库欣采取了一系列技术，如仔细止血法（控制出血）、无菌操作以及对组织的重视——库欣在霍普金斯大学的导师，威廉姆·斯图尔特·霍尔斯特德（William Stewart Halsted，公元1852～

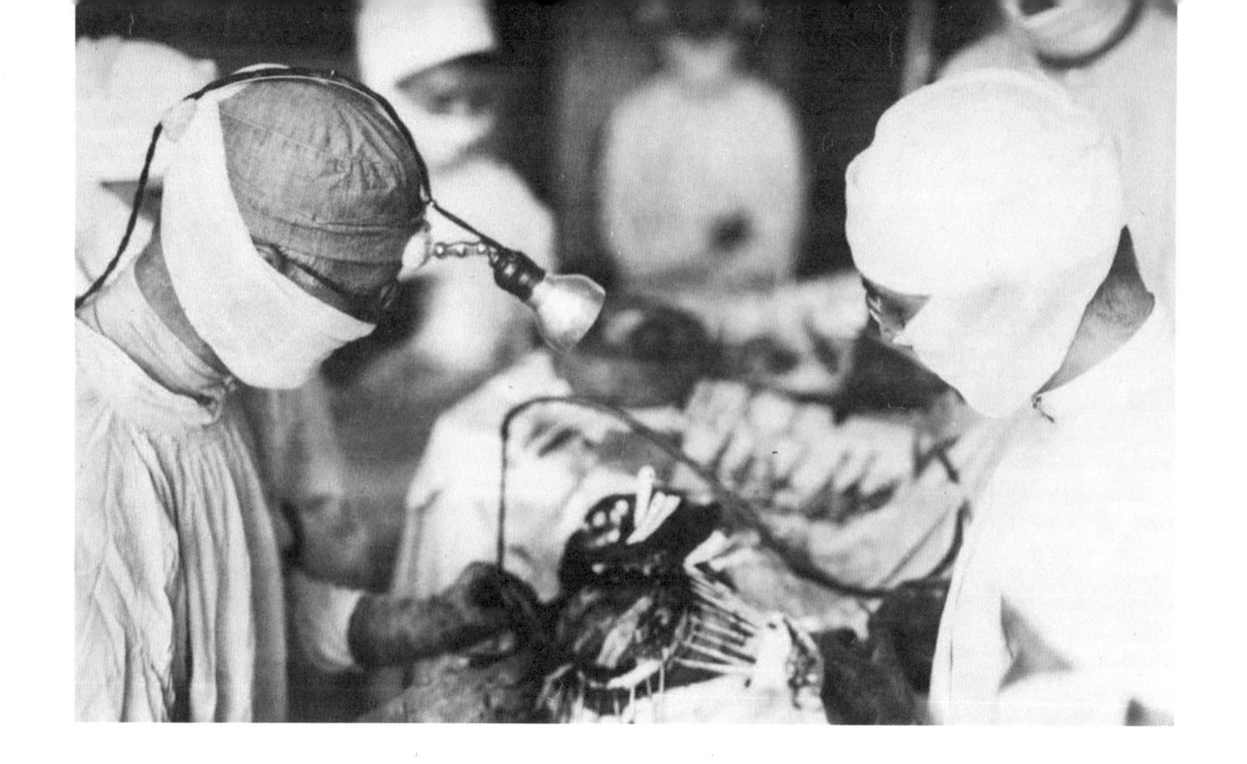

哈维·库欣（左）正在手术：在前抗生素时代，库欣在保持无菌操作环境、止血或阻止血液流动方面相当谨慎。止血钳（照片底部中央）是用来夹阻颅内血管的。

1922）曾率先将这一方法应用在疝修补术和乳房切除术中。

库欣对于脑外科手术极为仔细和慎重。他首先学会如何为病患释放肿瘤产生的巨大压力，而不会引发出血、脑疝或感染。20世纪初，他逐渐掌握了如何定位肿瘤（在现代成像技术出现之前，这种手术是相当困难的——即便是X光在大多数头部病例中也作用甚微），而肿瘤切除的成功率也在逐渐提高。库欣一直坚持严格记录和统计，并且被公认为拥有任何人都无法比拟的高成功率。

1908年，亨利·福特发明了T型汽车，而哈维·库欣也在这一年为一位处于完全清醒状态下的患者切除了脑中的脑膜瘤，该患者在手术期间仍能与医生进行对话。1910年，库欣研发出一系列针对垂体瘤的治疗方法，这种肿瘤位于脑室底部，是最神秘、最难以接近的腺体组织。1913年，库欣已成为神经外科手术成功之父——当然败在脑外科手术上的人也数不胜数——随后他转入波士顿的彼得·本特·布赖海姆医院（Peter Bent Brigham Hospital）在接下来的20年，他的手术室堪称外科手术界的圣地，吸引了无数的年轻医者前来观摩和学习各种令人惊叹的手术操作方法。

培养脑外科医生的学园

库欣的弟子遍布北美和欧洲，他们一边悬壶济世，一边也培养后辈。即便到了今天，在西方世界的绝大多数外科医生，沿着其“世系”上溯三代或四代，总会归入哈维·库欣的门下。在全世界各地拥有数千名成员的美国神经外科医师协会（American Association of Neurological Surgeons），也是作为哈维·库欣协会于1931年成立的。

库欣是一个工作狂，也是一位要求严格的大师，在整个职业生涯中他一直站在专业的前沿（在此期间他还凭借为其医学导师威

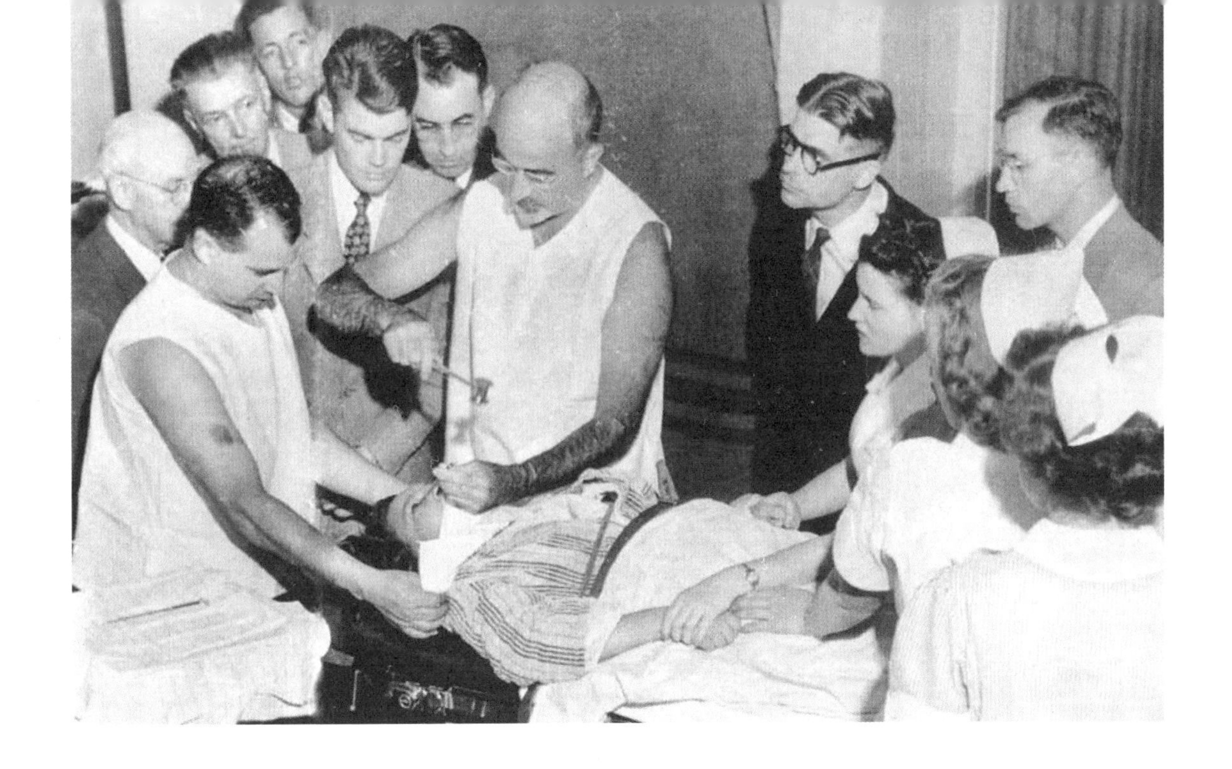

库欣的手术精确率与额叶切断术的粗劣结果形成了鲜明的对比。上图为沃尔特·弗里曼（Walter Freeman，公元1895～1972）使用他自己设计的一件类似碎冰锥的工具。他将额叶切断工具插入病患上眼睑的下方，从而切断大脑前额的神经连接。

廉姆·奥斯勒爵士撰写的传记赢得了一项普利策奖，同时因为对垂体病症——库欣病做出的描述而成为内分泌学方面的著名人物）。他在20世纪20年代创建的脑肿瘤组织学分类法一直沿用至今，同时他也是在脑外科中采用电外科技术的第一人。而库欣在霍普金斯医院的学生及接班人，沃尔特·丹迪（Walter Dandy，公元1886～1946）也带领着一群更为年轻的脑外科医生，他们青出于蓝而胜于蓝，在疑难肿瘤的切除方面进行的尝试更为积极，并开始学习如何治疗动脉瘤、癫痫和脑积水的疾患。

在治疗大脑疾病上，神经外科医生通常分为保守派和激进派，而这种分歧也一直延续至今。在20世纪50年代和40年代，最激进的神经外科医生曾企图实施“精神外科手术”，即切除精神错乱病患的额叶。

20世纪50年代，脑叶切断术逐渐被弃之不用，但在21世纪初期，一些神经外科医生在对付抑郁症时，依然有人在尝试激进无比、攻击性十足的治疗方式。另外一些医生则在脑肿瘤和其他大脑疾病方面成为无攻击性显微治疗的先驱。在世界各地的很多医疗中心，成功的脑外科手术逐渐变得稀松平常。大部分神经外科医生在对人们的颅脑开开合合时，使用的依然是哈维·库欣在100多年前就已熟练应用的基本仪器和治疗技术。在手术史上很少有一个人能取得如此大的成就，能产生如此主导性的影响。

57. 白内障手术

恢复失去的视力

约翰·皮克斯通（John Pickstone）

全世界的失明病例中，年龄相关性白内障占了48%，达到1 800万人。

——世界卫生组织（WHO），2010年

白内障——即眼睛晶状体渐渐变得混浊——是晚年时期视力下降最为常见的原因。针拨术（“Couching”，即将视线内的混浊晶状体拨出去）是古代印度治疗白内障的传统方法，这一技术也传播到了世界各地。在18世纪，“眼科游医”较为流行，到了19世纪，眼科手术成为较早形成现代医学的专业领域。在第二次世界大战之前，标准的“治愈”手术是摘除晶状体（通常连带晶状囊），从而让光线能直达视网膜，但却无法对焦形成清晰的图像。唯一的矫正方法就是使用“水晶眼镜”——最好的情况也只是术后达到很弱、很扭曲的视力。感染和手术附带伤害的风险使得这种手术成为不得已的最后选择。

人工晶体的研发

第二次世界大战之后不久，伦敦莫尔菲尔德眼科医院的资深外科医生，哈罗德·雷德利（Harold Ridley，公元1906～2001）开始尝试在摘除混浊的晶状体后，在晶状体囊内插入塑料镜片。因为他知道发明于20世纪30年代的塑料隐形眼镜，与人体组织有非常好的相容性，而战时受伤飞行员的情况也表明，如同玻璃一般的有机玻璃“弹片”，可以“稳定地”待在眼中。他与雷纳公司（Rayner，一家小型眼镜公司）的约翰·派克（John Pike）、ICI（英国化工巨头）的约翰·霍尔特（John Holt）联合研发出“有机玻璃”CQ（Perspex CQ）（临床品质）。

1949年11月29日，雷德利在英国伦敦的圣托马斯医院植入了第一枚人工晶体（IOL），但一直到1951年7月，才将他的第八个手术结果公布于众。人们的反应是相当敌对的。因为早期的人工晶体比较厚重，易变异，较难消毒，有大约15%的病患不得不将自己的新晶体再次摘除掉。虽然许多外科医生不愿意做这种手术，但雷德利还是吸引了一批追随者，其中一些医生尝试将人工晶体安放在眼睛前房，或者使用虹膜固定型人工晶体，但这些手术依然问题重重，即使是技艺高超的医生也无法解决。事实上，在20

世纪70年代，美国消费群体对未经检验的人工晶体提出抗议，使得FDA根据1976年的《医疗器械修正案》颁布了一系列规定。

乳化与展开

经过不断的研发，雷德利的发明和手术方式最终形成一台过程异常复杂的手术，但最重要的是在白内障摘除术中采用了晶状体乳化技术。该项技术由纽约的临床眼科学教授查尔斯·雷曼（Charles Reiman，公元1930～2004）研发，他一直在致力于减小晶状体囊的切口尺寸。旋转机械切削设备对于老年人的硬核白内障一筹莫展，而雷曼从一台超声设备中偶然发现了可能的解决方案：他用一根具备震动功能的针把白内障击碎，之后通过一个极其微小的切口，将眼内的白内障抽吸干净。

随后技术迅速革新，从20世纪70年代推出第一台略显粗糙的设备，逐渐转变为适应美国市场的商用白内障创新技术。但从微小的创口无法摘除比较大的白内障，还是要植入传统的、硬质或半硬质的塑料晶体。因此商业公司尝试了各种各样的材料用以制造折叠型人工晶体，终于在20世纪80年代取得了比较满意的结果。人工晶体可以折叠起来再植入完整的囊袋内。

到了20世纪末，人工晶体已成为白内障手术的标准植入物，同时也成为发达工业社会中最经常实施的门诊手术。这种手术已经非常标准化，可快速实施，在有些国家甚至是由护士实施完成的。

对页图
大部分白内障是由于衰老、营养不良、脱水、糖尿病导致的，在阳光下暴晒也可能会加快这一过程。图中的板层间（或绕核性）白内障是一种罕见的遗传病：晶状体中心清澈，周围环绕着一圈混浊带。

左上图
白内障针拨术——用弯针将视线内的混浊晶状体拨出去——起源于印度。实施者的手必须很稳定，而他的助手则负责固定住患者的头。

右上图
斯维亚托斯拉夫·费多罗夫（Sviatoslav Fedorov，1927～2000），俄罗斯著名眼科医师，正在实施手术，他是采用塑料晶体的先驱。他还曾经引入输送带系统（conveyor belt system），即带着病患看一系列外科医生，医生们分别专门负责手术中的一部分。如此一来，他的团队每天能诊治150名病患。

58. 剖腹产术

“从他母亲的腹中/剖出来”

珍妮特·阿洛太（Janette Allotey）

这些环形的骨头［骨盆］，是每一个孩子降临到世界上的必经之路，剖腹产出生的除外。

——玛格丽特·斯蒂芬（Margaret Stephen，助产士），1795年

希腊神话中有切开肚皮，“拉出”婴儿的故事，更为神奇的是，还能从女人甚至是男人身体的各个部分将婴儿提取出来。在印度教，犹太人和穆斯林的文献中也曾提到过在活人和死人身上实施剖腹产手术。在埃及和罗马法律（剖宫产律)中，允许在孕妇死后实施剖腹产，给婴儿一个幸存的机会。就连尤利乌斯·凯撒也跟这种手术扯上了一丝若有若无的关系。中世纪的基督教堂相当重视那些有夭折于腹中危险的婴儿的接生和受洗，少数从这种手术中存活下来的婴儿，被认为拥有强大的力量或特别的能力。虽然在中世纪时期，这种“非自然”的出生经常与反基督者的出生联系到一起，从而遭受不少怀疑的目光。

直到文艺复兴时期，死后剖腹产通常由助产士来实施完成。据传闻，1500年，瑞士一个专门阉割猪的屠夫雅各布·尼费（Jacob Nufer），为自己的妻子做了剖腹产，这是第一例在活生生的女性身上成功实施的剖腹产。从16世纪开始，这种手术便被广为记载，在欧洲医学著作中也有详细的讨论。在17世纪和18世纪，这种事情则被称为被牲畜的角穿透身体，从而导致“投机取巧般地”剖腹生子。在18世纪和19世纪，还有关于自

上图
在中世纪时期，关于尤利斯·凯撒的传说及其奇迹般的诞生已成为广为人知的史诗，如这幅14世纪的法国手绘图。

对页图
在中非（现在的乌干达）地区实施的剖腹产手术，来自19世纪80年代。

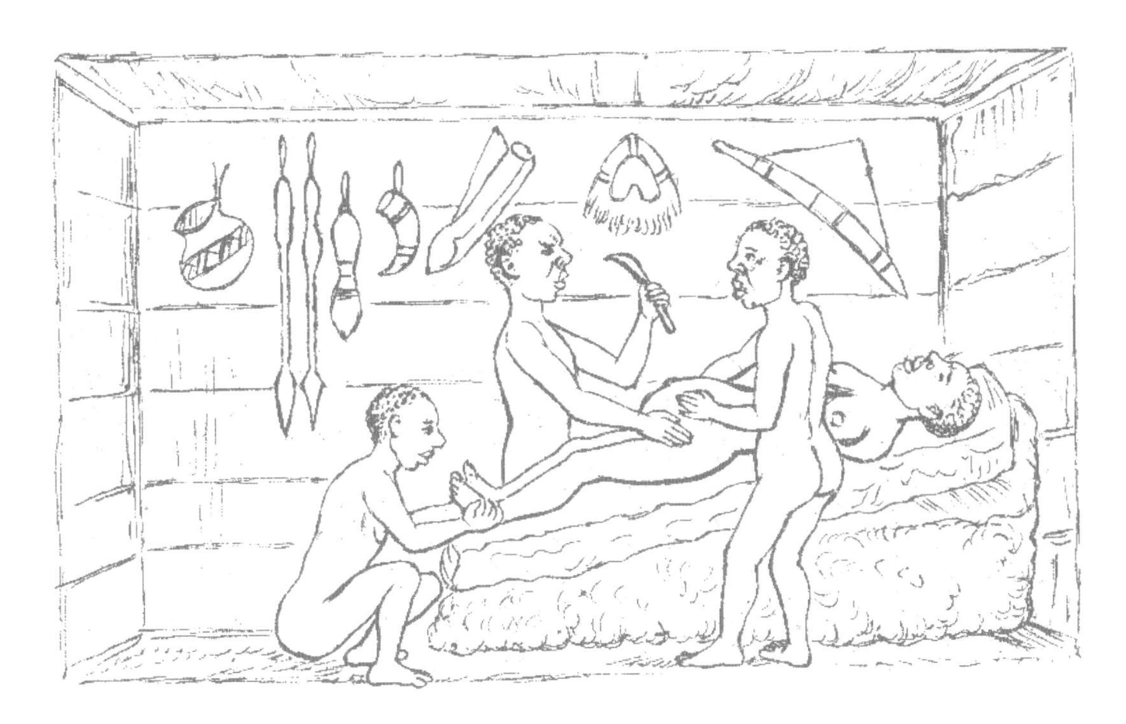

己为自己实施剖腹产的孕妇的记载。在活着的孕妇身上实施剖腹产，是一个相当有争议的话题，因为手术的死亡率非常高。

早期尝试

难产的孕妇——有时是因为骨盆窄小或畸形所致，通常是因为儿童佝偻病、先天性畸形或骨软化病（软骨病）——经常会挣扎上好几日。如果能用手从阴道中摸到胎儿，或者在更为严重的情况下，则会用木制或金属器具将胎儿整个儿拖出来，或者弄碎取出。在18世纪，另外不太流行的方法还包括切分耻骨，以扩大骨盆产道（耻骨联合切开术），以及如果提前预知到会难产，则会采取引产措施。

在剖腹手术开始之前，产妇就已经遭受百般折磨，疲惫不堪；她们这种虚弱的状态，再加上手术技术和麻醉措施的不足，以及大出血和败血症的固有风险，导致手术结果比较糟糕，而很多医生也不愿意冒着名节被毁的风险而尝试这种手术。而道德和神学方面的争论也相当复杂，主要是关于谁的生命更重要，是产妇还是孩子。

开创性的手术

助产士玛丽·杜南里（Mary Donelly），于1758年的爱尔兰，成功实施了第一台剖腹产手术（产妇活着）。在19世纪，产科医师有时会在英国和苏格兰的工业地区实施剖腹产，而在这里因盆腔严重收缩导致产妇死亡的病例则更为常见。

虽然剖腹产成为主流的进度十分缓慢，但直到19世纪晚期之前，它依然比较少见地存在着。1876年，意大利产科医师爱德华多·波罗（Eduardo Porro，公元1842～1902）率先尝试了一种技术，即在切除一位产妇子宫的手术中，将大出血和败血症的风险程度控制在最小，用丧失以后的生育能力为代价降低了产妇死亡率。

从最后一搏到日常手段

从19世纪末到20世纪，公共健康状况得到明显的改善，包括产前护理、手术技术的

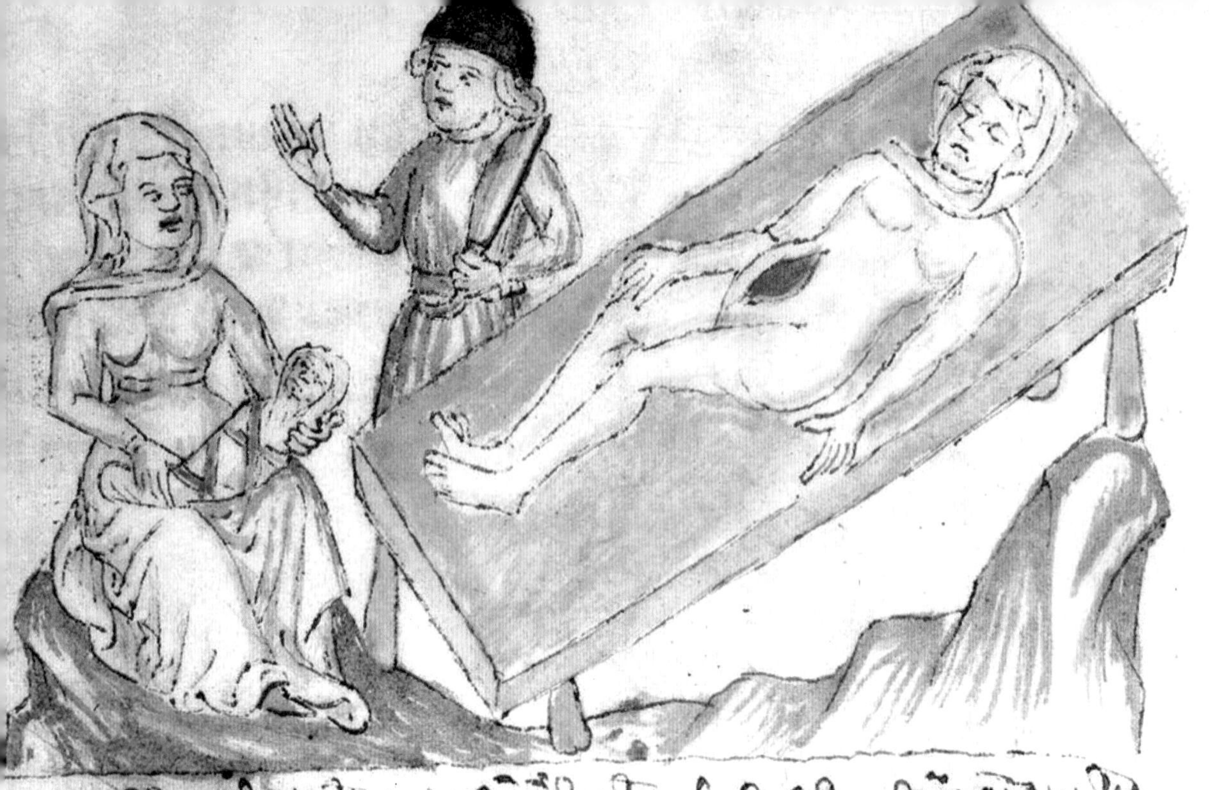

改进，麻醉法、抗生素、静脉注射和输血的出现，催产药物的应用（可使子宫收缩，减少出血），都让剖腹产手术过程更为安全和有效。随着经济的持续增长，交通和通信也不断得到发展，都市化程度日益增高，妇产科的规模也日益扩大。这一切都意味着产妇接受剖腹产的情况也更少了。发达国家中母亲和胎儿的死亡率大幅度降低正体现了这一点。

现在大众印象的剖腹产通常是当分娩情况比较复杂，或者比较麻烦的情况下，可以替代分娩的快速安全的方式之一。尽管剖腹产的有效性逐渐增强，但依然是一项腹部大手术，不管是对于母亲还是胎儿，手术过程也并非全无风险。

成也萧何败也萧何？

随着日益激烈的诉讼环境，曾经需要证明自己采取剖腹产的必要性的产科医生，现如今则更多地要证明自己不用剖腹产的理由。剖腹产率在20世纪50年代是3%左右，现在英美部分地区的剖腹产率增长到23%~33%，在南美的私人诊所已高达98%~99%。世界卫生组织确定有10%~15%剖腹产并不能改变产妇和胎儿的结局。虽然剖腹产对于许多妇女来说是一项能救命的手术，但当今世界各地的高剖腹产率已成为一个国际问题，并且引发了诸多医务人员和健康经济学家的关注。

上图

《约翰启示录》（The Apocalypse of St John，公元1420~1430）中的一幅插图。已死亡的母亲躺在长凳上，医生手持手术刀，一个女人抱着襁褓中的婴儿。此图描绘的可能是一位反基督者的诞生。

对页图

赫尔曼·弗里德里希·基利恩（Hermann Friedrich Kilian）所著的《产科图集》（Obstetrical Atlas，公元1835~1844）中的一整页插图，图中显示了剖腹产手术的过程：切开腹部，用产钳接生胎儿，手术后用绷带包裹腹部。

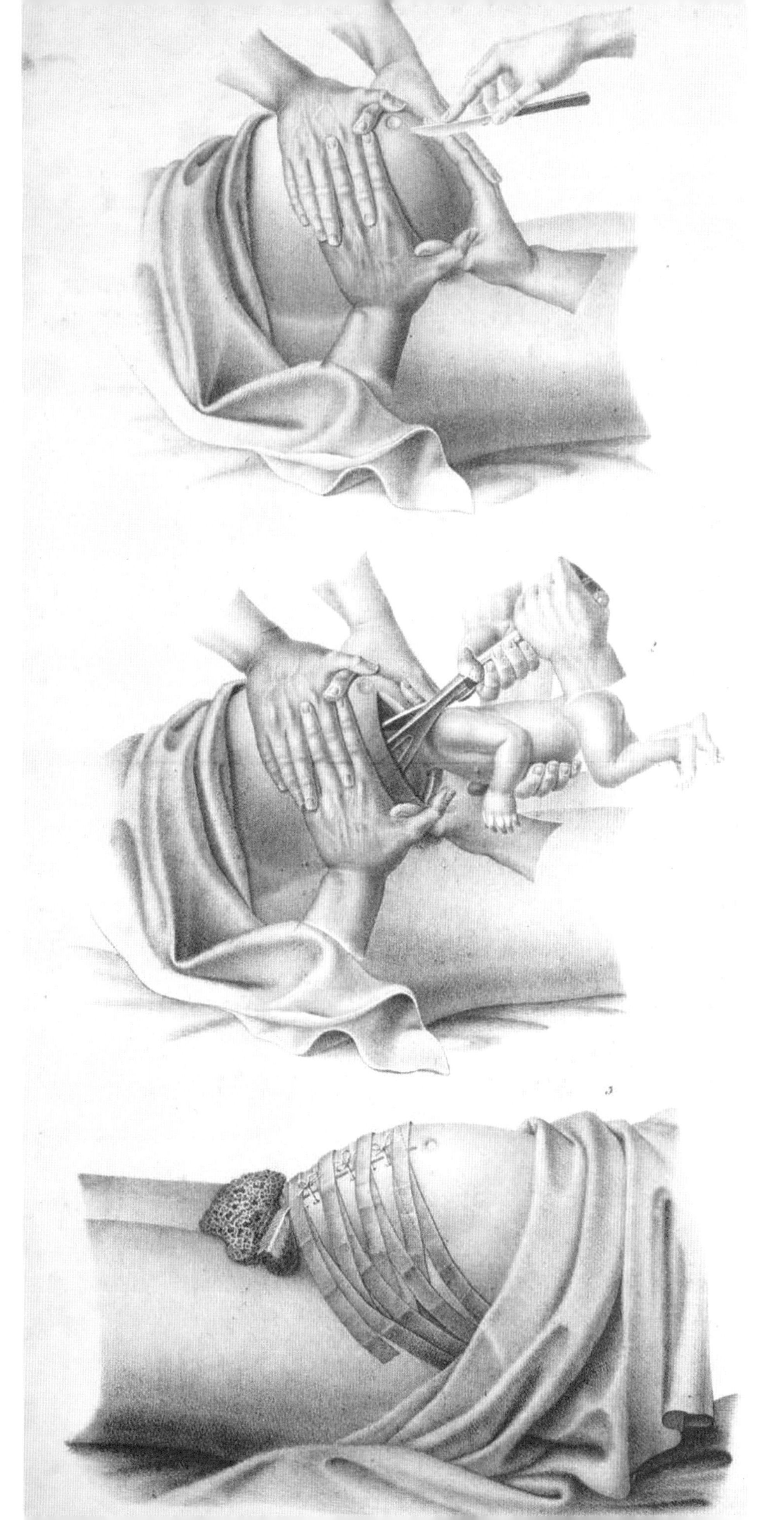

59. 心脏手术
挑战极限

汤姆·特雷热（Tom Treasure）

心脏手术也许是所有外科手术中最接近自然极限的一种：没有任何新方法，也没有任何新发现，能够克服那些自然存在的困难去医治心脏创伤。

——斯蒂芬·佩吉特（Stephen Paget，1896年）

右图
斯蒂芬·佩吉特，外科医生和动物实验活动家。19世纪末期的佩吉特认为外科医生的手术刀是无法解决心脏问题的。

对页图
罗伯特·卡斯威尔（Robert Carswell）所著的《病理解剖学》中的插图页：心脏病基本形式的插图（公元1835～1838），展示了心脏壁的先行变化及伴随的心肌扩张。

在上文的观点发表之后的50多年里，医学界普遍认为心脏是外科手术难以企及的区域。伦敦医生斯蒂芬·佩吉特（公元1856～1926），在他所编写的共460页的教科书《胸心外科学》（*The Surgery of the Chest*）中，描述了当时最先进的技术，包括胸外科手术的操作过程，以及预期范围内的伤害和疾病结果。他找不到任何关于心脏单纯缝合的信息，比如心脏遭到刺伤时所需的缝合手段，这也是其所处时代的反映。心脏跳动就意味着生命；医学技术和认识上的局限成为心脏手术难以逾越的障碍。而今天，心脏手术已经变得司空见惯。

试探性的开端

在佩吉特所处的时代，医生对心脏结构的认识算得上比较清晰。他们注意到了心脏泵区（心室）将血液泵入动脉、肺和身体各个部分的过程。通过对听诊器中所听到的声音以及病患死亡后对其心脏的观察进行对比，他们发现心脏瓣膜可能会变窄或阻塞，或瓣膜发生漏血导致心力衰竭。19世纪时，风湿热肆虐，所有医生对于这种疾病对心脏瓣膜的损害都十分熟悉，尤其是二尖瓣变窄，即二尖瓣狭窄。在伦敦，有两位内科医生，桑韦斯(D.W.Samways)和托马斯·劳德·布伦顿爵士（Sir Thomas Lauder Brunton）分别在1898年和1902年提出建议，即外科医生或许有能力打开心脏瓣膜。这种想法遭到了激烈的驳斥。到了1925年，艾略特·卡特勒（Elliot Cutler）和亨利·苏塔（Henry Souttar）才分别在美国波士顿和伦敦将他们的建议付诸了实践，并且都取得了初步的成功，患者得以存活，症状也得到了缓解。但之后却是接连的失败，长达20多年都没有人再进行更深一步的尝试，而在此期间反对的医疗观点也就愈发根深蒂固。

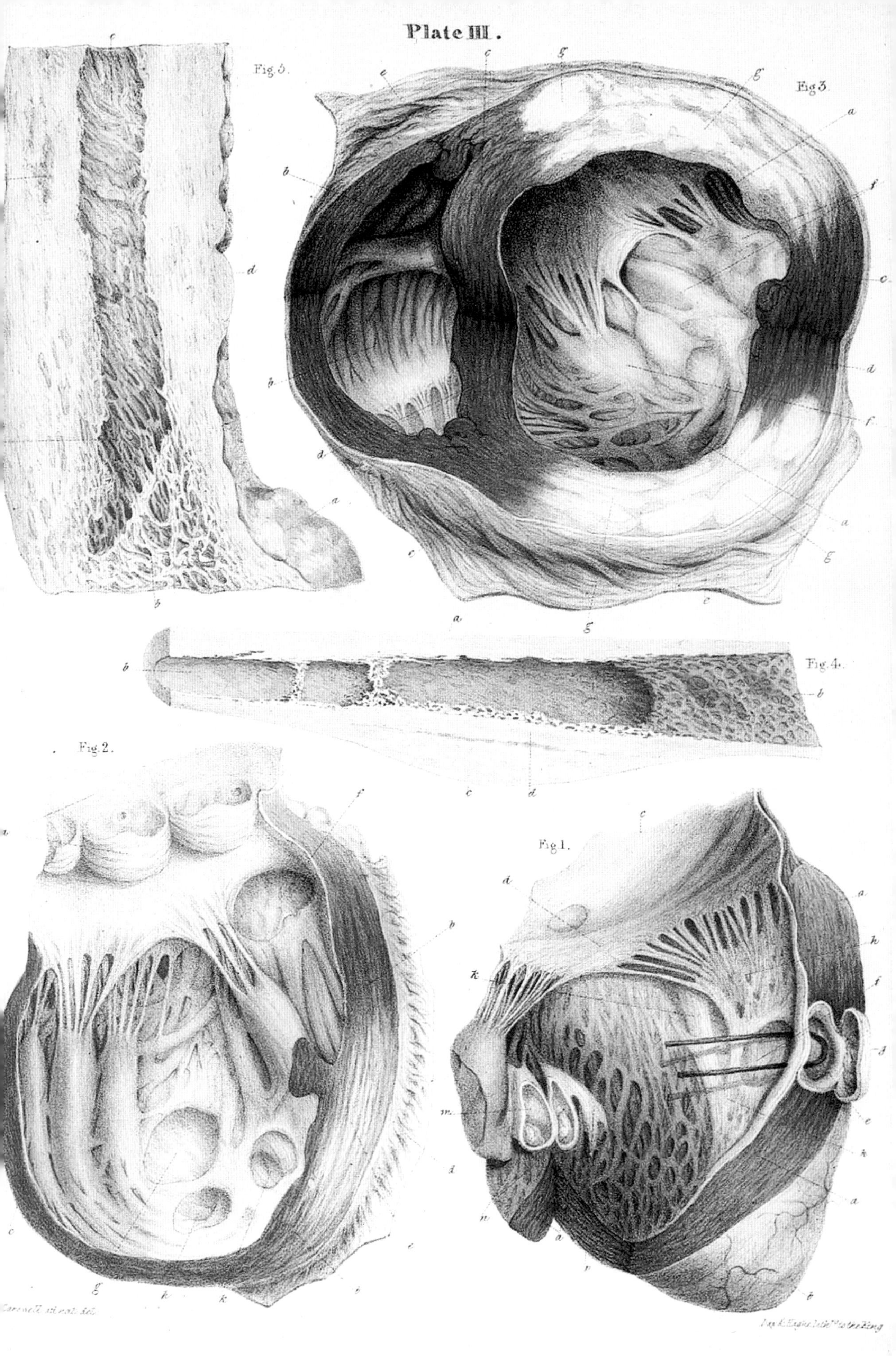
Plate III.
Fig. 5.
Fig. 3.
Fig. 4.
Fig. 2.
Fig. 1.

更有信心

随后发生了两个改变，即外科医生在胸腔手术方面的技术和信心都得到了发展，包括对从心脏输送血液的大血管的手术。首先，20世纪30年代末，出现了心脏手术成功的个别案例报道，手术对象是心脏外大血管先天缺陷的儿童。之后，第二次世界大战期间，美国外科医生德怀特·哈肯（Dwight Harken，公元1910～1993）在英国赛伦塞斯特（Cirencester）的美军军事医院工作期间，实施了139例从心脏内或心脏周围取出子弹或弹片的手术，且无一例死亡。如果手术器械能伸入跳动的心脏，取出子弹，那么为什么不能打开狭窄的瓣膜呢？1948年，三位医生合作实施了一台二尖瓣切开术，成功打开了二尖瓣，而哈肯正是这三人中的一位。

二尖瓣切开术得以确立的里程碑是由心胸外科医生拉塞尔·布鲁克（Russell Brock，公元1903～1980）树立的，而他直到完成了九例手术，七例成功存活之后，才将自己的努力公诸于众。其中有两例手术正是在巴德摩尔的约翰·霍普金斯医院实施的。

不断拓展的技术

布鲁克与阿尔佛雷德·布莱洛克（Alfred Blalock，公元1899～1964）建立了一种富有成效的合作，后者曾来到伦敦的盖斯医院（Guy's Hospital）分享了其在“青紫婴儿”（儿童因出生缺陷导致缺氧的血液无法输送到肺部，而是分散到身体各个部分）方面的手术经验。两人和其他人共同合作，研究出各种能够改善这一问题的手术方案，但这些方法都受到了严重的限制，因为在手术中的任何尝试，都必须保证儿童的心脏一直跳动以维持生命。这就是他们下一个要克服的障碍。

有四种可能的解决方案。第一，探索能够在跳动的心脏中进行手术操作的巧妙方式。由于现代放射学和导管顶端设备的出现，使很多心脏问题能够得以解决。第二，用输液管将婴儿与母体的血液循环连接起来。尽管这种方法的实施机会极少，但极具讽刺意味的是，这种“手术机会”的死亡率

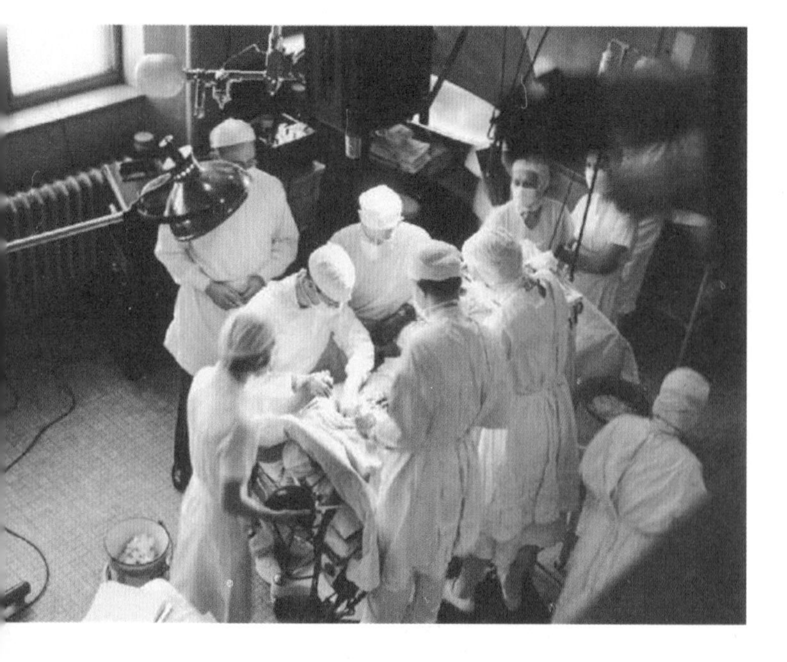

左图

阿尔弗雷德·布莱洛克于1945年为一个“青紫婴儿”实施手术。站在他身后的是负责提供缝合意见的手术技师，维维安·托马斯（Vivien Thomas）。该手术创造了一种B-T分流术（Blalock-Taussig shunt）——为缺氧血液返回肺部而创造的一条替代路径。

对页图

亨利·苏塔在英国医学杂志（British Medical Journal，1925年）发表的论文中的一页插图，图中报告了他针对因风湿热导致的心脏二尖瓣狭窄而实施的二尖瓣切开术。

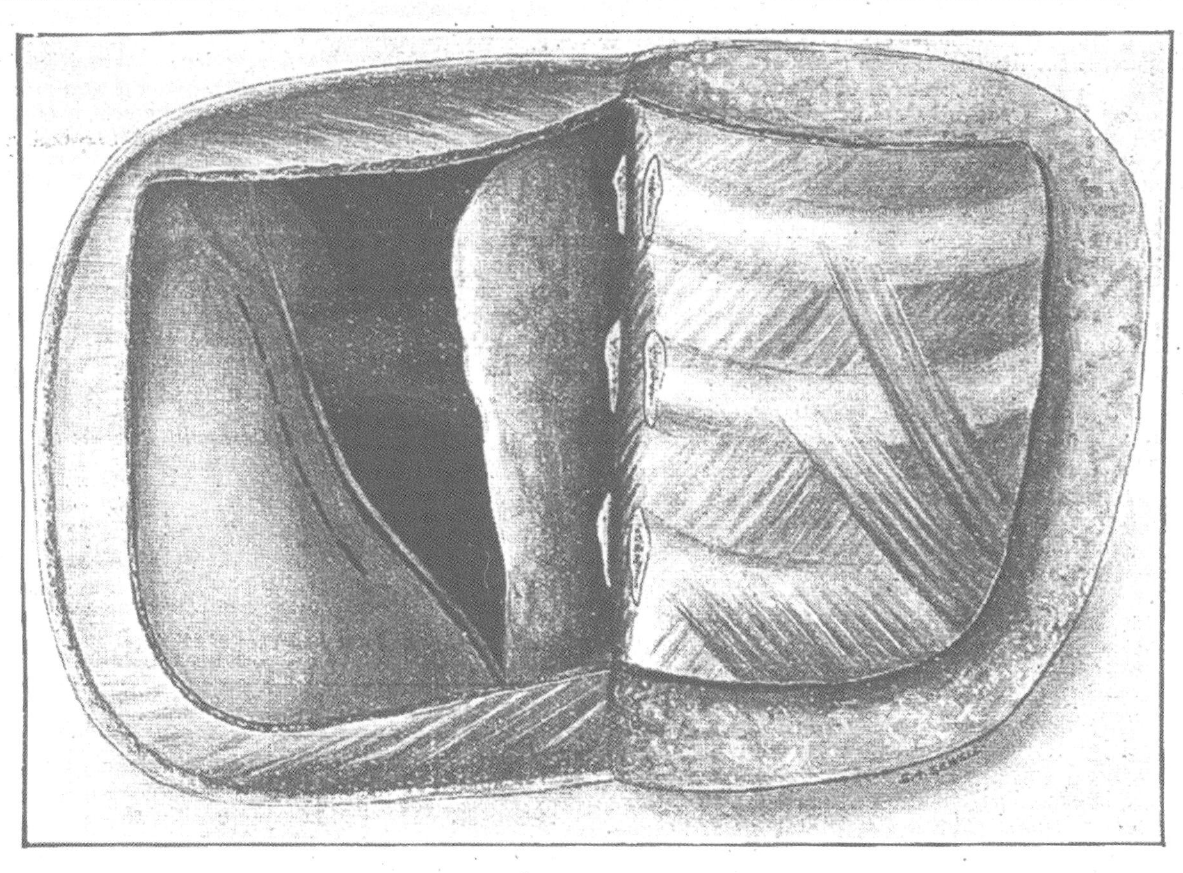

FIG. 2.—Ribs divided, and flap, formed by cutting through muscles and costal cartilages, turned back; left side of pericardium exposed.

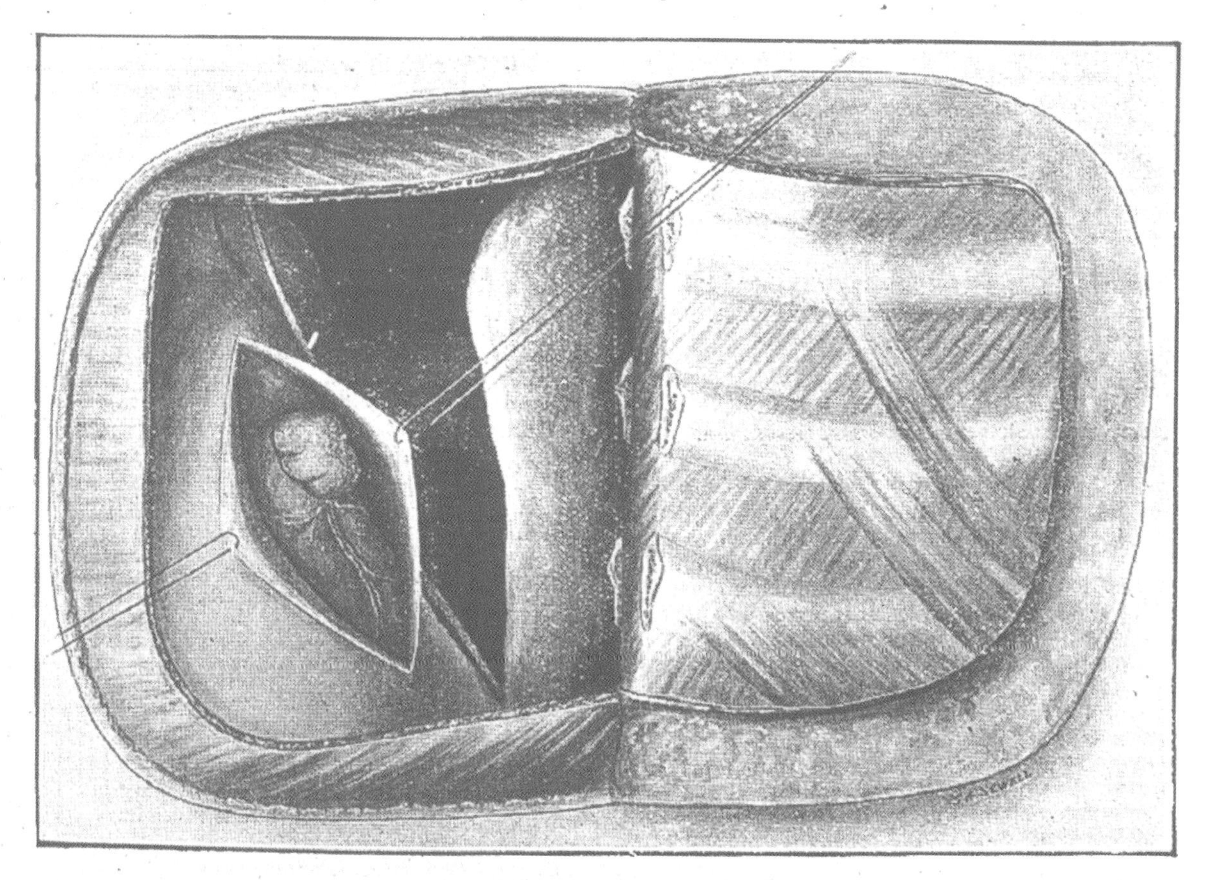

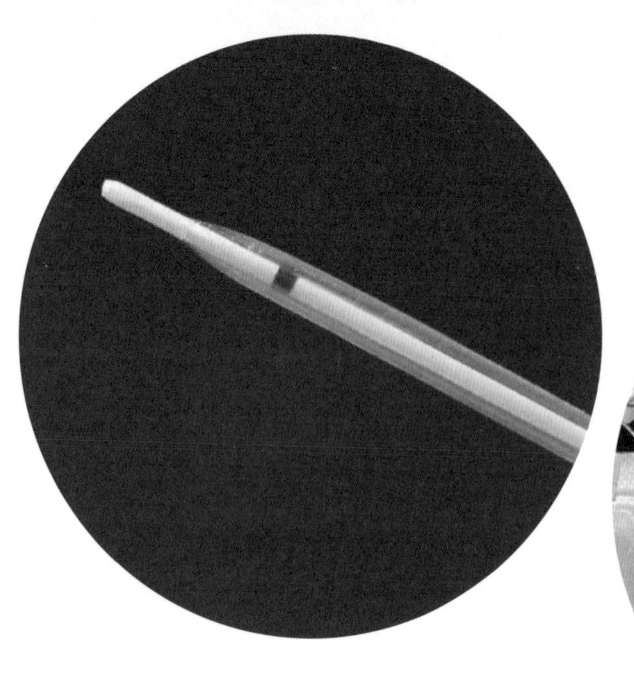

左上图
一支血管球囊导管，用于恢复狭窄动脉中的血流通畅。将其插入动脉，导管柔软的顶端会充气成球状，从而将阻塞的动脉中的斑块压扁。球囊导管还可以与血管支撑架（管）配合使用，以保持血管扩张。

右上图
上图为心脏直视术。病患与人工心肺机联接（顶端左侧），在静脉血输入心脏之前将其引出，氧合后再输回患者体内直达心脏。

为200%，从而证明了其局限性。第三，将患者的体温冷却至20℃（68℉）以下，这是一种成熟的技术，当身体不得不停止供血时，现在依然被用来作为保护大脑的一种手段。

第四种解决方案，正是现在的标准治疗手段——心肺分流术，即将所有血液都转入机器中，待氧合后再输回病患体内直至心脏。费城杰弗逊医学院（Jefferson Medical College）的约翰·H. 吉本（John H. Gibbon，公元1903～1973），在20世纪30年代末开始研发人工心肺机，但直到1953年，才在梅约医学中心（Mayo Clinic）取得常规操作的成功。

在早期岁月，心肺分流术本身有着巨大的危险，但从20世纪60年代到90年代，随着材料和设计的精益求精，医务人员的专业操作，当今的内在风险已降至极低。这项技术使得现在无法解决的心脏结构异常现象也变得极为少见，无论是出生缺陷还是后天疾病导致。有意思的是，20世纪60年代末，冠状动脉手术在其出现之初，也得依靠心肺分流术以便医生能够切开并缝合直径仅2~3毫米的血管。到了20世纪90年代，随着手术技术、经验和体征稳定设备的发展，意味着这项手术可以在跳动的心脏上实施。

从20世纪60年代起，就出现了各种各样的机械和动物瓣膜，并且可以替换任一或多个心脏瓣膜。当然对这些瓣膜的使用也有比较严

斯塔尔-爱德华（Starr-Edwards）置换心脏瓣膜（由塑料和金属在无菌环境下制成），是由一名年轻的美国外科医生（艾伯特·斯塔尔，Albert Starr）和一名工程师（迈尔斯·“罗威”·爱德华，Miles ‘Lowell’ Edwards）合作发明出来的。第一例人类主动脉瓣狭窄置换术实施于1960年。

格的限制。当时动物瓣膜很容易失败，尤其是在随后的7~12年，从而导致需要进行二次手术，通常这种情况多见于年老人群。而机械瓣膜则很少能避开血液凝块的问题，所以必须终生进行强制抗凝血治疗。现在也有一个比较有趣的逆转，那就是目前的治疗中，如有可能会实施保护原有瓣膜的治疗，纵然相对于在跳动的心脏上实施二尖瓣分流术来说，当今的技术早已得到大幅度的精进。

大胆行为的报应？

自从克里斯蒂安·巴纳德（Christiaan Barnard）于1967年在开普敦实施了的第一例心脏移植手术之后，心脏移植术便如同一场风暴席卷了全球。之后的三到四年间，共完成了150例心脏移植手术，其中多例移植手术的实施团队几乎事先毫无准备，患者生存期普遍很短。为确保手术成功，需要一种新的死亡定义，即基于脑死亡而不是心脏停跳基础上的定义。由于对心脏移植轻率的认识，临床治疗的失败，以及人们对摘除理论上依然跳动的心脏是否符合伦理的抗议，使得全世界范围内的心脏移植术被暂停，有些国家是强行禁止，而有些国家则是协商后暂停。

20世纪80年代，心脏移植重新兴起，这与短期存活率的大幅度提高有关，尽管由于组织排斥的问题仍未解决，以及供体不可避免地只能是死去的人这样一个事实，都限制了心脏移植手术的数量。死刑犯和有人要死要移植的限制提供了一个心脏进行操作的数量的尚未解决的问题。由此产生的使用心中的死刑犯和养生旅游让那些谁能够负担得起它来利用这些资源本身已开放有关职业道德和医学在全球市场的争论。使用死刑犯的心脏和医疗保健旅游，使得能负担得起的人可以让自己享用到这些资源，由此在全球市场范围内引发出一场关于伦理道德和医学的讨论。

在过去的30年里，对心脏手术产生最大影响的是动脉粥样硬化性心脏病。在发达国家，动脉疾病转为流行，这与富含动物脂肪的饮食、吸烟以及久坐不动的生活方式有关。冠状动脉手术是非常有效的治疗方式，同时手术风险也极低。生活方式的改变以及降胆固醇药物的研发使得这种手术的数量开始减少，自20世纪80年代不断改进的、在血管中插入气囊以打开冠状动脉（血管成形术）的微创技术的逐步完善，接受冠状动脉手术的患者数量也随之减少。

60. 移植手术

疾病和器官，自我与非我

托马斯·施莱希（Thomas Schlich）

对于将丧失功能的器官置换掉这种治疗手段，不应过早地报以嘲笑。

——奥托·兰茨（Otto Lanz，公元1894～1897）

身着手术服的克里斯蒂安·巴纳德:自1967年的心脏移植手术之后，他便成为外科手术界的偶像和名人，并在手术的几周之后，登上了《时代》杂志的封面。

1967年12月2日，外科医生克里斯蒂安·巴纳德（公元1922～2001）将丹尼斯·拉沃尔（Denise Larvall）——一个在交通事故中脑死亡的受害者——的心脏，放入心脏病晚期患者路易斯·沃什坎斯基（Louis Washkansky）的胸腔内，心脏在他体内坚持跳动了18天。当时的评论界认为该手术是现代历史上的一个永远改变世界的里程碑——足以和几年后的人类首次登月相提并论。事实上，器官移植彻底打破了传统的疾病治疗方式，也颠覆了几百年来人们对人类身体的认识。

移植手术是基于两种假设而实现的。第一个假设——器官更换概念，根据这种假设，医生可以通过置换体内的个别器官，比如心脏、肝脏或者肾脏，从而治愈各种内科难症。第二个假设——可交换性的概念，即可以使用别人的器官以发挥自身原本丧失的功能，换句话说就是自我和非我之间的差异

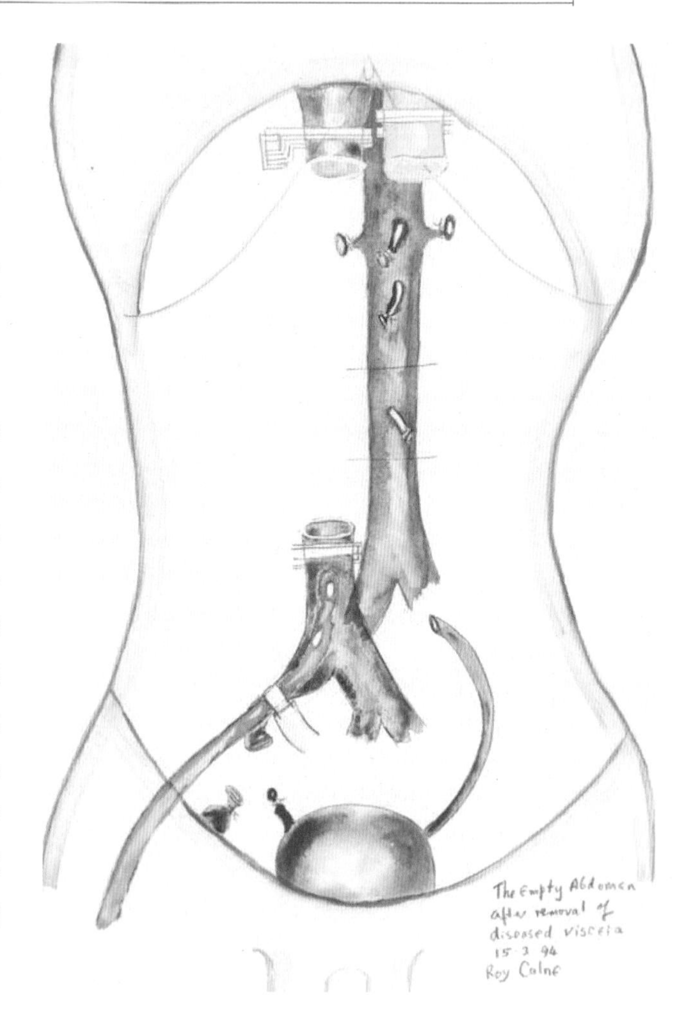

上图

英国肝脏移植先驱罗伊·凯伦爵士（Sir Roy Calne）所绘的水彩画。

他在画中描绘了一位患者的腹腔，他正等候进行多个器官移植手术以替换掉自身的病变器官，这是体现器官移植术独特能力的一个象征，即通过手术治疗内科疾病。

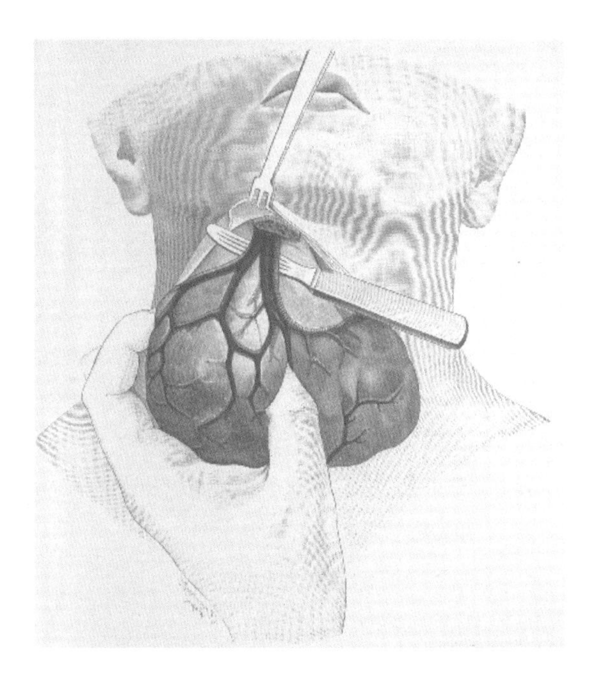

上图

“手术切除甲状腺”：该图出自特奥多尔·柯赫尔的《外科手术理论》（Chirurgische Operationslehre，一部外科手术教科书），插图说明了他的革命性甲状腺组织移植术中的第一部分，即把甲状腺多的移植给甲状腺少的。这最初只是他在对甲状腺进行治疗时的副产品，最终却将其外科研究计划划分为对甲状腺的功能、功能紊乱及治疗的研究。

可以被克服。在19世纪80年代以前，这两种假设并不存在。直到19世纪，人类身体被认为是独立的个体，而功能上是一个整体，并同时与外部环境进行互动。人们认为疾病是由于体内液体成分，即体液的平衡被打乱而引起， 因病患的生活方式或其他环境因素而导致。疾病的治疗方式可以通过改变个人的环境或生活方式，或通过呕吐、净化和放血来恢复体液平衡。即使是在1894年，器官移植对于许多人来说依然是荒唐之事，正如上面引文所述。

最初的治疗手段

相比之下，现代外科医生将人体视为单个器官和具备一定功能组织的组合。疾病可以影响它们的结构或功能，而外科手术可以通过切除病变结构或修复组织功能来解决这些问题。在19世纪后半叶，切除病变组织的治疗方法被证明是极为成功的，例如癌症或结核性关节炎的治疗。另外一个例子是甲状腺肿——具有潜在生命危险的甲状腺肿大。

在优秀的瑞士外科医生特奥多尔·柯赫尔（Theodor Kocher，公元1841～1917）手中，切除甲状腺的手术变得极为安全。柯赫尔的手术技艺十分高超，他可以在不危及患者生命的情况下，将整个甲状腺都切除干净。这种极端的治疗方式对于那些甲状腺有可能复发的病例是十分适用的，否则的话，患者将不得不接受好几次复杂的手术。在当时，人们对于体内胰腺的作用一无所知。实际上，正是因为柯赫尔这种斩草除根式手术，胰腺的作用才逐渐变得明朗起来。患者的甲状腺被切除后，出现了一种典型的临床表现，包括身体虚弱、精神萎靡、手脚肿胀、面目浮肿以及贫血——放在今天，这些症状都与甲状腺功能受损有关。

面对自己的切除手术的意外结果，柯赫尔的反应是逆其道而行之。1883年7月，他将一位患者的甲状腺组织移植到另一位正遭受甲状腺被彻底切除影响的病患体内。这次通过替换器官来治愈疑难杂症的尝试，成为了现代意义上第一例器官移植手术。它也成为其他所有器官移植术的原型，开启了人们对于器官替换治疗的研究。

研究人员在动物身上进行甲状腺切除术，同时细心记录下手术影响，并重新植入器官以核查自己的发现。很快相同的技术便可以应用到其他器官上，首先是其他的内分泌腺体——如胰腺、睾丸、卵巢、肾上腺。

通过自由地引发和抑制病症，生理学家和外科医生已能够确定各个器官的具体功能，并对当时诸多神秘的疾病及其治疗有了更深入的认识，如糖尿病就被重新定义为胰腺的某一部分功能丧失。1909年，柯赫尔凭借其对甲状腺功能的发现，成为第一位荣获诺贝尔奖的外科医生

排斥问题

在动物之间进行移植期间，外科医生也开始将器官移植应用到人类患者的治疗中。其中一例是在1905年，纽约的亚历克西斯·卡雷尔（Alexis Carrel，公元1873～1944）首次在狗身上实施了第一例心脏移植手术，1906年里昂的马蒂厄·雅布莱（Mathieu Jaboulay，公元1860～1913）首次在人体上实施了肾移植手术。一切似乎只是时间问题，以后所有的病变器官和组织都可以替换成健康的了，外科医生也在紧锣密鼓地研发技术，使其变为现实。现在器官移植的概念已经得到广泛接受，移植医学的第二个假设便被提上日程，即身体部位的可交换性。

在法裔美国人卡雷尔于1912年（凭借其在血管和器官移植上的贡献）成为第二位赢得诺贝尔奖的外科医生之后，这个问题变得愈发凸显。通过自己炉火纯青的外科手术技术，卡雷尔发现个体之间移植手术的成功率遇到了阻碍，并且这个问题无法用手术的形式来解决。他通过移植试验表明，如果是同一动物之间的器官移植，那么其器官可以永久存活下去。而如果是不同个体之间的移植，那么移植器官必然会死亡。很显然，器官组织具备某种生物个体性。

有些研究人员认为异体组织的“排斥”是免疫系统的原因。但所有靠抑制受体的免疫反应或选择配对的供体来避免移植排斥的尝试，都无一例外地失败了。于是，器官移植在20世纪20年代逐渐被医学界所放弃。

对页图

亚历克西斯·卡雷尔被法国医学讽刺杂志《Chanteelair》描绘成会变戏法的魔术师。他凭借其移植试验赢得了1912年的诺贝尔医学奖，而通过组织培养和器官移植也为自己赢得了这一略显滑稽的名声。

移植医学的发展里程碑

1883年 为治疗内科难症而实施了第一例器官移植（甲状腺）
1900年 器官移植的概念被普遍接受
1902年 第一例狗肾脏移植手术
1905年 第一例狗心脏移植手术
1906年 第一例在人身上进行的肾移植手术
1912年 亚历克西斯·卡雷尔凭借其在器官移植血管缝合方面革命性的技术，荣获了诺贝尔奖
1920～1945年 器官移植研究遭遇停滞
1945年 移植医学的新开端；在波士顿实施的一例肾脏移植
1954年 首例同卵双胞胎之间成功实施的肾移植手术
1962年 首例非亲属供肾的肾脏移植
1967年 首例成功的心脏移植手术
1968年 哈佛大学委员会正式将脑死亡作为确定人死亡的标准之一
1969年 欧洲移植（Eurotransplant）机构成立，旨在根据身体兼容性进行跨国器官移植分配
1982年 免疫系统抑制新药环孢霉素问世
19世纪80年代 器官移植存活期不断延长，心脏、肺、肝脏、胰腺移植成功

Le Docteur CARREL, de New-York

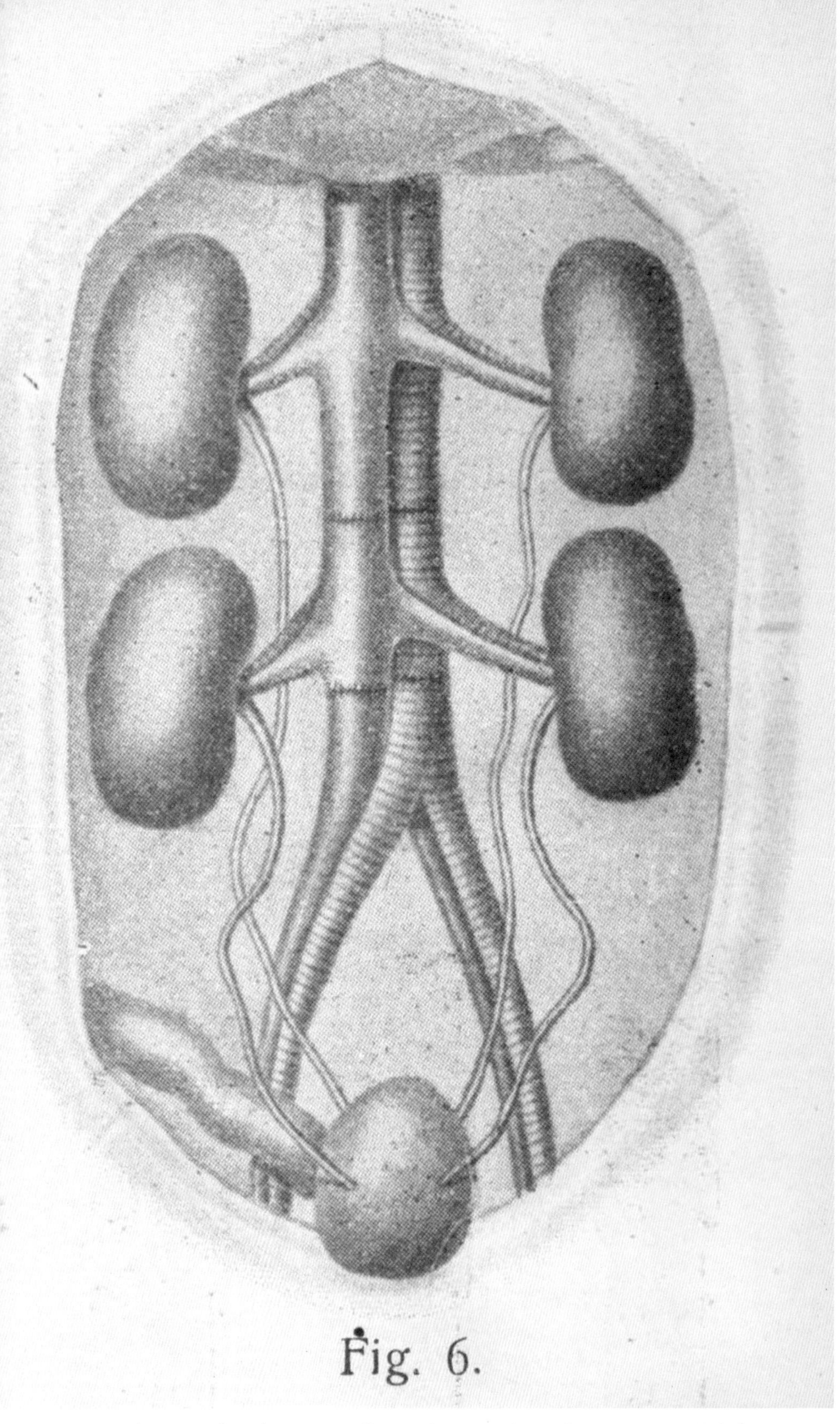

插图为在一只狗身上多接了一颗肾脏的移植试验（1910），该试验目的为尝试不同的移植手术技术。

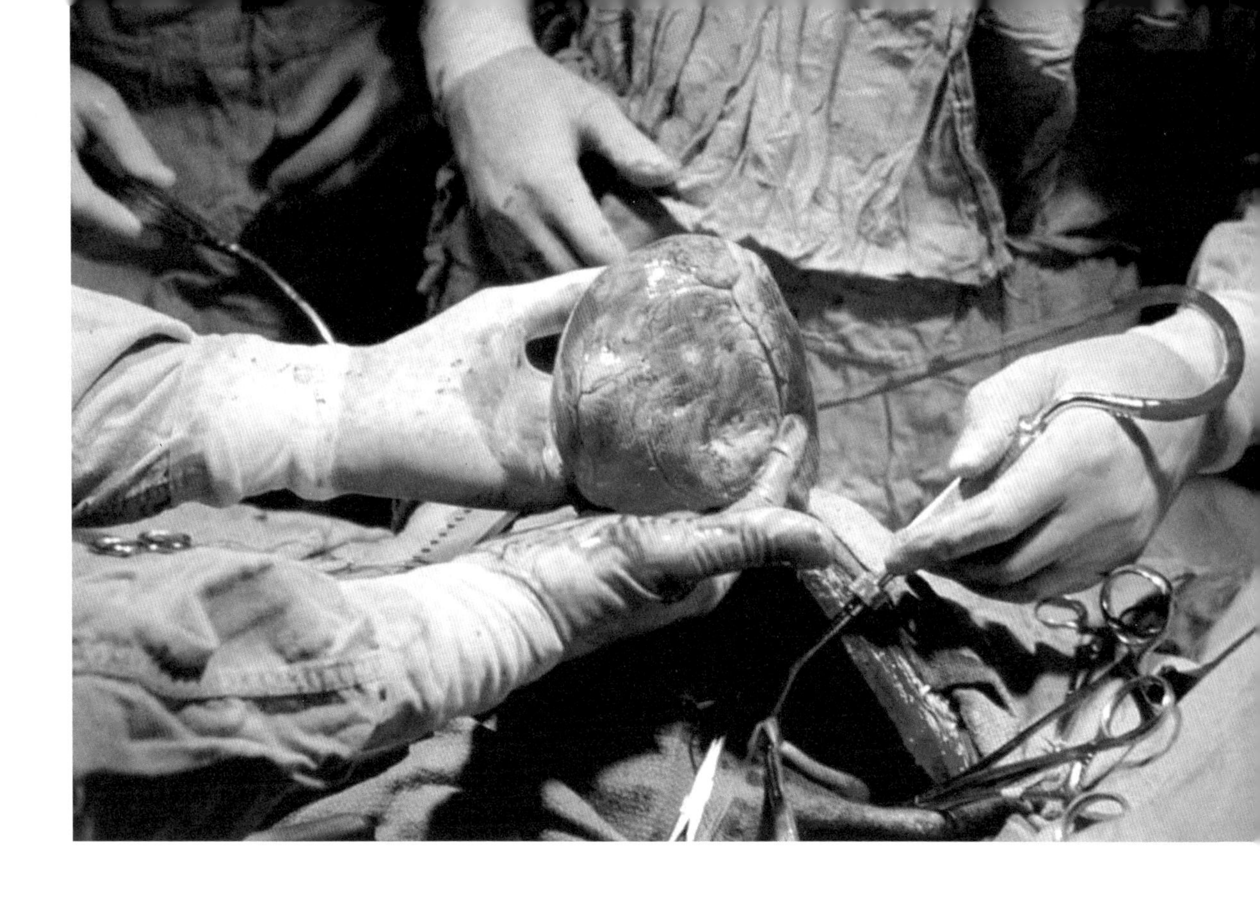

1945年，波士顿的彼得·本特·布赖海姆医院（Peter Bent Brigham Hospital）的外科医生开启了器官移植的新阶段，他们将一个死者的肾脏移植给了一位肾衰竭的妇女。虽然这次的移植和随后的一些移植还是失败了，但这次美国的医生们并没有就此放弃。1954年，就在同一家医院，为一对同卵双胞胎实施了移植手术，将弟弟的一颗健康的肾脏移植给了患有严重肾脏疾病的哥哥。这项移植手术取得了成功，并为外科医生约瑟夫·E. 默里（Joseph E. Murray，公元1919年～）赢得了1990年的诺贝尔奖。

器官可交换性的实现

为扩大移植的适用范围，外科医生研发出抑制受体免疫反应的方法，以便能顺利移植。1962年，首例非亲属供肾的肾脏移植再次在波士顿成功实施。抗代谢药物硫唑嘌呤成功实现了免疫抑制。该技术随后不断地完善，在疗效更为显著的同时，也使得免疫抑制更具选择性。医生也在以人类白细胞抗原（HLA）系统作为兼容性标志，通过组织配型努力在非亲供者中寻找配对的器官。

可交换性的问题终于彻底解决，器官终于可以进行交换。现在可以将身体某一受影响的部分器官替换掉，以治愈内科难症。自1967年首例心脏移植手术震惊世界，器官移植的疗效便不言而喻。

但器官移植依然伴随着一系列关于个人身份和生命定义的文化和伦理问题。最终，器官移植被公认为一项可以超越个体界限的技术。

图为在一例心脏移植手术中，一位外科医生手捧一颗活蹦乱跳的心脏。现在器官移植成为普通的手术，但同时也受到了供体数量的限制。

61. 髋关节置换术

以新换旧

托马斯·施莱希（Thomas Schlich）

由塑料和金属制造的人造关节，缓解了所有的疼痛，通常也能改善关节的运动性。该类手术的成功率可达95%。

——《独立报》（*Independent*，1995年11月17日）

上文出自英国关节炎和风湿病委员会的新闻发言人，为伊丽莎白王太后治疗其慢性髋关节炎，而进行的第一次全髋关节置换手术所做的发言。当时王太后已95岁高龄，三年后，这位受人敬仰的患者接受了第二次成功的手术（这次是因为髋部骨折）。英格兰和威尔士地区实施的髋关节置换手术中所用的人造关节总数多达46 601套，而十年之后的2008年，其总数突破了80 000大关。

尝试

在20世纪之前，慢性髋关节炎还是一种致人疼痛，消耗人体机能的疾病，尽管其发病频繁，但用药效果甚微。为了解决这个问题，外科方面的研究由来已久。外科医生一直致力于重建髋关节（关节置换术），有时则会使用人造材料。德国的迪米斯托克利·格卢克（Themistocles Gluck，公元

左上图
迪米斯托克利·格卢克，骨科医生，实施了首例髋关节成形术——一种关节重置手术。

右上图
罗伯特·琼斯是英国最顶尖的骨科医生之一，髋关节成形术也是他在利物浦及周围进行的广泛创新实践之一。约翰·查恩雷研制出一套标准的关节置换术程序，之后还在其与人合建的医院内进行了培训。

对页图
由Chas F. Thackray公司制造的查恩雷型钴合金置换关节。关于人工髋关节球的设计问题，需要克服的困难也是相当多的，要求在人工髋臼中能够动作顺畅，而没有任何不良磨损。

1853～1942）于1890年实施了首例关节成形术；罗伯特·琼斯（Robert Jones，公元1857～1953）于1908年在其关节置换术中使用了金箔；而欧内斯特·威廉·赫格罗夫斯（Ernest William Hey-Groves，公元1872

～1944）于1922年在股骨头置换术中使用了象牙制假体。1923年，波士顿的马里乌斯·史密斯-彼得森（Marius Smith-Petersen，公元1886～1953）引进了假体或者说玻璃杯成形术。基本上来说，就是将玻璃杯覆盖在股骨头表面，这样股骨头便在杯内活动，而不是在坏死的骨臼中。

但结果令人失望。1946年，巴黎的罗伯特兄弟（公元1901～1980）和简·朱迪（Jean Judet，公元1905～1995），将股骨头置换成丙烯酸假体。不幸的是，丙烯酸假体在很多接受者的体内都出现了磨损和断裂，并且逐渐出现了松动。随后他们修改了假体的形状，并用钢铁、钴铬钼合金和其他材料进行复制，但手术效果依然不甚持久。

成功案例

1938年菲利普·怀尔斯（Philip Wiles，公元1899～1966）在伦敦的密德塞斯医院（Middlesex Hospital），将首个全髋关节假体植入病患体内，尽管手术效果并不理想。该假体为不锈钢制品，是用螺丝将人工股骨和髋臼（窝）固定在骨头上的。

从20世纪50年代起，英国的一些外科医生便一直致力于改进全髋关节置换术，而最成功的外科发明家便是约翰·查恩雷（John Charnley，公元1911～1982），他对髋关节置换术发展所产生的影响超越了任何人。查恩雷在英国北部兰开夏郡赖停顿的一家疗养院中，设立了专门研究髋关节手术的科室，解决他在关节置换术中遇到的各种问题。

他遇到的第一个难题便是关节内超负荷摩擦的问题。为解决这一问题，查恩雷不得不缩小股骨头的大小，并使用不锈钢制造。而髋臼先是使用了摩擦力较小的塑料铁氟龙制成，后来才发现材料选取错误，因为磨损严重，于是便换成了高密度聚乙烯。查恩雷引入的另一个原则便是将丙烯酸骨水泥用于粘合固定病患骨头上的假体。查恩雷从曼彻斯特大学口腔学院的材料科学家丹尼斯·史密斯（Dennis Smith）那里学到了关于粘固剂的知识。这种基本设计一直保持到20世纪80年代，尽管从20世纪70年代开始，便有大量的股骨头被置换成更为坚固的不锈钢材质，同时还采用了新的表面处理技术（Vaquasheen）。

团队合作

制造髋关节假体并非只是简单的外科挑战——尤其是这其中还包括设计和用料的问题，只有生物工程师和制造商通力协作方可解决。尽管查恩雷在某种程度上只是一个自学成才的工程师——他自己有车床可以加工器具——他与多位学院的工程师通力合作，在赖廷顿他还受到了技术人员的大力支持。另外，他还利用了曼彻斯特的许多当地工厂和大学学院来帮助自己完成研究。

为了生产制作人工髋关节，查恩雷选择与一家位于利兹的小制造公司合作，使其为自己制造相关器具。在许多方面，这种合作关系都为他的假体研发提供了基础。1966年，查恩雷与公司签订协议，公司每售出一套完整的人工关节，就付给查雷恩一英镑，以这笔钱抵做版税付给他。这样也保证了他有独立的资金用于研发工作。

查恩雷有计划地对人工关节和手术程序都进行了研发，并收集了丰富的研究数据。但是他担心其他的外科医生在使用自己的人工关节时，没有严格按照他的方法进行置换，那么如果发生脱臼，他们就会怪罪人工关节，影响产品声誉。因此，查恩雷对自己的人工关节的使用做了严格的限制，只有那些获得他本人批准的外科医生方可使用。正如其他骨科植入和器具的发明家一样，查恩雷安排了专门课程指导同事，并为使用自己

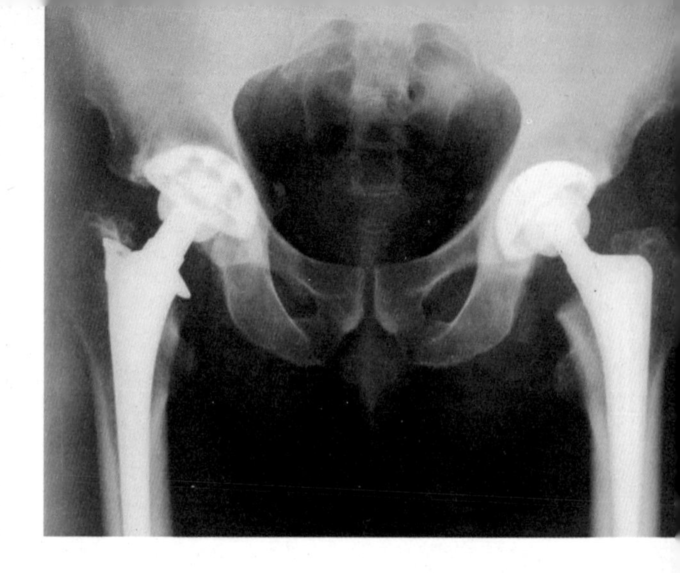

上图

一张X光片，展示了双腿的人工髋关节。金属假体必须紧贴股骨——即大腿骨——以及髋骨，查恩雷对这一问题的解决方法是：利用牙科医生在补牙和镶假牙时所用的材料（聚甲基丙烯酸甲酯）。

对页图

X光片所示为髋关节中的人工“杵臼关节”。髋臼杯取代了髋部的自然骨臼，即髋臼。髋臼上的软骨和骨头均被切除，以便能够用黏合剂使杯形假体贴合股骨，并被暂时性地钉在骨头上。

技术的外科医生创建了全球网络。但这并没有阻挡住他的手术方法被一哄而上地大范围地传播和扩散。比如说，有外科医生自己寻找制造商，要求制作查恩雷的人工关节复制品。最后，查恩雷所做的那些限制再也无法维持。

查恩雷的人工关节品质可靠，在整个西方国家应用十分广泛，效仿者也趋之若鹜。它不断地改进和衍生，因此依然保持着国际化的标准。2010年全球在一年内共实施了959 000台髋关节置换手术，全髋关节置换术已成为选择性骨科手术的主要增长基础，同时也通过外科手术，成为改善老年人生活品质的典范。

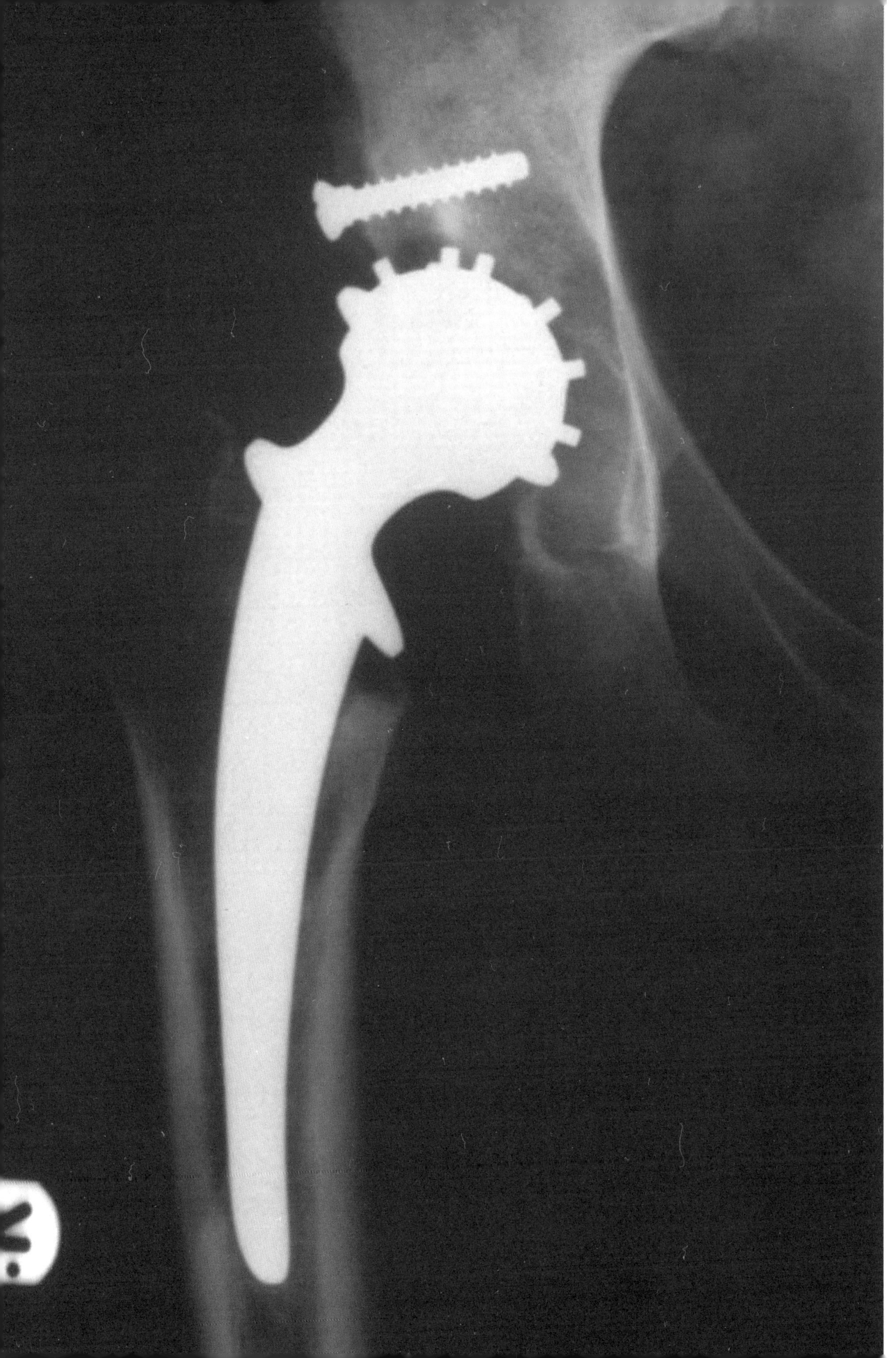

62. 微创手术

透过窥镜

托马斯·施莱希（Thomas Schlich）

我们必须清楚患者的治疗手术，在未来的日子便跟切口、海绵、剪刀或缝合线没有太大关系了。

——大卫·L. 纳伍德（David L. Nahrwold），1989年

自20世纪90年代以来，许多开腹手术都已经被“微创手术”或“锁孔手术”所代替。这种手术的基本原理是在病患体内放入一个微型摄像头，摄像头与监视器相连，并且能在显示屏上看到放大的成像。这样医生可以通过人体自然腔道（内窥镜），或通过腹壁上的小切口（腹腔镜），直接将手术器械伸入体内，实施复杂的手术。经过内科医师（内科疾病专家）的发展，微创手术的理念已经被应用到妇科治疗上，最初它只是作为诊断工具，之后便开始用于治疗，最终被应用到手术之中。

在整个19世纪的漫长岁月中，医生已开始使用硬管或软管观察活体的内部情况。通过这种管子而实施的首例腹腔镜手术，是在1900年左右进行的。在随后的几十年里，妇科医生开始专门研究这一治疗方法，20世纪70年代，内窥镜技术开始大规模应用，最经常的应用是腹腔镜绝育手术，即输卵管结扎。

20世纪80年代和90年代出现了显著的新发展，内窥镜和腹腔镜技术与视频技术连接了起来。医生们认识到自己可以利用手术刀、加热探针、电烙器或激光器，将诊断出的病变组织简单有效地消灭或切除。让外科医护人员感到惊讶的是，短短几年，这种手

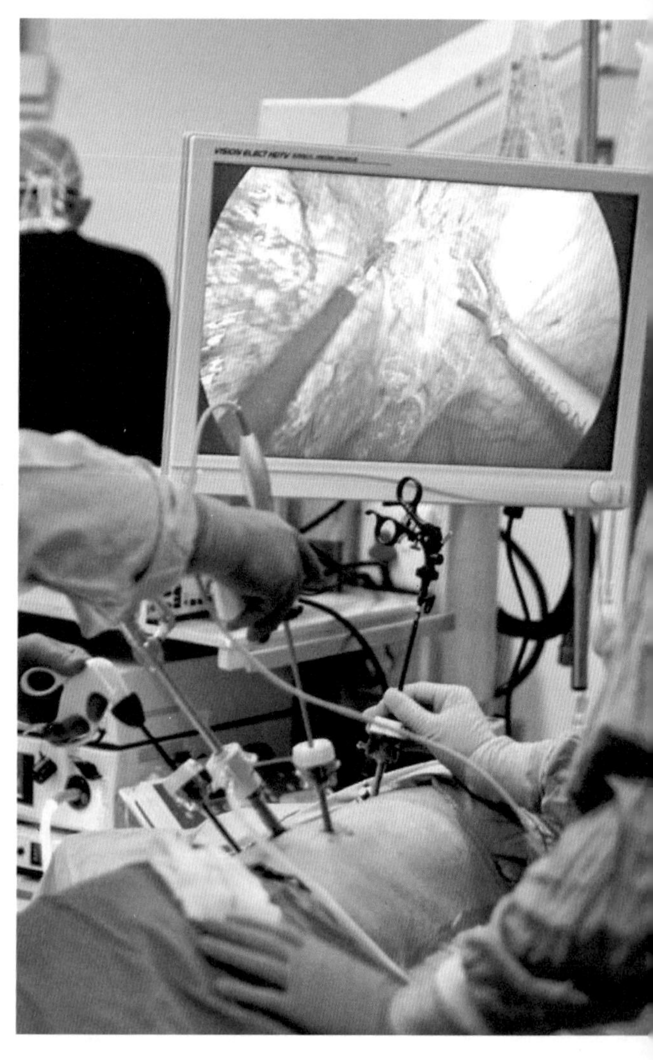

上图

锁孔手术：使用连有摄像头的腹腔镜，另一端连接到显示屏和一系列微创设备上，外科医生不必切开身体，便可以观察体内的情况，并实施手术。

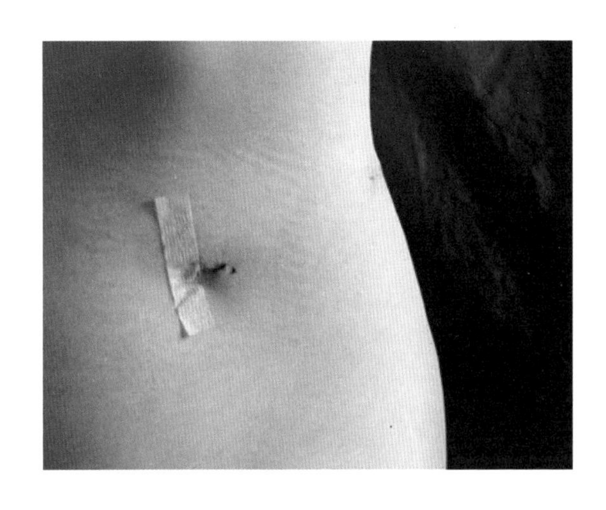

上图
对于患者来说，锁孔手术可以让体内和体外的创口控制在最小，院外恢复时间也比较快。

下图
图中描绘了1702年的三粒结石：A为胆结石，B为肾结石，C为膀胱结石。这三种结石均可以通过锁孔手术进行摘除。

术的实施量便迅速暴涨。对比外科创新技术的惯常发展模式，锁孔手术的迅速扩散在很大程度上是由于病患的需求胜过外科医生的研究兴趣。

微创手术获得大规模的应用之后，对腹腔镜在外科手术中的用途也从不同角度进行了探索。现在这项技术的应用范围包括最日常的治疗，基本的现代手术操作，比如阑尾切除术和疝修补术。其在胆结石摘除手术中尤为成功，到了20世纪90年代，内窥镜开始挑战开腹手术在典型胆囊手术中的主宰角色。内窥镜还被应用于小肠、结肠和肺部手术中，尤其是脾脏、肾上腺、肾脏、子宫和淋巴腺的切除手术。现在，除非微创手术的替代治疗均已用过，或被排除在外，否则不会选择开腹手术。

随着手术器械和技术种类的日益丰富，包括经自然腔道内镜手术（NOTES），这一趋势一直延续到21世纪。在NOTES手术中，内窥镜上会装有一把微型手术刀，它通过人体的自然腔道——食道、尿道或肛门。医生会先用内窥镜切出一个洞，很可能是在胃壁上，这样医生可以直接看到需要被切除的器官。通过这种方式，胆囊可以通过嘴巴进行摘除。

第七章
医学成就

如今，发达国家的人与他们的上两代相比寿命更长，身体更健康，遭受疾病的痛苦也更少。但颇具讽刺意味的是，我们对医学和医疗的信心却比祖先降低了。促成人们健康长寿的原因颇为复杂，20世纪人类所取得的医学进步只是其中的一部分原因。本书最后这一部分介绍了一些医学成就，以及它们是如何从科学、技术、临床和社会等角度提高人们生活质量，使我们更加长寿的。

疫苗的应用在提高婴儿存活率方面做出了巨大贡献，几乎是任何其他方式都难以比拟的。接种疫苗可以从根本上消除麻疹、百日咳、白喉和其他儿童疾病的威胁，并能预防天花和小儿麻痹症（脊髓灰质炎）。此外，接种疫苗还有可能对治疗宫颈癌有巨大作用，该病主要由一种病毒引发，但相关疫苗已经研发出来了。维生素的发现也是一项重要的医学突破，特别是在细菌致病论（病毒外侵）占医学界主导地位的20世纪早期，这项发现的意义就更为重大。之后，出现了关于健康和疾病的新思路，即疾病是因身体缺乏某种东西而产生的。

在青霉素还未受到追捧的20年前，胰岛素早已是特效药的代名词。青霉素治愈疾病速度快，而与之不同的是，胰岛素只能对糖尿病这种多发的不治之症加以控制。不过，这却很好地体现了现代医学的擅长之处：控制慢性病。医生无需治愈这种潜在的生理紊乱也能延长患者生命，在人口老龄化的发达国家，这正是他们所要做的。胰岛素依赖型糖尿病患者必须在个人生活和护理方面遵照一定的治疗方法。而对于患有永久性肾衰竭的人来说，肾透析是生活重要的组成部分（当然，对很多人来说，肾移植是最终解决之法）。

20世纪早期，吸烟成为了现代生活的标志，它不仅代表了女人走向解放，也体现出男人的男子气概，巧合的是，当时也正是肺癌流行时期。然而，人们经过一代人的研究才了解了二者间的联系。20世纪50年代，英国人和美国人最先进行了研究，烟草控制行动也一直在进行中。可见改变习惯是多么地困难，而跨国公司的力量又是多么强大。

吸烟与健康间的关系是被称为“生活方式医学”（即不吸烟、饮食合理、适量饮酒）的核心课题，并为当代医学增加了一个新的道德角色，就如医学可以帮助不孕不育夫妻获得孩子一样。辅助生育依靠于科学但更多的是技术应用，并且可以变革人们的生活。

另一类医学成就是发现了消化性溃疡这种人们经常抱怨的疾病是由一种叫做幽门螺旋杆菌的细菌引起的，并且这种疾病能通过一个疗程的抗生素治疗彻底治愈，而不用终身服用抗酸药进行控制。这一发现意义非凡。该药物的描述说明以第一人称书写，书写者和另一人因证明出通过传统和较简单的试验仍能做出重大发现而获得诺贝尔奖。

2008年越南河内的临床试验，注射器装满了H5N1禽流感疫苗。疫苗改善了人类有关疾病的经历，但就像所有医疗干预一样，它们必须经过严格测试，以免对人类造成更大伤害，得不偿失。

63. # 疫苗

预防疾病

约翰·福特（John Ford）

他是个好医生，不仅能帮助我们治愈疾病，更能让我们远离它们。预防疾病省去了得病的苦恼，比治疗更为有效。

——托马斯·亚当斯（Thomas Adams），1618

免疫作用是指人体或动物对致病因子的预防或抵抗能力，其目的是维持自身健康。人们借助免疫根除了全世界的天花病毒，并使白喉和麻疹等潜在的致命疾病得到控制。

站在詹纳的肩膀上

爱德华·詹纳（Edward Jenner）（公元1749～1823）从不同角度看待疾病，提高了人们对天花的抵抗能力。1880年，路易斯·巴斯德（Louis Pasteur）（公元1822～1895）使用相同的方法，成功将衰减的活细菌注射入活鸡体内，使其产生了对鸡霍乱的免疫力。1885年，巴斯德第一次对人体实施这种方法。他使用一系列不同强度的狂犬病疫苗救了被疯狗咬伤的小男孩约瑟夫·梅斯特（Joseph Meister）的命。

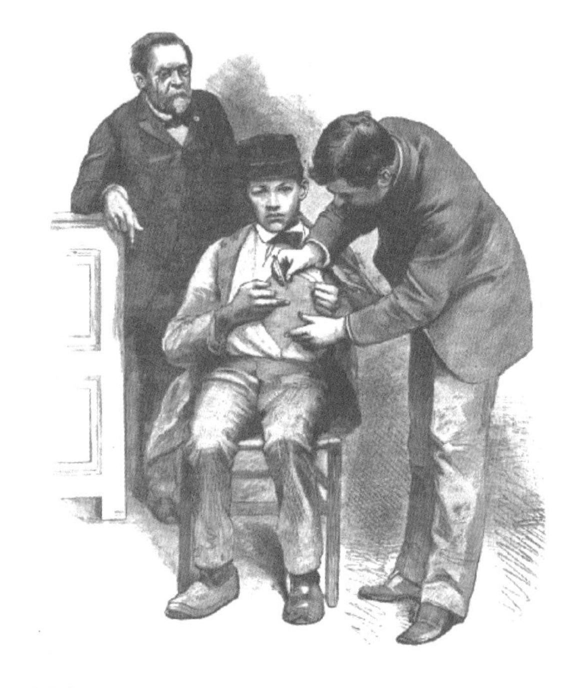

上图
1885年，被疯狗咬伤的约瑟夫·梅斯特在接种狂犬病疫苗后，由路易斯·巴斯德检查身体。巴斯德并不是医生，不能亲自为男孩注射疫苗。梅斯特活了下来，并成为了巴黎巴斯特研究院的看管人。

活疫苗通过激发人体内的免疫系统达到预防效果，这种方法被称为“主动免疫法”。另一种活疫苗是1921年推行的用以预防肺结核的疫苗——卡介苗（BCG）。有些疫苗用于杀灭杆菌，如瓦尔德马·哈夫金（Waldemar Haffkine）（公元1860～1930）和亚历山大·耶尔辛（Alexandre Yersin）（公元1863～1943）研制的鼠疫疫苗。白喉和破伤风的病菌会通过释放一种强烈的毒素致人得病，而使用由抗毒素化学改性所制的类毒素可以保护患者，这种方法就是“被动免疫法”。

1931年，E.W.古德帕斯丘（E.W. Goodpasture）（公元1886～1960）采用受精的鸡蛋作为病毒的生长介质。利用相

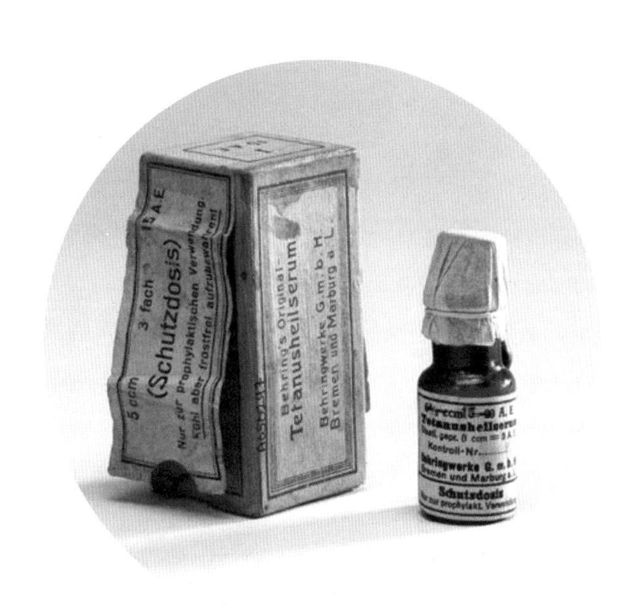

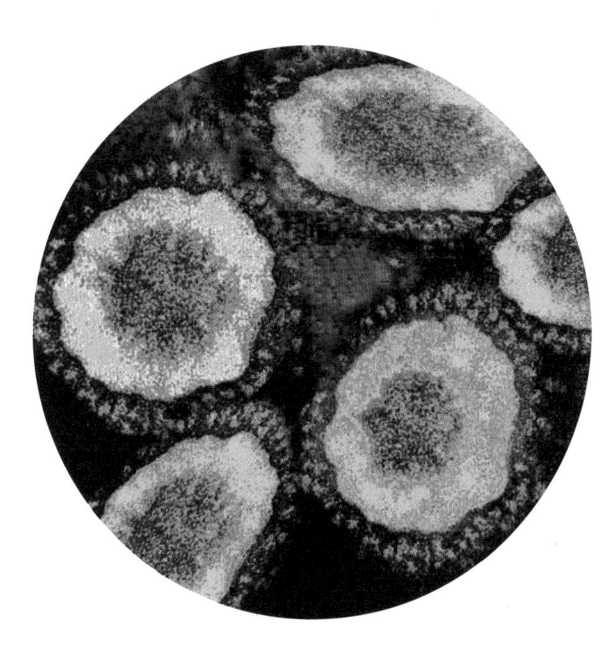

同方法，乔纳斯·索尔克（Jonas Salk）（公元1914～1995）和艾伯特·萨宾（Albert Sabin）（公元1906～1993）分别研制出了小儿麻痹症的灭活疫苗和活疫苗。这两种疫苗各有优缺点，不同国家对它们的选择偏好也各不相同，但是它们确实根除了小儿麻痹症。通过分离麻疹、腮腺炎和风疹（德国麻疹）的病毒，相关疫苗得以生产。之后，这三种疫苗共同合成了麻风腮三联疫苗（MMR），并在1988年被引入英国的婴儿免疫方案。

预防与治疗

20世纪60年代，流行性感冒的活疫苗被研发出来，但直到20世纪90年代才由新技术生产出一种减毒疫苗，可以提供时效更长的免疫力。遗憾的是，流感病毒会常常变异，因此必须每年都研制出一个新疫苗，新疫苗的研发取决于那年冬天哪种毒株会盛行。对毒株预测的困难和病毒的不断变化使得疫苗的生产变得非常困难。之前曾制订过大规模免疫接种的计划，以对抗1997年第一次出现死亡病例的禽流感（H5N1型病毒）、2003年的非典型肺炎（SARS）和2009年的猪流感（H1N1），但这些病毒都没能发展成为全球流行的一般性病毒，很多疫苗都没有使用。

自20世纪50年代开始，人们就知道病毒可能会产生肿瘤，传染病会引发肝癌，因此从1996年起就开始大规模使用甲型肝炎疫苗并在1998年开始使用乙型肝炎疫苗。人乳头状瘤病毒会引发宫颈癌，为了根除这种癌症，英国向12~15岁的女孩提供HPV疫苗。有预防和治疗功能的新疫苗仍在继续研究，用以对抗前列腺癌等其他癌症，同时在研究的还有针对尼古丁和可卡因成瘾的疫苗。

没有想象得简单

疫苗并非是万无一失的。由于偏见或科学缺陷等原因，公众一直对疫苗的安全性存在质疑。1998年，安德鲁·威克菲尔德（Andrew

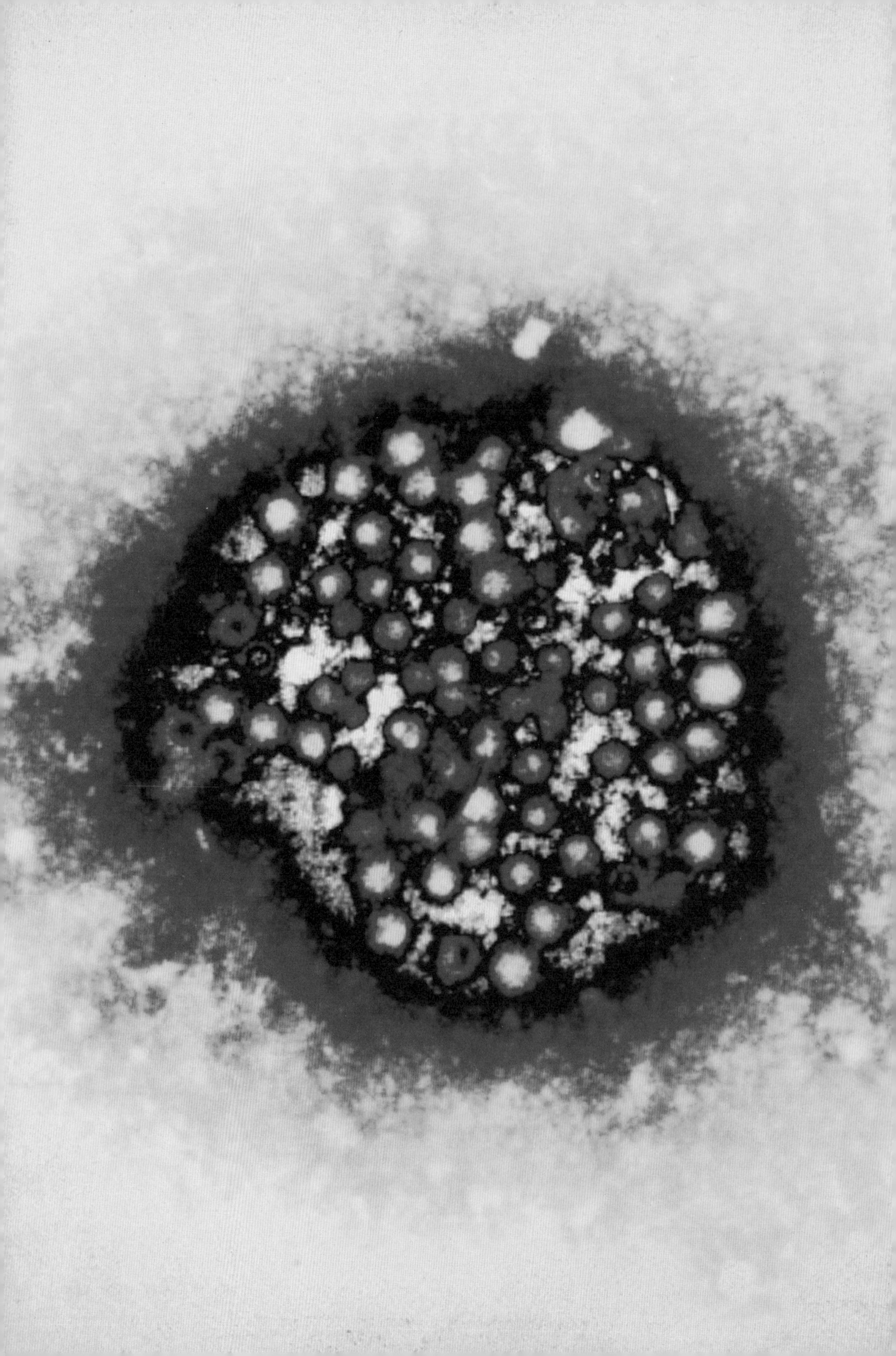

IMMUNIZATION
A chance
for every child

左图

每年4月7日的“世界健康日”是世界卫生组织（WHO）的工作重点，并且已经成为长期项目。1987年，WHO再次承诺会持续为儿童提供免疫服务，其宣传口号“给每个儿童一个机会”强调了免疫可以为所有儿童提供他们应得的机会。

对页图

电子显微镜下颜色增强的甲型肝炎病毒（HAV）。HAV常见于卫生条件恶劣的地方，针对HAV的灭活疫苗已经研发出来。第一次注射疫苗可以预防2至4周，再次注射（在第一次的6个月至12个月后）可以预防长达20年。

Wakefield）声称MMR疫苗会使某些儿童患上自闭症，这导致英国接种该疫苗的比率大幅度降低，也因此麻疹、腮腺炎和风疹的患病人数出现上升。人们担心这会威胁所谓的“群体免疫力”，即人群对于传染病病原体的侵入和传播的抵抗力。在进行了多次临床试验后，威克菲尔德的怀疑终于在2010年被打破。

此外，被污染的疫苗还会造成其他问题。1955年，加利福尼亚州伯克利卡特实验室在生产沙克小儿麻痹症疫苗中出现失误，其出售的120 000剂疫苗致使56名患者体内产生麻痹型脊髓灰质炎病毒。5名儿童死亡。

人体免疫机能比较复杂，因此各个疫苗免疫的有效期也不尽相同。有些疫苗给予人体终身免疫，而有的在婴儿期注射后需要在青年期再次注射，以增强效果；还有些疫苗需要每隔几年定期注射。随着不断改进原有疫苗、研发新疫苗，儿童免疫接种的时间表也会随之变化，疫苗接种并没有全球统一的时间表。有些疫苗，如乙型肝炎疫苗可能无法使人体产生免疫力，还有的需要较频繁地注射疫苗增效剂，以产生效果。

虽然实验多年，但世界上并没有研制出针对两种最危险疾病——疟疾和艾滋病（AIDS）——的有效疫苗。疟蚊的生活周期复杂，研究者难以设计出一种有效的疫苗对抗疟疾。此外，虽然人们在1983年发现了导致AIDS的人类免疫缺陷病毒，却很难对其进行隔离和培养，而这是疫苗研发中必不可少的步骤之一。

旅客在去往其他国家前要接种疫苗，接种时间表要根据疾病流行情况持续更新，这对保护人类健康和预防疾病的国际传播具有重要意义。在入境某些国家之前，有必要让入境者提供曾经接种疫苗的证明，同样雇主也需要提供相关文件。

通常政府会发布有关免疫接种的政策和制度，而一些致力于保护成人和儿童健康的公共健康运动已经成功减轻或消除了传染病的灾难性影响，在人类医学和畜牧业两方面均是如此。虽然免疫学的挑战仍然存在，但实验方法也在不断更新以应对挑战，如对致病微生物的基因操作技术。

64.

维生素

辅助食物因子

铃木昭人（Akihito Suzuki）

若将日常食物（如牛奶）中的一种或多种物质以极少的分量加入饮食中，就能充分利用其蛋白质和能量促进人体增长。

——弗雷德里克·高兰·霍普金斯（Frederick Gowland Hopkins），1912

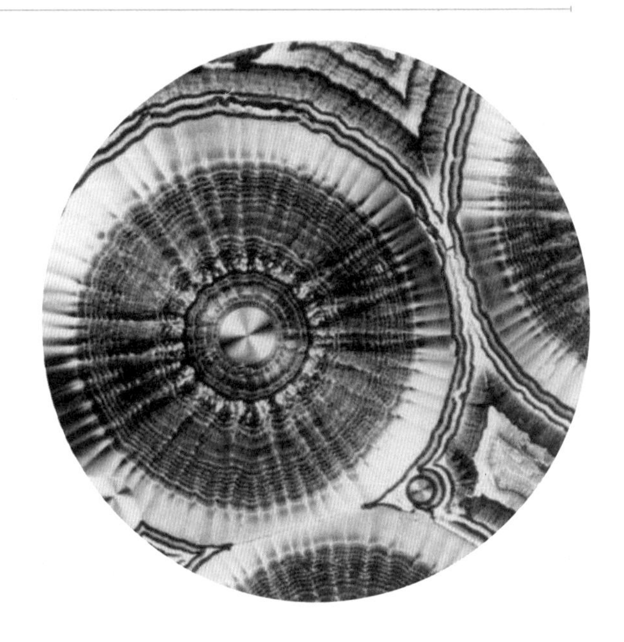

维生素C（又名抗坏血酸）可溶于水，因此可由人体排出。我们并不像大多数哺乳动物那样能够自造维生素C，而需要通过饮食摄取。缺乏维生素C会导致坏血病这种致命疾病。

维生素是人和动物为维持正常的生理功能而必须从食物中获得的一类微量有机物质，但过量摄入会损坏健康。现阶段所知的维生素有13种。若饮食中缺乏某种营养素会引发某种疾病，即营养缺乏病，由此，维生素的存在得以发现。

有些维生素缺乏病古已有之，但从19世纪晚期开始，才研究出一些主要营养缺乏病的病因，包括坏血病（缺乏维生素C）、脚气病（缺乏维生素B1）、糙皮病（缺乏维生素B3）和佝偻病（缺乏维生素D）等。通过对“圈养人口”（如士兵、罪犯和精神病院中的病人）中这些疾病流行情况进行观察，可以有效地研究此类疾病。当时，实验研究会利用动物疾病模型，以确定病因。在发现维生素的作用之后，相关补品和药品开始大批量生产并加以宣传，推广了维生素这一概念。自此之后，我们对食物的理解发生了深刻变化。

主要维生素缺乏病

维生素	化学名称	疾病
A	视黄醇	眼球干燥症（夜盲症）
B1	硫胺素	脚气病
B3	烟酸	糙皮病
B9	叶酸	贫血病
B12	钴胺素	恶性贫血病
C	抗坏血酸	坏血病
D	钙化醇	佝偻病
E	生育酚	神经损伤

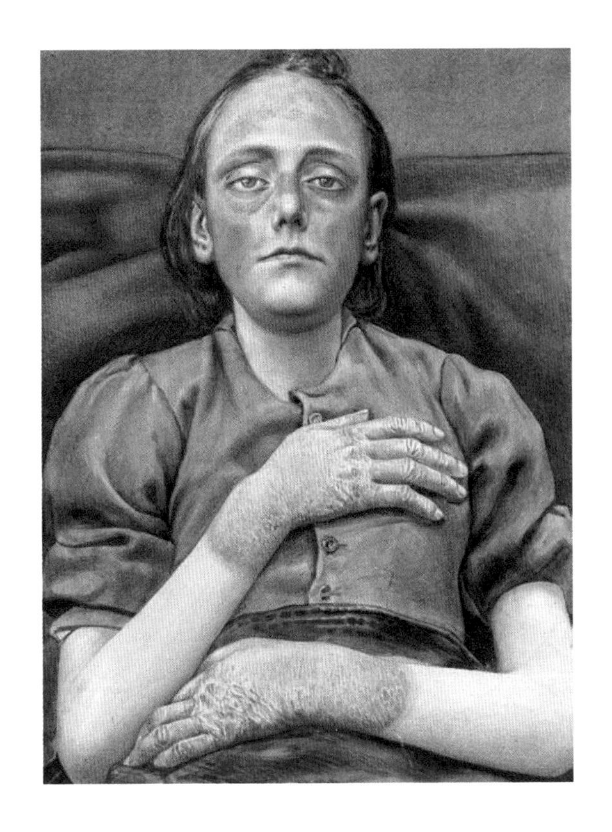

上图

克里斯蒂安·艾克曼发现稻壳（富含B1或硫胺素）可以治愈和预防脚气病。这种病在印度尼西亚很常见，但却没有人意识到缺乏这种维生素会得病。

左图

一位患有慢性糙皮病（缺乏B3或烟酸）的妇女，手上和脸上都有皮炎。其他症状包括腹泻、失眠、共济失调（即肢体运动失去控制）和精神错乱，死亡前可能会出现痴呆。

坏血病

在欧洲人频繁前往美洲、东南亚或太平洋岛屿跨洋航行后，坏血病便成为欧洲的主要病症之一。水手的皮肤上会不断出现小红点，并且牙龈肿胀、黏膜出血。坏血病在一段时期是不治之症，但人们很快就认识到患者可以通过食用新鲜水果和蔬菜痊愈。1747年，苏格兰海军医生詹姆斯·利德（James Lind）（公元1716～1794）发布了一项非常复杂的控制实验的结果，实验表明饮食中加入橙子和柠檬能够成功治愈水手的坏血病。现在来看，这一结果具有决定性意义，但利德和他同时代的人却觉得不够明确，因为吃药和其他食物也对坏血病有相同的治疗效果。

在拿破仑战争时期（1799～1815），詹姆斯·库克（James Cook）（1728～1779）的远航探险船队和英国海军船队将柠檬汁带回了英国。柠檬汁能非常有效地预防坏血病，但没有人可以明确说明为什么柠檬汁有此效果。由于柠檬中的维生素C容易因高温或储藏时间过长而被破坏，且平时人们常吃的酸橙的维生素C含量也各不一样，因此柠檬的医疗功效并不总是那么可靠。对使用柠檬治疗坏血病的怀疑一直存在，甚至在20世纪初还出现了一些否定柠檬功效的理论。尽管生活经验和实验结果指明了正确的方向，但坏血病确切的病因仍不可知。

脚气病

人们了解脚气病的过程也与对坏血病的了解过程相似。坏血病长期存在于东亚和东南亚各国，在这些地方米饭是主食。在17世纪的日本，脚气病又叫做“江户病”或“大阪病”，我们现在所推断的原因是由于大城市居民都以白米为主食，白米虽然好吃，但因其富含硫胺素的外皮在研磨过程中被剥去，因此缺乏维生素B1。1882~1884年间，日本海军医生高木兼宽（Takaki Kanehiro）（公元1849~1920）改变了水手的饮食，用大麦代替稻米，之后脚气病的发病率大幅度降低。然而，高木医生却错误地认为西方饮食中的蛋白质是致病关键。后来，生活在巴达维亚（今称雅加达）的荷兰科学家克里斯蒂安·艾克曼（Christiaan Eijkman）（公元1858~1930）取得了进一步进展。

艾克曼研究了家禽的多神经炎，并将其与脚气病对比。他发现若家禽只吃稻米就会得多神经炎，但在饲料中加入稻谷外壳后即可康复。对监狱和精神病院的调查显示，脚气病同饮食也有相似的关系。艾克曼距离答案只有一步之遥，但他却推断白米引发脚气病是因为它有毒，而稻壳能治愈或预防疾病是由于它是解药。

营养学

1907年挪威细菌学家阿克塞尔·霍尔斯特（Axel Holst）（公元1860~1951）引入动物实验，使得相关领域的研究更加严苛和精确。剑桥大学的弗雷德里克·高兰·霍普金斯（公元1861~1947）进行了动物实验，在实验中他给老鼠喂食纯蛋白、碳水化合物、脂肪和盐的混合物。老鼠在食用这种可能包含必要营养成分的混合物后，并没有正常生长，而当食物中加入牛奶后，老鼠开始正常生长。在1912年发表的论文中，霍普金斯将这种在生长中起关键作用的营养称为“辅助食物因子”。如果缺乏辅助食物因子，动物会患坏血病、脚气病等营养缺乏病。1912年，卡西米尔·冯克（Casimir Funk）（公元1884~1967）提议将米糠

右图
约1951年由詹姆斯·菲顿（James Fitton）制作的一张英国粮食部的宣传海报。海报中画有各种蔬菜，旨在鼓励人们多吃蔬菜，因为蔬菜中富含维生素A、维生素C和维生素K、蛋白质以及微量元素铁和锌——这是健康且均衡的饮食不可或缺的营养。

对页图
价值数百万美元的产业：摆放在药店中的一排排营养保健品，包含各种维生素。现在很多人偏向食用这种精加工产品以获取维生素，而不是去杂货店买新鲜水果和蔬菜。

中的活性物质称命名为“生命胺”（vital amine）或“维生素”（vitamine），他还推断脚气病、坏血病、糙皮病和佝偻病是因饮食中缺乏这种活性物质而造成的。在动物实验和确定理论的支持下，科学家从20世纪20年代开始进行维生素分离研究，并在1952年首次合成维生素C（抗坏血酸）。

在科学揭开维生素的神秘面纱之后，维生素便成为大众追捧的对象，并实现了商业化。在发达国家，每位母亲都被要求了解自己所做菜中的维生素，由此，维生素将科学带进了厨房，带上了餐桌。1925年，美国维生素批发销售量达到了343 000美元，占全国药物销售总量的0.1%。到1959年，这两个数字分别上升至4 160万美元和11.7%。大约到了20世纪中叶，维生素在以消费者为导向的健康饮食中占据了非常重要的位置。

65. # 胰岛素

“拥有神奇效果”

罗伯特·塔特索尔（Robert Tattersall）

胰岛素无法治愈糖尿病，但却可以让人体做好充足准备面对或好或坏的结果……胰岛素可以成为聪明者的补救之法，但却不能弥补愚蠢者犯下的错误，无论他们是患者还是医生。所有人都知道糖尿病患者若想延长寿命需要想尽办法，而若要成功使用胰岛素则更要慎之又慎。

——E.P.乔斯林（E.P. Joslin），H.格雷（H. Gray），H.F.鲁特（H.F. Root），1922

早在2000多年前，人们已经发现了糖尿病的存在，但一直到19世纪下半叶，其病因还是一个谜。1866年，英国内科医生乔治·哈雷（公元1829～1896）认为糖尿病有两种类型。对于“脂肪多且面色红润”的患者，他将病因归咎于肝脏产出过量葡萄糖，而这种糖尿病（现称为2型糖尿病）可以通过减少碳水化合物的摄入加以控制，使患者达到正常寿命。但是，青少年糖尿病（现称为1型糖尿病）则较为严重，患者在一年内就会体重急剧下降，甚至死亡。哈雷认为此类型糖尿病是由于食物“不正常消耗”造成的。

青少年糖尿病病因的第一条线索来自于1889年德国内科医生奥斯卡·闵可夫斯基（Oskar Minkowski）（公元1858～1931）的一项发现，即摘除狗体内的胰腺会导致严重的消耗性糖尿病。很快，人们发现分散在整

左上图

查尔斯·赫伯特·贝斯特（Charles Herbert Best）是弗雷德·班廷（Fred Banting）做胰岛素分离实验时的实习生。诺贝尔奖忽视了贝斯特的贡献，而认识到评奖不公的班廷将一半奖金分给了贝斯特。1929年，贝斯特成为多伦多大学的生理学教授。

上图

胰岛素属于激素（荷尔蒙），是一种化学信使，能控制从血液中摄取葡萄糖的量，并将其储存在人体中以备用。糖尿病患者可以使用这套测试工具测量血糖水平，并通过自行注射适量胰岛素控制血糖。工具包括一支针（用以刺破手指，吸取血液）以及测试纸和电子读数器。

上图

多伦多大学生理学实验室，弗雷德里克·格兰特·班廷与他用来进行胰岛素研究的其中一只狗。之后，学校提升班廷为教授，并建立了以他命名的研究所。作为一名诺贝尔奖得主，他感到压力很大，难以应对。

个胰腺中的细胞团（即郎格罕氏岛或胰岛）会产生内分泌物。1891年的一项发现证实口服甲状腺提取物可以治愈黏液性水肿（由甲状腺功能低下导致），这使人们看到了希望，期望胰岛提取物也能对糖尿病有相似的神秘效果。

遗憾的是，口服胰岛提取物没有任何效果。之后，又继续进行了一些分离所谓的胰岛激素的试验。1909年，比利时生理学家让·梅尔（Jean de Meyer）（公元1878～1934）将这种激素称为胰岛素（insuline）。1900～1921年间，至少有5名研究者距离发现胰岛素仅有一步之遥，但是大部分医生都放弃了希望，用饥饿减肥法治疗病人，这种疗法只能延长病人短短5年的寿命。

分离胰岛素

分离胰岛素最后是由一种看上去不可能的方式完成的。1921年，多伦多一位年轻的骨科外科医生弗雷德·班廷（公元1891～1941）想到，很多人失败是因为胰岛素在提取过程中被胰酶消化掉了。他能借助系住胰管解决这个问题，这样制造酶的那部分胰腺就无法工作了，胰岛就可分离出来。当地生理学博士J.J.R.麦克劳德（J.J.R. Macleod）（公元1876～1935）虽然对此不屑一顾，但仍极不情愿地给班廷提供了实验设备和实习生查尔斯·贝斯特（公元1899～1978）。在证明注射胰岛提取物可以使患有糖尿病的狗继续存活后，他们又用牛胰腺做了实验。1922年1月，他们的第一个病人在治疗10天后，病情得到了极大的缓解，还有其他6位病人也得到了治疗，证实这种方法很有成效。他们的血糖降到了正常水平，体重和精力都有所恢复。为此，1923年，班廷和麦克劳德获得了诺贝尔医学奖。

之后出现的问题

骨瘦如柴的孩子服用胰岛素前后差别巨大，在这些对比照片公布后，毫无疑问地证明了这种方法是有效的。很快，市场开始大批量加工牛胰岛素，到1923年北美洲和欧洲各国都能买到胰岛素。一开始，人们认为胰

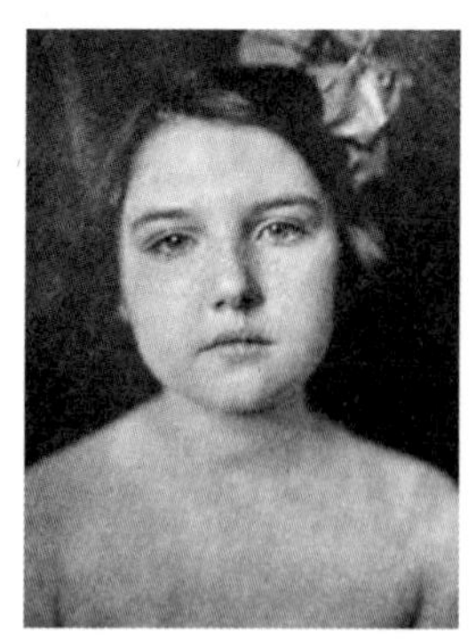

左图

对一名患有Ⅰ型糖尿病女孩的治疗获得了初步成功。《新陈代谢研究杂志》（*Journal of Metabolic Research*）（1922）刊登的这些胰岛素治疗前（左）后（右）对比图片体现出为什么胰岛素是“神奇的力量”。

下图

一位Ⅱ型糖尿病患者体内一部分胰腺的显微照片。胰岛中许多特殊细胞已经被一种不规则类淀粉蛋白的沉淀物代替了，即图中的粉色部分。胰岛是胰腺中的一部分，含有能够产生激素的细胞。胰岛功能部分损坏意味着人体无法制造所需的胰岛素。

岛素能治愈糖尿病，但却很快发现必须一天服用很多次，且只能用注射的方式。同样，患者所需的剂量取决于其本身的食量和运动量。注射错误的剂量会导致低血糖，后果可能是致命的。

1936年7月，改良后的胰岛素受到了医生和患者的青睐，其药效可持续24小时。同时，很多医生都建议，患者没有必要使血糖一直维持在正常水平，他们应该吃自己喜欢吃的东西（饮食不受限制）。

但是到了20世纪40年代，人们发现在20世纪20年代依靠胰岛素存活下来的青少年逐渐出现失明、肾衰竭以及之前只会出现在Ⅱ型糖尿病人中的其他并发症。虽然这令人难以接受，但事实却是胰岛素的使用将急性、易致死的Ⅰ型糖尿病转变成为伴随长期并发症的慢性糖尿病。

不过，这些不利影响并非不可避免，1993年发表的糖尿病控制及并发症研究的报告证实，将人体血糖维持在接近正常水平能够预

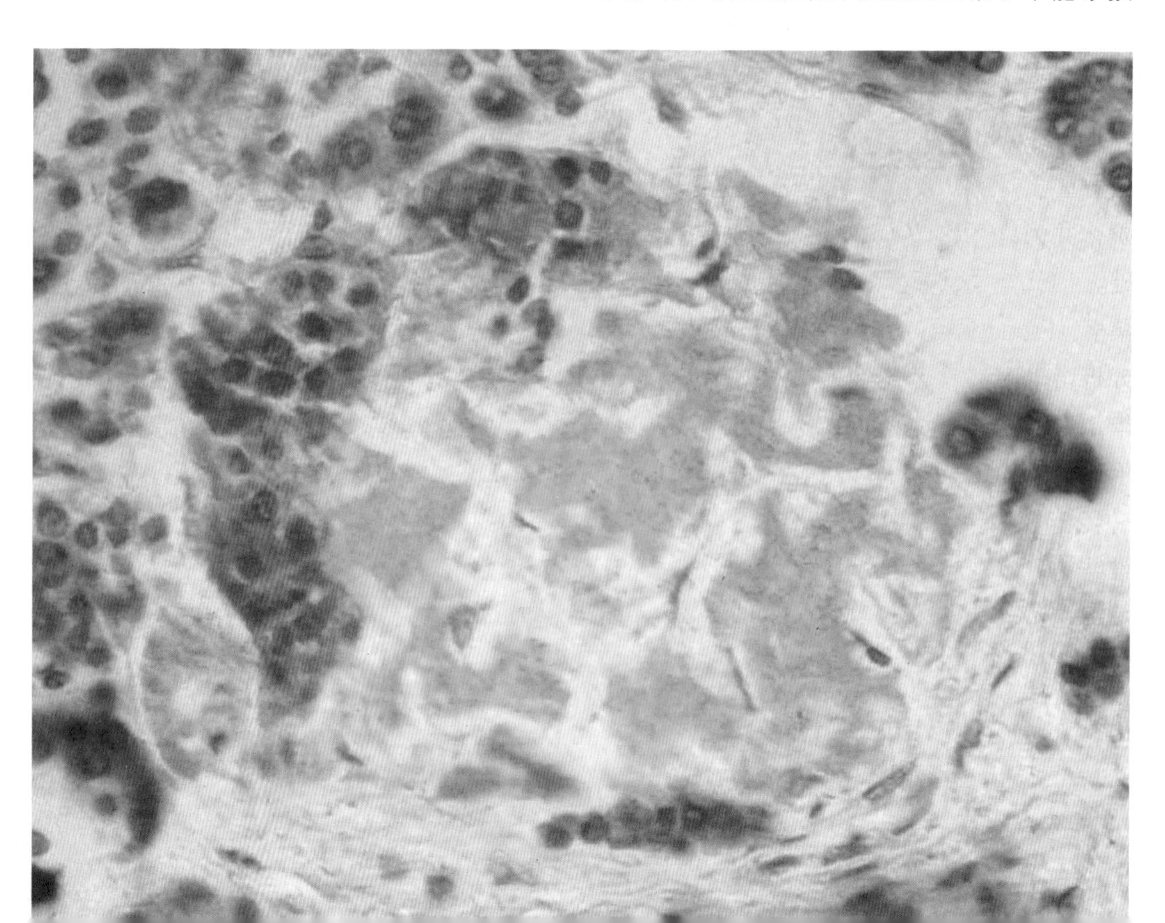

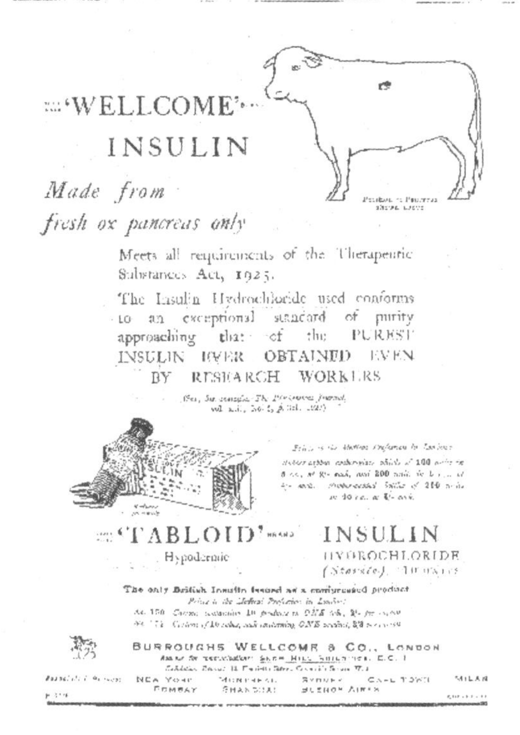

左图

《英国医学期刊》（*British Medical Journal*）（1929）中的广告，展示的是由伦敦宝来威康公司从牛胰腺提取生产的注射胰岛素。广告强调了产品的纯净，而不纯的胰岛素会引发过敏。

下图

多萝西·克劳福特·霍奇金是一名专业的X光晶体学家，曾因分析出青霉素和维生素B_{12}的结构而获得诺贝尔化学奖（1964）。之后，她又带领团队研究出了胰岛素结构。

防并发症。这种方式使得治疗疗程更加方便容易，患者在每餐前用针头注射速效胰岛素即可。

进一步研究

胰岛素是一种蛋白质，约翰·雅各布·阿贝尔（John Jacob Abel）（公元1857～1938）于1925年证明可将胰岛素结晶。这一重要成就将胰岛素研究推向了更高的台阶，并为之后60年间的纯化工艺奠定了基础。1955年，剑桥大学化学家弗雷德里克·桑格（Frederick Sanger）（公元1918～）分析出了胰岛素全部的氨基酸结构；1969年，牛津大学的多萝西·克劳福特·霍奇金（Dorothy Crowfoot Hodgkin）（公元1910～1994）及其助手们研究出了胰岛素的三维结构。在20世纪60年代，美国、德国和中国在试管中合成了胰岛素，但过程极其艰难费力。由此可见，胰岛素合成不具有商业可行性。

之后，西巴盖吉药物公司在1974年，为临床试验合成了充足的人类胰岛素，虽然并未取得惊人效果，但却发现人类胰岛素要优于牛或猪胰岛素。20世纪80年代，基因工程使人类胰岛素生产成为可能，方法是将胰岛素基因植入细菌或真菌中，并以此分泌出胰岛素，其过程类似于酿造啤酒。生产过程对氨基酸序列进行了小小改进，使得合成氨基酸比人体本身的胰岛素起效更快或持续时间更长。

胰岛素治疗法的一个缺点是必需要注射。过去80年来，人们不断尝试，试图生产出可以口服或吸入的制剂，但至今都没有成功研制出口服制剂，而胰岛素吸入剂2006年上市后便遭遇了滑铁卢。

66. 透析

人工肾脏

约翰·特尼（John Turney），约翰·皮克斯通（John Pickstone）

也许你会想，人究竟是什么？人体难道不是设置精密、制作精巧的机器吗？结构复杂且内含玄机，能将西拉红葡萄酒转变为尿液？

——*伊萨克·迪内森（Isak Dinesen），凯伦·布里克森（Karren Blixen），1934*

肾脏的主要功能是去除血液中消化和新陈代谢产生的人体排泄物，将其以尿液形式排出体外。肾功能衰竭会导致液体和有毒物质存积，最终可能致人死亡。人工肾透析可以代替肾脏的排泄功能，将有毒物质排出体外，延长患者生命。肾透析的发明是20世纪末科技革命的重要组成部分，标志着人体器官的功能第一次可以被机器代替。

原理

透析的原理是将肾衰竭患者血液中的有毒物质通过半透膜扩散至一个近似于血液化学成分的溶剂中。1826年，法国物理学家和自然学家亨利·杜罗切特（Henri Dutrochet）（公元1776～1847）论述了液体通过膜的扩散现象，即渗透作用；而伦敦化学家托马斯·格拉哈姆（Thomas Graham）（公元1805～1869）则详细阐述了溶质扩散，并于1861年创造了“透析”（dialysis）一词（源于希腊语，意为“分离”）。但在当时并没有可用的膜能够进行血液透析，直至1910年出现了用作包装材料的玻璃纸，之后，1929年，玻璃纸又被加工为无缝的肠衣。在将透析应用于治疗之前，还要进一步考虑一个问题：即需要准备一种抗凝剂，以防止血液在接触人工膜表面后凝结。早期透析实验使用的是水蛭的提取物（水蛭素），但是20世纪50年代为临床应用研发的肝素则更加安全，效果也更好，并且在临床透析中实现了抗凝性。

血液透析机的发明

20世纪40年代中叶，荷兰的威廉（皮姆）·科尔夫（Willem（Pim） Kolff）（公元1911～2009）、瑞典的尼尔斯·阿尔华尔（Nils Alwall）（公元1904～1986）和加拿大

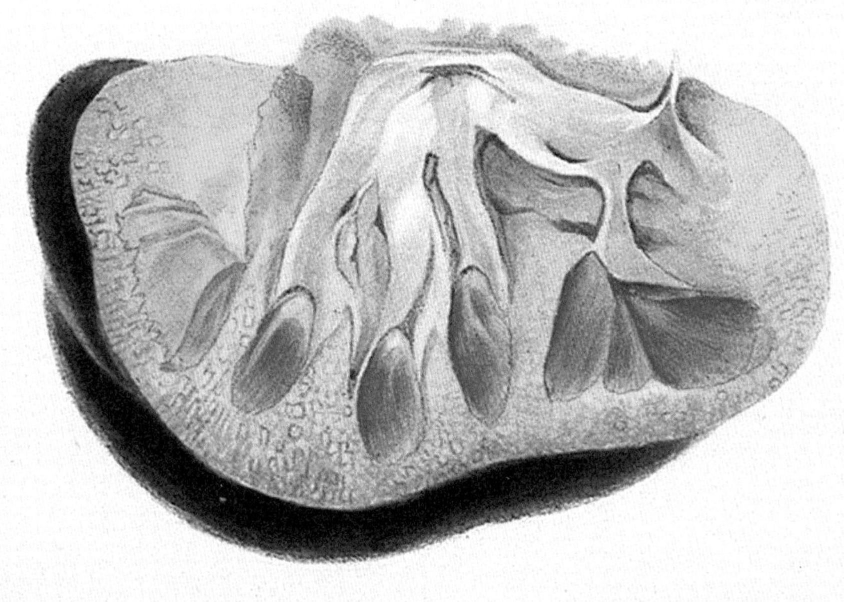

对页图

渗透作用——小分子溶质和水通过半透膜从溶质浓度低的溶液向溶质浓度高的溶液转移的现象——是透析的基础。图中展示的是托马斯·格拉哈姆约在1834年所使用的一部分实验器材，用以研究溶质的扩散现象。

上图

理查德·布莱特（Richard Bright）在其《医学病例报告》（公元1827～1831）中展示的病变肾脏的两个截面。通过将临床症状与患者死后的病体表现进行对比分析，布莱特发现尿液中含有白蛋白的水肿病人（体内水分过多而身体臃肿）患有肾衰竭。

的戈登·默里（Gordon Muray）（公元1894～1976）几乎在同时发明出了血液透析机，又称人工肾。最先发明者被认定是科尔夫，因为1943年他在德国占领的荷兰首次用透析机治疗病患。科尔夫在发明过程中体现了他的独创性、坚持不懈的精神和深谋远虑的头脑：他本身是物理学家，支持当时的抵抗运动，在闲暇时间利用被击落轰炸机的铝件和老式福特汽车发动机的零件制造透析机。

科尔夫的机器由玻璃纸管缠绕一个板条木筒组成。旋转的木筒将管中的血液导入其中，管子的一部分浸在溶液中，溶液会将尿液中的毒素溶解。这个机器体型庞大且笨重，操作困难，但是它在检测患者血液和改善病症方面确实取得了非常关键的进步。后来，科尔夫移居到了美国，他在那里研制出了第一个可用的人工心脏，并利用水果罐头瓶等身边的材料不断改善血液透析机，以制作原型机器。

早期应用

科尔夫在极端艰苦的条件下做出了如此成就，其贡献之大无论怎样强调都不过分。但机器的早期应用结果却是好坏参半：尽管患者病情都有所好转，但只有他的第17个病人存活了下来。到“二战”结束时，科尔夫已经制造出了足够的机器，并将它们捐给了美国、英国和其他国家的中心城市，但是这项全新的治疗方式并未得到普及。用机器代替人体器官功能的方式完全颠覆了大多数专门研究肾病的医生所推崇的生理分析和饮食治疗法。此外，由于很难将连续不断的血流从患者血管中提取或注入，每位患者只能得到有限的几个疗程。因此，这种方法主要用于治疗患有急性且有可能治愈的肾衰竭的病患。

虽然创伤引起的急性肾衰竭是“二战“时期的一大难题，但后来人们对透析治疗法的兴趣下降，只有少数几个支持者坚持研究透析，其中最为突出的是美国波士顿的约翰·P.梅里尔（John P. Merrill）（公元1917～1984）。在朝鲜战争时期，梅里尔的学生们用无可辩驳的方式证实了透析确实能救人性命，随后，透析法逐渐得到推广，特别是用于治疗分娩所引

起的肾衰竭。

肾单位

尽管如此，透析对大多数慢性肾衰竭患者却没有多大作用，直到西雅图的贝尔丁·斯克里布纳（Belding Scribner）（公元1921～2003）和工程师韦恩·奎因顿（Wayne Quinton）使用涂有聚四氟乙烯的塑料管连接动脉和静脉制成“分流器”，借助这种方法，透析机就可以重复使用这种“分流器”。当这种治疗方法可以永久维持慢性肾衰竭患者的健康后，斯克里布纳又致力于使“肾单位”的运行符合实际、符合道德标准，并且经济。由此他开发出一种新的行医方式，即医院员工和设备都服务于某个医疗器材，帮助可独立生活的患者一周三次使用这种器材。

治疗过程是由护士、技术人员，更为重要的是由患者自己执行的，由此患者就被赋予了前所未有的权利。

有些病人会以一种不同的方式进行透析：腹膜透析，即利用人体自身的半透膜实现毒性物质的转移。这种透析治疗法技术含量较低，也是在20世纪40年代研发出来的，但直到20世纪80年代才开始大规模使用，当时由工业推动的技术进步使其可以为非卧床病人进行长期治疗。从20世纪60年开始，透析市场不断扩展，鼓励了相关器材和服务的商业发展。现如今，成千上万位病人的生命依靠这种安全、便捷、复杂且可自主控制的治疗机器，这些机器与科尔夫创造的设备的运行原理是完全相同的。

对页左

1950年，荷兰人威廉·科尔夫（中）向美国俄亥俄州克利夫兰诊所的研究室主任欧文·佩奇（Irvine Page）（左）和A.C.科克伦（A.C. Corcoran）（右）展示他的透析机，又称人工肾脏。“二战”后，科尔夫搬到了俄亥俄州居住。

对页右

家用透析机，约1966年，由美国米顿罗公司（计量泵制造商）制造生产，这款早期自动化机器的拥有者已经使用它9年了。虽然这款机器和相应的技术支持高达7 000英镑，但相比去医院做透析来说，这种方法要便利得多。

下图

一位病人正在使用科尔夫式透析机做治疗，1947年。机器的圆筒在盐浴中旋转时，血液会通过作为半透膜的玻璃纸管，其中的毒素会溶入盐浴，将血液洗净。

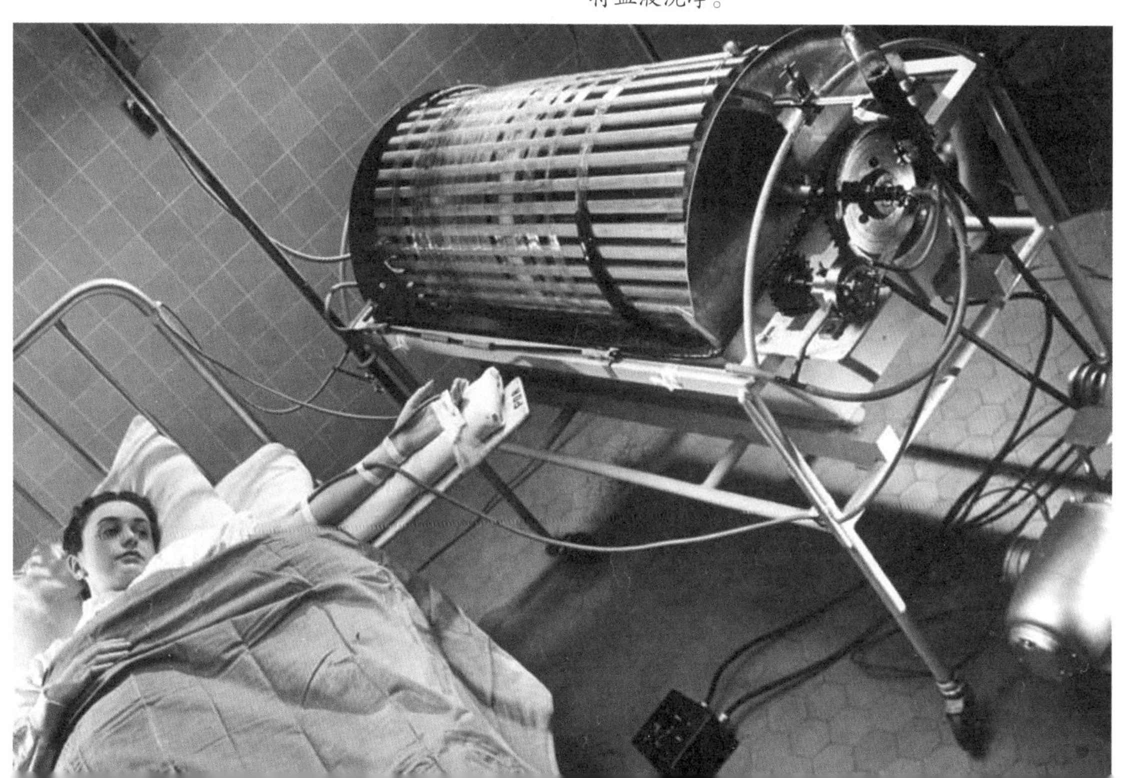

67.

吸烟与健康

生活方式与医学

斯蒂芬·洛克（Stephen Lock）

吸烟量越大，患肺癌的概率也就越高。

理查德·多利（Richard Doll），

——奥斯丁·布兰德福德·希尔（Austin Bradford Hill），1950

理查德·多利研究吸烟与健康间的联系长达50年，并坚持完成其在1950发表的具有划时代意义的论文（同布兰德福德·希尔一起）。2004年，他在《英国医学期刊》发布了另一篇文章，文章中记录了诸多英国男性医生在长达50年间所得出的研究结果。

60年前，4/5的英国男人都吸烟，而如今只有1/5。吸烟人数的降低起因于1950年人们研究出吸烟与肺癌存在直接联系，之后又发现吸烟还会导致其他严重的疾病，如癌症、肺病和冠心病，并对胎儿发育有害。在各类自发团体的压力驱动下，大多数西方国家开始采取措施，包括大幅提高烟草税，禁止相关广告，在包装上标注警告以及禁止在封闭的公共场所吸烟，等等。此外，医生也扩展了有关生活方式与疾病或早逝间联系的研究，如偏食、缺乏运动和酗酒等。

约在1600年，烟草出现于欧洲。它在一开始被用作药材，之后成为种植烟草的殖民地和宗主国税收的重要来源之一。直至19世纪后期，人们大多咀嚼或用工具吸食烟草，但两项发明的出现致使吸烟逐渐成为人们的主要生活方式，即固化烟草的新方法和卷烟机器。新的卷烟机器代替了老旧的手卷，提高了效率，这样卷成的烟，5根只卖1美分。而两次世界大战分别使卷烟成为男人和女人喜爱的吸烟方式，自此之后，女人也开始大量吸烟。

流行病的发现

20世纪40年代，对于许多年岁较大的医生来说，肺癌仍旧是罕见病，和他们的老师所描述的一样。然而，有报告显示肺癌病人大幅度增加，1920年至1930年以及1940年至1944年，男人和女人患肺癌的人数已经分别上升了6倍和2倍。这引起了英国当局的重视，之后，当局请求统计学家奥斯丁·布兰德福德·希尔（公元1897～1991）和医生理查德·多利（公元1912～2005）调查原因。他们共选取了伦敦的20家大型医院，将1 018位病人的生活习惯进行比较，其中一半患有肺癌，一半有其他疾病。结果显示，重度吸烟者患肺癌的概率是终身不吸烟者的50倍，

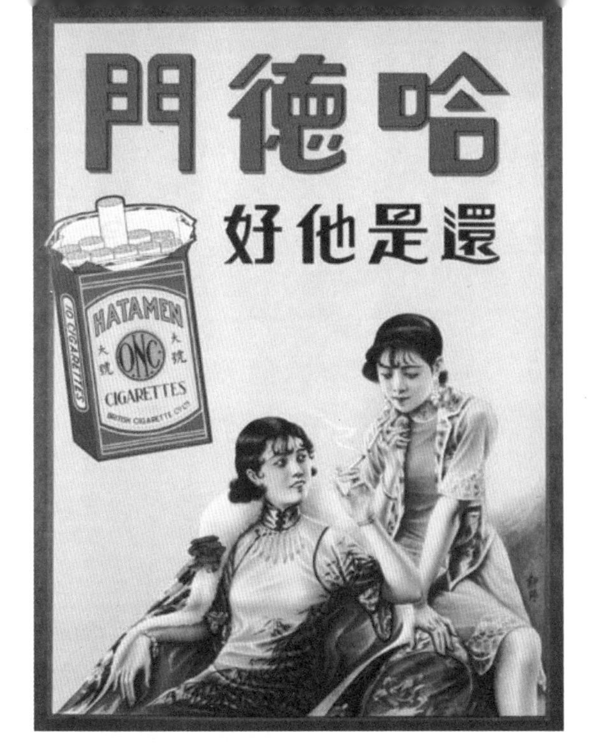

左上图

香烟逐渐向全国各地的女性销售，吸烟成为了女性追求独立解放、展示自身高雅素质和性吸引力的一种方式，正如中国这张哈德门香烟广告展现的那样，约1952年。

右上图

埃瓦茨·A. 格拉哈姆是一位美国外科医生，致力于研究肺癌的外科疗法，他怀疑肺癌和吸烟有着某种联系。格拉哈姆本人就吸烟，并死于肺癌。

下图

一株栽植中的烟草，原产自北美洲和南美洲。烟叶中尼古丁含量比其他植物的叶子都要高。在大自然中，尼古丁是一种强效的神经毒素，可以杀灭害虫，并且能驱赶食草动物。

这一结果出人意料，并且引起了巨大轰动。由于都没有想到这一结果，研究团队在发行报告前甚至决定在其他城市做相同的调查，以避免这一情况只是伦敦特有。但是，在他们开始前，两位美国研究员恩斯特·温德尔（Ernst Wynder）（公元1923～1999）和埃瓦茨·A.格拉哈姆（Evarts A. Graham）（公元1883～1957）在美国报告了相似的研究结果。

多利和希尔随即将他们的研究结果印刷出版，不久之后其他地区陆续出现了进一步的研究报告。即使如此，为了解决更为严重的困难，多利和希尔又设计出一种不同类型的调查。

这种新式研究更为严谨，称为“前瞻性研究”，需要调查英国所有注册医生的吸烟习惯，并跟踪调查直至他们死亡。即使在几年之后，研究结果依旧明确证实出最初调查结果的准确性，不过研究人员发现可以延长研究期限。50年后，多利本人发表了该项研究的最终报告，报告表明吸烟会使死亡率增加一倍，吸烟者的平均寿命要比不吸烟者少10年，而禁烟（即使是在中年时期）可以延长寿命。

正如“新”发现通常会遇到的情况一样，这种研究结果也并非史无前例。20世纪30年代后期，一位德国医生就发布过相关数据，而温德尔自己也将吸烟与肺癌的联系做了理论研究，但“二战“的爆发阻碍了这些思想的进一步发展。在20世纪的英国，吸烟被证实有害儿童发育，虽然缺少证据，英国还是在1908年颁布了儿童法，禁止向16岁以下青少年销售香烟。然而，由于长时间以来人们一直认为一些肺部疾病是与某些接触尘土的职业有关（如煤矿工人会得尘肺病、棉纺工人会得绵纤维吸入性肺炎），而吸烟却是普遍现象而且毫无害处（医学期刊上刊登

吸烟主要危害

呼吸道疾病

喉部、支气管和肺部癌症；支气管炎和慢性阻塞性肺病

消化道疾病

食道癌、胃癌和胰腺癌；消化性溃疡

泌尿道疾病

肾癌和膀胱癌

循环系统疾病

心肌梗塞，周围血管病变

其他疾病

阳痿，胎儿发育不良，面部皱纹

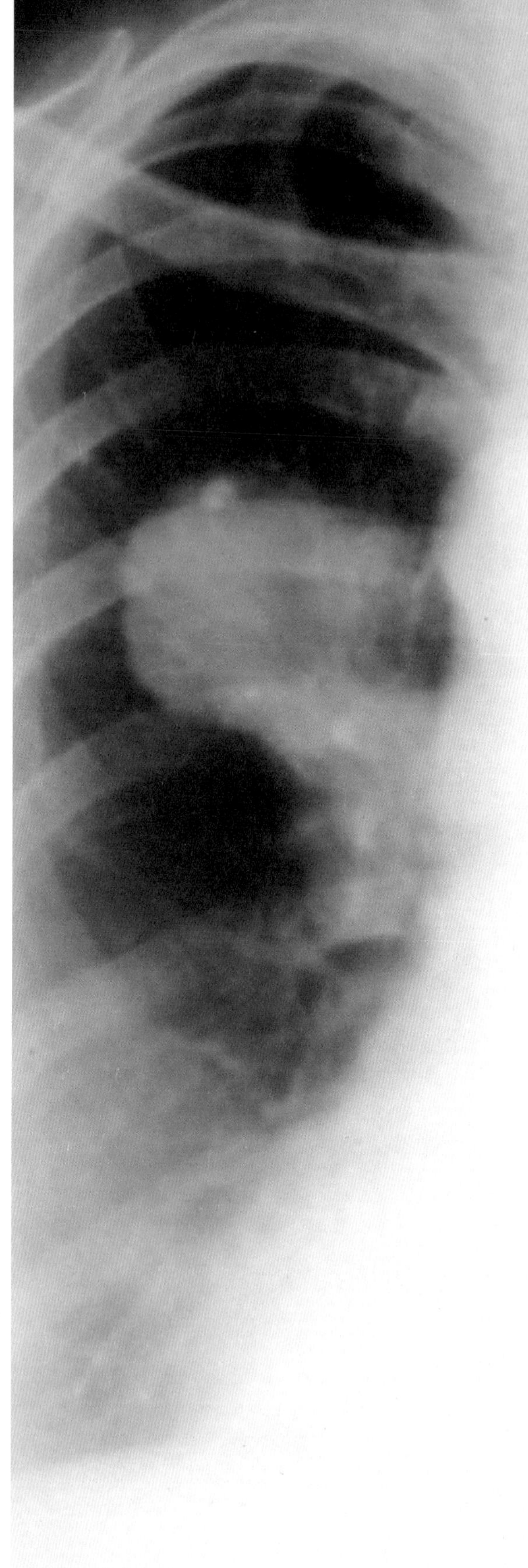

肺部X光片

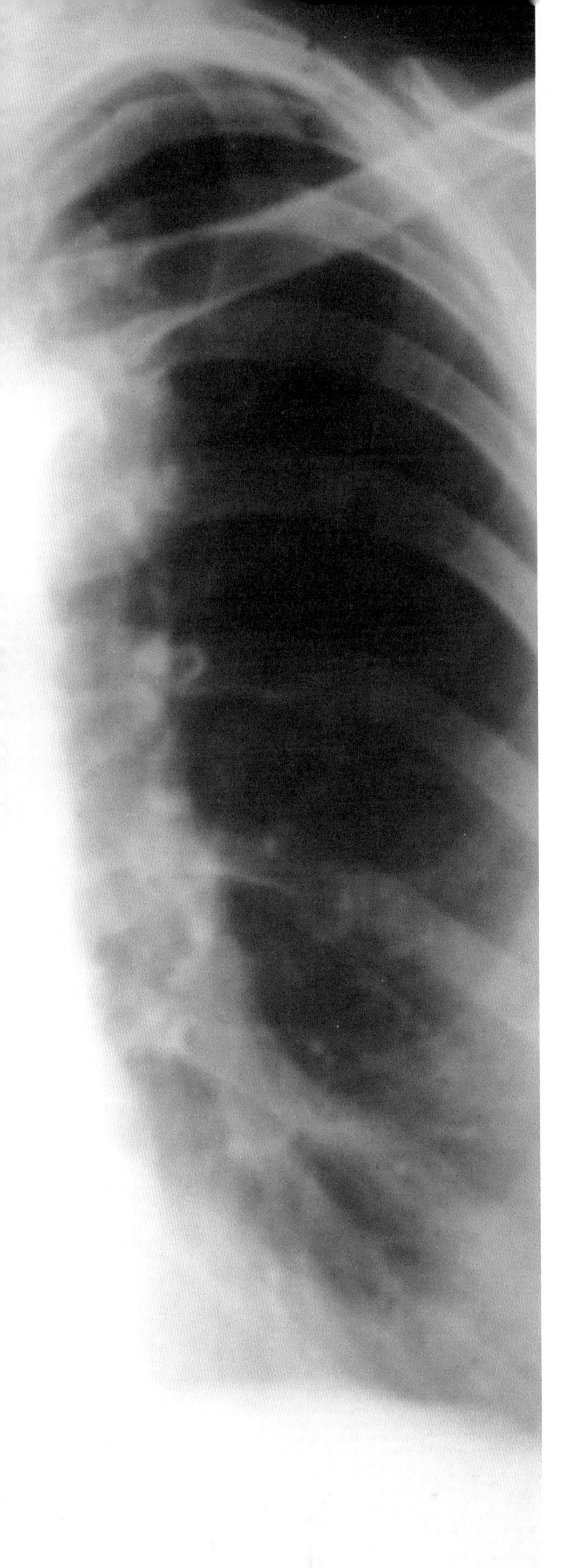

过香烟广告），因此多利开始思考在全球流行的肺癌是不是空气中某种新物质引发的，比如筑路焦油或柴油机烟气。

持续存在的问题

初版研究结果发布60年后，我们已经了解到吸烟的主要危害。关于二手烟虽然没有充足的文件记录，但却被证实对人体有不利影响，包括肺癌、儿童呼吸道疾病和婴儿猝死综合征。所有这些都没有什么可稀奇的了，人们已经了解到烟草中含有约4 000种化学物质，其中50种会致癌。

现如今的统计数据显示情况更为严峻。在美国，虽然医疗卫生投入高达96亿美元，但其每年死于吸烟的人数（400 000）要高于死于酗酒、车祸、违禁药物、谋杀和自杀的总人数。在英国，有850万人吸烟，占全国总人口的20%，超过80 000人死于吸烟引发的疾病，而这种致病因素本来是可以避免的。在其他发达国家，平均35%的人吸烟，吸烟人口比例最低的国家是瑞典（19%），最高的是俄罗斯（超过60%）和中国（有3亿烟民）。

奇怪的是，关于烟草存在着自相矛盾的情况：烟草是已知的唯一仍在销售的致命产品，但是每个国家却将健康摆在重要位置；吸烟会带来巨额的健康保健开支，但人们却享受着烟草在制造业、销售和税收的利益；同时，国家政府无法在很大程度上要求民众改变生活习惯。相似情况还有酗酒和肥胖。虽然吸烟会让人上瘾，但很多人依靠意志力或其他方法（如贴尼古丁贴片或遵从家庭医生的建议）成功戒烟。尽管如此，烟草生产商却转而向新兴国家销售香烟，因为在那些国家人们不太可能了解吸烟的危害。但他们最好牢记一点，忘记历史教训的人注定会重蹈覆辙。

68.

辅助生育

IVF与胚胎移植

莎拉·富兰克林（Sarah Franklin），马丁·H.约翰逊（Martin H. Johnson）

人体卵细胞已经能利用试管成功完成受精并发育成熟，而这种受精方法也许可用于临床和科技。

R.爱德华兹（R. Edwards），B.巴维斯特（B. Bavister）&
P.斯特普托（P. Steptoe），1969

试管受精（IVF）是随着1978年世界上第一个试管婴儿路易丝·布朗（Louise Brown）的出生而为人所知的，虽然如此，其发展历史以及与之相联系的胚胎移植（ET）的发展历史却可以追溯至一个多世纪以前。19世纪后期，沃尔特·希普（Walter Heape）（公元1855～1929）为研究遗传规律，进行了最早的哺乳动物胚胎移植实验。他将一对白色安哥拉兔的胚胎移入一只黑色比利时兔的体内，以此证明胚胎在寄主母体内发育并不会影响后代的颜色。

了解生育过程

20世纪30年代，格雷戈里·平卡斯（Gregory Pincus）（公元1903～1967）进行了与希普相同的实验，但这一次是为了了解生育过程。平卡斯声称实现了兔子的孤雌生殖（即由未受精的卵单独发育成个体的特殊生殖方式）并尝试对兔子实施试管受精，这一成果让他名声大噪，但却引起各方争议。1944年，应聘哈佛职位失败后，平卡斯在马萨诸塞州什鲁斯伯里创立了伍斯特实验生物学基金会（Worcester Foundation for Experimental Biology），他的合伙人之一是毕业于剑桥、致力于分析哺乳动物受精过程的动物学家张明觉（Min Chueh Chang）。1951年，张明觉发现了精子获能现象，即精子必须先经过雌性生殖管道并停留一段时间后,才能获得使卵子受精的能力，而C.R.邦妮奥斯丁（C.R.‘Bunny’Austin）也发现了这一现象。通过与哈佛物理学家约翰·罗克（John Rock）（公元1890～1984）合作，平卡斯和张明觉在20世纪50年代研发出了避孕药，这在一定程度上阐明了排卵中激素的作用并发展了诱导排卵，而后者对成功实现人体试管受精有着至关重要的作用。

在此之前，罗克就已经开始在临床工作中研究不孕症，包括其原因和可能的治疗方法。他同米里亚姆·门金（Miriam

对图

通过试管受精发育的人类胚胎，处于8个细胞的阶段。这个胚胎质量很高，可以移植到女性子宫中，只有借助子宫才能开始妊娠。

上图

妇科学家帕特里克·斯特普托（左）和生殖生物学家罗伯特·爱德华兹（右）。他们二人和技术员琼·珀迪成功培育了世界上第一个试管婴儿路易丝·布朗，生于1978年。爱德华兹获得了2010年诺贝尔生理和医学奖。

Menkin）一起对取自病人的受精卵和未受精卵进行了实验，并于1944年声称成功在试管内实现了3个人类卵子的受精和卵裂（即受精卵细胞的分裂）。

但直到1959年，张明觉才提供明确的证据证明哺乳动物的试管受精是可以成功实施的，他使用的方法是将兔子体内未受精的成熟卵子取出，用精子使其受精，再孵化，随后将胚胎植入另一只兔子体内，产出后代。

人体试管受精与胚胎移植

只有一小部分科学家依旧致力于实现人体试管受精，这一目标不仅难以达到而且颇具争议。20世纪60年代，哥伦比亚大学的妇科学家兰德勒姆·薛德斯（Landrum Shettles）（公元1909～2003）着手进行了一系列人类卵子的相关实验。1973年，他同意为佛罗里达州的一对夫妇约翰·奇奥（John Zio）和桃瑞丝·戴尔·奇奥（Doris Del Zio）尝试IVF和ET。但在被同事发现后，他被迫终止实验并因此受到漫长的法庭审讯，公众对实验的态度也是非常负面的。

1968年，正当人们对试管受精争论不休时，剑桥大学的生殖生物学家罗伯特·爱德华兹（Robert Edwards）（公元1925～）发起了一项与英格兰北部奥尔德姆市的妇科学家帕特里克·斯特普托（Patrick Steptoe）的合作项目。在早期科学家研究出的方法和理论的基础上，爱德华兹、斯特普托和他们的助手琼·珀迪（Jean Purdy）开发出了研究人体试管受精的新技术。爱德华兹将自己在卵母细胞成熟时间方面丰富的经验和知识与斯特普托引进英国的一项关键创新技术结合了起来，即将腹腔镜用于外科研究和治疗。

1969年，为了在实验中成功对卵细胞实施试管受精，爱德华兹从被麻醉病人的活体卵巢组织中取出了卵子，随后人工培育卵子使其发育成熟，并在最近研制出的介质中进行试管受精，该介质是毕业生巴里·巴维斯特（Barry Bavister）为他的仓鼠受精研究所开发的。之后，爱德华兹和斯特普托使用腹腔镜获得了做试管婴儿的卵母细胞，这些卵

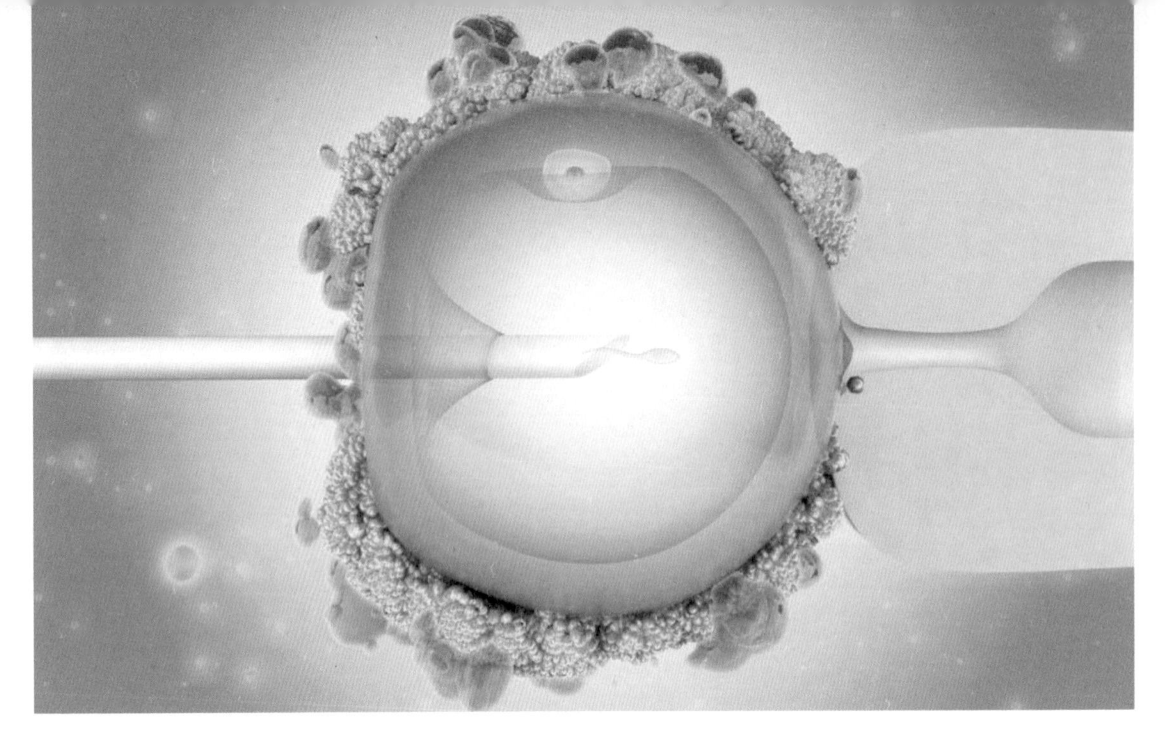

母细胞在试管中成功完成了受精、卵裂和胚泡形成过程（即胚胎发展成为由一层细胞围成的泡状体）。1974年，他们在女病人志愿者体内实施了胚胎移植，帮助她们怀孕。

进步与风险

胚胎移植有很长的历史，爱德华兹和斯特普托也在此方面取得了一定进步，尽管如此，他们仍旧不断研究，力图使激素条件达到最佳，以成功实施胚胎移植。正是因为这样，在首次试管受精成功（1969年）近10年之后才出现第一位试管婴儿路易丝·布朗（1978年）。在此期间，爱德华兹和斯特普托受到了舆论谴责，工作也一直在媒体监视下进行。

爱德华兹和斯特普托在1978年取得的成功为IVF和ET的临床推广打开了一扇新的大门，全球各地有上百万个试管婴儿因此出生。如今，这项技术成为不孕不育症的主要治疗方式。同时，它也为妇产科的基础研究和应用研究搭建了平台，包括20世纪80年代的胚胎植入前遗传学诊断技术（PGD：防止移植的胚胎带有严重的遗传疾病）、20世纪90年代的卵胞浆内单精子注射技术（ICSI：解决男性不育的问题）以及21世纪初对人类胚胎干细胞的研究和发展。

虽然在排卵的激素控制，卵子抽吸技术，胚胎培养方法以及胚胎选择、移植和冷冻等关键技术都取得了重要进步，但是IVF和ET的治疗成功率只有25%至30%。所以就需要对病患进行物理和心理的治疗和辅导，尤其是女性病人，她们要承受着激素刺激和手术所带来的双重困扰和风险。IVF和ET的其他风险也在不断引起人们的关注。为了提高怀孕成功率，很多人会选择将多个胚胎植入体内，但这种做法却导致多胎妊娠的流行。而流行病学的研究证实IVF导致先天性畸形的风险和可能性有所上升，但是并不清楚是该技术本身的原因还是由技术提高生育率后引发的不良后果。

上图

卵胞浆内单精子注射技术（ICSI）：借助微量吸液管将单个精子直接注射入卵细胞以实现受精。ICSI主要用于因精子数量少或精子活力低而无法自然受精的情况。

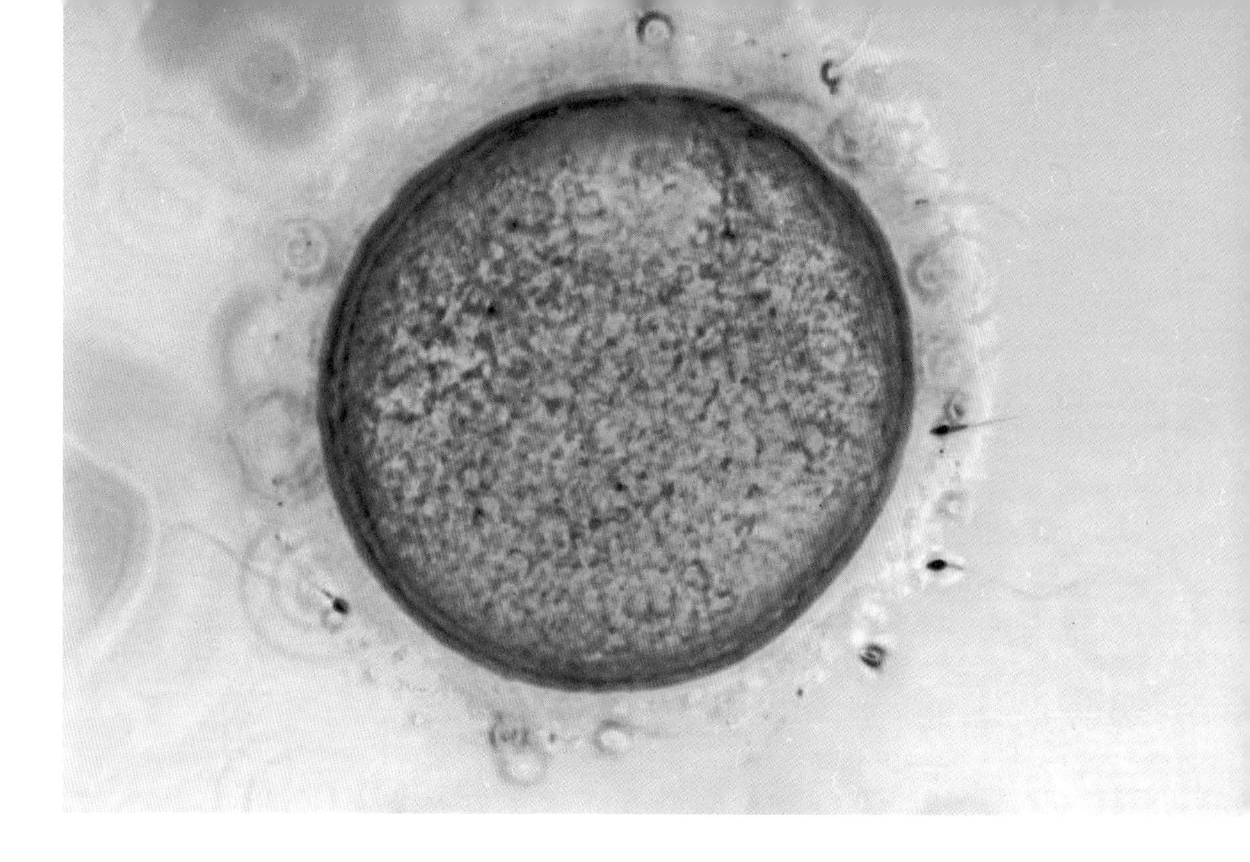

上图

卵子与精子：卵子被保护在卵丘细胞（黄色）之中，卵丘细胞下面是包裹卵子的薄膜，即透明带（棕色）。精子头携带着一种特殊的酶，可以溶解薄膜，只有通过这样才能实现受精。

下图

腹腔镜治疗法（内窥镜手术）可以看到腹腔内部的情况。将一根空心细针穿过腹壁后，医生能够直观地看到卵巢表面和含有卵子的卵泡，之后再利用抽吸术吸出卵泡中的卵子。

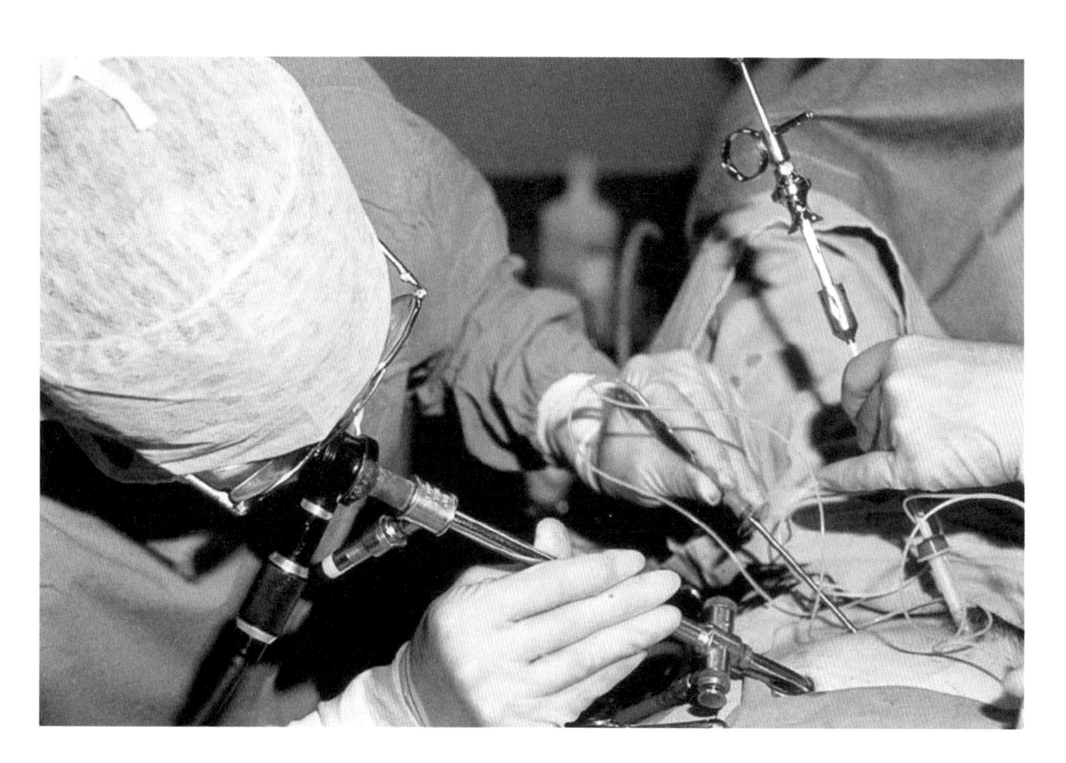

69. 帕氏抹片检查与人乳头状瘤病毒

可以预防的癌症

艾丽安·德雷舍尔（Ariane Dröscher）

如果有可能研制出一种简单且不昂贵的诊断方法为广大女性在易患癌症时期提供诊断，那么我们就能比现在更容易地在癌症初期发现它。

——乔治·N.帕帕尼古劳（George N. Papanicolaou）&赫伯特·特劳特（Herbert Traut），1941

在过去，女性很容易罹患宫颈癌，但帕氏抹片检查（子宫颈抹片检查）技术的使用使得这种癌症转变为可以检测且可治愈的疾病。此外，帕氏抹片检查技术标志着妇科细胞病理学研究的开端：在宫颈癌检测技术发展之后，人们也开始于20世纪70年代研究人体乳头状瘤病毒对宫颈癌的影响。

两种诊断新方法

20世纪20年代后期，两种诊断宫颈癌的新方法同时但被不同的科学家研发出来，分别是匈牙利-罗马尼亚裔病理学家、妇科学家奥雷尔·巴贝（Aurel Babes）（公元1886～1961）和希腊裔美国人乔治·尼古拉斯·帕帕尼古劳（George Nikolas Papanicolaou）（公元1883～1962）。1927年1月，巴贝向位于布加勒斯特的罗马尼亚妇科学协会展示了他的成果。他用铂丝圈采集女性子宫颈内的细胞后将其放置在载片上干燥、染色，并证实无需借助发病症状或使用侵入性外科活检即可诊断出是否存在癌细胞。而就在几天前，帕帕尼古劳（“帕医生”）在密歇根州巴特克里市的第三届种族改良会议上展示了另一种诊断方法。

帕帕尼古劳在希腊学习的是内科，之

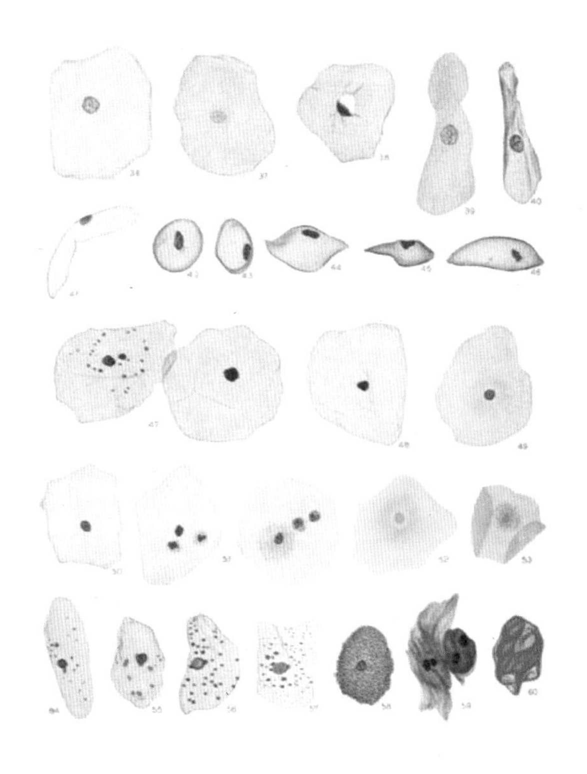

对页上图

乔治·帕帕尼古劳医生（“帕医生”）研发了帕氏抹片检查法，用以检测宫颈癌。

对页下图

20世纪30年代美国癌症控制协会（即后来的美国癌症协会）的健康教育海报，旨在鼓励妇女自主参加乳腺癌和子宫癌（包括宫颈癌）的早期诊断和治疗项目。20世纪40年代，该协会积极采用帕氏抹片检查技术，并将其作为这种广泛推广的一部分。

上图

帕帕尼古劳在研究正常生殖周期及其激素控制的过程中开发出了帕氏抹片检查法。这些是他通过观察正常的人体阴道抹片所画的各类细胞图示（摘自“阴道抹片所显示的女性生殖周期”，1933年），这些图示可以用作比较癌前细胞和癌细胞的标准。

后又在德国与奥古斯特·魏斯曼（August Weismann）和理查德·戈尔德施米特（Richard Goldschmidt）进行了性别决定与分化的研究。他于1913年移居美国并在纽约医院工作，之后又转至康奈尔医学院，正是在这里，他研制出可以确定豚鼠排卵期的方法，并每天用显微镜观察通过鼻窥器从阴道中取出的自由浮动的——或用他的话说是“表皮剥脱的”细胞。得到结果后，帕帕尼古劳非常兴奋，并从他妻子体内采集了第一个人体“帕氏”抹片，以此证明出通过这种方法可以非常有效地观察内分泌的变化。1925年，他开始系统化地研究大量的阴道抹片，并在偶然间发现其中一个抹片含有未诊断出的癌细胞。

巴贝和帕帕尼古劳的研究成果都受到了强烈质疑，但是他们却使人们开始重新思考癌症诊断的问题，这具有划时代的意义。大多数内科医生都不相信只通过剥脱细胞样本就能发现细胞是否有癌变。此外，他们也都认为帕氏测试不仅耗费时间而且没有必要，因为为了找到病变的细胞需要检查大量正常细胞的样本，而对子宫颈进行活体诊断却可以提供较为确定的结果。

大范围筛查

为了鉴别子宫癌前细胞、预防恶性肿瘤，帕帕尼古劳首次研发出了新式染色法，并在1948年建立了数字细胞分类系统。更为重要的是他与两位同事，赫伯特·F.特劳特（Herbert F.Traut）和安德鲁·马尔凯蒂（Andrew Marchetti）的合作项目：马尔凯蒂说服了每位纽约医院妇科的女患者做常规阴道抹片检查，并将数据提供给帕帕尼古劳。1945年，他们进行了更大规模的筛查，当时美国癌症协会极力

左图

哈拉尔德·楚尔·豪森因发现宫颈癌的致病元凶——人乳头状瘤病毒——而获得2008年诺贝尔医学奖，与他分享这一奖项的还有艾滋病病毒的发现者弗朗索瓦丝·巴尔-西诺西（Françoise Barr é -Sinoussi）和吕克·蒙塔尼（Luc Montagnier）。

对页图

在这个人体宫颈表层样本中，细胞已被人乳头状瘤病毒（HPV16）感染。病毒的蛋白质（绿色）与角蛋白丝（红色）绑在一起，并在细胞边缘部分重组角蛋白丝，这展现了病理癌变的过程。其中蓝色部分为细胞核。

推广帕氏抹片检查技术，将其作为一种癌症预防措施让更多女性知晓。

然而，大范围筛查并没有那么容易。虽然检查基本设备只包括采集细胞所需的针和纱布以及用于观察的載片和显微镜，但是检查抹片却需要经过大量训练，并且要持续不断地集中精力。

即使是专业的细胞化验员和病理学家，也无法清楚地对“异常”细胞进行解释和分类。直到现在，假阴性率（无法检测出此类细胞）仍旧很高，1988年美国这一比率为15%~40%，而阳性结果也不能证明一定存在侵入性恶性肿瘤，很可能会在下次抹片检查时回归正常数值。因此，专家们开始集中精力解决这些问题，首先是改进鉴别癌前细胞的方法，其次是详细说明细胞学和形态学相关标准以制定区别正常细胞、增生细胞（细胞分裂过度）和恶性肿瘤细胞的通用标准，最后是研发省时省力的检查程序，使帕氏抹片检查法可以为所有女性提供预防之法。

20世纪50年代后，詹姆斯·W.里根（James W. Reagan）、斯坦利·弗莱彻·帕滕（Stanley Fletcher Patten）和其他人一同改进了目的细胞的分析研究方法和用以制定可繁殖细胞标准的测面法，这些方法同样适用于自动筛查。而抹片检查还是无法借助自动化设备分析，但若配合其他诊断形式则可以得到更为准确的结果。此外，细胞分类体系趋于多样化，并没有统一的标准，甚至会同时使用多个体系。

人乳头状瘤病毒

由于怀疑宫颈癌是由某种病毒造成，哈拉尔德·楚尔·豪森（Harald zur Hausen）（公元1936~）及其研究团队在20世纪70年代从生殖器疣分离出了多种不同的人乳头状瘤病毒（HPV）。在1983年和1984年，他们成功离析了HPV16和HPV18的DNA，并在约70%的宫颈癌活检中发现了这两种病毒的存在。之后，他们又鉴定出了由癌细胞转录的两种主要的病毒基因（E6和E7）。为此，豪森获得了2008年诺贝尔奖。

20世纪80年代，美国和澳大利亚的一些实验室开始研发宫颈癌疫苗。到20世纪90年代早期，第一批病毒样颗粒（VLP）疫苗制作成功，并在2007年左右出现了相关商品。

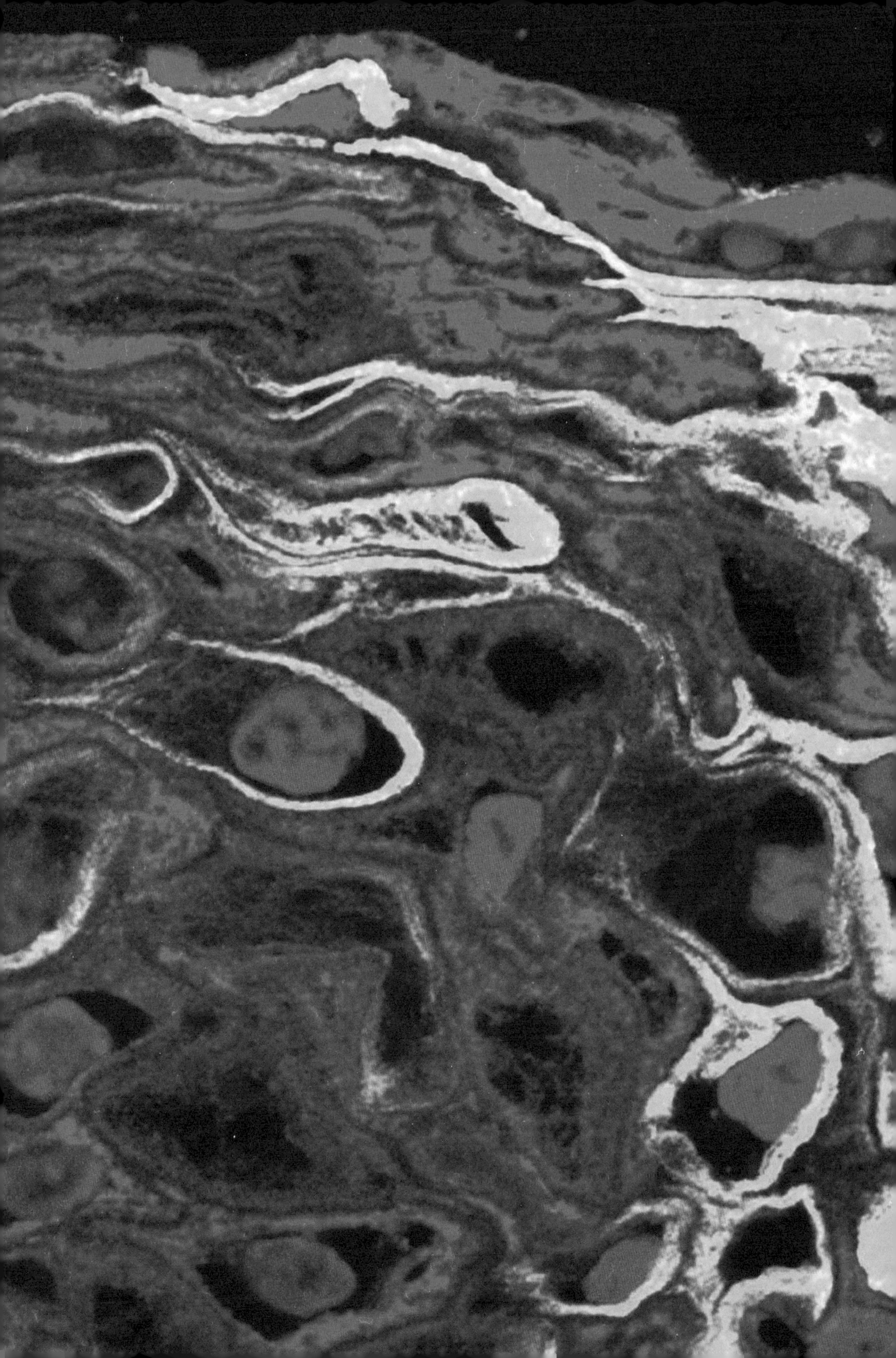

70.

幽门螺杆菌与消化性溃疡

存在于意想不到之处的细菌

巴里·马歇尔（Barry Marshall）

阻碍新事物发现的最大因素……不是无知，而是对知识的错觉。

——丹尼尔·J. 布尔斯廷（Daniel J. Boorstin），1984

消化性溃疡是由酸性胃液在胃肠道引起的溃疡，通常而言，会在胃下部胃壁的表层（即黏膜）或小肠前的几厘米处，即十二指肠，形成一个孔洞，长1~2厘米，深约5毫米，但一般不会穿过整个内壁。这种孔洞可能会在患者体内存在几个月甚至几年，来无影去无踪。有时，消化性溃疡会使动脉破裂，造成大出血，致使患者吐血甚至死亡。溃疡也可能会穿过肠壁，使肠内容物流入腹腔，引发易致死的腹膜炎。

在20世纪，全球约10%的人口在其生命的某个阶段忍受着消化性溃疡的煎熬，美国或英国2%至4%的成年人定期服用抗酸药物。最为普遍的降酸药物是被称为甲腈咪胺的H2受体阻断剂，患者每天要花费5美元服用该药物。溃疡非常普遍，因而所有医生都认为自己是诊疗溃疡的专家，并相信压力是导致溃疡的主要因素。

上图

内科医生巴里·马歇尔，2005年诺贝尔医学奖获得者。他在证明幽门螺杆菌是消化性溃疡病源的过程中除了与他人合作，还用自己的身体进行实验。

下图

病理学家罗宾·沃伦，与巴里·马歇尔共同获得了诺贝尔医学奖，他一直对胃炎（胃黏膜发炎）很感兴趣。起初，沃伦只能通过显微镜观察胃部活检来检测细菌。而到了今天，由马歇尔研发的简单、非侵入性诊断测试——尿素呼气试验可被用来检测患者体内是否感染幽门螺杆菌。

胃肠病学循环发展

1981年7月，29岁的巴里·马歇尔正在澳大利亚西部的皇家柏斯医院接受为期三年的培训项目。一切都很顺利，马歇尔期待着自己能在1983年底成为一名内科医生。当时，马歇尔研究胃肠病学已经有6个月了，而马歇尔的老板告诉马歇尔，病理学家罗

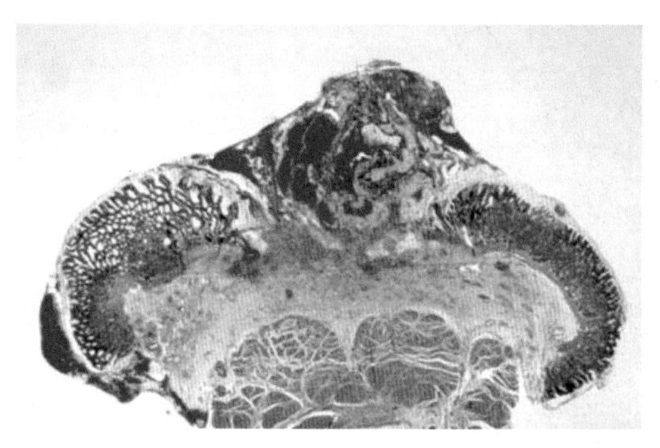

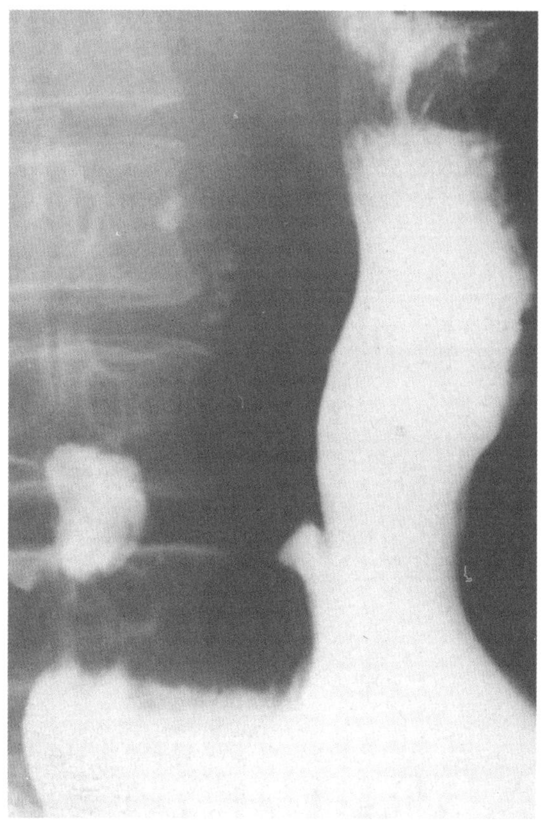

左上图
这张显微照片（放大50倍后的效果）显示出急性穿孔消化性溃疡穿过胃黏膜的情况。胃内容物会流入腹腔，腹腔中的消化酸和酶会破坏其他组织。90%的这种溃疡病都是由幽门螺杆菌造成的。

左下图
病人食用钡餐后对胃中溃疡部分的X射线检查。胃部的形状比较特殊，是细长形，可能会产生肿瘤。图中的溃疡可能不是由幽门螺杆菌直接造成，但长期感染幽门螺杆菌易导致胃癌。

宾·沃伦（Robin Warren）医生拿着一份20位患者的名单找到了他，这些患者的胃部活检都查出有弯曲状的细菌和白色细胞。

沃伦医生给马歇尔展示了显微镜下正常的胃部组织的样子，发炎后的样子（出现白色细胞的部分）以及可以看到弯曲状细菌的地方。

这种细菌显然是抗酸的，但喜欢寄居在0.2毫米厚的胃黏液层下面，依附着胃黏液细胞。这些弯曲的小虫子在胃底部的幽门瓣附近会特别厚，所以他们称它们为幽门弯曲菌，之后更名为幽门螺杆菌。

经过8个月的尝试，他们终于能培育这种细菌了。技巧在于要将它们放置在培养皿中5天时间，任由它们慢慢成长。它们会产生脲酶，并通过分解尿素形成氨这种酸性缓冲液，帮助它们在酸液中存活。

1982年，马歇尔和沃伦医生取得了突破性进展。几乎每位患有十二指肠溃疡的病人以及80%患有胃溃疡的病人体内都存在这种细菌。有没有可能溃疡是由这些细菌引起的呢？这种细菌是对人体直接造成伤害（病源）还是只是偶然存在那里（作为共生物）呢？哪一个先出现，细菌还是溃疡？很多医生都不认同他们的新理论，因此他们用了5年时间来收集更多的证据。

人豚鼠与疗法

首先，马歇尔开始尝试让动物感染幽门螺杆菌以观察是否会产生溃疡。不过，也许幽门螺杆菌是一种独特的只会感染人的细菌，所以马歇尔决定由自己作为豚鼠进行实验。1984年7月，马歇尔喝了一些肉羹汤，汤中大约含有10亿个细菌。5天后，马歇尔开始呕吐，10天后，马歇尔进行了内窥镜检查和活检。病理学家报告称，马歇尔的胃部已经布满了细菌，并且存在炎症。由此，马

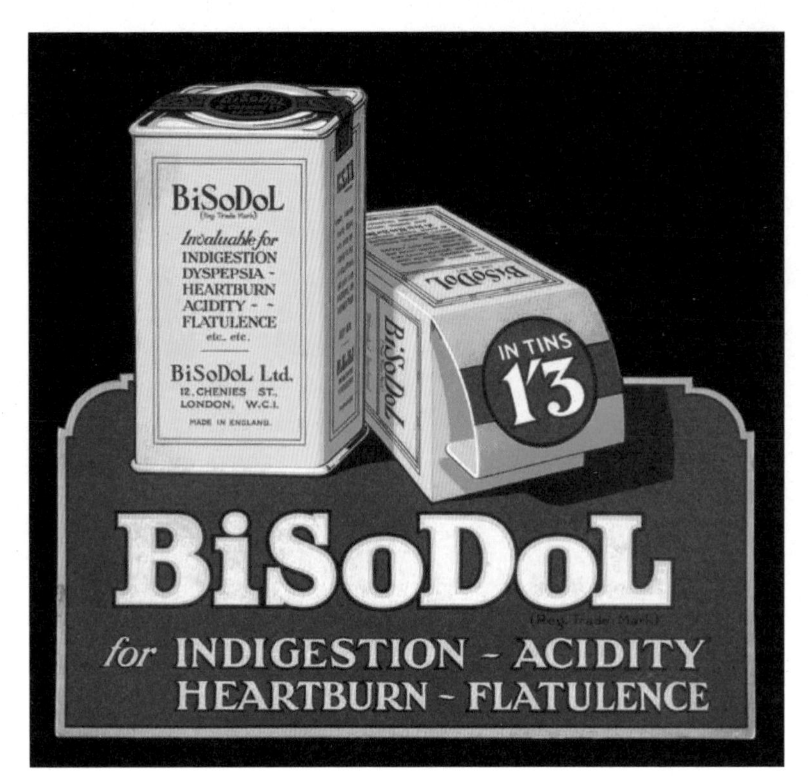

上图

20世纪50年代的比索多（Bisodol）广告。比索多是一种混合了抗酸剂和铋的专利药物，可用来中和胃中的盐酸。它受到欢迎后，很多抗酸药物也加入了次硝酸铋，我们现在知道次硝酸铋虽然可以抑制螺杆菌感染病，但却无法完全治愈它。

对页图

幽门螺杆菌：利用顶端的鞭毛移动，寄居在胃黏膜中胃黏液层下面，唯一已知的寄主是人类，全球约50%的人都携带着这种病毒。

歇尔得以证明，这种新细菌是病原菌，而不是无害的共生物。

马歇尔提出，如果是细菌导致的胃溃疡，那么只有去除细菌才能永久治愈溃疡。

一种称为铋（事实上是次枸橼酸铋）的治疗方法能够治愈40%的病症。马歇尔在装有细菌的皮氏培养皿上放了些铋，不出所料，细菌被杀死了。查看服用铋后患者的活检时也发现细菌都不见了。铋并非是抗酸剂，而是可以给胃杀菌的抗菌剂。马歇尔所提出的假设可以预测溃疡药的功效。

马歇尔和沃伦医生先用溃疡常用治疗法配上抗生素治疗50位十二指肠溃疡病人，再用溃疡治疗法配上安慰剂（假抗生素）治疗另外50位。一年后，90%细菌被清除了的病人的溃疡也痊愈了。约5年后，瑞典人发现了一种效力很强的新型胃酸阻滞剂——奥美拉唑——可以辅助常用抗生素仅在一周内就治愈90%的感染幽门螺杆菌的患者。

全球最普遍的感染病?

现在，我们了解到全球一半人口都感染了幽门螺杆菌，通过拥挤不卫生的环境或饮用被污染的水，在母子间、兄弟姐妹间传播。大多数感染幽门螺杆菌的人都没有出现典型症状，或症状很少，但是其中10%会患溃疡，10%会患胃炎，还有1%~2%在几年后会发展为胃癌。去除幽门螺杆菌可以治愈大部分溃疡，并且能预防胃癌。只需通过家庭医生做血液测试（检查是否存在细菌抗体）或呼吸测试（检查胃中的脲酶）就可诊断是否存在幽门螺杆菌。

大部分人都认为消化性溃疡是遗传病或由压力造成，但事实上是因细菌感染而引发的。马歇尔和沃伦医生因医学发现而获得2005年诺贝尔奖。有趣的是，阿尔弗雷德·诺贝尔（Alfred Nobel）总会抱怨胃的毛病，说不定他就患有由幽门螺杆菌引起的溃疡呢。

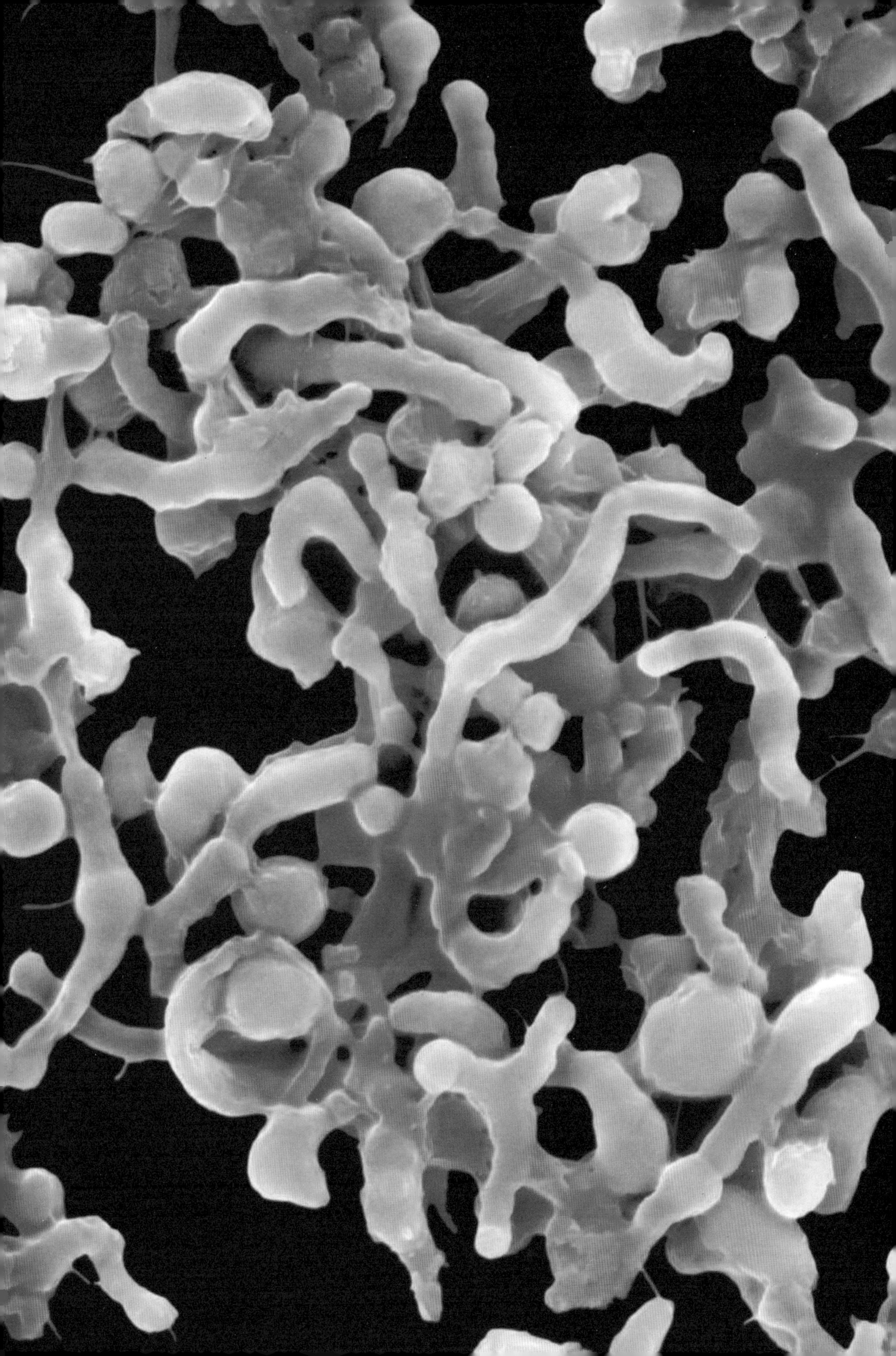

词汇表

ablation Removal, usually surgically, of material from the surface of an organ or other tissue, for example by using a laser, although other means can be employed.

aetiology (also etiology) The cause or multiple causes of a disease or illness; for example infectious diseases are caused by invading bacteria, viruses, parasites or other microorganisms, while diabetes may be caused by a combination of factors including one's genetic makeup and lifestyle factors such as an inappropriate diet.

alkaloid Any of a group of organic chemicals containing nitrogen and other elements that have pronounced effects on the body, including such drugs as quinine and morphine.

analgesia The inability to feel pain; analgesics such as 'pain killers' or anaesthetics allow the body to achieve analgesia.

aneurysm An enlargement or out-pouching of an artery, filled with blood, resulting from a weakening in the muscle wall of the artery; should the weakened wall burst a potentially life-threatening haemorrhage can occur.

angiogenesis The development of new blood vessels.

antiretroviral Any of the class of drugs that work against retroviruses, especially the Human Immunodeficiency Virus (HIV) that causes AIDS, by inhibiting the life cycle of the retrovirus; when three or four drugs are taken in combination this is known as Highly Active Antiretroviral Therapy, or HAART.

auscultation Listening to sounds within the body, typically the heart and lungs but also other organs, and interpreting what is heard as normal or abnormal; immediate auscultation employs no technology to assist the ear, mediate auscultation uses a device, usually the stethoscope, to enhance the sounds.

base In the biochemistry of DNA a base is an organic nitrogen-containing compound with basic or alkaline properties. There are four bases or compounds in DNA: guanine and cytosine are always paired or joined together (with hydrogen bonds) and adenine with thymine (also with hydrogen bonds).

borreliosis The general name given to diseases (Lyme disease, relapsing fever) caused by members of the genus of bacteria known as borrelia, which are transmitted by the bites of ticks and lice.

cavitation The formation during the progress of a disease of an empty space in previously normal tissue, such as in the lungs or bones in tuberculosis.

chromosome The coiled threadlike structure of nucleic acids (DNA) and protein arranged in a double helix and found in the nucleus of cells; along its length are found the genes and regulatory sequences.

cytogenetics The study of inheritance at the level of the chromosome.

cytology The study of the structure and function of cells in plants and animals.

cytoplasm The liquid part of the cell, contained within the cell membrane – within the cytoplasm are found all the organelles of the cell except the nucleus, which is separated from the cytoplasm by its own membrane.

electrocardiogram or **ECG** The visualization of the electrical activity of the heart, which can be stored as a permanent record; electrocardiograms are produced by machines known as electrocardiographs.

endocrinology The medical and physiological discipline concerned with the production and use within the body of hormones – the chemicals that are part of the way the body regulates its functions.

epidemiology The statistical study of the incidence and distribution of diseases, and the factors that cause and might prevent and control them.

goitre A characteristic swelling of the neck caused by an enlarged thyroid gland, one of the endocrine glands, which produces the hormone thyroxine which regulates growth and development through its action on the body's metabolism.

histocompatibility The compatibility of tissues (including blood) of two different individuals; this must be matched as closely as possible to prevent the recipient's immune system rejecting the donated tissue, although such rejection can be modified by drugs. A specific region of chromosome 6 is known as the major histocompatibility complex and provides the genetic control for these functions.

histology Study of the tissues of the body using various techniques of microscopy and staining to enhance the images produced.

iatrogenic An illness caused by a medical intervention, an unwanted side effect of a diagnostic, surgical or medical procedure.

immunoproliferative Diseases or disorders of the immune system characterized by overproduction of the primary cells of the immune system such as B cells, T cells and Natural Killer cells, or overproduction of immunoglobulins (antibodies); in all cases the excess leads to illness.

inoculation A way of preventing disease, giving it in a mild form which will protect the inoculated individual by injecting living or dead organisms or their products.

in vitro In biology and medicine this is the duplication of processes that would normally occur within a living organism in artificial conditions outside the body in a culture dish or test tube.

in vivo Literally, within the living organism; the term is the opposite of *in vitro* and is applied to processes taking place within the body rather than artificially outside it.

'knockout' A term that applies to living organisms extensively used in medical and biological research such as mice or fruitflies; the knockout mouse or fly contains an artificially induced mutation of a specific gene(s) so that the gene(s) will not function correctly. The effects of this malfunction can be investigated and this can be used to mimic human diseases and in the testing of potential drugs to understand how they work.

lesion Characteristic damage to an organ or tissue caused by disease processes, for example the nodules or tubercles found in the lungs and elsewhere in tuberculosis or the fatty plaques found in the arteries in arteriosclerosis.

lymph The colourless fluid that bathes the tissues of the body; it contains white blood cells and drains through the lymphatic system into the bloodstream.

macular degeneration A condition (often associated with ageing) where the centre of the retina in the eye (the macula) is damaged, resulting in loss of the centre of the visual field so that reading or recognizing faces is impaired, but the peripheral vision is relatively unaffected.

metastases The development of a secondary cancerous growth away from the site of the original primary cancer but consisting of the same cancerous cells; for example a metastatic breast cancer tumour may be found as the disease develops in the bone, lung or liver.

microarray An automated laboratory procedure that allows the investigation of, for example, the role of specific sections of DNA from a gene to be conducted quickly and efficiently. Microarrays are part of the revolution in laboratory techniques beginning in the 1990s that combine molecular biology and microchip technology.

mitochondria Organelles found within the liquid cytoplasm in most cells. They are the powerhouse of the cell, where the biochemical processes of respiration and energy production take place; mitochondria have their own DNA, which is very useful in the study of molecular evolution.

myeloma A malignant tumour of the bone marrow.

myocardial infarction An MI or heart attack, when the blood supply to the heart is disrupted and cells in the heart's muscle walls die; most commonly caused by a blockage in the coronary arteries that supply the heart with oxygen-rich blood.

oncology The branch of medicine that deals with the study and treatment of cancerous tumours.

oocyte An immature egg cell, which will mature from a primary oocyte into a mature ovum or mature egg cell.

particulate In genetics, the inheritance of a specific trait from a single gene. Although Gregor Mendel did not know about genes, his famous experiments with the inheritance patterns of peas dealt with particulate characteristics – pea colour was either green or yellow, and never some colour halfway between; this kind of inheritance is still called 'Mendelian'.

pathogen Any microorganism, such as a bacterium, virus or parasite, that causes a disease; the Human Immunodeficiency Virus (HIV) is the cause of AIDS.

peptide/polypeptide A sequence of amino acids which are the building blocks of proteins; these chains are held together by specific chemical bonds called peptide bonds. A 'polypeptide' is simply a very long chain of amino acids.

plasma The fluid that surrounds the blood cells (red and white) in the body; it contains salts, proteins and other substances.

prosthesis An artificial body part, such as a limb or a hip-joint, to replace a natural one that is absent or does not function properly.

protoplasm A term introduced in the 19th century to describe the stuff of living matter; nowadays it refers more generally to the contents of the cell, including the formed structures such as the nucleus and mitochondria.

septum A partition separating two cavities. In the heart, the septum (part of the heart muscle) separates the right and left sides (both the atria and ventricles); when there is a hole in it more work is put on the heart, and correcting these 'septal defects' is part of modern heart surgery.

serology Literally, the scientific study of serum, which is the fluid left after the blood clots; it is rich in proteins and other organic substances.

soma/somaticism Technically, the 'soma' is the body apart from the reproductive cells (sperm and eggs); more generally, it simply refers to the body as opposed to the mind or soul, hence, 'somaticism' is a doctrine which puts emphasis on the physical body.

speculum A pronged instrument shaped to open body orifices, such as the nose or vagina, to allow them to be visualized more easily.

systolic The contraction of the heart is called systole and pumps the blood onwards, and its relaxation is diastole when the blood flows into the chambers of the heart; the systolic blood pressure is thus the maximum that occurs at the end of systole.

thermolysis The breakdown of molecules using a concentrated heat source, such as a laser.

thymus A small organ located in the neck, near the thyroid, which consists of lymph cells and is important in the development of immunity.

transgenic A laboratory animal, such as a mouse, in which genes from another species have been introduced at an early stage of the animal's development; it is an important technique for studying how genes function.

trypanosomiasis A disease caused by protozoan parasites called trypanosomes; in Africa, the disease is called sleeping sickness, and in South America a different kind of trypanosome causes Chagas' disease, named after the Brazilian doctor who first described it, Carlos Chagas.

uraemic One of the major waste products that is excreted through the kidneys is urea; when the kidneys fail, urea concentrations increase in the blood, and the patient is called uraemic, the symptoms include lethargy, headache and intense itching.

vaccination Originally, vaccination was applied to the procedure pioneered by Edward Jenner, which used cowpox (Vaccinia) to protect against smallpox; when Louis Pasteur and others introduced microorganisms that had been modified to make them less dangerous, but which still produced immunity, the term was applied more widely. The material used is called a vaccine.

本书参与者

William Bynum received his MD from Yale University and his PhD from the University of Cambridge. A Fellow of the Royal College of Physicians of London, he is professor emeritus of the history of medicine at University College London. He is the author of *Science and the Practice of Medicine in the Nineteenth Century* (1994) and *The History of Medicine: A Very Short Introduction* (2008), and the editor of numerous books, including (with Roy Porter), *Companion Encyclopedia of the History of Medicine* (1993) and *The Oxford Dictionary of Scientific Quotations* (2005). *45, 55*

Helen Bynum studied human sciences and the history of medicine at University College London and the Wellcome Institute for the History of Medicine, before lecturing in medical history at the University of Liverpool. Since then she has worked as a freelance lecturer, editor and writer. She is the author (as Helen Power) of *Tropical Medicine in the 20th Century* (1998), co-editor with William Bynum of the award-winning *Dictionary of Medical Biography* (2007) and co-editor of the Biographies of Disease series. *29, 38*

Michael Adler is Professor, Centre for Sexual Health & HIV Research, Research Department of Infectious Diseases & Population Health, University College London Medical School. He is the editor of *ABC of AIDS* (5th ed., 2001). *42*

Janette Allotey is Midwifery Lecturer at the School of Nursing, Midwifery and Social Work, University of Manchester, and Chair of the De Partu History of Childbirth Research Group. *58*

Cristina Álvarez Millán is in the Department of Medieval History in the Universidad Nacional de Educación a Distancia (UNED), Spain, and specializes in medieval Islamic medicine, particularly in the study of case histories, on which she has published several articles. *5*

Guy Attewell is a researcher at the French Institute of Pondicherry, India. He is the author of *Refiguring Unani Tibb: Plural Healing in Late Colonial India* (2007). *3*

Jeffrey Baker is Professor and Director, Program in the History of Medicine, Trent Center for Bioethics, Humanities & History of Medicine, Duke University and School of Medicine. He is the author of *The Machine in the Nursery: Incubator Technology and the Origins of Newborn Intensive Care* (1996). *32*

Linda L. Barnes is Associate Professor in the Department of Family Medicine at Boston University School of Medicine, and in the Division of Religious and Theological Studies at Boston University. She is the author of *Needles, Herbs, Gods, and Ghosts: China, Healing, and the West to 1848* (2005). *2*

Virginia Berridge is Professor of History, School of Hygiene and Tropical Medicine, University of London, and head of the Centre for History in Public Health. She is the author of *Opium and the People: Opiate Use and Drug Control Policy in Nineteenth and early Twentieth Century England* (1999) and co-author (with Alex Mold) of *Voluntary Action and Illegal Drugs: Health and Society in Britain since the 1960s* (2010). *43*

Sanjoy Bhattacharya is Reader in the History of Medicine, Department of History, University of York. He is the author of *Expunging Variola: The Control and Eradication of Smallpox in India 1947–1977* (2006) and co-author of *Fractured States: Smallpox, Public Health and Vaccination Policy in British India, 1800–1947* (2005). *40*

Michael Bliss is Professor Emeritus of History, University of Toronto. His books include *William Osler: A Life in Medicine* (1999) and *Harvey Cushing: A Life in Surgery* (2005). *56*

Robert Bud is Principal Curator of Medicine at the Science Museum, London, and Visiting Professorial Fellow, Queen Mary, University of London. He is the author of *Penicillin: Triumph and Tragedy* (2007). *46*

Douglas Chamberlain is Honorary Professor of Cardiology at the Brighton & Sussex Medical School and has been involved in resuscitation medicine since 1960. He was Editor in Chief of the journal *Resuscitation* from 1991 to 1997. *28*

Simon Chaplin is Head of the Wellcome Library, part of the Wellcome Collection, London. *6, 52*

Angus Clarke is Professor and Consultant in Clinical Genetics at Cardiff University. His interests include genetic screening, the genetic counselling process and the social and ethical issues around human genetics. He established and directs the Cardiff MSc course in Genetic Counselling. *19*

Gilberto Corbellini is professor of bioethics and the history of medicine at the faculty of medicine and pharmacy at Sapienza University of Rome. His interests include the rise and development of medical microbiology, malariology, immunosciences, neurosciences, medical genetics, evolutionary medicine and bioethics. *15, 18*

Dorothy Crawford is Robert Irvine Professor of Medical Microbiology and Assistant Principal, Public Understanding of Medicine, University of Edinburgh. She is the author of *The Invisible Enemy: A Natural History of Viruses* (2002) and *Deadly Companions: How Microbes Shaped our History* (2007). *34, 39* (with Ingo Johannessen), *41*

A. Rosalie David is Professor, Centre for Biomedical Egyptology, Faculty of Life Sciences, University of Manchester. She is the author of *The Experience of Ancient Egypt* (2000) and editor of *Egyptian Mummies and Modern Science* (2008). *1*

Ariane Dröscher works at the universities of Bologna and Bolzano. She is the author of *Die Zellbiologie in Italien im 19. Jahrhundert* (1996), *Le facoltà medico-chirurgiche italiane, 1860–1915* (2002) and *Biologia: storia e concetti* (2008). *8, 9, 23, 69*

John Ford is a medical historian and retired GP. He has served as President of the British Society for the History of Medicine and the Faculty of the History of Medicine of the Society of Apothecaries of London. His research interests include the history of primary care in the UK. *11, 25, 63*

Sarah Franklin is Professor of Social Studies of Biomedicine and Associate Director of the BIOS Centre, London School of Economics. She is the author of *Dolly Mixtures: The Remaking of Genealogy* (2007). *68* (with Martin H. Johnson)

Mel Greaves FRS is Professor of Cell Biology at the Institute of Cancer Research, London. He is the author of *Cancer: The Evolutionary Legacy* (2000) and editor of *White Blood: Personal Journeys with Childhood Leukaemia* (2008). *20*

Christine Hallett is Professor of Nursing History in the School of Nursing, Midwifery and Social Work, University of Manchester. She is the author of *Containing Trauma: Nursing Work in the First World War* (2009). *37*

Christopher Hamlin is Professor, Department of History, University of Notre Dame. He is the author of *Public Health and Social Justice in the Age of Chadwick* (1998) and *Cholera: The Biography* (2009). *36*

Mark Harrison is Professor of the History of Medicine and Director of the Wellcome Unit for the History of Medicine, University of Oxford. He is the author of *Medicine and Victory: British Military Medicine in the Second World War* (2004), *Disease and the Modern World: 1500 to the Present Day* (2004) and *The Medical War: British Military Medicine in the First World War* (2010). *35*

Mark Jackson is Professor of the History of Medicine and Director of the Centre for Medical History at the University of Exeter. He is the author of *Allergy: The History of a Modern Malady* (2006) and *Asthma: The Biography* (2009). *49*

Michael Jackson is a Specialist Registrar in Clinical Radiology working in the Southeast Scotland Deanery. He is a council member of the British Society for the History of Radiology, and has an interest in paediatric radiology. *26*

Ingo Johannessen is a member of the Department of Clinical Virology, the Royal Infirmary of Edinburgh. *39* (with Dorothy Crawford)

Martin H. Johnson is Professor of Reproductive Sciences, Department of Physiology, Development and Neuroscience, University of Cambridge. He is co-author of *Essential Reproduction* (7th ed. in prep.). *68* (with Sarah Franklin)

Stephen Lock is the former editor of the *British Medical Journal* and co-editor of *Ashes to Ashes: The History of Smoking and Health* (1998) and *The Oxford Illustrated Companion to Medicine* (2001). *67*

Lara Marks is Associate Lecturer at the Open University and Visiting Senior Scholar at Cambridge University and King's College, London. She is the author of *Sexual Chemistry, A History of the Contraceptive Pill* (2010, rev. ed.). *47*

Barry Marshall FRS is 2005 Nobel Prize winner in Physiology or Medicine and Professor of Clinical Microbiology at the University of Western Australia. He is the editor of *Helicobacter Pioneers: Firsthand Accounts from the Scientists Who Discovered Helicobacters 1892–1982* (2002). *70*

Malcolm Nicolson is Professor and Director of the Centre for the History of Medicine, University of Glasgow. He is the author of *Imaging and Imagining the Fetus: The Development of Obstetric Ultrasound* (2011). *7, 22, 31*

Vivian Nutton FBA is Emeritus Professor of the history of medicine at University College London, and the author of *Ancient Medicine* (2004). *4*

John Pickstone is Wellcome Research Professor, Centre for the History of Science, Technology and Medicine, University of Manchester. He is the author of *Ways of Knowing: A New History of Science, Technology and Medicine* (2000), editor of *Medical Innovations in Historical Perspective* (1992) and co-editor of *Medicine in the Twentieth Century* (2000). *57, 66* (with John Turney)

Andrew Robinson is an author, journalist and former Visiting Fellow of Wolfson College, Cambridge. His numerous books and articles include *The Story of Measurement* (2007), *The Last Man Who Knew Everything: Thomas Young* (2007) and *Sudden Genius: The Gradual Path to Creative Breakthroughs* (2010). *33*

Ana Cecilia Rodríguez de Romo is Professor in the Department of History of Medicine, NAUM (Mexico) and Head of the Laboratory of the History of Medicine, National Institute of Neurology and Neurosurgery. She is the author of papers and books on the history of medical scientific discovery, Mexican medicine in the 19th and 20th centuries and biographies of Mexican physicians. *13*

Thomas Schlich is Professor and Canada Research Chair in the History of Medicine, Department of Social Studies of Medicine, McGill University. He is the author of *Surgery, Science and Industry: A Revolution in Fracture Care, 1950s–1990s* (2002) and *The Origins of Organ Transplantation: Surgery and Laboratory Science, 1880s–1930s* (2010). *54, 60, 61, 62*

Andrew Scull is Distinguished Professor, Department of Sociology, University of California San Diego. He is the author of *Museums of Madness: The Social Organization of Insanity in Nineteenth-Century England* (1982), *Madhouse: A Tragic Tale of Megalomania and Modern Medicine* (2004) and *Hysteria: The Biography* (2009). *12, 16, 48*

Stephanie Snow is Wellcome Research Fellow, Centre for the History of Science, Technology and Medicine, University of Manchester. She is the author of *Operations Without Pain: The Practice and Science of Anaesthesia in Victorian Britain, 1846–1900* (2006) and *Blessed Days of Anaesthesia: How Anaesthetics Changed the World* (2008). *53*

Akihito Suzuki is Professor of History, Keio University, Japan, and the author of *Madness at Home* (2006). *51, 64*

Tilli Tansey is Professor of Modern Medical Sciences, Queen Mary, University of London. She is co-author of *Burroughs, Wellcome & Co.: Knowledge, Trust, Profit and the Transformation of the British Pharmaceutical Industry, 1880–1940* (2007) and co-editor of the Wellcome Witnesses to Twentieth Century Medicine series (1997–present). *44, 50*

Robert Tattersall is Emeritus Professor of Clinical Diabetes, Queen's Medical Centre, Nottingham. He is the author of *Diabetes: The Biography* (2009). *17, 24, 65*

Rodney Taylor is an academic gastroenterologist, former Professor of Medicine and now Visiting Professor of Bioethics, St Mary's University College; he is past-President of the Faculty of the History and Philosophy of Medicine and Pharmacy, Convenor of Examiners for the postgraduate Diploma in the History of Medicine and Junior Warden of the Worshipful Society of Apothecaries of London. *30*

Carsten Timmermann is a lecturer in the history of medicine and biomedical science at the University of Manchester. He has published on the histories of cardiovascular disease, lung cancer, pharmaceuticals, clinical trials and other topics in the history of recent medicine. *27*

Tom Treasure is Professor of Cardiothoracic Surgery, Clinical Operational Research Unit, University College London. *59*

John Turney is Consultant renal physician at Leeds General Infirmary, past-President of the British Renal Symposium and member of the Executive Committee of the Renal Association. *66* (with John Pickstone)

David Weatherall FRS won the 2010 Lasker-Koshlane Special Achievement Award in Medical Science and is Regius Professor of Medicine Emeritus and retired Honorary Director of the Weatherall Institute of Molecular Medicine at the University of Oxford. He is the Chancellor of Keele University, and Foreign Member of the US National Academy of Sciences. He is the author of *Science and the Quiet Art: Medical Research and Patient Care* (1995) and *Thalassaemia: The*

Biography (2010). *10*

James Whorton is Professor Emeritus, Department of Bioethics and Humanities, University of Washington School of Medicine. He is the author of *Nature Cures: The History of Alternative Medicine in America* (2002) and *The Arsenic Century: How Victorian Britain was Poisoned at Home, Work and Play* (2010). *21*

Michael Worboys is Professor and Director, Centre for the History of Science, Technology and Medicine, University of Manchester. He is the author of *Spreading Germs: Disease Theories and Medical Practice in Britain, 1865–1900* (2000) and co-author (with Neil Pemberton) of *Mad Dogs and Englishmen: Rabies in Britain, 1830–2000* (2007). *14*

延伸阅读

No. 1 Discovering the Body

01. Egyptian Medicine

Cockburn, A., Cockburn, E. & Reyman, T. A. (eds), *Mummies, Disease and Ancient Cultures* (Cambridge, 1998, 2nd ed.)

David, R. (ed.), *Egyptian Mummies and Modern Science* (Cambridge, 2008)

David, A. R., 'The art of medicine. The art of healing in ancient Egypt: a scientific appraisal', *Lancet*, 372 (2008), 1802–03

Ghalioungui, P., *Magic and Medical Science in Ancient Egypt* (Amsterdam, 1973, 2nd ed.)

Leitz, C., *Magical and Medical Papyri of the New Kingdom* (London, 2000)

Nunn, J. F., *Ancient Egyptian Medicine* (London & Norman, OK, 1996)

02. Chinese Medicine

Barnes, L. L., *Needles, Herbs, Gods, and Ghosts: China, Healing, and the West to 1848* (Cambridge, MA, 2005)

Hinrichs, T. J. & Barnes, L. L. (eds), *Chinese Medicine and Healing: An Illustrated History* (Cambridge, MA, in press)

Kaptchuk, T. J., *The Web that Has No Weaver* (Chicago, 2000)

Lu, Gwei-Djen & Needham, J., *Celestial Lancets: A History and Rationale of Acupuncture and Moxa* (London, 2002)

Scheid, V., *Chinese Medicine in Contemporary China: Plurality and Synthesis* (Durham, NC, 2002)

Unschuld, P., *Medicine in China: A History of Pharmaceutics* (Berkeley, CA, 1986)

03. Medicine in India

Attewell, G., *Refiguring Unani Tibb: Plural Healing in Late Colonial India* (Hyderabad, 2007)

Banerjee, M., *Power, Knowledge, Medicine: Ayurvedic Pharmaceuticals at Home and in the World* (Hyderabad, 2009)

Dash, B. & Kashyap, L., *Basic Principles of Ayurveda* (New Delhi, 1980)

Langford, J., *Fluent Bodies: Ayurvedic Remedies for Postcolonial Imbalance* (Durham, NC, 2002)

Wujastyk, D., *The Roots of Ayurveda: Selections from Sanskrit Medical Writings* (New Delhi, 1998)

Zimmermann, F., *The Jungle and the Aroma of Meats: An Ecological Theme in Hindu Medicine* (Berkeley, CA, 1987, 2nd ed.)

04. Humours & Pneumas

Arikha, N., *Passions and Tempers. A History of the Humours* (New York, 2007)

Filipczak, Z. Z., *Hot Dry Men, Cold Wet Women. The Theory of Humors in Western European Art, 1575–1700* (New York, 1997)

Jackson, S. W., *Melancholia and Depression: From Hippocratic Times to Modern Times* (New Haven, 1986)

Kagan, J., *Galen's Prophecy: Temperament in Human Nature* (New York, 1994)

Klibansky, R., Panowsky, E. & Saxl, F., *Saturn and Melancholy* (London, 1964)

Nutton, V., *Ancient Medicine* (London, 2004)

05. Islamic Medicine

Jacquart, D., *La médicine arabe et l'occident médiéval* (Paris, 1990)

Pormann, P. E. & Savage-Smith, E., *Medieval Islamic Medicine* (Edinburgh, 2007)

Savage-Smith, E., 'The practice of surgery in Islamic lands: myth and reality', in E. Savage-Smith & P. Horden (eds), *The Year 1000: Medical Practice at the End of the First Millennium* (Oxford, 2000), 307–21

— 'Europe and Islam', in I. Loudon (ed.), *Western Medicine: An Illustrated History* (Oxford, 1997), 40–53

– 'Attitudes toward dissection in medieval Islam', *Journal of the History of Medicine and Allied Sciences*, 50 (1995), 68–111

Ullmann, M., *Islamic Medicine* (Edinburgh, 1997)

06. Dissecting the Body

Carlino, A., *Books of the Body: Anatomical Ritual and Renaissance Learning* (Chicago, 1999)

Cunningham, A., *The Anatomical Renaissance: The Resurrection of the Anatomical Projects of the Ancients* (Aldershot, 1997)

—*The Anatomist Anatomis'd: An Experimental Discipline in Enlightenment Europe* (Farnham, 2009)

French, R., 'The anatomical tradition', in W. F. Bynum & R. Porter (eds), *Companion Encyclopedia of the History of Medicine* (London & New York, 1993)

— *Dissection and Vivisection in the European Renaissance* (Aldershot, 1999)

Payne, L., *With Words and Knives: Learning Medical Dispassion in Early Modern England* (Aldershot, 2007)

07. Pathological Anatomy

Hannaway, C. & La Berge, A. (eds), *Constructing Paris Medicine* (Amsterdam, 1998)

Long, E. R., *A History of Pathology* (New York, 1965)

Maulitz, R. C., 'The pathological tradition', in W. F. Bynum & R. Porter (eds), *Companion Encyclopedia of the History of Medicine* (London & New York, 1993), 169–91

— *Morbid Appearances: The Anatomy of Pathology in the Early 19th Century* (Cambridge & New York, 1987)

Moore, W., *The Knife Man: The Extraordinary Life and Times of John Hunter* (London, 2005)

Rodin, A. E., *The Influence of Matthew Baillie's Morbid Anatomy: Biography, Evaluation and Reprint* (Springfield, IL, 1973)

08. Cell Theory

Bechtel, W., *Discovering Cell Mechanisms. The Creation of Modern Cell Biology* (New York, 2006)

Duchesneau, F., *Genèse de la théorie cellulaire* (Montreal & Paris, 1987)

Harris, H., *The Birth of the Cell* (New Haven, 1999)

09. Neuron Theory

Barona, J. L., 'Ramón y Cajal, Santiago', in W. F. Bynum & H. Bynum (eds), *Dictionary of Medical Biography* (Westport, CT, & London, 2007), 1049–53

Mazzarello, P., *Golgi: A Biography of the Founder of Modern Neuroscience* (New York & Oxford, 2009)

Rubio, H., José, F. & López Piñero, J. M., *Filosofía y neuronismo en Cajal* (Murcia, 2008)

Shepherd, G. M., *Foundations of the Neuron Doctrine* (New York & Oxford, 1991)

10. Molecules

Brock, W. H., 'The biochemical tradition', in W. F. Bynum & R. Porter (eds), *Companion Encyclopedia of the History of Medicine* (London & New York, 1993), 153–69

Collins, F. S., *The Language of Life. DNA and the Revolution in Personalised Medicine* (New York, 2010)

Goertzel, T. & Goertzel, B., *Linus Pauling: A Life in Science and Politics* (New York, 1995)

Holmes, F. L., *Hans Krebs.* Vol. 1: *The Formation of a Scientific Life 1900–1933;* Vol. 2: *Architect of Intermediary Metabolism* (Oxford 1991, 1992)

Morage, M., *The History of Molecular Biology* (Cambridge, MA, 1998)

Wallace, D. C., 'Bioenergetics, the origins of complexity, and the ascent of man', *Proceedings of the National Academy of Sciences, USA*, 107 (2010), 8947–53

No. 2 Understanding Health & Disease

11. Circulation

Frank, R. G., *Harvey and the Oxford Physiologists* (Berkeley, 1980)

Harvey, W., *Circulation of the Blood and Other Writings*, trans. K. J. Franklin (London, 1963)

Keynes, G., *The Life of William Harvey* (Oxford, 1966)

Whitteridge, G., *William Harvey and the*

Circulation of the Blood (London, 1971)

12. Bedlam & Beyond

Digby, A., *Madness, Morality and Medicine: A Study of the York Retreat, 1796–1914* (Cambridge, 1985)

Goldstein, J., *Console and Classify: The French Psychiatric Profession in the Nineteenth Century* (Chicago, 1987)

Scull, A., *Decarceration: Community Treatment and the Deviant* (Cambridge, 1984, 2nd ed.)

— *The Most Solitary of Afflictions: Madness and Society in Britain, 1700–1900* (London & New Haven, 1993)

Tomes, N., *A Generous Confidence: Thomas Story Kirkbride and the Art of Asylum Keeping* (Philadelphia, 1984)

13. The Milieu Intérieur

Bernard, C., *An Introduction to the Study of Experimental Medicine*, trans. H. C. Greene (New York, 1957)

Cannon, W. B., *The Wisdom of the Body* (New York, 1939)

Holmes, F. L., *Claude Bernard and Animal Chemistry* (Cambridge, 1974)

Lovelock, J., *The Revenge of Gaia* (London, 2006)

Rodríguez de Romo A. C., 'Bernard, Claude', in W. F. Bynum & H. Bynum (eds), *Dictionary of Medical Biography* (Westport, CT, & London, 2007), 194–96

14. Germs

Bynum, W. F., *Science and the Practice of Medicine in the Nineteenth Century* (Cambridge, 1994)

Tomes, N., *The Gospel of Germs: Men, Women and the Microbe in American Life* (Cambridge, MA, 1998)

Waller, J., *The Discovery of the Germ* (Cambridge & New York, 2002)

Worboys, M., *Spreading Germs: Disease Theories and Medical Practice in Britain, 1865–1900* (Cambridge & New York, 2000)

15. Parasites & Vectors

Chapin, C. V., *The Sources and Modes of Infection* (New York, 1910)

Kiple, K. F. (ed.), *Plague, Pox and Pestilence* (London, 1997)

Winslow, C.-E. A., *The Conquest of Epidemic Disease: A Chapter in the History of Ideas* (Princeton, 1944)

16. Psychoanalysis & Psychotherapy

Caplan, E., *Mind Games: American Culture and the Birth of Psychotherapy* (Berkeley, 1998)

Hale Jr, N. G., *Freud and the Americans: The Beginnings of Psychoanalysis in the United States, 1876–1917* (Oxford, 1971)

— *The Rise and Crisis of Psychoanalysis in the United States, 1917–1985* (Oxford, 1995)

Makari, G., *Revolution in Mind: The Creation of Psychoanalysis* (London, 2008)

Scull, A., *Hysteria: The Biography* (Oxford, 2009)

17. Hormones

Bliss, M., *Harvey Cushing: A Life in Surgery* (New York, 2005)

Cannon, W. B., 'Some conditions controlling internal secretion', *Journal of the American Medical Association*, 79 (1922), 92–95

Medvei, C., *The History of Clinical Endocrinology* (Carnforth, 1993)

18. Immunology

Mazumdar, P. M. H., *Species and Specificities* (Cambridge, MA, 1995)

Silverstein, A. M., *A History of Immunology* (New York, 2009)

Szentivany, A. & Friedman, H. (eds), *The Immunologic Revolution: Facts and Witnesses* (Boca Raton, FL, 1994)

Tauber, A., *The Immune Self* (Cambridge & New York, 1994)

19. The Genetic Revolution

Ashley, E. A. & others, 'Clinical assessment incorporating a personal genome', *Lancet*, 375 (2010), 1525–35

Gluckman, P. & Hanson, M., *The Fatal Matrix: Evolution Development and Disease* (Cambridge, 2005)

Jobling, M. A., Hurles, M. E. & Tyler-Smith, C., *Human Evolutionary Genetics: Origins, Peoples and Disease* (New York, 2004)

Weatherall, D., *Thalassemia: The Biography* (Oxford, 2010)

20. The Evolution of Cancer

Greaves, M., *Cancer. The Evolutionary Legacy* (Oxford, 2000)

Knowles, M. & Selby, P. (eds), *Introduction to the Cellular and Molecular Biology of Cancer* (Oxford, 2005, 4th ed.)

Weinberg, R. A., *The Biology of Cancer* (New York, 2007)

21. Complementary Medicine

Cooter, R. (ed.), *Studies in the History of Alternative Medicine* (New York, 1988)

Coulter, H., *Divided Legacy: A History of the Schism in Medical Thought* (Washington, DC, 1975)

Gevitz, N., *The D.O.s: Osteopathic Medicine in America* (Baltimore, 1982)

— *Other Healers: Unorthodox Medicine in America* (Baltimore, MD, 1988)

Moore, J. S., *Chiropractic in America: the History of a Medical Alternative* (Baltimore, MD, 1993)

Whorton, J., *Nature Cures. The History of Alternative Medicine in America* (Oxford & New York, 2002)

No. 3 Tools of the Trade

22. The Stethoscope

Bynum, W. F. & Porter, R. (eds), *Medicine and the Five Senses* (Cambridge & New York, 1993)

Duffin, J., *To See with a Better Eye: A Life of R. T. H. Laennec* (Princeton, NJ, 1998)

Reiser, S. J., *Medicine and the Reign of Technology* (Cambridge & New York, 1978)

– 'The science of diagnosis: diagnostic technology', in W. F. Bynum & R. Porter (eds), *Companion Encyclopedia of the History of Medicine* (London & New York, 1993), 826–51

23. The Microscope

Rasmussen, N., *Picture Control. The Electron Microscope and the Transformation of Biology in America 1940–1960* (Stanford, CA, 1997)

Schickore, J., *The Microscope and the Eye. A History of Reflections, 1740–1870* (Chicago, IL, 2007)

Wilson, C., *The Invisible World. Early Modern Philosophy and the Invention of the Microscope* (Princeton, NJ, 1995)

24. The Hypodermic Syringe

Howard-Jones, N., 'A critical study of the origins and early development of hypodermic medication', *Journal of the History of Medicine and Allied Sciences*, 1 (1947), 201–49

Mogey, G.A., 'Centenary of hypodermic injections', *British Medical Journal*, 2 (1953), 1180–85

25. The Thermometer

Allen, L. G., 'The history of clinical thermometry in the history of anaesthesia', *Royal Society of Medicine International Congress and Symposium Series* 134 (1989), 368–71

McGuigan, H. A., 'Medical Thermometry', *Annals of Medical History*, IX (1937), 148–54

Reiser, S. J., *Medicine and the Reign of Technology* (Cambridge, 1978), 110–21

26. X-Rays & Radiotherapy

Brecher, R. & E., *The Rays: A History of Radiology in the United States and Canada* (Baltimore, MD, 1969)

Burrows, E. H., *Pioneers and Early Years. A History of British Radiology* (Alderney, 1986)

Glasser, O., *Wilhelm Conrad Röntgen and the Early History of the Röntgen Rays* (London, 1933)

Thomas, A. M. K., Isherwood, I. & Wells, P. N. T., *The Invisible Light. 100 years of Medical Radiology* (Oxford, 1995)

27. The Sphygmomanometer

Crenner, C. W., 'Introduction of the blood pressure cuff into U.S. medical practice: technology and skilled practice', *Annals of Internal Medicine*, 128 (1998), 488–93

Evans, H., 'Losing touch: the controversy over the introduction of blood pressure instruments into medicine', *Technology and Culture*, 34 (1993), 784–807

Postel-Vinay, N., *A Century of Arterial Hypertension* (Chichester, 1996)

Roguin, A., 'Scipione Riva-Rocci and the men behind the mercury sphygmomanometer', *International Journal of Clinical Practice*, 60 (2006), 73–79

Swales, J. D., *Platt Versus Pickering: An Episode in Recent Medical History* (London, 1985)

Timmermann, C., 'A matter of degree: the normalisation of hypertension, c. 1940–2000', in W. Ernst (ed.), *Histories of the Normal and the Abnormal* (London, 2006), 245–61

28. Defibrillators
Eisenberg, M. S., Baskett, P. & Chamberlain, D., 'A history of cardiopulmonary resuscitation', in *Cardiac Arrest* (Cambridge, 2007, 2nd ed.)

29. Lasers
Bertolotti, M., *Masers and Lasers: An Historical Approach* (Bristol, 1983)
Bromberg, J. L., *The Laser in America, 1950–1970* (Cambridge, 1991)
Taylor, N., *Laser: The Inventor, the Nobel Laureate, the Thirty-Year Patent War* (New York, 2000)
Townes, C. H., *How the Laser Happened: Adventures of a Scientist* (Oxford, 1999)

30. The Endoscope
Andrews, C., Cosgrove, J. M. & Longo, W. E. (eds), *Minimally Invasive Surgery: Principles and Outcomes* (Newark, NJ, 1998)
Classen, M., Tytgat, G. N. J. & Lightdale, C. J., *Gastroenterological Endoscopy* (Stuttgart & New York, 2002)
DiMarino, A. J. & Benjamin, S. B. (eds), *Gastrointestinal Disease: An Endoscopic Approach* (Thorofare, NJ, 2002, 2nd ed.)

31. Imaging the Body
Blume, S., *Insight and Industry: On the Dynamics of Technological Change in Medicine* (Cambridge, MA, & London, 1992)
Kevles, B. H., *Naked to the Bone: Medical Imaging in the Twentieth Century* (New Brunswick, 1997)
McNay, M. B. & Fleming, J. E. E., 'Forty years of obstetric ultrasound 1957–1997: from A-scope to three dimensions', *Ultrasound in Medicine and Biology*, 25 (1999), 3–56
Webb, S., *From the Watching of Shadows: The Origins of Radiological Tomography* (Bristol, 1990)
Wolbarst, A. B., *Looking Within: How X-ray, CT, MRI, Ultrasound and Other Medical Images are Created* (Berkeley, CA, 1999)

32. The Incubator
Baker, J. P., *The Machine in the Nursery: Incubator Technology and the Origins of Newborn Intensive Care* (Baltimore, 1996)
Cone Jr, T. E., *History of the Care and Feeding of the Premature Infant* (Boston, MA, 1985)
MacFarquhar, D. M., *Newborn Medicine and Society: European Background and American Practice (1750–1975)* (Austin, 1998)
Meckel, R. A., *Save the Babies: American Public Health and the Prevention of Infant Mortality, 1850–1929* (Ann Arbor, MI, 1998)
Pernick, M. S., *The Black Stork: Eugenics and the Death of 'Defective' Babies in American Medicine and Motion Pictures Since 1915* (Oxford, 1996)

33. Medical Robots
Ichbiah, D., *Robots: From Science Fiction to Technological Revolution* (New York, 2005)

No. 4 Battling the Scourges

34. Plague
Benedictow, O., *The Black Death 1346–1353: The Complete History* (Woodbridge, 2004)
Crawford, D. H., *Deadly Companions: How Microbes Shaped our History* (Oxford, 2007)
Kiple, K. F. (ed.), *Plague, Pox and Pestilence* (London, 1997)
Sherman, I. W., *The Power of Plagues* (Washington, DC, 2006)

35. Typhus
Harrison, M., *Disease and the Modern World: 1500 to the Present Day* (Cambridge, 2004)
McNeill, W. H., *Plagues and Peoples* (New York, 1976)
Pelis, K., *Charles Nicolle, Pasteur's Imperial Missionary: Typhus and Tunisia* (Rochester, NY, 2006)
Weindling, P., *Epidemics and Genocide in Eastern Europe, 1890–1945* (Oxford, 2000)
Zinsser, H., *Rats, Lice and History* (New Brunswick, NJ, 2007 [1935])

36. Cholera
Barua, D. & Greenough III, W. B. (eds), *Cholera* (New York, 1992)
Briggs, C. & Mantini-Briggs, C., *Stories in the Time of Cholera: Racial Profiling During a Medical Nightmare* (Berkeley, CA, 2003)
Drasar, B. S. & Forrest, B. D. (eds), *Cholera and the Ecology of Vibrio Cholerae* (London, 1996)
Hamlin, C., *Cholera: The Biography* (Oxford, 2009)
Rosenberg, C. E., *The Cholera Years: The United States in 1832, 1849, and 1866* (Chicago, IL, 1962)
Wachsmuth, I. K., Blake, P. A. & Olsvik, Ø. (eds), *Vibrio Cholerae and Cholera: Molecular to Global Perspectives* (Washington, DC, 1994)

37. Puerperal Fever
Hallett, C., 'The attempt to understand puerperal fever in the eighteenth and early nineteenth centuries: the influence of inflammation theory', *Medical History*, 49 (1) (2005), 1–28
Holmes, O. W., 'The Contagiousness of Puerperal Fever', in *Medical Essays* (Cambridge, MA, 1883)
Loudon, I., *Death in Childbirth. An International Study of Maternity Care and Maternal Mortality, 1800–1950* (London, 1993)
– *The Tragedy of Childbed Fever* (Oxford, 2000)
Wilson, A., *The Making of Man-Midwifery: Childbirth in England, 1660–1770* (Cambridge, MA, 1995)

38. Tuberculosis
Dormandy, T., *The White Death: A History of Tuberculosis* (London, 1999)
Reichmann, L. B., *Timebomb: The Global Epidemic of Multi-drug Resistant Tuberculosis* (New York, 2002)
Roberts, C. A. & Buikstra, J. E., *The Bioarchaeology of Tuberculosis: A Global View on a Reemerging Disease* (Gainsville, FL, 2008)
Rothman, S. M., *Living in the Shadow of Death: Tuberculosis and the Social Experience of Illness in America* (New York, 1994)

39. Influenza A
Crawford, D. H., *The Invisible Enemy: A Natural History of Viruses* (Oxford, 2000)
– *Deadly Companions: How Microbes Shaped our History* (Oxford, 2007)
Honigsbaum, M., *Living with Enza: The Forgotten Story of Britain and the Great Flu Pandemic of 1918* (London, 2009)
Phillips, H. & Killingray, D. (eds), *The Spanish Influenza Pandemic of 1918–19: New Perspectives* (London, 2003)

40. Smallpox
Bhattacharya, S., *Expunging Variola: The Control and Eradication of Smallpox in India, 1947–1977* (Hyderabad & London, 2006)
Fenner, F., Henderson, D. A., Arita, I., Jezek, Z. & Ladnyi, I. D., *Smallpox and its Eradication* (Geneva, 1988)
Henderson, D. A., *Smallpox: The Death of a Disease* (New York, 2009)
Pead, P. J., *Vaccination Rediscovered: New Light in the Dawn of Man's Quest for Immunity* (Chichester, 2006)

41. Polio
Closser, S., *Chasing Polio in Pakistan: Why the World's Largest Public Health Initiative May Fail* (Nashville, TN, 2010)
Crawford, D. H., *The Invisible Enemy: A Natural History of Viruses* (Oxford, 2000)
Gould, T., *A Summer Plague: Polio and its Survivors* (New Haven, 1995)
Oshinsky, D., *Polio: An American Story* (Oxford & New York, 2005)

42. HIV
Iliffe, J., *The African AIDS Epidemic: A History* (Oxford, 2006)
Whiteside, A., *HIV/AIDS: A Very Short Introduction* (Oxford, 2008)

No. 5 'A Pill for Every Ill'

43. Opium
Berridge, V., *Opium and the People. Opiate Use and Drug Control Policy in Nineteenth and Early Twentieth Century England* (London, 1999)
Brook, T. & Wakabayashi, B. T. (eds), *Opium Regimes: China, Britain and Japan, 1839–1952* (Berkeley, CA, 2000)
Courtwright, D., *Forces of Habit. Drugs and the Making of the Modern World* (Cambridge, MA, 2001)
Dikotter, F., Laamann, L. & Zhou, X., *Narcotic Cultures: A History of Drugs in China* (London, 2004)
McAllister, W. B., *Drug Diplomacy in the Twentieth Century: An International History* (London & New York, 2000)
Musto, D., *The American Disease: Origins

of Narcotic Control (New York, 1987)

44. Quinine

Chininum: scriptiones collectae, Bureau tot Bevordering van het Kinine-Gebruik (Bureau for Increasing the Use of Quinine) (1924)

Honigsbaum, M., *The Fever Trail: The Hunt for the Cure for Malaria* (New York, 2001)

– & Willcox, M., 'Cinchona', in M. Willcox, G. Bodeker & P. Rasoanaivo (eds), *Traditional Medicinal Plants and Malaria* (Boca Raton, FL, 2004), 21–41

Markham, C. R., *Peruvian Bark. A popular account of the introduction of chinchona cultivation into British India* (London, 1880)

Taylor, N., *Plant Drugs that Changed the World* (London & New York, 1965), 72–100

45. Digitalis

Aronson, J. K., *An Account of the Foxglove and its Medical Uses, 1785–1985* (London, 1985)

Sheldon, P., *The Life and Times of William Withering: His Work, His Legacy* (Studley, 2004)

Worth Estes, J., *Hall Jackson and the Purple Foxglove: Medical Practice and Research in Revolutionary America, 1760–1820* (Hanover, NH, 1979)

46. Penicillin

Brown, K., *Penicillin Man: Alexander Fleming and the Antibiotic Revolution* (Stroud, 2004)

Bud, R., *Penicillin: Triumph and Tragedy* (Oxford, 2007)

Lax, E., *The Mould in Dr Florey's Coat* (New York, 2004)

Tansey, E. M. & Reynolds, L. A. (eds), *Post-Penicillin Antibiotics: From Acceptance to Resistance*, Wellcome Witnesses to Twentieth Century Medicine 6 (London, 2000)

47. The Pill

Asbell, B., *The Pill: A Biography of the Drug That Changed the World* (New York, 1995)

Marks, L. V., *Sexual Chemistry: A History of the Contraceptive Pill* (New Haven, 2010)

Marsh, M. S. & Ronner, W., *The Fertility Doctor: John Rock and the Reproductive Revolution* (Baltimore, MD, 2008)

May, E. T., *America and the Pill: A History of Promise, Peril and Liberation* (New York, 2010)

48. Drugs for the Mind

Healy, D., *The Anti-Depressant Era* (Cambridge, MA, 1998)

– *The Creation of Psychopharmacology* (Cambridge, MA, 2002)

Herzberg, D., *Happy Pills in America: From Miltown to Prozac* (Baltimore, MD, 2009)

Swazey, J., *Chlorpromazine in Psychiatry* (Cambridge, MA, 1974)

Tone, A., *The Age of Anxiety: A History of America's Turbulent Affair with Tranquilizers* (New York, 2009)

49. Ventolin

Brewis, R. A. L. (ed.), *Classic Papers in Asthma*, 2 vols (London, 1991)

Brookes, T., *Catching My Breath: An Asthmatic Explores His Illness* (New York, 1995)

Bryan, J., 'Ventolin remains a breath of fresh air for asthma sufferers, after 40 years', *Pharmaceutical Journal*, 279 (2007), 404–05

Jack, D., 'Drug treatment of bronchial asthma 1948–1995 – years of change', *International Pharmacy Journal*, 10 (1996), 50–52

Jackson, M., *Allergy: The History of a Modern Malady* (London, 2006)

– *Asthma: The Biography* (Oxford, 2009)

50. Beta-Blockers

Bylund, D. B., 'Alpha- and beta-adrenergic receptors: Ahlquist's landmark hypothesis of a single mediator with two receptors', *American Journal of Physiological Endocrinological Metabolism*, 293 (2007), E1479–E1481

McGrath, J. C. & Bond, R. A. (eds), Special issue celebrating the life and work of James Whyte Black, *British Journal of Pharmacology* 160, Supp. 1 (2010)

Obituary, Sir James Black: Nobel Prize winner who discovered beta-blockers *The Times*, 24 March, 2010

Quirke, V., 'Putting theory into practice: James Black, receptor theory and the development of the beta-blockers at ICI, 1958–1978', *Medical History*, 50 (2006), 69–92

51. Statins

Li, J. J., *Triumph of the Heart: The Story of Statins* (Oxford, 2009)

No. 6 Surgical Breakthroughs

52. Paré & Wounds

Drucker, C., 'Ambroise Paré and the birth of the gentle art of surgery', *Yale Journal of Biology and Medicine*, 81(4) (2008), 199–202

Dumaître, P., *Ambroise Paré: chirurgien de quatre rois de France* (Paris, 1986)

Malgaigne, J.-F., *Surgery and Ambroise Paré*, trans. & ed. W. B. Hamby (Norman, 1965)

Paré, A., *The Apologie and Treatise of Ambroise Paré*, ed. G. Keynes (London, 1951)

Shah, M., 'Premier Chirurgien du Roi: the Life of Ambroise Paré (1510–1590)', *Journal of the Royal Society of Medicine*, 85 (1992), 292–95

53. Anaesthesia

Dormandy, T., *The Worst of Evils* (New Haven & London, 2006)

Duncum, B. M., *The Development of Inhalation Anaesthesia* (London, 1994)

Pernick, M. S., *A Calculus of Suffering: Pain, Professionalism and Anesthesia in Nineteenth-Century America* (New York, 1985)

Rushman, M. S., Davies, N. J. H. & Atkinson, R. S., *A Short History of Anaesthesia: The First 150 Years* (Oxford, 1996)

Snow, S. J., *Blessed Days of Anaesthesia: How Anaesthetics Changed the World* (Oxford, 2008)

Sykes, K. & Bunker, J., *Anaesthesia and the Practice of Medicine: Historical Perspectives* (London, 2007)

54. Antisepsis & Asepsis

Crowther, A. & Dupree, M. W., *Medical Lives in the Age of Surgical Revolution* (New York & Cambridge, 2007)

Lawrence, C. (ed.), *Medical Theory, Surgical Practice: Studies in the History of Surgery* (London & New York, 1992)

Wangensteen, O. H. & Wangensteen, S. D., *The Rise of Surgery. From Empiric Craft to Scientific Discipline* (Folkstone, 1978)

Worboys, M., *Spreading Germs. Disease Theories and Medical Practice in Britain, 1865–1900* (Cambridge & New York, 2000)

55. Blood Transfusion

Diamond, L. K., 'A history of blood transfusion', in M. M. Wintrobe (ed.), *Blood, Pure and Eloquent* (New York, 1980)

Lederer, S. E., *Flesh and Blood: Organ Transplantation and Blood Transfusion in Twentieth-Century America* (Oxford, 2008)

Moore, P., *Blood and Justice* (Chichester, 2002)

Starr, D., *Blood: An Epic History of Medicine and Commerce* (New York, 1998)

56. Neurosurgery

Bliss, M., *Harvey Cushing: A Life in Surgery* (New York, 2005)

Greenblatt, S. H., *A History of Neurosurgery, in its Scientific and Professional Contexts* (Washington, DC, 1997)

Sachs, E., *The History and Development of Neurological Surgery* (New York, 1952)

Spencer, D. & Cohen-Gadol, A., *The Legacy of Harvey Cushing: Profiles of Patient Care*, American Association of Neurological Surgeons (2007)

Walker, A., *A History of Neurological Surgery* (New York, 1951)

57. Cataract Surgery

Apple, D. J., *Sir Harold Ridley and his Fight for Sight: He Changed the World So That We May Better See It* (Thorofare, NJ, 2006)

Kwitko, M. L. & Kelman, C. D., *The History of Modern Cataract Surgery* (The Hague, 1998)

Metcalfe, J. S., James, A. & Mina, A., 'Emergent innovation systems and the delivery of clinical services: the case of intraocular lenses', *Research Policy*, 34 (2005), 1283–1304

– & Pickstone, J., 'Replacing hips and lenses: surgery, industry and innovation in post-war Britain', in A. Webster (ed.), *New Technologies in Health Care* (Basingstoke, 2006), 146–60

58. Caesarean Section

Blumenfeld-Kosinski, R., *Not of Woman Born, Representations of Caesarean Birth in Medieval and Renaissance Culture* (Ithaca & London, 1990)

Churchill, H., *Caesarean Birth, Experience, Practice and History* (Hale, 1997)

Francome, C., Savage, W. & Churchill, H., *Caesarean Birth in Britain: 10 Years On. A Book for Health Professionals and Parents* (London, 2006)

Mander, R., *Caesarean, Just Another Way of Birth?* (London, 2007)

59. Cardiac Surgery

Tansey, E. M. & Reynolds L. A. (eds), *Early Heart Transplant Surgery in the UK*, Wellcome Witnesses to Twentieth Century Medicine 3 (London, 1999), 1–72

Treasure, T., 'Cardiac Surgery', in M. E. Silverman et al. (eds), *British Cardiology in the 20th Century* (London, Berlin & Heidelberg, 2000), 192–213

– & Hollman, A., 'The surgery of mitral stenosis 1898–1948: why did it take 50 years to establish mitral valvotomy?', *Annals of the Royal College of Surgeons of England*, 77(2) (1995), 145–51

Westaby, S., *Landmarks in Cardiac Surgery* (Oxford,1997)

60. Transplant Surgery

Brent, L., *A History of Transplantation Immunology* (San Diego, CA, 1997)

Fox, R. C. & Swazey, J. P., *The Courage to Fail. A Social View of Organ Transplants and Dialysis* (Chicago, IL, 1974)

Küss, R. & Bourget, P., *An Illustrated History of Organ Transplantation. The Great Adventure of the Century* (Rueil-Malmaison 1992)

Lederer, S. E., *Flesh and Blood. Organ Transplantation and Blood Transfusion in Twentieth-Century America* (Oxford, 2008)

Nathoo, A., *Hearts Exposed. Transplants and the Media in 1960s Britain* (Basingstoke, 2009)

Schlich, T., *The Origins of Organ Transplantation: Surgery and Laboratory Science, 1880s–1930s* (Rochester, NY, 2010)

61. Hip Replacement

Anderson, J., Neary, F. & Pickstone, J. V., *Surgeons, Manufacturers and Patients. A Transatlantic History of Total Hip Replacement* (Basingstoke, 2007)

Klenerman, L. (ed.), *The Evolution of Orthopaedic Surgery* (London, 2002)

Reynolds, L. A. & Tansey, E. M. (eds), *Early Development of Total Hip Replacement*, Wellcome Witnesses to Twentieth Century Medicine 29 (London, 2007)

Schlich, T., *Surgery, Science and Industry: A Revolution in Fracture Care, 1950s–1990s* (Basingstoke, 2002)

Waugh, W., *John Charnley. The Man and the Hip* (London & Berlin, 1990)

62. Keyhole Surgery

Litynski, G. S., *Highlights in the History of Laparoscopy* (Frankfurt am Main, 1996)

Zetka, J. R., *Surgeons and the Scope* (Ithaca & London, 2003)

No. 7 Medical Triumphs

63. Vaccines

Parish, H. J., *A History of Immunization* (Edinburgh, 1965)

Plotkin, S. (ed.), *Vaccines* (Philadelphia, 2008, 5th ed.), 1–11

Silverstein, A. M., *A History of Immunology* (Amsterdam, 2009)

64. Vitamins

Apple, R., *Vitamania: Vitamins in American Culture* (New Brunswick, NJ, 1996)

Carpenter, K., *The History of Scurvy and Vitamin C* (Cambridge, 1988)

– *Beri-beri, White Rice, and Vitamin B* (Berkeley, CA, 2000)

65. Insulin

Bliss, M., *The Discovery of Insulin* (Chicago, IL, 2009, new ed.)

Cox, C., *The Fight to Survive: A Young Girl, Diabetes and the Discovery of Insulin* (New York, 2009)

Ferry, G., *Dorothy Hodgkin. A Life* (London, 1998)

Straus, E., *Rosalyn Yalow, Nobel Laureate. Her Life and Work in Medicine* (New York, 1999)

Tattersall, R., *Diabetes: The Biography* (Oxford, 2009)

66. Dialysis

Cameron, J. S., *A History of the Treatment of Renal Failure by Dialysis* (Oxford, 2002)

Crowther, S. M., Reynolds, L. A. & Tansey, E. M. (eds), *History of Dialysis in the UK*: c. *1950–1980*, Wellcome Witnesses to Twentieth Century Medicine 37 (London, 2009)

Heiney, P., *The Nuts and Bolts of Life* (Stroud, 2002)

Peitzman, S. J., *Dropsy, Dialysis, Transplant* (Baltimore, MD, 2007)

Van Noordwijk, J., *Dialysing for Life* (Dordrecht, 2001)

67. Smoking & Health

British Medical Association, *Smoking Out the Barons: The Campaign Against the Tobacco Industry*, Report of the British Medical Association Public Affairs Division (Chichester, 1986)

Hilton, M., *Smoking in British Popular Culture 1800–2000* (Manchester, 2000)

Lock, S., Reynolds, L. A. & Tansey, E. M. (eds), *Ashes to Ashes: The History of Smoking and Health* (Amsterdam, 1998)

Royal College of Physicians, *Health or Smoking?* (London, 1983)

Taylor, P., *Smoke Ring: The Politics of Tobacco* (London, 1984)

68. Assisted Reproduction

Edwards, R. G., 'The bumpy road to *in vitro* fertilization', *Nature Medicine*, 7 (2001), 1091–94

– & Steptoe, P. C., *A Matter of Life* (London, 1980)

Henig, R. M., *Pandora's Baby: How the First Test-Tube Babies Sparked the Reproductive Revolution* (New York, 2004)

Marsh, M. & Ronner, W., *The Fertility Doctor: John Rock and the Reproductive Revolution* (Baltimore, MD, 2008)

69. The Pap Smear & Human Papilloma Virus

Carmichael, E., *The Pap Smear: Life of George N. Papanicolaou* (Springfield, IL, 1973)

Clarke, A. E. & Casper, M. J., 'From simple technology to complex arena: classification of pap smears, 1917 90', *Medical Anthropological Quarterly*, 10(4) (1996), 601–23

Diamantis, A., Magiorkinis, E. & Androutsos, G., 'What's in a name? Evidence that Papanicolaou, not Babes ,, deserves credit for the PAP Test', *Diagnostic Cytopathology* 38(7) (2010), 473–76

Meisels, A., & Morin, C., *Modern Uterine Cytopathology: Moving to the Molecular Smear*, American Society of Clinical Pathologists (2007)

70. Helicobacter Pylori & Peptic Ulcer

Marshall, B. (ed.), *Helicobacter Pioneers: Firsthand Accounts from the Scientists Who Discovered Helicobacters 1892–1982* (Carlton & Oxford, 2002)

www.helico.com

图片来源

a-above; b-below; l-left; r-right; c-centre.
S&S – Science Museum, London/Science & Society Picture Library; WL – Wellcome Library, London/Wellcome Images.

1, 2–3, 5a, 5c WL; **5b** Anne Weston, LRI, CRUK/WL; **6al, 6bl, 6br** WL; **6ar** Private Collection; **7al** University of New Mexico, Albuquerque; **7b, 7r, 8, 10, 11, 12** WL; **14** New York Academy of Medicine; **15l** Science Museum, London/WL; **15r** Carole Reeves/WL; **16, 17, 18, 19** WL; **20a** Science Museum, London/WL; **20b** WL; **21a** Mark de Fraeye/WL; **21b** From San-ts'ai t'u-hui, 1607; **22, 23, 24–25a, 24b, 25b, 26, 27** WL; **28** British Museum, London; **29** Mark de Fraeye/WL; **30** From Colofón Libro de Medicina de Razi, 1250–60; **31** Freer Gallery of Art, Smithsonian Institution, Washington, D.C.; **32l** S&S; **32r, 33** WL; **34** Courtesy History of Science Collections, University of Oklahoma Libraries; **35, 36l, 36r, 37, 38l, 38r, 39, 40a** WL; **40b** Courtesy History of Science Collections, University of Oklahoma Libraries; **41a, 41b, 42, 43, 44, 45a** WL; **45b** From N. Grew, *Anatomy of Plants*, 1682; **46l, 46r** WL; **47** University of Edinburgh/WL; **48a** Private Collection; **48b** WL; **49a** Ludovic Collin/WL; **49b** Isabella Gavazzi/WL; **51l** From Joseph Priestley, *Experiments and Observations on Different Kinds of Air*, 1774; **51r** Underwood & Underwood/Corbis; **52** Peter Artymiuk/WL; **53l, 53r, 54** WL; **56l** John P. McGovern Historical Collections and Research Center, Houston Academy of Medicine, Texas; **56r, 57** WL; **58** Gordon Museum/WL; **59** S&S; **60, 61, 62, 63l, 63r** WL; **64a** Private Collection; **64b, 65, 66** WL; **67** Spike Walker/WL; **68, 69a, 69b** WL; **70a** From *The Graphic*, 1885; **70b** S&S; **71, 72, 73, 74, 75l, 75r, 76a, 76b** WL; **77l** U.S. National Library of Medicine, Maryland; **77r** U.S. National Archives and Records Administration, Maryland; **78, 79** WL; **80** bpk; **81, 82, 84, 85l, 85r, 86, 87l, 87r, 88** WL, **89** R. Dourmashkin/WL; **91** Wessex Regional Genetics Centre/WL; **92** Nicoletta Baloyianni/WL; **93a** Sanger Institute/WL; **93b** Wessex Regional

Genetics Centre/WL; **94** Professor Ott; **95** Anne Weston, LRI, CRUK/WL; **96l** Dr M.A. Konerding, Professor of Anatomy, Institute of Functional and Clinical Anatomy of the University Medical Centre, Johannes Gutenberg University, Mainz; **96r** Natural History Museum, London; **97l** Dr David Becker/WL; **97r** Dr Lyndal Kearney, Section of Haemato-Oncology, The Institute of Cancer Research, Sutton; **98**, **99**, **100**, **101** WL; **102** D. D. Palmer, *Science, Art and Philosophy of Chiropractic*, Portland, 1910; **103** Kate Whitley, WL; **104** WL; **106** Private Collection; **107a**, **107b**, **108**, **109a**, **109b**, **110** WL; **111** From Francesco Stelluti, *Melissographia*, 1625; **112** WL; **113a** M. Johnson/WL; **113b** S&S; **114** WL; **115a**, **115bl** Science Museum, London/WL; **115br**, **116l** WL; **116r** S&S; **117l** WL; **117r** Science Museum, London/WL; **118**, **119**, **120**, **121a** WL; **121b** S&S; **122l**, **122r**, **123** WL; **124a** S&S; **124b** WL; **125** S&S; **126**, **127l**, **127r** WL; **128** Bettmann/Corbis; **129a** medicalpicture/Alamy; **129b** Yang Yu/iStockphoto.com; **130l**, **130r**, **131a**, **131b**, **132**, **133**, **134l** WL; **134r** Private Collection; **135** Mark Lythgoe & Chloe Hutton/WL; **136** WL; **137** Visuals Unlimited/Corbis; **138** WL; **139** Stefano Bianchetti/Corbis; **140** Library of Congress, Washington, D.C.; **141a** Intuitive Surgical, Inc.; **141b** Oliver Burston/WL; **142** WL; **144a** CDC/PHIL/Corbis; **144b**, **145**, **146** WL; **147** British Library, London; **148**, **149** WL; **150l** Library of Congress, Washington, D.C.; **150r** U.S. National Archives and Records Administration, Maryland; **151**, **152**, **153**, **154a** WL; **154b** Science Museum, London/WL; **155a** WL; **155b** Science Museum, London/WL; **156l** Kunsthistorisches Museum, Vienna; **156r** National Portrait Gallery, London; **157** Kunsthistorisches Museum, Vienna; **158**, **159a** WL; **159b** Science Museum, London/WL; **160** Time Life Pictures/Getty; **161a** C.N.R.I./Photolibrary; **161b**, **162** WL; **163** Library of Congress, Washington, D.C.; **164** Dr Terrence Tumpey/Centers for Disease Control and Prevention; **165l** Office of Public Health Service Historian, Maryland; **165r** U.S. Army; **166** Anna Tanczos/WL; **167** Wang Ying/EPA/Corbis; **168**, **169a**, **169b**, **170** WL; **171l** S&S; **171r** WL; **172a** Visuals Unlimited/Corbis; **172b** Library of Congress, Washington, D.C.; **173** Bettmann/Corbis; **174l**, **174r** WL; **175** Bettmann/Corbis; **176a** R. Dourmashkin/WL; **176b** Alfredo Aldai/EPA/Corbis; **177** Carole Morgane/Corbis; **178a**, **179a**, **178–79b** WL; **180** Worden Sports College/WL; **182** Royal Botanic Gardens, Kew/WL; **183** S&S; **184** WL; **185l** Library of Congress, Washington, D.C.; **185r** S&S; **186**, **187a** WL; **187b** Science Museum, London/WL; **188** S&S; **189**, **190l**, **190r**, **191a**, **191b** WL; **192** NMeM Daily Herald Archive/S&S; **193al**, **193ar** WL; **193b** David Gregory & Debbie Marshall/WL; **194a**, **194b** WL; **195l** U.S. National Archives and Records Administration, Maryland; **195r** S&S; **196** Bettmann/Corbis; **197** Annie Cavanagh/WL; **198** George Grantham Bain Collection/Library of Congress, Washington, D.C.; **199l** S&S; **199r** Henry Diltz/Corbis; **200l** S&S; **200r** Pfizer Inc.; **201** NMeM Daily Herald Archive/S&S; **202**, **203**, **204l** WL; **204r** Private Collection; **205** Spike Walker/WL; **206** WL; **207a** Annie Cavanagh/WL; **207b** WL; **208** Anne-Katrin Purkiss/WL; **209** WL; **210** Arran Lewis/WL; **211l** Reid Parham; **211r** WL; **212** Tokyo University of Agriculture and Technology; **213** WL; **214** Biblioteca Casanatense, Rome; **216a** Courtesy History of Science Collections, University of Oklahoma Libraries; **217a** Universitätsbibliothek Basel; **216–17b**, **218l** WL; **218r** From John Snow, *On Chloroform*, London, 1858; **219a**, **219b**, **220**, **222**, **223**, **224a**, **224b**, **225** WL; **226** Bettmann/Corbis; **227**, **228**, **229a** WL; **229b** W.G. Purmann, *Lorbeerkrantz oder Wundartzney*, 1685; **230l**, **230r** WL; **231a** Harvey Cushing/John Hay Whitney Medical Library, Yale University; **231b** S&S; **232** Harvey Cushing/John Hay Whitney Medical Library, Yale University; **233** Library of Congress, Washington, D.C.; **234**, **235l** WL; **235r** Joe McNally/Getty Images; **236** Bibliothèque Nationale, Paris; **237**, **238**, **239**, **240**, **241** WL; **242** Johns Hopkins School of Medicine, Baltimore; **243**, **244l**, **244r** WL; **245** S&S; **246l** Pictorial Press Ltd/Alamy; **246r** WL; **247** From Theodor Kocher, *Chirurgische Operationslehre*, 1907; **248** WL; **250** From Borst Enderlen, *Beitrage zur Gefässchirurgie und zur Organtransplantation*, 1910; **251** Bettmann/Corbis; **252l** Private Collection; **252r** WL; **253** S&S; **254** Photomorgana/Corbis; **255** WL; **256** Gallo Images/Getty Images; **257a** Tessa Oksanen/WL; **257b** WL; **258** Kham/Reuters/Corbis; **260** From *Harper's Weekly*, 1885; **261a** S&S; **261b**, **262** WL; **263** U.S. National Library of Medicine, Maryland; **264** Gwyneth Thurgood/WL; **265l** WL; **265r** Museum Boerhaave, Leiden; **266** S&S; **267**, **268l**, **268r**, **269**, **270a** WL; **270b** Anne Clark, University of Oxford/WL; **271l** WL; **271r** NMeM Daily Herald Archive/S&S; **272**, **273** WL; **274l** Bettmann/Corbis; **274r** S&S; **275** Fritz Goro/Time Life Pictures/Getty Images; **276** C.J. Dub; **277al** Swim Ink 2, LLC/Corbis; **277ar** Fritz Goro/Time Life Pictures/Getty Images; **277b**, **278–79** WL; **280** K. Hardy/WL; **281** Trinity Mirror/Mirrorpix/Alamy; **282** Maurizio de Angelis/WL; **283a** Spike Walker/WL; **283b** WL; **284a** Bettmann/Corbis; **284b** Library of Congress, Washington, D.C.; **285** WL; **286** Bob Strong/Reuters/Corbis; **287** MRC NIMR/WL; **288a** Tony McDonough/EPA/Corbis; **288b** Oliver Berg/EPA/Corbis; **289a**, **289b**, **290** WL; **291** Dennis Kunkel Microscopy, Inc./Visuals Unlimited/Corbis.

引用

p. 14 J. F. Nunn, *Ancient Egyptian Medicine* (London & Norman, OK, 1996); p. 30 Abu Marwan 'Abd al-Malik b. Zuhr, *Kitab al-Taysir fi al-mudawat wa-l-tadbir*, ed. M. Khouri (Damascus, 1983), 290; p. 34 William Hunter, *Two Introductory Lectures*… (London, 1784); p. 40 François Xavier Bichat *Anatomie générale* (Paris, 1801); p. 44 Robert Hooke, *Micrographia* (London, 1665), Observation XVIII; p. 48 W. von Waldeyer-Hartz, *Über einige neuere Forschungen im Gebiete der Anatomie des Centralnervensystems* (Berlin, 1891); p. 50 Claude Bernard, *Introduction to the Study of Experimental Medicine*, trans. H. C. Green (New York, 1957 [Paris, 1865]), 63; p. 56 William Harvey, *De motu cordis et sanguinis in animalibus* (Frankfurt, 1628); p. 60 Samuel Tuke, *Description of the Retreat, an Institution near York* … (York, 1813); p. 64 Walter B. Cannon, 'Organization for physiological homeostasis', *Physiological Reviews*, 9, 1929, pp. 399–431; p. 64 Claude Bernard, *Lectures on the Phenomena of Life*, trans. H. E. Hoff, R. Guillemin & L. Guillemin (Springfield, IL, 1974); p. 68 Charles Singer, *A History of Biology. A General Introduction to the Study of Living Things* (New York, 1950); p. 74 Charles Chapin, *The Sources and Modes of Infection* (New York, 1910); p. 78 Richard C. Cabot, *Psychotherapy and its Relation to Religion* (Boston, 1908); p. 82 Walter B. Cannon, 'Some conditions controlling internal secretion', *Journal of the American Medical Association*, 79 (1922), 92–95; p. 86 Frank Macfarlane Burnet, 'Immunology as a scholarly discipline', *Perspectives in Biology and Medicine* 16 (1972), 1–10; p. 90 A. E. Garrod, 'The incidence of alkaptonuria: a study in chemical individuality', *Lancet* ii (1902), 1616–30; p. 94 J. Ewing, 'Pathological aspects of some problems of experimental cancer research', *Journal of Cancer Research* (1916), 1, 71, citing Virchow; p. 98 A. A. Erz, *The Medical Question. The Truth About Official Medicine*… (Butler, NJ, 1914); p. 106 René Laennec, *Traité de l'auscultation médiate et des maladies des poumons et du cœur*… (1826); p. 110 Robert Hooke, *Micrographia* (London, 1665), preface, sig. A2v; p. 114 Arthur Conan Doyle, *The Sign of the Four* (London, 1890); p. 116 Carl Wunderlich, *Medical Thermometry and Human Temperature* (New York, 1871); p. 118 Dr Henry W. Cattell, *The New York Times*, Feb. 15, 1896; p. 122 G. W. Pickering, *High Blood Pressure* (New York, 1955); p. 126 W. B. Kouwenhoven, J. R. Jude, G. G. Knickerbocker, 'Introducing the modern age of resuscitation', *Journal of the American Medical Association* 178 (1960), 1064; p. 128 Thomas Gray, 1757, *The progress of Poesy*, line 101; p. 138 Dr Pierre Budin, *The Nursling* (London, 1900); p. 140 Dr A. Menciassi, Associate Professor of Biomedical Robots, Scuola Superiore Sant'Anna, http://www.rcseng.ac.uk/museums/exhibitions/archive/sci-fi-surgery/sci-fi-surgery-medical-robots; pp. 144–45 in O. J. Benedictow, *The Black Death 1346–1353* (Woodbridge, 2004), 143; p. 148 Hans Zinsser, *Rats, Lice and History* (London, 1935); p. 152 Richard L. Guerrant, Benedito A. Carneiro-Filho & Rebecca A. Dillingham, 'Cholera, diarrhea, and oral rehydration therapy: triumph and indictment', *Clinical Infectious Diseases* (2003), 398-405; p. 156 Alexander Gordon, *The Treatise on the Epidemic Puerperal Fever of Aberdeen* (London, 1795); p. 160 John Bunyan, *The Life and Death of Mr Badman*, (London, 1680); p. 164 C. Creighton, *History of Epidemics in Britain*, 3 (London, 1965), 308; p. 168 http://www.who.int/mediacentre/news/notes/2010/smallpox_20100517/en/index.html; p. 186 Bernardo Ramazzini, *Opera omnia, medica et physica*, 1717; p. 190 William Withering, *An Account of the Foxglove and some of its Medical Uses* (Birmingham, 1785); p. 192 Ritchie Calder, *Medicine and Man. The History of the Art and Science of Healing* (London, 1958), 204; p. 202 Peter D. Kramer, *Listening to Prozac* (New York, 1993), 300; p. 206 Sir David Jack, 'Drug treatment of bronchial asthma 1948–1995: years of change', *International Pharmacy Journal*, 10 (1996), 50–52; p. 212 *New*

England Journal of Medicine, 304 (1981); p. 216 Ambroise Paré, *The Apologie and Treatise, containing the Voyages made into Diverse places*, ed. Geoffrey Keynes, (1951 [1585]), 88; p. 218 Charles Darwin, Letter 1293 to J. S. Henslow, 17 January 1850; p. 222 Charles Barrett Lockwood, *Aseptic Surgery* (Edinburgh, 1896), 193; p. 228 Goethe, *Faust*, part 1 (1808); p. 230 William Osler, quoted in M. Bliss, *Harvey Cushing: A Life in Surgery* (New York, 2005), 126; p. 234 http://www.who.int/blindness/causes/priority/en/index1.html; p. 236 M. Stephen, *Domestic midwife; or, the best means of preventing danger in child-birth* (London, 1795), 23; p. 240 Stephen Paget, *The Surgery of the Chest* (Bristol, 1896); p. 246 Otto Lanz, *Zur Schilddrüsenfrage* (Leipzig, 1894–97), 55; p. 256 David L. Nahrwold, 'The surgeon and biliary lithotripsy', *Archives of Surgery* 124 (1989), 780; p. 260 Thomas Adams, *The Happiness of the Church* (1618); p. 264 F. Gowland Hopkins, 'Feeding experiments illustrating the importance of accessory food factors in normal dietaries', *Journal of Physiology*, 44 (1912), 425; p. 268 *The Times* 7 August 1923; p. 268 E. P. Joslin, H. Gray & H. F. Root, 'Insulin in hospital and home', *Journal of Metabolic Research* 2 (1922) 651–99; p. 272 Isak Dinesen (Karen Blixen), *Seven Gothic Tales* (London, 1934); p. 276 Richard Doll & Austin Bradford Hill, 'Smoking and Carcinoma of the Lung', *British Medical Journal* (1950), 746; p. 280 R. G. Edwards, B. D. Bavister & P. Steptoe, 'Early stages of fertilization *in vitro* of human oocytes matured *in vitro*', *Nature*, 221 (1969), 632; p. 284 G. N. Papanicolaou & H. F. Traut, 'The diagnostic value of vaginal smears in carcinoma of the uterus', *American Journal of Obstetrics and Gynecology* 42 (1941),193; p. 288 Daniel J. Boorstin, *The Discoverers* (New York, 1984).

索引

Page numbers in *italic* refer to illustrations